PRÉSENTATION DE LA SÉRIE

Le petit monde de *L'Observateur*, l'un des plus prestigieux quotidiens anglais, est en effervescence : Nick Caspian, le magnat de la presse internationale, veut racheter le journal ! Or chacun le sait, cet homme d'affaires impitoyable ne manquera pas de restructurer le groupe... voire d'en changer l'esprit. Sir George Tyrrell lui-même, le propriétaire, en est convaincu, mais il n'a guère le choix : le journal est en pleine débâcle financière. La prise de pouvoir semble inéluctable...

Incapable de résister aux pressions exercées sur lui, sir George meurt, victime d'une crise cardiaque. Bouleversée, son héritière, Gina, décide alors de défier la toute-puissance de Nick Caspian. Parce qu'il incarne des valeurs à l'opposé des siennes ; parce qu'elle le rend responsable de la mort de sir George ; et parce qu'elle se sent irrésistiblement attirée par lui...

A la faveur de ce combat dont l'issue doit sceller le destin de *L'Observateur*, les conflits éclatent, les alliances se nouent et se dénouent, les passions s'exacerbent et se dévoilent enfin. Au cœur du drame, six couples se forment et tentent de résister à la tourmente. Seul point d'ancrage dans un univers en crise, leur amour sera-t-il assez fort pour vaincre

Un piège inexorable

*

Entre cœur et raison

*

Orageuse tentation

Cet ouvrage a été publié en langue anglaise
sous le titre :
BESIEGEG (BARBARY WHARF 1)

Traduction française de
BÉNÉDICTE DUCHET-FILHOL

Ce roman a déjà été publié dans la collection
AZUR N°1551
en août 1995

HARLEQUIN®

est une marque déposée du Groupe Harlequin

CHARLOTTE LAMB

Un piège inexorable

*éditions*Harlequin

PERSONNAGES PRINCIPAUX

SIR GEORGE TYRRELL : propriétaire de *L'Observateur*, l'un des quotidiens les plus prestigieux de Grande-Bretagne.

GINA TYRRELL : jeune veuve du petit-fils adoré de sir George, James, et secrétaire particulière de sir George à *L'Observateur*.

NICK CASPIAN : magnat de la presse européenne qui a décidé de prendre le contrôle de *L'Observateur*. Tenace et dur en affaires, il est prêt à tout pour atteindre son objectif.

PIET VAN LEYDEN : architecte néerlandais du groupe de presse de Nick Caspian. Il supervise la fin du chantier de Barbary Wharf. Il voyage beaucoup et parle couramment plusieurs langues.

HAZEL FORBES : secrétaire de direction à *L'Observateur* et amie de Gina. Intelligente et efficace, elle se consacre entièrement à son travail.

ROSE AMERY : journaliste au service étranger. Ancienne camarade de classe de Gina, c'est une jeune femme très ambitieuse, qui entend faire carrière à *L'Observateur*.

DANIEL BRUNEILLE : directeur du service étranger. Il est réputé pour sa rigueur et son exigence vis-à-vis de ses collaborateurs. Son tempérament fougueux et emporté le rend assez difficile à vivre.

1.

Un vent aigre soufflait sur Barbary Wharf, et Gina s'inquiétait pour sir George. Elle ne le quittait pas des yeux, observant la façon dont il s'appuyait sur sa canne, sa démarche lente, son dos voûté. Il était trop âgé pour déambuler ainsi sur un chantier de construction en plein hiver, mais tous les lundis matin, avant de se rendre à Fleet Street — la rue de Londres où étaient situés les bureaux des plus grands journaux britanniques —, il insistait pour s'arrêter là afin de parler à l'architecte et aux ouvriers.

Cela l'obligeait à enjamber des tas de briques ou de gravats, à se pencher pour passer sous des échelles et des échafaudages, mais il entrait dans une colère terrible si Gina disait quoi que ce soit; il refusait d'admettre qu'il était vieux. Elle aussi, d'ailleurs, avait du mal à le croire, tant il lui avait paru jeune lors de leur première rencontre. Cela remontait à huit ans seulement; sir George Tyrrell avait déjà près de soixante-dix ans, mais c'était alors un homme de haute stature, qui se tenait très droit et dont l'énergie faisait l'admiration de tous. Cet homme-là n'était cependant plus qu'un souvenir; il avait disparu du jour au lendemain, à la mort de son petit-fils, pour céder la place au vieillard triste et fatigué qui se promenait aujourd'hui d'un pas hésitant sur ce chantier.

Gina poussa un profond soupir. Cinq ans... James était-il vraiment mort depuis aussi longtemps ? La jeune femme avait l'impression que c'était hier, même si, quand elle se regardait dans une glace, elle voyait combien le temps l'avait changée, elle aussi. Devenue veuve à vingt ans, elle se sentait déjà presque vieille et souhaitait parfois être morte avec son mari.

— Tu trembles, Gina, observa sir George en la rejoignant. Pourquoi ne m'as-tu pas attendu dans la voiture ? Tu ne devrais pas rester ainsi en plein vent.

— Vous non plus, répliqua-t-elle en souriant.

— Ah, ne recommence pas à me sermonner ! dit-il d'un ton mi-bourru, mi-affectueux.

— Moi, vous sermonner ? Je n'oserais pas !

— Admettons... De toute façon, je suis tout à fait capable de visiter Barbary Wharf pendant une heure sans m'écrouler. C'est vous, les jeunes, qui manquez de...

Il ne termina pas sa phrase : le regard fixé sur l'entrée du chantier, il paraissait comme tétanisé.

— Qu'est-ce qu'il fabrique ici ? finit-il par s'écrier d'une voix furieuse.

En se retournant, la jeune femme vit trois hommes se diriger vers eux. Elle n'en reconnut qu'un : Mark Huxley, fondé de pouvoir à la banque d'affaires dont sir George était client. Mince, les cheveux châtains, la parole et le sourire faciles — un peu trop, même, de l'avis de Gina —, il entretenait de bonnes relations avec sir George. Alors, pourquoi ce dernier désapprouvait-il sa présence sur le chantier ?

— Vous vous êtes fâché avec Mark, grand-père ? demanda timidement la jeune femme.

— Mark ? Ah, oui ! Il est avec lui... Je ne l'avais pas remarqué. Mais qu'est-ce que cela signifie ? Pourquoi Mark l'amène-t-il ici ?

— Mais de qui parlez-vous, grand-père ?

— De Nick Caspian, grommela sir George.

Les yeux de Gina s'écarquillèrent. Elle connaissait ce nom, mais n'avait jamais rencontré celui qui le portait.

— Nick Caspian..., murmura-t-elle. N'est-ce pas le...

— C'est une véritable pieuvre ! s'exclama le vieil homme. Il possède des journaux dans presque tous les pays d'Europe et il en aura dans le monde entier d'ici à la fin du siècle. Ses tentacules s'étendent un peu plus chaque année.

— Brr... ! Ça donne froid dans le dos ! déclara la jeune femme d'un ton léger car elle ne comprenait toujours pas la raison de la colère de sir George.

— Oui, admit gravement ce dernier. D'autant qu'il veut à présent s'implanter en Angleterre et qu'il cherche par tous les moyens à prendre le contrôle de *L'Observateur*.

— Mais... il ne le peut pas ! s'écria Gina, stupéfaite. Vous êtes toujours actionnaire majoritaire de la société, n'est-ce pas ?

Avant que son interlocuteur n'ait eu le temps de lui répondre, les trois visiteurs étaient parvenus à leur hauteur.

— Bonjour, sir George ! Bonjour, Gina ! dit Mark Huxley d'une voix doucereuse.

— Que faites-vous ici ? lança le vieil homme.

Cet accueil glacial ne parut pas troubler Mark qui, au lieu d'expliquer sa présence, observa :

— Je crois que vous avez déjà rencontré M. Caspian, sir George ? Et Piet Van Leyden, son architecte ?

— Oui, marmonna sir George.

— Mais pas vous, Gina ? Alors, permettez-moi de vous présenter Nicholas Caspian. Nick, voici Gina Tyrrell.

Le plus grand des deux inconnus tendit la main. D'un geste machinal, Gina tendit la sienne et sentit des doigts

9

vigoureux, possessifs, se refermer sur sa paume. Sir George avait traité cet homme de « pieuvre », et elle comprenait pourquoi, maintenant... Elle avait l'impression désagréable que jamais il ne lui lâcherait la main.

— Enchanté, madame Tyrrell, déclara-t-il d'une voix grave, ses yeux gris fixés sur le visage de la jeune femme.

— Très heureuse, monsieur Caspian.

Gina avait eu du mal à prononcer cette formule banale sans bredouiller, car l'extraordinaire impression de vitalité qui se dégageait de Nick Caspian semblait se propager en elle à partir du point de contact de leurs deux mains.

Pour tenter de se ressaisir, la jeune femme s'obligea à considérer son vis-à-vis d'un œil froid. Sans être vraiment beau, son visage était de ceux que l'on n'oubliait pas : ses traits énergiques et bien dessinés s'harmonisaient avec la puissance et la grâce féline de sa silhouette. Étrangement, il y avait quelque chose en lui qui rappelait sir George — l'expression des yeux, peut-être, et aussi la mâchoire carrée, volontaire. Nick Caspian s'habillait cependant mieux que son aîné : alors que ce dernier portait toujours des costumes sombres d'un classicisme un peu austère, Nick Caspian arborait une tenue à la fois jeune et élégante : costume gris clair, chemise de soie blanche et cravate bordeaux. Ses vêtements avaient de la classe, et lui aussi.

Quel âge avait-il ? Trente-cinq ans ? Trente-sept ans ? Avait-il hérité ou bâti lui-même son empire ? Gina ne pouvait s'empêcher d'éprouver de la curiosité à son égard : elle ne savait sur lui que ce qu'en disait la presse populaire — l'ironie voulant qu'il gagne sa vie en vendant précisément ce genre de journaux.

— Vous travaillez pour sir George, c'est bien cela ? demanda-t-il d'un air quelque peu ironique. En tant que secrétaire particulière ?

10

La jeune femme hocha la tête, un peu embarrassée, car ce titre lui semblait bien ronflant étant donné les tâches qu'il recouvrait en réalité.

— Vous connaissez donc tous ses secrets? susurra Nick Caspian.

— Je ne connais aucun secret! s'empressa de préciser Gina afin d'éviter une explosion de colère de la part de sir George, dont elle percevait l'irritation croissante.

Malgré ses efforts pour paraître calme, elle avait parlé d'une voix rauque et entrecoupée. Pendant qu'elle examinait Nick Caspian, en effet, celui-ci lui avait rendu la pareille, détaillant sans grande discrétion les pommettes hautes, les yeux verts en amande, la bouche aux lèvres pleines, la masse lisse et soyeuse des longs cheveux couleur de feuilles d'automne. Et ce regard rendait Gina terriblement nerveuse; elle avait envie de dégager sa main et de s'enfuir à toutes jambes, mais c'était évidemment hors de question!

Nick Caspian finit cependant par la libérer, et elle se détourna pour saluer Piet Van Leyden, que Mark lui présentait maintenant.

Mince, de taille moyenne, les cheveux blonds et les yeux bleu clair, l'architecte semblait plus jeune que Nick : il devait avoir dans les trente ans. Son visage hâlé et sa tenue sport — pantalon de velours, veste de tweed et pull-over en V sur une chemise blanche — rappelaient que son métier l'amenait à travailler souvent dehors.

— Enchantée, monsieur Van Leyden, dit Gina.

— Tout le plaisir est pour moi, déclara-t-il en se penchant pour lui baiser la main.

Mal à l'aise, car elle sentait que Nick Caspian les observait, la jeune femme demanda :

— En tant qu'architecte, monsieur Van Leyden, que pensez-vous de Barbary Wharf?

— Je suis très impressionné, madame Tyrrell. Je

11

n'avais encore rien vu d'aussi novateur en Grande-Bretagne.

— Vraiment ? murmura Gina d'un ton peu convaincu.

Le modernisme de l'édifice était en effet trop agressif à son goût. Pourtant, les murs de briques rouges et noires, les vitres de verre opaque qui ressemblaient à des miroirs, la structure octogonale, tout avait été conçu dans un style applaudi par de nombreux connaisseurs. Quant à l'espace intérieur, modulable grâce à des cloisons mobiles, il abriterait bientôt un atelier d'imprimerie ultramoderne et des bureaux climatisés équipés du matériel informatique le plus perfectionné.

— Vous n'aimez pas, madame Tyrrell ? s'enquit Piet, l'air amusé. Moi, je trouve que l'architecte a tiré parti de ce site au bord du fleuve avec autant d'audace que de sens esthétique. Franchement, je l'admire, et j'aurais aimé être à sa place.

Il croisa alors le regard sarcastique de Nick Caspian et, rougissant légèrement, précisa :

— Mais je travaille exclusivement pour Caspian International, si bien que je n'aurais même pas pu poser ma candidature.

— Vous parlez très bien anglais, grommela sir George. Vous vivez en Grande-Bretagne ?

— Non, mon emploi m'amène à me déplacer dans toute l'Europe.

Du coin de l'œil, Gina observa Nick Caspian. Lui parlait anglais sans aucune trace d'accent, mais il avait un air nettement étranger. Était-il d'origine méditerranéenne ? Ses épais cheveux noirs et son teint mat le laissaient supposer, en tout cas.

— Vous ne m'avez toujours pas expliqué ce que vous faisiez ici, Huxley ! s'exclama soudain sir George avec impatience.

— Si je vous ai contrarié, c'est bien involontairement,

et je vous présente mes excuses, répondit l'interpellé. Mais M. Caspian est l'un des plus gros clients de la banque...

— Et moi, je ne le suis pas, peut-être?

— Écoutez, Mark, intervint Nick Caspian, si ça pose un problème, mieux vaut partir.

Avant de se détourner, cependant, il considéra sir George d'un air sombre, auquel se mêlait une expression qui ressemblait étrangement à de la compassion.

— Mais permettez-moi de vous dire, sir George, reprit-il, que vous ne pourrez éternellement refuser de regarder les choses en face. Tôt ou tard, il vous faudra discuter avec moi.

— Disparaissez! hurla le vieil homme.

Les veines de ses tempes saillaient, et il tremblait si fort que Gina eut peur. Il n'aurait pas dû s'énerver ainsi, mais comment l'en empêcher? Il avait toujours eu mauvais caractère, il ne fallait pas espérer qu'il change maintenant, et de toute façon, elle l'aimait tel qu'il était. Elle craignait pourtant qu'il ne se mette un jour en colère une fois de trop et qu'il en meure.

— Je vous en prie, partez, messieurs, déclara-t-elle donc en passant un bras protecteur autour des épaules de sir George. Vous voyez bien que vous le fatiguez.

— J'ai le téléphone dans ma voiture, annonça Nick Caspian. Voulez-vous que j'appelle un médecin?

— Quittez ce chantier ou j'ordonne au gardien de vous jeter dehors! cria encore le vieil homme.

Nick Caspian le salua d'un petit signe de tête puis, sans rien ajouter, il pivota sur ses talons et s'éloigna, suivi de ses deux compagnons.

— Partons, grand-père, murmura la jeune femme.

— Arrête de me traiter comme un enfant, Gina! bougonna sir George.

Ce qui ne l'empêcha pas de s'appuyer lourdement sur

13

la jeune femme pour regagner la limousine qui les attendait sur le quai. Dès que le chauffeur les aperçut, il se précipita pour aider son patron à monter à l'arrière du véhicule.

Une fois installé, le vieil homme ferma un instant les yeux et resta immobile, respirant avec difficulté, tandis que la Rolls-Royce prenait la direction de Fleet Street. Gina aurait préféré que sir George aille chez lui se reposer, et elle était en train de se demander comment l'en convaincre lorsqu'il observa :

— Tu sais, il y a des moments où je me dis qu'une malédiction pèse sur moi. J'ai perdu tous ceux que j'aimais. Ma femme, d'abord, emportée par un cancer à la fleur de l'âge, et ensuite notre fils Jack, tué avec son épouse dans cette catastrophe aérienne...

Bouleversée, Gina prit la main du vieil homme et la caressa doucement. Il parlait rarement du passé et, de façon générale, évitait tout sujet personnel. L'orgueil, la pudeur, ou les deux lui interdisaient de montrer ses sentiments, et, pour qu'il le fasse maintenant, il fallait que quelque chose de grave se soit produit.

— J'aurais voulu disparaître en même temps qu'eux, reprit-il, mais il y avait leur fils. James n'était alors qu'un petit garçon de sept ans ; il avait besoin de moi.

— Et il vous aimait tendrement...

— Oui, admit-il en esquissant un sourire triste, mais je me suis mis à travailler encore plus qu'avant pour tromper mon chagrin, si bien que je ne me suis pas beaucoup occupé de lui. Et comme je me sentais coupable de ne pas lui consacrer assez de temps, je l'ai trop gâté. Je l'ai couvert de cadeaux, je me suis plié à toutes ses exigences...

« Dont celle de m'épouser », songea Gina. Elle avait rencontré James alors qu'ils avaient tous les deux dix-sept ans et fréquentaient encore le lycée. Un an plus tard, il l'avait demandée en mariage. Très amoureuse mais ne

14

se jugeant pas prête à entrer tout de suite dans le monde des adultes, Gina aurait préféré attendre. Son père, qui vivait encore à l'époque, était de son avis et avait tout d'abord refusé son consentement. Mais quand James voulait quelque chose, aucun obstacle ne l'arrêtait. Il avait appelé sir George à la rescousse, et le père de Gina, un homme timide et peu sûr de lui qui travaillait en outre à *L'Observateur*, s'était finalement incliné, tout comme Gina elle-même.

Pour être juste, il fallait reconnaître que, à partir du moment où elle était devenue sa petite-fille par alliance, sir George lui avait témoigné la même bonté et la même indulgence qu'à James. Elle faisait désormais partie de la famille et, à la mort de son père, peu de temps avant celle de son mari, la jeune femme avait découvert que, sous ses dehors bourrus, le vieil homme cachait des trésors de tendresse.

— Et ensuite, c'est James que j'ai perdu dans ce stupide accident! s'exclama sir George. Pourquoi était-il aussi casse-cou?

Les yeux de Gina se remplirent de larmes, et elle se détourna pour les dissimuler, mais le vieil homme ne se laissa pas abuser pour autant.

— Excuse-moi, ma chérie, murmura-t-il. Je n'aurais pas dû dire cela.

— Non, vous avez raison : James était en effet d'une nature passionnée et téméraire. C'est, entre autres choses, ce qui m'a attirée chez lui.

— Cela lui a malheureusement coûté la vie. Et c'est ma faute : si je n'avais pas cédé à tous ses caprices, il aurait appris à se servir de sa tête et n'aurait pas essayé de sauter cette barrière avec un cheval qu'il ne maîtrisait pas.

— Vous n'êtes en rien responsable de cet accident, grand-père!

— Tu es gentille, ma chérie, mais je suis bien conscient d'avoir toujours fait passer mon métier avant ma famille.

Gina connaissait pas mal de personnes qui partageaient cette opinion : si sir George n'avait pas vraiment d'ennemis, il ne manquait pas de gens pour le critiquer. Mais à quoi bon lui reprocher, à son âge, ce qu'il était et la façon dont il avait vécu ?

— Si je perds *L'Observateur* maintenant, annonça soudain le vieil homme, ce sera ma punition.

— Pourquoi parlez-vous de perdre le journal ? demanda Gina, interdite.

— Tu l'apprendras de toute façon un jour ou l'autre..., déclara-t-il en soupirant.

— Apprendre quoi ?

— Nous avons des problèmes, ma chérie.

— De quel genre ?

— Des problèmes de trésorerie. Ce que, dans le milieu des affaires, on appelle pudiquement « de graves difficultés financières ». En d'autres termes, nous sommes au bord de la faillite.

Cette nouvelle prit la jeune femme complètement au dépourvu : sir George ne lui avait jamais soufflé mot des ennuis de la société. Non que ce silence fût étonnant en soi : bien qu'elle travaille sous la responsabilité directe du vieil homme, il la laissait dans l'ignorance d'une grande partie de ses activités. Elle savait même que l'on racontait volontiers, dans leur entourage, qu'il avait créé ce poste dans le seul but de l'occuper après le décès de son mari — ce qui n'était pas entièrement faux, il fallait bien le reconnaître.

Elle avait certes suivi des cours de secrétariat, mais, au moment de la mort de James, son manque d'expérience ne lui aurait théoriquement permis de briguer qu'un emploi subalterne. Sir George n'avait cependant pas

16

voulu en entendre parler : il disait trouver gênant que la veuve de son petit-fils travaille à *L'Observateur* comme simple dactylo, et il n'aimait pas non plus l'idée qu'elle aille dans une autre entreprise. Son plus cher désir, avait-il affirmé, était de la garder près de lui. Et Gina n'avait pu refuser : cela la réconfortait de se sentir utile à quelqu'un.

Au début, elle n'avait pas eu grand-chose à faire. Peu à peu, pourtant, elle s'était aperçue qu'il y avait un vide à combler autour de sir George. Il ne manquait évidemment pas de secrétaires capables d'utiliser un traitement de texte, de classer des dossiers et de répondre au téléphone. Non, ce dont il avait besoin, c'était une personne qui s'occupe de lui personnellement et soit disponible à tout moment. Quelqu'un qui lui facilite la vie, joue le rôle de tampon entre lui et le monde extérieur, reçoive les gens qu'il ne voulait pas vexer mais n'avait pas envie de rencontrer, soit ses yeux et ses oreilles à l'intérieur de la société, serve d'intermédiaire quand des employés voulaient formuler des doléances sans passer par la voie normale... Bref, Gina n'avait pas tardé à devenir une sorte d'extension de sir George lui-même — mais dans certains domaines seulement : elle n'avait par exemple qu'une idée très vague de la gestion financière du journal.

La secrétaire de direction de l'époque, une femme d'âge mûr et plutôt revêche, n'avait pas du tout apprécié l'irruption de Gina dans son domaine et, peut-être pour obliger son patron à choisir entre elles deux, avait donné sa démission. C'était un mauvais calcul : sir George avait accepté cette démission avec une courtoisie qui cachait mal son soulagement d'être débarrassé d'une employée aussi désagréable, et il avait immédiatement confié le poste à l'une des jeunes secrétaires les plus compétentes, Hazel Forbes.

De quelques années plus âgée que Gina, intelligente et

17

douée d'un remarquable sens de l'organisation, Hazel s'était montrée tout à fait à la hauteur de la tâche. Et quand elle avait compris que Gina n'essaierait ni de contester son autorité ni d'empiéter sur ses attributions, les deux jeunes femmes étaient devenues amies.

Pas amies intimes, cependant. Gina était trop réservée pour cela. Depuis la mort de son mari, cinq ans plus tôt, elle n'était même pas sortie une fois avec un homme, repoussant poliment mais fermement les quelques timides propositions qu'on lui avait faites. Elle avait aimé James à la folie et trop souffert de sa disparition pour courir le risque de tomber de nouveau amoureuse.

Hazel, qui était très jolie et avait beaucoup de succès auprès du sexe opposé, lui parlait en revanche volontiers de ses conquêtes. Elle ne semblait cependant pas avoir encore trouvé l'homme de ses rêves.

Et s'agissant de son travail, elle restait toujours très discrète. Était-elle au courant des ennuis financiers de la société ? Ou bien, comme Gina, savait-elle seulement que le déménagement du journal de Fleet Street à Barbary Wharf posait depuis le début de nombreux problèmes ? Une série de grèves, d'accidents et de contretemps avait notamment retardé le chantier qui, selon les prévisions initiales, aurait dû être terminé des mois plus tôt. Dans l'incapacité de disposer de nouveaux locaux, le personnel du journal continuait donc de s'entasser dans le vieil immeuble du

xixᵉ siècle où l'on fabriquait *L'Observateur* depuis près de quatre-vingts ans.

— La construction de Barbary Wharf a-t-elle coûté trop cher ? demanda la jeune femme.

— Oui, bien que ce ne soit que l'une des causes de nos difficultés. Le devis se montait à deux cents millions de livres...

— Deux cents millions !

— Oui. Nous les avons empruntés à la banque et, au début, les taux d'intérêt étaient de moitié inférieurs à ce qu'ils sont aujourd'hui. Si les travaux n'avaient pas pris autant de retard, nous aurions pu rembourser ce prêt avant que les taux ne commencent à monter, mais à présent, ils ne cessent de grimper, et nous parvenons à peine à payer les intérêts. Quant au capital...

— La vente de l'ancien bâtiment de *L'Observateur* permettra d'éponger en partie cette dette, non ?

— Bien sûr, mais nous n'avons pas encore trouvé d'acheteur. Le marché immobilier londonien se porte mal. Et ce n'est pas tout : à cause de la crise, les recettes publicitaires sont en chute libre. Nos rentrées diminuent donc pendant que nos dépenses augmentent, et il nous reste cet emprunt à rembourser...

Sir George fronça les sourcils et jeta un rapide coup d'œil à Gina avant d'ajouter :

— Surtout, ne parle de tout cela à personne. Il y a une réunion du conseil d'administration cette semaine, et Dieu seul sait ce qu'il en sortira !

La jeune femme connaissait tous les membres du conseil d'administration. Des hommes bien nourris et bien habillés qui, malgré leurs sourires affables, n'hésiteraient pas à prendre sir George comme bouc émissaire si les choses tournaient vraiment mal, elle le savait. N'était-ce pas lui l'initiateur du projet de déménagement à Barbary Wharf ?

Situé à huit cents mètres environ de Fleet Street, ce site était autrefois un quai d'où les navires appareillaient pour les côtes de l'Afrique du Nord-Ouest — alors appelée la Barbarie. Ils en rapportaient de l'ivoire, des fruits, des épices, des tapis, des objets de cuivre et d'argent... Gina trouvait ce seul nom de Barbary Wharf exotique et romantique. Elle se souvenait de ses premières visites dans les immenses entrepôts désaffectés, où il lui semblait encore sentir flotter une odeur d'oranges. A présent, il ne restait malheureusement plus rien de ces entrepôts : ils avaient été rasés pour faire place au complexe ultra-moderne dont rêvait sir George depuis si longtemps.

Le vieil homme avait acheté Barbary Wharf pour une bouchée de pain quelques mois après le mariage de son petit-fils, mais il lui avait fallu lutter des années contre de puissants groupes de pression pour obtenir le permis de construire. Il avait finalement gagné et le chantier avait commencé. Entre-temps, cependant, la mort de James avait privé sir George d'une bonne partie de son énergie et de son dynamisme.

L'arrêt de la limousine devant l'immeuble de Fleet Street interrompit la jeune femme dans ses réflexions. Le chauffeur vint ouvrir la portière et aida son patron à descendre.

— Allez donc boire une tasse de thé, John, suggéra Gina en lui souriant. Vous devez être gelé... Je vous appellerai si sir George a besoin de vous. Il déjeunera à son club, aujourd'hui.

Elle prit ensuite le vieil homme par le bras et constata de nouveau qu'il s'appuyait plus lourdement sur elle qu'à l'accoutumée. Ils traversèrent lentement le trottoir, franchirent la porte et pénétrèrent dans le hall, dont le haut plafond et le sol dallé rappelaient une gare victorienne. Il y régnait un bruit assourdissant — grondement des presses du sous-sol, sonneries de téléphone, écho des conversations qui filtraient des bureaux vétustes du rez-de-chaussée...

Le portier salua les arrivants et courut retenir un ascenseur ; la réceptionniste leur souhaita poliment le bonjour ; un membre de la rédaction qui passait leur sourit... Sir George adressa à chacun un signe de tête aimable. Il se flattait d'être proche de ses employés — même si, depuis la mort de James, il avait abandonné sa tournée quotidienne de tous les services du journal. Mais ne se berçait-il pas d'illusions? songea Gina en constatant, dans l'ascenseur, que personne n'essayait d'engager la conversation avec lui.

Les bureaux de la direction se trouvaient au dernier étage. En sortant de la cabine, la jeune femme profita de ce qu'ils étaient de nouveau seuls pour dire à sir George :

— Pourquoi ne m'avez-vous pas parlé plus tôt de vos ennuis? Cela vous aurait peut-être soulagé. Vous portez un poids trop lourd sur les épaules.

— Je ne voulais pas t'inquiéter, répondit le vieil homme. Je préférais de toute façon qu'un minimum de gens soient au courant pour que cela ne s'ébruite pas et, quand Caspian a commencé à me faire des propositions, j'en ai été très étonné. Je me suis demandé qui l'avait renseigné. Mais maintenant, je le sais : c'est la banque qui nous a trahis.

— Comment cela?

— La banque est notre principal créancier et, si elle pense que nous ne pourrons pas la rembourser, il est fort possible qu'elle ait conclu un accord secret avec Caspian.

— Mais ne serait-ce pas contraire aux règles de l'éthique?

— Je doute que les banquiers se préoccupent beaucoup d'éthique! s'écria sir George avec un petit rire désabusé.

Ils venaient d'arriver devant son bureau, et il s'arrêta pour contempler la plaque dorée fixée à la porte d'acajou et où s'inscrivait en grosses lettres : « Sir George Tyrrell, Président ».

— J'ai passé ces huit dernières années à préparer notre déménagement à Barbary Wharf, observa-t-il avec un sourire triste. Quelle ironie, si je quittais L'Observateur avant même que nous ne soyons partis d'ici !

— Ne soyez pas défaitiste, grand-père. Il doit bien y avoir une solution...

— S'il y en a une, je-te promets que je la trouverai !

Quand ils furent entrés, Gina aida le vieil homme à enlever son manteau, qu'elle rangea dans la penderie du cabinet de toilette attenant. Elle en revenait lorsque Hazel parut, élégante et soignée dans un tailleur gris clair qui mettait en valeur sa silhouette mince. Ses cheveux bruns coupés au carré dansaient autour de l'ovale pur de son visage.

— Vous êtes pile à l'heure pour votre premier rendez-vous, annonça-t-elle en posant un dossier devant sir George. J'ai préparé du café. Je vous en sers une tasse tout de suite, ou préférez-vous attendre que M. Dreaden soit là ?

— J'en prendrai une maintenant, mais n'oubliez pas d'en apporter une à Dreaden tout à l'heure.

— Voulez-vous que je reste ? s'enquit Gina.

Il arrivait en effet que sir George lui demande d'assister à son entretien quotidien avec Dreaden, le rédacteur en chef de *L'Observateur*.

— Non, pas aujourd'hui, ma chérie, répondit le vieil homme, déjà plongé dans la lecture du dossier.

La jeune femme sortit donc de la pièce derrière Hazel et, une fois la porte fermée, elle déclara :

— J'ai bien besoin d'un café chaud ! Je suis gelée, après avoir piétiné pendant près d'une heure sur ce chantier, et sir George avait l'air frigorifié, lui aussi. Pourquoi s'obstine-t-il à y aller aussi souvent ?

— Pourquoi n'essaierais-tu pas de le persuader d'espacer ses visites ? Peut-être t'écoutera-t-il...

— Je n'arrête pas de le lui dire, mais il n'en tient aucun compte.

Cette remarque ne parut pas surprendre Hazel. Il était vrai qu'elle connaissait maintenant le caractère de sir

22

George aussi bien que Gina. Calme, efficace, d'une fiabilité absolue, elle prévenait tous les désirs du vieil homme et semblait même parfois lire dans ses pensées. C'était la secrétaire idéale, celle dont tout patron rêve.

Tout en bavardant, elle avait d'ailleurs repris place derrière sa table, et Gina, après s'être servi une tasse de café, se rendit dans son propre bureau où l'attendait un monceau de travail. Beaucoup de gens essayaient d'entrer en contact avec sir George en passant par elle et non par Hazel, qui éconduisait impitoyablement les importuns. Gina repoussait bien sûr toujours ces demandes — quoique de façon plus diplomatique —, car elle ne voulait surtout pas vexer Hazel.

Ce qui ne l'empêcha pas de lire attentivement chacune des lettres qui s'entassaient dans sa corbeille de courrier, au cas où il s'y trouverait quelque chose d'important. Elle prit ensuite connaissance de l'emploi du temps de sir George pour la journée. Comme il n'avait pas de dîner d'affaires, elle téléphona à Mme Thomas, la gouvernante de la maison des Tyrrell, et lui donna le menu du soir.

Au moment où elle raccrochait, son coude heurta une pile de journaux, qui tombèrent sur le sol. Elle se pencha pour les ramasser. L'un d'eux s'était ouvert, et Gina découvrit soudain une photographie représentant Nick Caspian en smoking, le bras passé autour de la taille d'une ravissante jeune femme blonde. Gina reconnut aussitôt Christa Nordström, un mannequin suédois que l'on voyait en ce moment sur toutes les couvertures de magazines. S'agissait-il de la dernière conquête de Nick Caspian?

Gina referma le journal et le posa sur la table. Elle avait trop de travail pour perdre son temps à s'interroger sur la vie privée de cet homme. Décrochant de nouveau le téléphone, elle appela diverses personnes, dont Rose Amery, l'une de ses anciennes camarades de classe qui venait d'être engagée au service étranger du journal.

— Alors, Rose, tu te plais à *L'Observateur* ? demanda-t-elle.

— Eh bien, oui et non.

— Tu as des problèmes ?

— Impossible de t'en parler maintenant. Si nous déjeunions ensemble, un de ces jours ?

— Et pourquoi pas aujourd'hui ?

— D'accord ! A quelle heure ?

— Disons, midi et demi. Tu préfères manger dehors ou ici, à la cantine ?

— Dehors, si ça ne t'ennuie pas.

— Bien sûr que non... Je vais essayer de réserver une table au Cheshire Cheese.

— Entendu ! Rendez-vous dans le hall à 12 h 30, déclara Rose avant de raccrocher.

En toute circonstance, songea Gina avec un sourire désabusé, Rose se montrait toujours énergique et décidée. A l'école, déjà, elle savait ce qu'elle ferait plus tard : ce petit bout de femme affirmait dès l'âge de dix ans qu'elle serait un jour le meilleur grand reporter du monde, et elle n'avait ensuite jamais dévié de son projet. Après une licence de langues, elle avait travaillé un an à Paris dans une agence de presse, puis à Rome pendant quelques mois et enfin à Berlin, avant qu'une bourse ne lui permette de s'embarquer pour un tour du monde. Elle avait envoyé des articles de chacun des pays où elle s'était arrêtée, et à son retour, sir George lui avait offert un emploi de journaliste à *L'Observateur*.

Gina enviait parfois à Rose sa vision claire de l'avenir. Ce devait être exaltant d'avoir un but dans la vie et de se forger soi-même son destin. Gina, elle, avait le sentiment de ne pas pouvoir commander aux événements ; les grandes décisions, c'était toujours quelqu'un d'autre — James, d'abord, et ensuite sir George — qui les avait prises à sa place.

Pour chasser ces sombres pensées, la jeune femme concentra de nouveau son attention sur les tâches immédiates. Elle commença par appeler le Cheshire Cheese, un pub de Fleet Street célèbre dans le monde entier et généralement plein à craquer de touristes américains et japonais. Pour sa plus grande joie, on lui annonça qu'une annulation de dernière minute venait de libérer une table pour deux.

A peine Gina avait-elle raccroché que quelqu'un frappa à la porte.

— Entrez ! dit-elle.

La porte s'ouvrit, livrant passage à Nick Caspian.

— Vous ! s'écria la jeune femme, stupéfaite.

— Moi !

Cette exclamation sarcastique et le regard amusé qui l'accompagnait irritèrent profondément Gina.

— Que désirez-vous ? demanda-t-elle sans aménité. Il est hors de question que sir George vous reçoive. Vous l'avez déjà assez contrarié en surgissant ainsi tous les trois à Barbary Wharf comme des vautours prêts à fondre sur leur proie. Je ne sais pas qui, de vous ou de Mark Huxley, est le pire !

Sans répondre, Nick s'assit en face d'elle et, la tête légèrement penchée sur le côté, plongea ses yeux gris dans les siens. Il arborait une expression impénétrable, à présent, mais cette calme assurance vexa encore plus Gina que l'ironie de tout à l'heure. Elle se sentait bête de s'être mise en colère : ce genre de réaction était aussi stupide qu'inutile.

Les joues en feu, elle murmura :

— Oh ! Pourquoi ne partez-vous pas et ne laissez-vous pas sir George tranquille ?

— Ce n'est pas lui que je voulais voir, répliqua Nick Caspian. Je suis venu vous inviter à dîner ce soir.

2.

Gina n'en croyait pas ses oreilles.

— Pardon ? murmura-t-elle.

Sans tenir compte de cette question, Nick demanda :

— Vous aimez la cuisine grecque ? On m'a dit beaucoup de bien d'un nouveau restaurant qui s'est ouvert à Mayfair, dans Knighton Street, il me semble. N'est-ce pas tout près de chez vous ?

— Vous ne manquez pas dc toupet ! s'écria la jeune femme d'une voix vibrante de colère. Vous essayez dc détruire quelqu'un que j'aime beaucoup, mais cela ne vous empêche pas d'entrer tranquillement dans mon bureau et de m'inviter à dîner !

— Si vous aimez vraiment sir George...

— Vous espérez peut-être vous servir de moi pour le convaincre... Eh bien, n'y comptez pas ! Il ne me consulte jamais sur les affaires de la société, et je n'ai absolument aucune influence sur lui.

— Il vous tient à l'écart, hein ?

— Je refuse de discuter avec vous de sir George et du journal, répliqua-t-elle sèchement.

Cette froideur ne parut pas troubler son interlocuteur. Il la fixa pendant quelques secondes, puis demanda, l'air pensif :

— Depuis combien de temps votre mari est-il mort ?

— Ma vie privée ne vous regarde pas !

— Y a-t-il un homme dans votre « vie privée » ?

— Sortez de ce bureau !

— Je pensais bien qu'il n'y en avait pas.

Malgré sa fureur, Gina ne put s'empêcher de préciser :

— Je n'ai pas dit cela.

— Inutile ! rétorqua Nick en souriant. C'est évident !

Que signifiait cette remarque ? songea la jeune femme, surprise au point d'en oublier un instant sa colère. Pourquoi était-il évident qu'elle n'avait pas d'homme dans sa vie ? A quoi cela se voyait-il ?

— Pour en revenir à mon invitation, reprit Nick, je vous conseille de l'accepter, dans l'intérêt même de sir George. Il faut absolument que nous parlions ensemble de la situation.

— Je ne suis pas libre ce soir, répondit Gina avec hauteur.

— Vous sortez avec quelqu'un ?

N'aimant pas mentir, elle hésita, puis fit un signe de tête affirmatif.

Une lueur étrange brilla dans les yeux gris de Nick. Et, soudain, d'un mouvement si souple que Gina n'eut pas le temps de comprendre ce qui se passait, il se mit debout et contourna le bureau. Un vrai tour de prestidigitation : l'instant d'avant il était sur sa chaise, et brusquement, il se tenait devant elle...

La jeune femme esquissa un mouvement instinctif de recul et balbutia, le visage levé vers la haute silhouette qui la dominait :

— Que... qu'est-ce qui vous prend ?

Nick se pencha et saisit les deux bras du fauteuil de Gina, puis le tourna vers lui. En silence, il examina alors la jeune femme de la tête aux pieds, passant en revue ses cheveux roux, les courbes que moulait aujourd'hui une robe de laine jaune doré, sa taille mince et ce qu'il pou-

28

vait voir de ses longues jambes fines. Il la déshabillait pratiquement du regard, et Gina rougit sous l'effet conjugué de la gêne et de la colère.

— Je ne crois pas que vous ayez un autre rendez-vous, déclara Nick au terme de son inspection.

— Je me moque de ce que vous pensez!

— Alors, pourquoi m'avez-vous menti?

— Bon, d'accord, je suis libre ce soir, mais je n'ai pas pour autant l'intention de dîner avec vous!

— Voilà qui est mieux... Je préfère une réponse franche, même si elle est insultante. Cela dit, ce n'est pas parce que sir George se conduit comme un imbécile que vous êtes obligée d'agir de même. Même si vous l'aimez, et surtout si vous l'aimez, d'ailleurs. Alors soyez raisonnable et acceptez mon invitation.

— Je me jetterais plutôt par cette fenêtre que de dîner avec vous!

— Je trouve que sauter du douzième étage est une façon un peu théâtrale de refuser une invitation à dîner! s'exclama-t-il.

Gina se sentit de nouveau ridicule et comprit que c'était précisément le but recherché par Nick. Elle commençait. à connaître sa technique... Et la jeune femme songea que cet homme ne lui était pas seulement antipathique : elle le détestait carrément. De nature calme et réservée, jamais il ne lui serait venu à l'idée qu'elle aurait un jour envie d'injurier ou de gifler quelqu'un, mais Nick Caspian lui inspirait justement ce genre de désir... Et cela l'effraya. Depuis son mariage avec James, elle s'obligeait à se rappeler que, étant désormais une Tyrrell, on la regardait partout où elle allait et que, malgré son jeune âge, elle devait par conséquent se comporter en adulte. Cela n'avait pas été facile, au début, mais elle avait appris à se contrôler en toute circonstance — même au moment de la mort de son mari, quand le chagrin menaçait de la terrasser.

Ce souvenir l'aida à se ressaisir. Elle ne se laisserait pas déstabiliser par Nick Caspian, aussi exaspérant soit-il !

Après avoir pris une profonde inspiration, Gina déclara donc avec fermeté :

— Sortez de ce bureau, monsieur Caspian, ou j'appelle le service de sécurité.

Malheureusement, loin d'inquiéter l'intéressé, cette menace parut mettre le comble à son amusement.

— Tenteriez-vous de me faire peur ? demanda-t-il, les yeux fixés sur la bouche de la jeune femme.

Elle sentit alors ses lèvres trembler comme s'il les avait touchées. Consternée, elle posa instinctivement la main dessus pour les cacher — ce qui eut pour effet de faire rire Nick.

Avait-il des pouvoirs surnaturels ? songea Gina, le cœur battant. Comment expliquer autrement cette capacité qu'il avait de lire dans ses pensées ?

— Y a-t-il eu dans votre vie un autre homme que votre mari ? s'enquit-il.

— Sortez ! répéta-t-elle en serrant les poings.

— J'ai comme l'impression que vous avez envie de me frapper !

— En effet !

— Comme quoi il ne faut pas se fier aux apparences... Vos dehors doux et sages dissimulent en fait un tempérament volcanique.

La jeune femme en resta sans voix, et Nick éclata de nouveau de rire.

— Bien, dit-il ensuite. Aussi intéressante que soit cette conversation, j'ai un rendez-vous d'affaires dans moins d'une heure et je ne peux donc pas m'attarder.

— Tant mieux !

— Avant de partir, cependant, je voudrais vous convaincre d'une chose : il faut que sir George se résigne à l'inévitable. Il vous aime certainement autant que vous l'aimez et, bien que vous prétendiez le contraire, je suis sûr qu'il vous écoutera. Vous devez lui faire comprendre la situation : qu'il accepte ou non de discuter avec moi, je prendrai le contrôle de *L'Observateur*.

— Il saura bien vous en empêcher !

— Malheureusement, vous vous trompez, observa Nick en la fixant d'un air étrange.

Un frisson courut le long du dos de la jeune femme. Pour la première fois, elle se sentit vraiment inquiète pour son grand-père. La calme assurance de Nick l'effrayait : il arborait l'expression d'un homme sûr de la victoire et prêt à tout pour l'obtenir.

Elle soutint pourtant son regard et déclara sur un ton de défi :

— Vous ne connaissez pas sir George !

— Je crains que vous n'ayez pas une idée très nette de ses problèmes. Il est tombé dans le piège classique : une société bien établie décide de se moderniser, construit de nouveaux locaux, emprunte de grosses sommes d'argent et se retrouve au bord de la faillite.

C'était exactement le tableau que lui avait brossé sir George dans la voiture, tout à l'heure, et l'idée que Nick Caspian en sache autant horrifia la jeune femme.

— Je vous répète que je refuse de discuter de cela avec vous ! s'écria-t-elle farouchement.

Elle voulut se lever pour mettre fin à la conversation, mais Nick lui saisit les deux bras et se pencha encore plus près.

— Lâchez-moi ! ordonna-t-elle.

— Pas avant que vous ne m'ayez écouté jusqu'au bout ! Le monde des affaires vous est visiblement étranger, alors laissez-moi vous résumer en quelques phrases le dilemme auquel sir George doit faire face : pour se procurer des fonds, il lui faut soit vendre le nouveau complexe, ce qui serait la ruine de dix années d'efforts, soit...

— Il vendra le bâtiment de Fleet Street, pas celui de Barbary Wharf !

— Cet immeuble est sur le marché depuis plusieurs années et aucun acheteur ne s'est présenté.

Décidément, Nick Caspian était très bien informé ! pensa la jeune femme. Sir George avait-il raison ? La banque l'avait-il trahi ? Ou bien Mark Huxley était-il seul à l'origine de ce complot ?

— Il y a eu des offres, déclara-t-elle.

Sa voix manquait cependant de conviction, car elle savait qu'aucune de ces offres n'était recevable. Quelques personnes avaient essayé d'acheter l'immeuble à bas prix, mais sir George ne s'était pas laissé faire.

— Il sera vendu dans très peu de temps, ajouta Gina, ce qui permettra d'acquitter une grande partie de la dette.

— Mais dans l'intervalle, comment le journal va-t-il régler les mensualités de remboursement ? Il a déjà du mal à payer le salaire de ses employés !

Cette remarque stupéfia la jeune femme : sir George ne lui avait pas parlé de ce point. Bien sûr, elle ne s'occupait pas de la gestion financière de la société et ne participait ni aux réunions du conseil d'administration ni à celles du service de la comptabilité. Mais s'il y avait des problèmes aussi graves, il était étonnant que des rumeurs ne soient pas parvenues jusqu'à ses oreilles. Le journal était une véritable usine à potins, où tout le monde discutait de tout, depuis la dernière liaison de la secrétaire de rédaction jusqu'aux négociations salariales entre la direction et le Syndicat des journalistes.

— J'ai bien peur que ce ne soit vrai, madame Tyrrell,

souligna Nick. La société vit presque au jour le jour, avec une marge de sécurité très réduite. Son fonds de roulement a été durement touché et, pour arriver à payer les mensualités de remboursement, il faudrait que ses rentrées augmentent. Ce qui n'est pas le cas.

— Comment se fait-il que vous soyez aussi bien renseigné sur la situation du journal? demanda la jeune femme, furieuse.

— J'ai mes sources. Et d'après les informations dont je dispose, le journal ne pourra s'en sortir qu'avec un nouvel apport de capital.

Muette de saisissement, Gina fixait Nick.

— C'est pour cela que la banque m'a mis au courant, continua ce dernier, et que j'essaie depuis d'entrer en contact avec sir George. Je suis prêt à investir dans sa société sous certaines conditions.

— La banque n'avait pas le droit de vous mettre au courant!

— Elle a parfaitement le droit de défendre ses intérêts. Ses actionnaires veulent que leur argent rapporte, et il se trouve que j'en suis un. Voilà pourquoi elle m'a parlé de cette affaire.

— Et le secret bancaire?

— On ne m'a rien appris que je ne sache déjà, répliqua sèchement Nick.

— Ça, c'est vous qui le dites! lança Gina d'un ton méprisant. J'imagine que la banque vous a prié de garder le silence sur la façon dont les choses se sont passées...

— Absolument pas! Vous pensez vraiment qu'une société peut avoir ce genre d'ennuis sans que cela s'ébruite? J'ai entendu des rumeurs à propos des problèmes de sir George dans toute l'Europe. Les nouvelles circulent vite, de nos jours.

La jeune femme se mordit la lèvre. Les arguments de Nick l'avaient ébranlée.

— En tout cas, finit-elle par déclarer d'une voix mal assurée, la banque n'aurait pas dû comploter avec vous.

— Elle ne l'a pas fait. C'est moi qui suis allé lui demander ce qu'il y avait de vrai dans ces rumeurs. Je cherchais à prendre une participation dans un grand quotidien britannique, et je me suis dit que si *L'Observateur* était réellement en difficulté, il serait possible de conclure un accord avec son propriétaire. La banque m'a confirmé les bruits qui couraient, et elle a ensuite tenté de persuader sir George de me rencontrer pour discuter d'une éventuelle association, mais il a refusé.

— Cela vous surprend ? Vous essayez de lui enlever son journal !

— Il a de toute façon largement dépassé l'âge de la retraite, observa Nick en fronçant les sourcils. Il est beaucoup trop âgé pour supporter le stress qu'engendre la direction d'une aussi grande société, surtout dans une période difficile. Regardez la façon dont il se comporte en ce moment : il pratique la politique de l'autruche. Le journal a impérativement besoin d'un gros apport de capital, je suis prêt à injecter de l'argent dedans, et sir George ne veut pas me parler ! Vous ne voyez donc pas que c'est complètement idiot ?

— Je ne m'y connais pas assez en affaires pour me prononcer, répondit Gina.

Les explications de Nick Caspian l'avaient cependant impressionnée. Il était évident qu'il disait vrai. D'un autre côté, sir George avait certainement ses raisons pour refuser de discuter avec lui. Sans doute avait-il peur de cet homme, peur de ses motivations et de ses desseins secrets.

— Vous mentez ! s'écria Nick en se rapprochant encore. Je sais que je vous ai convaincue.

Gina se blottit tout au fond de son fauteuil. Le visage de Nick était à présent si près du sien qu'elle distinguait

34

nettement le grain de sa peau, l'éclat de son regard, la courbe sensuelle de sa lèvre inférieure. Elle ne l'avait pas trouvé beau, sur le chantier, mais il possédait un tel magnétisme qu'elle ne pouvait détacher les yeux de lui.

— Et si la société fait faillite, reprit-il, ce sera très difficile de recoller les morceaux. Dans tous les cas, beaucoup d'emplois seront menacés, les fournisseurs du journal perdront des commandes et les créanciers risquent de ne pas récupérer leur argent.

— L'immeuble de Barbary Wharf vaut à lui seul des millions de livres, objecta Gina sans grande conviction.

— Il reste en effet à la société un actif appréciable, mais une fois que les actionnaires ne font plus confiance à la direction, ils vendent leurs actions, dont la valeur chute alors très vite. Celles du journal commencent d'ailleurs à baisser.

— Eh bien, vous devriez être content ! Cela va vous permettre de les acheter à bas prix.

— Oui, admit-il avec un petit sourire, mais de gros blocs d'actions sont actuellement détenus par des gens qui ne veulent pas ou ne peuvent pas vendre. Le jeune Slade en fait partie : il attend toujours que la succession de son père soit réglée. Or j'ai besoin d'avoir un nombre d'actions suffisant pour siéger au conseil d'administration et avoir mon mot à dire sur la politique du journal.

Tout cela paraissait si sensé..., pensa la jeune femme. Pourquoi son grand-père s'opposait-il avec tant d'acharnement à ce projet d'association ?

— Vous avez commis une erreur en venant à Barbary Wharf sans en demander l'autorisation à sir George, fit-elle remarquer. Ça l'a beaucoup contrarié et vous a rendu suspect à ses yeux.

— Je le sais et, si je m'étais douté qu'il serait là, je n'y serais pas allé. Mais je n'avais encore vu cet immeuble que de loin et je désirais l'examiner de plus près avant de

35

prendre une décision définitive. Il s'agit d'un très bel édifice, que j'aurais d'ailleurs eu plaisir à visiter même si je n'avais pas songé à investir de l'argent dans le journal. Et Piet brûlait d'y jeter un coup d'œil pendant son séjour à Londres.

Le souvenir du jeune et sympathique architecte amena un sourire sur les lèvres de Gina.

— Ça lui a plu, n'est-ce pas ? murmura-t-elle.

— Oui, et vous lui avez beaucoup plu, vous aussi, répondit Nick avec un sourire railleur.

Surprise, la jeune femme rougit jusqu'aux oreilles et garda le silence.

— Pourquoi avez-vous l'air si étonné ? Je suis sûr que vous vous en êtes aperçue à la façon dont il vous regardait... Mieux vaut pourtant que je vous prévienne : Piet est un grand charmeur, mais il ne s'intéresse à aucune femme très longtemps. A votre place, je ne nouerais pas de liens trop intimes avec lui.

— Je n'ai l'intention de nouer des liens intimes, comme vous dites, ni avec lui ni avec vous ! s'exclama Gina, furieuse.

— Mais vous acceptez mon invitation à dîner ? Il est évident que vous n'êtes pas bien informée de la situation, et, si vous voulez aider sir George, il faut que vous le soyez.

Cette fois encore, la jeune femme dut admettre que Nick avait raison.

— J'accepte, déclara-t-elle donc, mais étant bien entendu que je suis dans le camp de sir George et que je ne ferai rien qui puisse lui nuire.

— J'avais compris ! Bien, je passerai vous prendre à...

— Non ! Sir George ne doit pas savoir que je dîne avec vous. Il voit en ce moment des complots partout, et il risquerait de penser que je le trahis. Je vous rejoindrai au restaurant. C'est le Knossos, n'est-ce pas ? Je n'y suis jamais allée, mais je le connais. Il n'est qu'à deux minutes à pied de chez moi.

— Bien. Disons 8 heures, alors ?

— D'accord.

Déjà, Nick se dirigeait vers la porte, constata-t-elle. Cet homme se déplaçait avec une souplesse et une rapidité proprement stupéfiantes !

— A ce soir ! lança-t-il avant de quitter la pièce.

Après son départ, Gina resta immobile, comme étourdie. Des sentiments contradictoires l'agitaient : jamais encore elle n'avait rencontré d'homme capable de passer ainsi en une fraction de seconde de l'ironie à la froideur, de la douceur à l'intimidation.

Un petit coup frappé à la porte interrompit la rêverie de la jeune femme.

— Entrez !

Hazel parut sur le seuil, les sourcils levés dans une expression de curiosité amusée.

— Qui était-ce ? demanda-t-elle. Il est resté des heures dans ton bureau ! Excuse-moi de ne pas t'avoir prévenue de son arrivée, mais il m'a expliqué qu'il voulait te faire une surprise.

— Et pour ça, il y a réussi ! La prochaine fois, annonce-le cinq minutes à l'avance, que j'aie le temps de me préparer psychologiquement.

— Mais qui est-ce ? Depuis combien de temps le connais-tu ? Et pourquoi ne m'as-tu jamais parlé de lui ?

— Tu te trompes complètement ! Ce n'est pas..., commença Gina.

Puis elle s'interrompit. Si elle révélait l'identité de son visiteur à Hazel, il faudrait que cette dernière jure de garder le secret, et cela la mettrait dans une situation fausse vis-à-vis de sir George. Non, mieux valait se taire.

Malheureusement, son silence eut pour effet d'intriguer encore plus son amie, qui esquissa un sourire complice.

— Ce n'est pas quoi, Gina ? Quelqu'un de sérieux ? Séduisant comme il l'est, ça ne m'étonnerait pas, en effet ! Il a sûrement une fille dans chaque port. Mais pourquoi l'amour devrait-il être quelque chose de grave et de durable ? *Carpe diem*, telle est ma devise et, à ta place, je ne laisserais pas échapper l'occasion de sortir avec quelqu'un d'aussi sexy.

— Je n'ai tout de même pas besoin d'un homme à ce point ! s'écria Gina en rougissant.

— Ce n'est pas ce que je voulais dire, s'empressa de préciser Hazel. Mais si ce type te plaît, n'hésite pas ! Tu es seule depuis trop longtemps.

— Les hommes ne sont pas tout dans la vie.

— N'empêche qu'ils la rendent plus amusante ! Allez, avoue-le... Un tête-à-tête amoureux est bien plus excitant qu'une soirée solitaire devant la télévision.

A ces mots, Gina ne put retenir un sourire, et Hazel poursuivit, triomphante :

— Là ! Tu vois bien que j'ai raison. Oh, je sais. La mort de ton mari t'a anéantie, mais il faut que tu recommences à vivre.

La sonnerie du téléphone retentit à ce moment-là, et Gina, que cette conversation mettait très mal à l'aise, se dépêcha de décrocher.

— Allô ! Oui, elle est là... Je vous l'envoie tout de suite.

— Sir George ? murmura Hazel.

Son amie lui ayant fait un signe de tête affirmatif, elle se dirigea vers la porte, non sans lancer encore :

— Tu me raconteras tout sur ce beau ténébreux plus tard, hein ?

— Elle arrive, annonça Gina.

— Vous passez trop de temps à bavarder, toutes les deux ! s'exclama sir George avec colère. Chaque fois que j'ai besoin d'elle, Hazel est avec toi.

Ce reproche était injustifié car Hazel travaillait beaucoup et quittait rarement son bureau. Mais les problèmes qu'avait le vieil homme le rendaient irritable, et Gina préféra ne pas discuter.

— Désolée, se contenta-t-elle donc de déclarer.

— Tu peux l'être ! Et je veux te voir aussi. Immédiatement !

Quand, obéissant à cette injonction, la jeune femme pénétra dans le bureau de sir George, elle y trouva un groupe de personnes assis en rond autour du bureau. Tout le monde se retourna à son entrée, et elle reconnut un certain nombre de chefs de service. Son sourire poli lui fut rendu — sauf par Hazel, qui lui adressa à la place un petit clin d'œil.

— Viens te mettre là, ordonna sir George en lui montrant de la main un fauteuil qu'on avait placé près du sien, derrière la grande table.

Gina obtempéra en espérant que sa nervosité ne se voyait pas trop : cela la gênait d'occuper ainsi la place d'honneur face à des gens aussi importants.

— Vous connaissez tous Mme Tyrrell, la veuve de mon petit-fils, reprit sir George. Vous vous êtes sûrement demandé pourquoi je l'avais engagée au journal. Eh bien, sachez que ce n'est pas uniquement parce que j'aime l'avoir auprès de moi. C'est aussi parce qu'elle représente maintenant ma seule famille et que son travail ici lui permet de se familiariser avec le monde des affaires. Ainsi, elle sera capable de me remplacer un jour.

Un silence pesant suivit ces paroles, et Gina écarquilla les yeux. Elle, remplacer sir George ? Que voulait-il dire ? Qu'il allait lui léguer ses parts de la société ?

A cette idée, son sang se glaça dans ses veines. Après

la disparition de James, elle était restée auprès du vieil homme pour diverses raisons — elle était seule au monde, il avait besoin d'elle, et surtout, la perte de cet être qu'ils chérissaient tous les deux les avait rapprochés.

Aussi fort que soient devenus leurs liens, cependant, jamais Gina n'aurait imaginé que sir George ferait d'elle son héritière. James lui avait déjà laissé une grosse somme d'argent, qui était placée et à laquelle elle n'avait jamais touché. Vivant dans la demeure des Tyrrell à Mayfair et n'étant pas dépensière de nature, son salaire suffisait largement à couvrir ses dépenses courantes. Sir George, pensait-elle, léguerait le journal à l'un de ses parents. Il avait des cousins issus de germains en Australie, qui avaient envoyé des lettres de condoléances à la mort de James. Ils n'étaient cependant pas venus à l'enterrement... Cette indifférence expliquait-elle la décision de sir George de les déshériter ?

Quoi qu'il en soit, il n'avait jamais évoqué ses dispositions testamentaires devant elle, et la perspective de lui succéder à la tête du journal terrifiait la jeune femme. Elle se sentait incapable d'assumer une telle responsabilité.

La panique lui avait fait oublier ce qui se passait autour d'elle et, quand elle eut suffisamment recouvré ses esprits pour s'y intéresser de nouveau, sir George était en train de parler d'un projet de concours destiné à augmenter les ventes et à attirer les annonceurs.

— Je ne suis pas sûr que nos lecteurs s'intéressent au billard, dit-il à Bill Watson, le directeur du marketing.

— Nous recevons tous les jours des lettres réclamant plus d'articles sur ce sujet, répliqua Bill, un petit homme chauve aux yeux globuleux. J'ai là le résultat des enquêtes, et...

Il se lança alors dans un long discours ponctué de chiffres, mais sir George finit par l'interrompre.

— Voyons ce qu'en pensent les autres, proposa-t-il. Que ceux qui soutiennent l'idée de Bill lèvent la main !

La plupart des gens présents étaient de l'avis du directeur du marketing, et sir George haussa les épaules avec impatience.

— Bien, vous avez le feu vert, Bill ! Maintenant, comment se comportent les numéros spéciaux ?

Une controverse s'engagea immédiatement entre le responsable des numéros spéciaux et celui de la publicité, mais Gina n'écoutait déjà plus. Les yeux tournés vers la fenêtre, elle contemplait le ciel gris. Quand le printemps arriverait-il ? Il lui semblait ne pas avoir vu le soleil depuis des années...

La réunion se termina une demi-heure plus tard. Sir George partit déjeuner à son club, et la jeune femme descendit dans le hall. Rose l'y attendait, vêtue d'un fuseau noir, d'un pull-over blanc et d'un duffel-coat rouge vif. Petite et menue, avec des cheveux de jais coupés très court, elle ressemblait à un adolescent gracile.

— Tu es en retard ! lança-t-elle à Gina d'un ton acerbe.

— Excuse-moi, j'ai été retenue par une réunion. Mais j'ai réussi à avoir une table au Cheshire Cheese.

Les deux jeunes femmes se dirigeaient vers la porte principale lorsqu'un homme de grande taille les dépassa en trombe, manquant renverser Rose. Il marmonna « Pardon ! » et continua son chemin, mais Rose, furieuse, lui cria :

— Tu ne pourrais pas faire attention ?

L'homme se retourna et, reconnaissant la jeune femme, il lui adressa un sourire éclatant. Il s'agissait de Daniel Bruneille, le directeur du service étranger, connu à *L'Observateur* pour ses brillantes qualités de journaliste, mais aussi pour sa langue acérée et son exigence vis-à-vis de ses collaborateurs. Rose travaillait directement sous ses ordres, et Gina savait qu'elle entretenait avec lui des relations orageuses.

— Tu as un problème, cocotte ? demanda-t-il en français avant de disparaître dans la rue.

— S'il m'appelle « cocotte » une fois de plus..., marmonna Rose.

— Plus tu t'énerveras, plus il te taquinera, observa Gina.

— Peut-être, mais avoue qu'il exagère !

Tout en parlant, les deux jeunes femmes avaient franchi la porte et, après avoir traversé Fleet Street, elles s'engagèrent dans la rue transversale où se trouvait le pub. Le quartier était animé — moins, cependant, qu'à l'époque où les grands journaux avaient commencé à déménager dans d'autres parties de la ville. Londres changeait un peu plus chaque année ; deux grands hauts lieux de la capitale avaient déjà disparu : le marché de Covent Garden et Fleet Street.

Le Cheshire Cheese était bondé, comme à l'accoutumée, et elles durent jouer des coudes pour gagner leur table. Là, elles commandèrent un déjeuner léger et, en attendant qu'on le leur serve, Gina décida d'interroger son amie sur ce qui la tracassait. Rose avait en effet les yeux cernés et un air tendu qui ne lui était pas habituel.

— Tu avais une voix bizarre, tout à l'heure au téléphone, déclara Gina. Qu'est-ce qui ne va pas ?

— Rien que je ne puisse surmonter, répondit Rose avec un regard de défi. Et de toute façon, j'ai horreur de déballer ma vie privée. Ça me donne l'impression d'être sur le plateau d'un *reality show*.

— Ah, je vois ! s'exclama Gina en riant. C'est un homme. Tu es toujours de mauvaise humeur quand tu es amoureuse. Je me demande pourquoi, d'ailleurs.

Rose rougit jusqu'aux oreilles.

— Tu dis n'importe quoi, Gina ! Et cesse de jouer les

42

psychanalystes ! Freud est mort, tu n'étais pas au courant ?

— Qui est-ce, Rose ?

— Qui ça ? Freud ? C'était un vieil obsédé sexuel viennois... Même toi, tu dois en avoir entendu parler !

Cette riposte était manifestement une échappatoire, mais Gina insista :

— Tu sais très bien à qui je fais allusion. A ton nouveau petit ami.

— Aucun de ces deux termes n'est approprié, répliqua sèchement Rose.

— Ah, bon ? Cela signifie-t-il que tu le connais depuis longtemps ? Est-ce que je le connais, moi aussi ?

Gina passa mentalement en revue les hommes qui travaillaient au journal. Était-ce quelqu'un du service étranger ? Et soudain, une idée lui traversa l'esprit.

— Ce ne serait pas Daniel Bruneille, par hasard ?

— Daniel ? Tu es folle ! répondit Rose en la foudroyant du regard. Je le déteste et je l'ai toujours détesté, même si mon père, lui, le considérait comme un génie.

Gina trouva cette remarque intéressante : peut-être l'aversion que Rose éprouvait pour Bruneille s'expliquait-elle par la haute opinion qu'en avait son père adoré ?

— Daniel est un excellent journaliste, non ? observa prudemment Gina.

— Possible. Mais s'il n'arrête pas de me brimer, je finirai un jour par le tuer !

3.

Gina arriva au Knossos juste après 8 heures. Elle avait dû lutter pendant le trajet contre un vent furieux, et ses joues étaient rouges. Heureusement qu'elle n'habitait pas au bord de la mer ou à proximité de grands arbres ! Le journal télévisé du soir avait montré des images de vagues déchaînées et de routes coupées par des chutes de chênes.

A cause du mauvais temps, cependant, elle avait eu encore plus de mal que prévu à expliquer à sir George pourquoi elle sortait. Il lui avait fallu inventer un dîner avec une vieille amie.

— Il s'agit de Rose Amery ? avait demandé le vieil homme.

— Non, de Patsy Wood, avait-elle répondu, se souvenant d'une camarade de pension maintenant installée en Nouvelle-Zélande. Vous ne la connaissez pas ; elle vit à l'étranger depuis des années.

Et le remords d'avoir menti la harcelait toujours lorsque le maître d'hôtel du restaurant lui enleva son manteau et le tendit à la dame du vestiaire en disant :

— M. Caspian ? Bien sûr, *kyria*. Par ici, s'il vous plaît.

L'envie la prit alors de s'enfuir ; cette obligation d'agir en cachette de sir George lui pesait. Mais elle ne pouvait pas partir sans son manteau et n'avait pas non plus le courage de le réclamer. Si bien qu'elle suivit le maître d'hôtel jusqu'à un box situé dans un coin discret de la salle — constatant au passage avec soulagement qu'il n'y avait aucun visage familier parmi les clients.

— Voici votre invitée, monsieur Caspian, annonça le maître d'hôtel.

— Bonsoir ! déclara Nick en se levant.

Il avait tout de suite fixé Gina droit dans les yeux, et la jeune femme lui rendit son regard avec une assurance qu'elle était loin d'éprouver. Car la vue de Nick, très élégant en costume sombre, chemise à rayures et cravate de soie bleue, la troublait profondément. Sans être beau à proprement parler, cet homme était extraordinairement séduisant, comme Hazel l'avait si bien fait remarquer.

— Excusez mon retard, murmura-t-elle.

Le maître d'hôtel lui recula alors une chaise, sur laquelle elle se dépêcha de s'asseoir avant que ses jambes tremblantes ne se dérobent.

— Désirez-vous boire quelque chose, madame ?

Craignant les alcools trop forts, la jeune femme fixa le maître d'hôtel d'un air embarrassé, mais Nick intervint.

— Me permettez-vous de choisir pour vous ?

Puis il prononça quelques mots rapides en grec, et le maître d'hôtel s'écria « *Málista !* » d'un air ravi avant de s'éloigner.

— Que lui avez-vous dit de m'apporter ? s'enquit Gina.

— Ne vous inquiétez pas ! Ça ne vous fera aucun mal.

— Je n'ai pas confiance en vous.

— Vous ne m'apprenez rien ! répliqua-t-il d'un ton moqueur.

Décidément, songea la jeune femme avec irritation, il avait l'art de mettre les gens mal à l'aise ! Puis il profitait de leur désarroi pour leur porter le coup fatal avant qu'ils n'aient eu le temps de comprendre ce qui se passait.

Eh bien, cette fois, elle ne se laisserait pas surprendre !

Un serveur arriva à ce moment-là et posa devant Gina un verre rempli d'un liquide ambré. Elle en but une gorgée sous le regard amusé de Nick.

— Vous aimez ? demanda-t-il.

— Oui, c'est très bon. Qu'y a-t-il dedans ?

— Du vin blanc, des herbes aromatiques et du miel.

Le choix du menu les occupa ensuite pendant quelques minutes, et le départ du serveur fut suivi par un silence que Nick finit par rompre.

— Qu'avez-vous donné comme excuse à sir George pour sortir ce soir ?

— Je lui ai dit que j'allais dîner avec une vieille amie. Mais je mens très mal, et j'ai peur qu'il ne m'ait pas crue.

— Il a sans doute pensé que vous aviez un rendez-vous galant, susurra Nick.

Gina rougit comme une collégienne, ce qui l'agaça.

— Cette couleur vous va bien, reprit Nick. Je parle de votre robe, bien sûr...

Ce n'était sûrement pas vrai, mais la jeune femme bredouilla tout de même un remerciement. Il lui avait fallu une heure pour choisir une tenue, et elle s'était finalement décidée pour une robe de soie vert jade à la fois simple et élégante, qui dessinait sans les mouler les courbes de son corps.

— Elle fait ressortir la couleur de vos yeux, ajouta-t-il en se penchant vers la jeune femme.

Il flirtait ostensiblement avec elle, mais son visage gardait une expression ironique. Sans doute parce qu'il savait qu'elle ne voulait pas jouer à ce genre de jeu...

Gênée, Gina feignit de contempler ses mains, et l'apparition du serveur, deux secondes plus tard, la tira d'embarras.

— Ah ! Voilà les entrées, s'exclama-t-elle avec un grand sourire.

— Quel soulagement, n'est-ce pas? observa Nick en riant.

Furieuse mais résolue à ne pas le montrer, Gina attaqua ses feuilles de vigne farcies tandis que Nick levait adroitement les filets d'un poisson étrange nappé de sauce rose.

— Votre déjeuner avec Rose Amery s'est-il bien passé? demanda-t-il soudain.

— Qui vous a dit que nous déjeunions ensemble?

— C'était un secret?

— Bien sûr que non, mais... Vous connaissez Rose?

— Je connais son père, Desmond Amery. Il a travaillé un an pour l'un de mes journaux italiens.

— Combien de journaux possédez-vous?

— De journaux nationaux? Oh! une vingtaine... Quant aux journaux régionaux, je ne peux pas vous donner un chiffre exact : je n'arrête pas d'en acheter, si bien que leur nombre ne cesse de changer.

Gina ne fit aucun commentaire, et Nick aborda de nouveau le sujet du père de Rose :

— Desmond voulait passer une année à Rome afin d'écrire un livre sur la politique italienne depuis la guerre, expliqua-t-il, et la rédaction de deux articles par semaine pour mon journal lui a permis de subvenir à ses besoins pendant son séjour. Ce livre est d'ailleurs excellent. Comment s'appelle-t-il, déjà? Ah, oui! *Le Kaléidoscope italien*. Vous l'avez lu?

— Non. J'ai lu plusieurs de ses ouvrages, mais pas celui-là.

— Amery est un très bon écrivain et un homme remarquable, doué de multiples talents. Je l'admire depuis toujours.

— Rose est très fière d'être sa fille.

Les sentiments de Rose à l'égard de son père étaient évidemment beaucoup plus complexes que cela — il était difficile d'être la fille de Desmond Amery —, mais Gina n'avait pas l'intention d'en discuter avec Nick.

Comme s'il lisait dans ses pensées, cependant, celui-ci fit remarquer :

— J'imagine qu'à la fierté d'avoir un père aussi brillant se mêle la peur de le décevoir.

Le serveur vint alors débarrasser leurs assiettes, et quand il fut parti, la jeune femme demanda de nouveau à Nick :

— Comment savez-vous que j'ai déjeuné avec Rose ?

— Rassurez-vous, je ne vous ai pas suivie ! Il se trouve seulement que j'ai rencontré Daniel Bruneille au Press Club, où nous prenions tous les deux le café.

— Daniel, vraiment ?

— Pourquoi la mention de ce nom vous trouble-t-elle autant ?

— Ainsi, c'est Daniel qui vous a informé de mon rendez-vous avec Rose ?

— Oui... Vous le connaissez bien ?

— Et vous ? Comment se fait-il que vous le connaissiez ? répliqua-t-elle.

L'idée que Daniel était peut-être l'informateur de Nick au sein de *L'Observateur* venait en effet de lui traverser l'esprit. Elle avait pourtant du mal à mettre en doute l'intégrité de Daniel Bruneille. Il s'agissait d'un homme orgueilleux, voire arrogant, et très conscient de sa valeur, mais justement : il jugerait indigne de lui de trahir son patron.

La trentaine, grand et mince, avec des cheveux bruns frisés, une peau mate et des yeux noirs perçants, Daniel était né à Montréal d'une famille d'origine française, et sans doute cet environnement bilingue l'avait-il stimulé, car il parlait maintenant neuf langues plus ou moins couramment. Daniel avait une intelligence aiguë et un tempérament passionné ; c'était un Européen convaincu, que les autres pays fascinaient, et il avait été un grand reporter couronné par plusieurs prix avant de s'installer à Londres comme directeur du service étranger de *L'Observateur*.

— Je connais Daniel parce qu'il a travaillé un an pour moi à Paris, déclara Nick. Je ne l'ai alors rencontré qu'une fois, à une conférence internationale, mais j'ai tout de suite senti que c'était un journaliste de talent, et depuis, je ne le perds pas de vue dans l'espoir d'arriver à le persuader de travailler de nouveau pour moi. Et vous ?

— Quoi, moi ?

— Vous vous intéressez aussi à lui ?

— Pourriez-vous cesser de me poser des questions personnelles ? lança Gina.

Elle aurait pu répondre à Nick qu'il se trompait complètement, mais elle n'allait pas lui donner cette satisfaction... Il n'arrêtait pas de faire allusion à l'absence d'homme dans sa vie depuis la mort de James, et de là à insinuer qu'elle était frustrée ou anormale, il n'y avait qu'un pas qu'elle ne le laisserait pas franchir.

L'arrivée du plat principal interrompit la conversation, et ils mangèrent leurs brochettes d'agneau en n'échangeant que quelques commentaires sur la cuisine grecque. Mais une fois le dessert commandé, Nick revint au sujet qui les occupait précédemment :

— Je suis également avec intérêt la carrière de Rose Amery, et j'ai donc demandé à Daniel Bruneille ce qu'il pensait d'elle d'un point de vue professionnel. Et il a mentionné en passant qu'elle déjeunait avec vous aujourd'hui.

— Daniel ne voulait pas d'elle dans son service, vous l'a-t-il dit ?

— Oui. Il la trouvait trop jeune, ou pas assez expérimentée, pour un travail de grand reporter.

50

— Ce n'était qu'un prétexte, l'une des véritables raisons de son refus étant que, selon lui, ce métier présente trop de risques pour une femme.

— Il n'a pas tout à fait tort.

— Je ne suis pas d'accord ! Rose a travaillé cinq ans à l'étranger !

— Dans des pays sûrs comme la France, précisa Nick.

— Non, elle a beaucoup voyagé, avec son père d'abord, et seule ensuite. De toute façon, de nos jours, on envoie beaucoup de femmes journalistes en reportage à l'étranger. Non, l'une des principales raisons de Daniel pour écarter Rose, c'est qu'ils ne se sont jamais entendus, tous les deux. Et, sachant maintenant qu'il a essayé de lui barrer la route, Rose l'aime d'autant moins.

— Daniel a fréquenté Desmond Amery à Montréal et à Paris. Il en parle toujours avec admiration, mais je ne serais pas étonné qu'il soupçonne Rose d'avoir utilisé la réputation de son père comme tremplin pour sa propre carrière, et que cela lui déplaise.

— C'est complètement faux ! Rose ne doit son poste qu'à son travail !

— J'en suis persuadé, admit Nick d'un ton apaisant.

La véhémence de Gina paraissait l'amuser, mais sans se laisser démonter, la jeune femme continua à défendre son amie.

— J'admire la ténacité et l'ambition de Rose. Si Daniel pense que les choses ont été faciles pour elle, il se trompe lourdement. Sa mère est morte quand elle était toute petite, et son père a dû la mettre en pension en Angleterre à l'âge de huit ans parce qu'il venait d'être engagé comme grand reporter à *L'Observateur.* C'est à la pension que j'ai connu Rose. Nous étions dans la même classe, et le fait d'avoir toutes les deux perdu notre mère nous a rapprochées.

— Oui, je comprends cela, observa Nick qui fixait Gina avec attention.

Oubliant la méfiance qu'il lui inspirait, celle-ci poursuivit :

— Je me souviens que Rose partait chaque été rejoindre son père dans un pays différent. Nous étions toutes jalouses d'elle : ces voyages à travers le monde nous fascinaient. Mon père travaillait lui aussi à *L'Observateur*, mais comme simple comptable, et nous ne quittions Londres que pour de courtes vacances en France ou en Espagne.

— Est-ce ainsi que vous avez rencontré votre mari ? demanda Nick. Parce que votre père était l'employé de sir George ?

Les yeux dans le vague, la jeune femme tenta de rassembler ses souvenirs et fut surprise de constater à quel point ils étaient flous. A l'époque, pourtant, il lui avait semblé que jamais elle n'oublierait un seul instant de cette soirée...

— Oui, finit-elle par répondre. J'ai rencontré James au bal du personnel qu'organise tous les ans le journal, à Noël. C'était la première fois qu'il y allait, et moi aussi.

Ils étaient alors tous les deux très jeunes. Mal à l'aise au milieu de cette foule de journalistes, de photographes et de chefs de service désinvoltes et sûrs d'eux, ils avaient été immédiatement attirés l'un par l'autre.

La voix ironique de Nick tira Gina de sa rêverie.

— Comme c'est romantique !

— En effet ! rétorqua-t-elle d'un ton de défi.

Il n'était pas question de le laisser tourner en ridicule cette belle histoire : elle avait épousé James par amour, et ils avaient été heureux ensemble. Mais évidemment, Nick Caspian ne pouvait pas comprendre ce genre de sentiment... Il se contentait, lui, de sortir avec de ravissants mannequins suédois... Ou bien avait-il une femme, et Christa Nordström était-elle sa maîtresse ?

— Vous êtes marié ? interrogea Gina impulsivement — avant de se mordre la lèvre en rougissant.

— Pourquoi me demandez-vous cela ? répliqua Nick, l'air amusé. Non, vous n'avez pas à vous inquiéter, je ne le suis pas.

— Je ne m'inquiète pas ! s'écria-t-elle avec colère.

— Quel âge avez-vous ?

Puis, sans attendre la réponse, il ajouta :

— Quel âge aviez-vous quand vous vous êtes mariée ?

— Pourquoi en revenez-vous toujours à ma vie privée, monsieur Caspian ?

— Vous vous intéressiez bien à la mienne, à l'instant !

— Écoutez, cessons de parler de cela et passons aux choses sérieuses. Vous vouliez discuter avec moi des problèmes financiers de sir George, alors discutons-en !

— Très bien !

Le serveur arriva à ce moment-là, et Nick commanda deux cafés. Après quoi, il se carra dans son siège, posa les mains à plat sur la nappe blanche et plongea les yeux dans ceux de Gina comme s'il voulait percer le moindre de ses secrets. Elle lui rendit son regard, à la fois gênée et curieuse d'entendre ce qu'il avait à lui dire.

— Je suis en mesure de résoudre d'un coup tous les ennuis d'argent de sir George, finit-il par déclarer. Idéalement, bien sûr, j'aimerais lui acheter les cinquante et un pour cent de parts qui font de lui l'actionnaire majoritaire de la société. Cela me donnerait le contrôle absolu du journal.

Cette annonce arracha un petit cri de consternation à Gina, mais Nick continua comme si de rien n'était :

— Une fois aux commandes, je pourrais injecter des fonds dans l'entreprise, rembourser le prêt bancaire et accélérer le déménagement à Barbary Wharf. J'ai en outre les reins assez solides pour attendre que l'immeuble de Fleet Street trouve acheteur à bon prix.

— Sir George a donc raison! observa la jeune femme d'un ton amer. Il vous considère comme un homme sans scrupule, un...

— Écoutez-moi jusqu'au bout avant de me clouer au pilori! J'ai dit que c'était pour moi la solution idéale, mais je sais que sir George va refuser, et je compte donc lui proposer un compromis, un accord qui lui permettra de sauver la face: j'apporte des capitaux et on me donne un siège au conseil d'administration, avec un droit de regard sur la politique future du journal et l'autorisation de procéder à quelques changements dans le personnel.

Comme Gina le fixait en silence, l'air hésitant, il leva les sourcils et ajouta:

— Alors? Vous pensez que sir George acceptera?

— Vous me chargez de lui présenter cette offre, c'est bien cela? finit-elle par demander.

— Oui, je vous ai invitée à dîner ce soir pour vous prier de servir d'intermédiaire entre lui et moi. Sir George s'entête dans un refus stupide, et je crois que vous êtes la seule personne capable de le convaincre de discuter avec moi. Voilà! J'ai joué cartes sur table, et vous n'avez pas à vous inquiéter: je respecterai à la lettre la déclaration d'intention que je viens de faire.

— Quelle confiance puis-je vous accorder, monsieur Caspian? Je...

— Appelez-moi Nick.

— Mais nous ne nous connaissons que depuis ce matin!

— Depuis ce matin seulement? Comment est-ce possible?

54

Il avait parlé d'une voix rauque et basse, et Gina sentit un frisson la parcourir. Elle aussi avait l'impression de connaître Nick Caspian depuis bien plus longtemps.

— Je ne sais pas grand-chose de vous, se contenta-t-elle cependant d'observer, mais je ne suis ni aveugle ni idiote, et je crains que vos protestations d'honnêteté ne cachent en fait le dessein d'évincer sir George.

— C'était mon intention initiale, admit-il.

— Vous êtes donc son ennemi !

— Et vous, êtes-vous le mien ?

— J'aime beaucoup sir George, répondit-elle évasivement.

— Ses amis sont vos amis, et ses ennemis vos ennemis, c'est cela ? Oui, vous êtes visiblement quelqu'un de loyal, et je me demande si sir George se rend compte de la chance qu'il a de vous avoir pour alliée. Cela dit, c'est un vieil homme, un très vieil homme qui a depuis longtemps passé l'âge de diriger une grosse entreprise.

— Il n'est que le président du conseil d'administration... C'est Joe Mackinlay, le directeur général, qui s'occupe de la gestion courante du journal.

— Mackinlay est aux ordres de sir George, fit remarquer Nick en haussant les épaules, et son seul rôle consiste à faire le travail ennuyeux. C'est quelqu'un de consciencieux, mais il manque d'intuition et d'audace. Sir George lui a donné le titre de directeur général, mais le pouvoir qui va avec, il l'a gardé pour lui, se réservant la possibilité de conduire les affaires comme il l'entend et de mettre aux postes clés des gens à sa botte.

Ce n'était que trop vrai, mais qui avait informé Nick Caspian de tout cela ? se demanda la jeune femme.

— Vous avez un espion à *L'Observateur,* monsieur Caspian ? lança Gina avec colère. Sir George vous a comparé ce matin à une pieuvre dont les tentacules s'étendent partout, et il avait raison. Je ne vous connais que depuis peu, mais j'ai déjà compris que vous étiez un homme totalement dénué de scrupule. Qui est votre informateur ?

— Pourquoi pensez-vous que j'en ai un ?

— Vous vous êtes vanté devant moi de vos nombreux contacts dans les milieux de la presse... Vous semblez tout savoir sur ce qui se passe à *L'Observateur* et sur son personnel... En à peine une heure, vous m'avez parlé de Rose Amery et de son père, de Daniel Bruneille et de Joe Mackinlay ! Payez-vous l'un d'entre eux pour vous fournir des renseignements ?

— Quelle imagination ! s'exclama Nick, moqueur.

— Pas du tout ! Vous avez vous-même admis que vous ne perdiez jamais de vue les personnes susceptibles de vous être utiles, même si elles vivent sur un autre continent. Je crois que vous vous servez des gens. Alors qui, à *L'Observateur,* vous révèle nos secrets ?

— Le monde de la presse est petit, figurez-vous ! observa Nick d'un ton froid mais sans réfuter aucune des accusations de la jeune femme. Les reporters bougent beaucoup, d'un pays à l'autre, mais aussi d'un journal à l'autre. Par nature, ils aiment le changement. Si bien que tous les ans au printemps ils se mettent à éplucher les revues professionnelles à la recherche d'un nouvel emploi. Et un bon reporter n'a pas de mal à en trouver : tout patron de presse avisé — et, sans fausse modestie, j'en suis un — apprend à repérer les journalistes de talent et suit attentivement leur carrière. Qu'y a-t-il de mal à cela ?

— Rien, de la façon dont vous présentez les choses, mais je continue de penser que vous vous servez des gens. Comme vous essayez de vous servir de moi en ce moment pour convaincre sir George d'accepter votre proposition. Mais je ne vous laisserai pas faire, car vous ne m'inspirez aucune confiance. Je vous soupçonne de vouloir en réalité vous introduire dans la place et prendre ensuite le contrôle du journal, lentement mais sûrement. Et alors, tant pis pour ceux qui vous barreraient la route ! Vous n'hésiteriez pas à vous débarrasser de sir George. Eh bien, ne comptez pas sur moi pour vous y aider !

Sur ces mots, Gina se leva si brusquement qu'elle faillit renverser la table, puis elle s'éloigna à grands pas. La dame du vestiaire lui tendait déjà son manteau lorsque Nick la rattrapa. Elle avait espéré que le paiement de l'addition le retiendrait, mais il s'était sans doute contenté de la signer.

Prenant sans rien dire le manteau des mains de l'employée, il aida la jeune femme à l'enfiler. Elle avait une conscience aiguë de sa proximité, mais elle garda un silence hostile et se dirigea ensuite vers la porte que le maître d'hôtel tenait ouverte. Son trouble était tel, cependant, qu'elle manqua se cogner en sortant contre quelqu'un qui s'apprêtait à entrer dans le restaurant.

— Pardon, marmonna-t-elle sans lever les yeux.

— Mais c'est Gina ! Quelle bonne surprise ! Cela fait une éternité que je ne vous ai pas vue.

La mort dans l'âme, la jeune femme dut se résoudre à s'arrêter. Elle avait reconnu Laura Dailey, une femme vive et mince d'une cinquantaine d'années, aux cheveux gris argenté, au visage toujours très maquillé, et qui arborait aujourd'hui un collier à trois rangs de perles et une superbe veste de vison.

— J'ai justement téléphoné à George tout à l'heure, reprit Laura, pour l'inviter à une soirée que je donne samedi prochain. Voulez-vous être des nôtres ?

Tout en parlant, elle dévorait des yeux Nick Caspian, immobile derrière Gina.

— Merci, Laura, je viendrai sûrement si je suis libre, dit celle-ci en esquissant un pas vers la rue.

Mais Laura n'était manifestement pas décidée à la laisser partir. Sir George surnommait cette femme « la veuve joyeuse », et ce sobriquet lui convenait parfaitement. Elle avait perdu son mari quatre ans plus tôt et menait depuis une vie trépidante ; on la voyait dans toutes les soirées, à toutes les premières, et elle adorait les restaurants à la mode — d'où sa présence au Knossos ce soir.

— Qui donc vous accompagne ? demanda-t-elle.

Puis, sans attendre la réponse, elle ajouta en souriant :

— Nick Caspian, n'est-ce pas ?

— En effet, déclara ce dernier, l'air amusé.

— Vous ne me présentez pas votre charmant ami, Gina ?

La jeune femme s'exécuta, et Laura tendit à Nick une main garnie de bagues.

— Vous me plaisez déjà, monsieur Caspian... Ou me permettez-vous de vous appeler Nick ?

— J'en serais ravi, Laura !

Ses manières enjôleuses agacèrent Gina au plus haut point. Laura Dailey, en revanche, semblait aux anges... Ne voyait-elle donc pas la flatterie grossière que cachaient ces paroles mielleuses ? Mais sans doute aimait-elle trop les compliments pour prendre le risque de s'interroger sur leur sincérité...

Et la jeune femme était d'autant plus irritée que l'attitude de Nick renforçait sa méfiance : s'il était capable de faire du charme à Laura Dailey, comment elle, Gina, pourrait-elle croire un mot de ce qu'il disait ?

— Vous avez dîné ici ? s'enquit Laura en battant des cils.

— Oui, et nous avons trouvé la cuisine excellente, affirma Nick. N'est-ce pas, Gina ?

Les yeux fixés droit devant elle, la jeune femme ne répondit pas, et Laura observa avec un petit rire :

— Sir George m'a déclaré au téléphone que vous dîniez avec une ancienne camarade de classe, Gina.

— Eh bien, il s'est trompé, répliqua-t-elle froidement.

— En effet, vilaine fille ! s'écria Laura en gloussant. Oh, ne vous inquiétez pas ! Je ne trahirai pas votre secret.

Son compagnon, un homme d'une soixantaine d'années aux tempes argentées, intervint soudain.

— Je commence à avoir froid, ma chère. Entrons, voulez-vous ?

— Oui, oui, tout de suite..., marmonna Laura.

Puis, s'adressant à Nick, elle ajouta :

— Demandez à Gina de l'accompagner à ma soirée de samedi ou, si elle n'est pas libre, venez seul. J'habite Farthing Court, à deux rues d'ici. L'appartement du premier étage. Vous trouverez facilement.

Après un dernier sourire, elle disparut à l'intérieur du restaurant, et Gina partit immédiatement dans la direction opposée, furieuse et en même temps soulagée à l'idée de pouvoir enfin regagner sa maison. Nick la rattrapa cependant en trois enjambées. Elle ne tourna pas la tête vers lui, mais sentit qu'il la regardait d'un air ironique.

— Quelle femme charmante ! dit-il.

— N'est-ce pas ? Tout à fait votre genre ! lança Gina.

— Voilà qui n'est pas très gentil pour moi !

— Vous l'avez cherché.

— Pourquoi Laura Dailey vous déplaît-elle à ce point ?

— Vous le comprendrez quand elle commencera à vous harceler de coups de téléphone, comme sir George. Il n'est pas facile de se débarrasser de Laura une fois qu'elle vous a mis le grappin dessus.

— Elle court après sir George ? demanda Nick en haussant les sourcils.

— Elle court après tous les hommes qu'elle rencontre.

Apercevant la grande demeure victorienne des Tyrrell, la jeune femme accéléra le pas. De la lumière brillait à la fenêtre de la chambre de sir George ; il devait être au lit.

Le vieil homme se couchait toujours tôt quand il dînait chez lui, car ses longues journées de travail le fatiguaient. Il se levait tous les jours à 7 heures du matin et était dans son bureau de Fleet Street dès 8 heures — sauf quand il se rendait à Barbary Wharf pour inspecter le chantier.

— Pourquoi êtes-vous si en colère ? demanda soudain Nick en saisissant le bras de Gina et en la forçant à s'arrêter.

— Écoutez, monsieur Caspian, je vous ai assez vu pour aujourd'hui ! A l'instant même où j'ai posé les yeux sur vous, vous m'avez déplu, et maintenant, mon seul désir est de rentrer chez moi et d'oublier que je vous ai rencontré.

Le visage de Nick se crispa comme si elle venait de le frapper. Gina libéra alors son bras et se mit à courir vers la maison. Cette fois, Nick ne la suivit pas.

La jeune femme ne se berçait pourtant pas d'illusions : cela ne signifiait pas pour autant qu'il renonçait à son projet. N'ayant pas réussi à la persuader de l'aider, il allait sans doute chercher quelqu'un d'autre. De toute évidence, Nick Caspian était un adversaire tenace et impitoyable, un homme habitué à gagner.

Une fois couchée, Gina se tourna et se retourna longtemps dans son lit sans parvenir à trouver le sommeil. Des sentiments contradictoires l'agitaient. D'un côté, elle détestait Nick pour le mal qu'il se proposait de faire à sir George, pour avoir tenté de se servir d'elle et lui avoir menti... Mais d'un autre côté, elle ne pouvait s'empêcher de penser à lui, et le souvenir de sa voix rauque, de son sourire tantôt charmeur, tantôt taquin la remplissait d'un étrange émoi.

60

4.

Gina n'assista pas à la réunion du conseil d'administration mais, pendant qu'elle tapait avec Hazel du courrier urgent, ses yeux ne cessaient de se poser sur la pendule. Cette réunion n'en finissait pas. Que se passait-il donc derrière les portes de la grande salle située à côté des bureaux de la direction ? Gina avait aidé Hazel à préparer la pièce, et il lui avait alors semblé que les portraits de la famille Tyrrell accrochés au mur la fixaient d'un air arrogant. Avec leurs favoris et leurs visages graves, ces hommes étaient plutôt rébarbatifs, mais ils respiraient une confiance en soi qui impressionnait la jeune femme.

— Qu'as-tu ? demanda soudain Hazel.

— Pardon ?

— Tu n'arrêtes pas de regarder l'heure... Tu attends un coup de téléphone important ?

— Pas du tout !

— Tu le vois toujours ?

— Qui ça ? répliqua Gina.

En réalité, elle savait parfaitement que Hazel parlait de Nick Caspian, et elle aurait pu répondre à son amie qu'il ne lui avait pas donné signe de vie depuis le dîner au Knossos, trois jours plus tôt. Gina tentait de se convaincre que c'était une bonne chose — il avait compris et renoncé à l'importuner —, mais elle n'arrêtait pas de penser à lui. Pourtant, elle le connaissait à peine, et le peu qu'il lui avait dévoilé de sa personnalité lui déplaisait... Alors, pourquoi n'arrivait-elle pas à le chasser de son esprit ?

— Cesse de jouer les innocentes ! s'écria Hazel en souriant. Comment m'as-tu dit qu'il s'appelait, déjà ?

— Je ne te l'ai pas dit, répondit sèchement Gina. Maintenant, remettons-nous au travail, veux-tu ? Il est bientôt midi.

— En effet, observa Hazel en consultant sa montre. Je ne pensais pas qu'il était aussi tard... Cette réunion s'éternise ! De quoi peuvent-ils bien discuter ?

Gina laissa échapper un soupir, et Hazel lui lança un coup d'œil interrogateur.

— Que se passe-t-il, Gina ? J'ai entendu des tas de rumeurs...

— Pas moi ! Et s'il y en a, tu n'as pas à les écouter !

L'accent de colère que contenait la voix de son amie heurta Hazel. Si gentille que soit Gina, il était difficile d'oublier qu'elle appartenait à la famille Tyrrell. Gina elle-même ne l'oubliait jamais ; et elle établissait une sorte de barrière invisible entre les autres et elle, qu'il ne fallait pas franchir sous peine de se faire remettre à sa place.

— Je ne suis pas du genre à encourager les ragots ! déclara Hazel assez froidement.

— Pardonne-moi... Je ne voulais pas te blesser. C'est juste que je suis inquiète.

Touchée par ces excuses, Hazel contempla longuement son amie. Elle se surprenait parfois à plaindre Gina qui, tout en vivant dans le luxe, devait souffrir cruellement de la solitude. Il n'était pas normal, à son âge, d'habiter seule dans cette grande demeure avec un vieillard qui n'était même pas son vrai grand-père.

Mais il n'était pas question de parler de choses aussi

62

personnelles avec Gina, et Hazel se contenta donc de faire remarquer :

— Oui, je sais. Le journal a des problèmes, et ce n'est pas étonnant, avec tous les ennuis qu'a connus le chantier de Barbary Wharf. Je crois qu'il a fallu moins de temps aux pharaons pour construire les pyramides ! Sir George se tracasse au sujet du coût : il ne cesse de réunir les comptables et les juristes... Mais la société jouit d'une bonne santé financière, et je suis sûre que, contrairement aux rumeurs, aucun emploi n'est menacé.

Ainsi, songea Gina, sir George n'avait pas non plus révélé à Hazel la gravité de la situation... Mais il avait certainement ses raisons, et ce n'était pas à elle d'informer Hazel que les rumeurs étaient en fait fondées. De toute façon, même si le pire arrivait, une secrétaire aussi efficace et compétente qu'elle n'aurait pas de mal à dénicher un nouvel emploi. Et la personne qui succéderait à sir George garderait même sans doute cette employée modèle. Il y avait donc de grandes chances pour que Hazel travaille un jour pour Nick Caspian. Si elle le savait, cela l'enchanterait : il lui plaisait visiblement beaucoup.

L'entrée de sir George dans le bureau ramena la jeune femme à la réalité. Appuyé sur sa canne, il marchait à pas lents, et Gina fut alarmée par sa pâleur et ses traits tirés.

— La réunion est-elle enfin terminée ? demanda gaiement Hazel. Elles durent chaque fois plus longtemps...

— En effet, admit le vieil homme d'un air sombre. Tu peux me servir un whisky, Gina ?

Les deux jeunes femmes échangèrent un regard étonné, mais Gina ne discuta pas.

— Vous déjeunez dans une demi-heure avec les administrateurs du Shelton Trust, annonça Hazel. J'ai posé sur votre bureau la liste des coups de téléphone importants de la matinée. Aucun n'exige une réponse urgente, mais les trois premiers correspondants souhaitent que vous les rappeliez aujourd'hui. Avez-vous autre chose à me faire faire avant le déjeuner?

D'un signe de tête, sir George lui indiqua que non avant de s'écrouler dans son fauteuil et de tendre la main vers le verre que Gina venait de lui apporter. Hazel quitta discrètement la pièce, et Gina posa la main sur l'épaule du vieil homme dans un geste de réconfort.

— Que s'est-il passé? s'enquit-elle.

— C'est la réunion la plus difficile que j'ai jamais présidée, marmonna-t-il. A les écouter, on croirait que je cherche volontairement à ruiner la société! Mais c'est une réaction normale, j'imagine... Ils ont peur. La plupart d'entre eux sont actionnaires et craignent, de perdre leur argent. Pourtant, ils me doivent tous leur siège au conseil d'administration, et je considérais certains comme mes amis... On ne peut avoir confiance en personne! Je ne serais pas surpris qu'ils téléphonent à Nick Caspian cet après-midi même.

— Les rats quittent le navire, observa Gina d'un ton amer.

— Tu ne vas pas t'y mettre, toi aussi! s'écria sir George en la foudroyant du regard. Nous n'avons pas encore coulé!

— Bien sûr que non! s'empressa-t-elle de déclarer. Je voulais seulement dire que...

— Je sais, je sais, ma chérie. Excuse-moi, je suis très irritable en ce moment. Mais j'en ai assez de ces gens qui viennent aux réunions du conseil d'administration dans le seul but d'entériner mes décisions, et qui se retournent ensuite contre moi quand les choses commencent à se gâter.

— A quoi ont abouti les délibérations?

— Nous allons convoquer immédiatement une assemblée générale des actionnaires, répondit sir George d'un

64

ton bourru avant de vider son verre et de le reposer sans douceur sur son bureau.

Apercevant alors la liste dont lui avait parlé Hazel, il s'exclama :

— Seigneur ! Laura a encore téléphoné !

— Ne la rappelez pas, si vous n'en avez pas envie.

— Je ne veux pas risquer de la contrarier... Elle détient cinq pour cent des actions de la société et un droit de vote.

Gina l'ignorait. Et Nick Caspian, lui, le savait-il ? Sans doute, car c'était le genre d'homme à se procurer le nom de tous les actionnaires et à se renseigner sur eux pour voir si l'un ou l'autre ne serait pas susceptible de vendre. Était-ce pour cela qu'il avait fait du charme à Laura, l'autre soir ? Dans ce cas, il irait sûrement à la réception à laquelle elle l'avait convié, et tenterait de la persuader de lui céder ses actions.

— Comptez-vous aller chez Laura, samedi ? demanda-t-elle.

— Je ne lui ai pas encore donné ma réponse, et c'est sûrement la raison de son appel... Ça ne m'amuse pas, mais je crains d'être obligé d'accepter.

Si sir George se rendait à cette soirée, songea la jeune femme avec appréhension, Laura pouvait mentionner leur rencontre au Knossos. Elle avait promis de garder le secret, mais c'était une mauvaise langue, qui adorait colporter des ragots. Peut-être serait-il donc plus sage de prendre les devants et de parler tout de suite à sir George de ce dîner.

Le vieil homme ne lui en laissa cependant pas le temps.

— Caspian est parti en chasse, déclara-t-il d'une voix lasse. Il a publiquement annoncé ce matin que les actions de *L'Observateur* l'intéressaient, et leur cote a bien sûr immédiatement augmenté. Il est évident que beaucoup de gens vont vendre, y compris les membres du conseil d'administration. Le cours est bas depuis des mois et, maintenant qu'il monte, personne ne voudra manquer cette occasion de réaliser une bonne affaire.

Sir George poussa un profond soupir et ferma les yeux. Gina le regarda avec un mélange d'affection et de pitié.

— Nous avons joué de malchance, reprit-il au bout de quelques secondes. Le chantier de Barbary Wharf a commencé à un mauvais moment. S'il avait démarré lors d'une période d'expansion économique, il n'y aurait pas eu de problèmes, mais comment pouvais-je savoir que, deux ans après ma décision de déménager, ce serait la crise ?

— Vous n'avez rien à vous reprocher ! Vous avez été victime d'un malencontreux concours de circonstances, voilà tout... A propos de Nick Caspian, avez-vous eu de ses nouvelles ?

— Oh, oui ! J'ai reçu une longue lettre de lui sollicitant une entrevue. Il y fait allusion à une sorte d'accord...

Gina prit une profonde inspiration et annonça d'une voix mal assurée :

— Je lui ai parlé.

— Quoi ? Et quand donc ?

— L'autre jour.

— Au téléphone ?

Comme la jeune femme lui faisait signe que non, sir George reprit :

— Il est revenu ici ? Pourquoi ne m'en as-tu pas informé ?

— Il m'a demandé de... de jouer les intermédiaires, de vous proposer un compromis.

Devant le visage rouge d'étonnement et de colère du vieil homme, Gina s'empressa de préciser :

— J'ai pensé qu'il serait utile de connaître ses plans, si bien que... que j'ai dîné avec lui.

— Tu as quoi ? hurla sir George.

— Si j'ai eu tort, j'en suis désolée, mais je voulais juste vous aider. Il m'a affirmé que son seul but était d'obtenir un siège au conseil d'administration et d'avoir un droit de regard sur la politique du journal. Vous resteriez à votre poste.

— Comme c'est généreux de sa part ! Mais je serais surpris qu'il se contente de cela... C'est uniquement une manœuvre préliminaire en vue de prendre le contrôle de la société.

Les sourcils froncés, la mâchoire contractée, sir George réfléchit quelques instants, puis il lança un coup d'œil furieux à Gina.

— Ainsi, tu as accepté de rencontrer Caspian derrière mon dos ! s'écria-t-il. Jamais je n'aurais cru que tu me trahirais !

— Je... je ne vous ai pas trahi, balbutia-t-elle en pâlissant.

— C'est déjà révoltant que des hommes placés par moi au conseil d'administration m'abandonnent. Mais toi... !

Les yeux de Gina se remplirent de larmes.

— Vous savez bien que je suis incapable de vous faire du mal, murmura-t-elle.

— Tu m'en as fait, pourtant ! Maintenant, disparais de ma vue !

Trop bouleversée pour réagir, la jeune femme ne bougea pas, et sir George donna un violent coup de poing sur le bureau.

— Sors d'ici ! ordonna-t-il.

Cette fois, Gina pivota sur ses talons mais, au moment où elle atteignait la porte, le vieil homme déclara d'un ton bourru :

— Non, ma chérie, excuse-moi... Bien sûr que je ne mets pas ta loyauté en doute. Tu as eu raison de parler avec Caspian. Merci d'avoir essayé de m'aider.

Elle se retourna, la poitrine secouée de sanglots, et sir George tendit vers elle une main tremblante.

— Je ne suis qu'un vieillard ingrat et stupide... Pardonne-moi !

Impulsivement, la jeune femme courut vers lui et, s'agenouillant, posa la tête sur son épaule. Il l'enlaça et lui tapota gauchement les cheveux.

— Calme-toi, ma chérie... Je ne supporte pas de te voir pleurer. Allez, essuie tes larmes et mouche ton nez !

Tout en parlant, il lui avait fourré un mouchoir blanc dans les mains. Gina émit un petit rire étranglé, mais obéit, puis se releva. Quelle tête elle devait avoir, avec ses yeux rouges et ses joues barbouillées de mascara !

— Je suis complètement perdu, reprit le vieil homme. C'est difficile à expliquer, mais je me sens comme paralysé. Je regarde la catastrophe se rapprocher avec un sentiment de totale impuissance... Mon Dieu ! Que vais-je faire ?

Devant un tel désarroi, Gina songea que Nick Caspian représentait peut-être, comme il l'affirmait, l'ultime recours de sir George.

— Pourquoi ne pas tenter de discuter avec M. Caspian ? suggéra-t-elle. Cela ne vous engage à rien. Vous pouvez toujours repousser sa proposition.

Il y eut un long silence, que le vieil homme finit par rompre en observant d'un ton pensif :

— Oui, tu as raison. Dans l'immédiat, j'ai ce déjeuner avec les administrateurs du Shelton Trust, mais je voudrais que tu téléphones à Caspian pour convenir d'un rendez-vous dans l'après-midi. Je serai libre à partir de 15 heures. Mais je ne tiens pas à ce que l'on soit au courant de cette rencontre, alors dis-lui de venir chez moi...

Et je préfère que tu sois là, Gina. Il est plus sage que j'aie un témoin. Tu trouveras le numéro de Caspian en haut de sa lettre, dans le dossier qui porte son nom. Insiste pour lui parler personnellement et, s'il n'est pas là, demande qu'il te rappelle.

Sir George se leva alors et se dirigea lentement vers la porte. Avant de l'ouvrir, cependant, il se retourna et déclara avec un petit sourire triste :

— Excuse-moi de m'être emporté contre toi, ma chérie.

— Non, je comprends... Vos nerfs sont soumis à rude épreuve, en ce moment.

Après le départ du vieil homme, Gina sortit la lettre de Nick Caspian, puis fixa le téléphone comme s'il risquait de la mordre.

Il lui fallut un gros effort de volonté pour décrocher et composer le numéro. Nick ne serait sans doute pas là, songea-t-elle. Il devait être sorti déjeuner, ou bien en réunion.

— Caspian International, susurra une voix de femme à l'autre bout de la ligne.

— Pourrais-je parler à M. Caspian, s'il vous plaît ?

— De la part ?

— De Mme Tyrrell.

— Un instant ! Je vais voir si M. Caspian est dans son bureau.

Gina pria le ciel qu'il n'y soit pas mais, quelques secondes plus tard, une voix grave s'éleva dans l'écouteur :

— Allô ?

— Monsieur Caspian ? demanda-t-elle pour la forme, car elle savait à la brusque accélération de son pouls qu'il s'agissait bien de lui.

— Qu'y a-t-il, Gina ?

Cette agressivité la mit en colère, et ce fut d'un ton glacial qu'elle expliqua :

— Sir George aimerait vous rencontrer. Vous serait-il possible de venir chez lui cet après-midi, à 15 h 15 ?

Il y eut un bref silence, puis Nick fit remarquer sans aménité :

— Vous ne me laissez pas beaucoup de temps pour m'organiser !

— Vous n'êtes pas libre ?

— Je m'arrangerai... Mais quel genre d'entretien est-ce ? Dois-je amener des gens de ma société ? Des comptables, des juristes...

— Non. Sir George veut vous voir en privé. Et il souhaite que vous n'informiez personne de ce rendez-vous.

— Juste lui et moi, c'est bien cela ?

Nick avait prononcé ces mots d'un ton pensif, et Gina imaginait très bien l'expression calculatrice de ses yeux gris, le cheminement rapide des idées dans son cerveau intelligent... Il essayait sûrement de deviner les intentions de sir George.

— Non, ce ne sera pas juste vous et lui, répondit-elle. J'assisterai à cet entretien en qualité de témoin.

— Deux contre un, alors ? Vous aurez l'avantage du nombre, mais j'accepte tout de même... A plus tard, Gina !

La communication fut coupée, et la jeune femme raccrocha lentement. Elle tremblait, ce qui l'irrita profondément. Pourquoi Nick Caspian la troublait-il autant ? Mieux valait sans doute ne pas trop creuser la question... D'ailleurs, il était déjà midi passé, et Hazel lui avait demandé de l'accompagner dans le West End — le centre touristique et commercial de Londres — pour faire des courses pendant la pause du déjeuner.

Se rappelant alors les dégâts qu'avaient causés les

larmes à son maquillage, Gina se rendit aux toilettes, et elle était en train de se repoudrer le nez devant la glace lorsque Hazel entra à son tour.

— Tu es prête, Gina ?

— Plus ou moins...

Hazel prit le temps de se recoiffer et de se remettre du rouge à lèvres — retouches en fait inutiles, car elle était toujours impeccable. Quelle que soit l'heure de la journée, elle paraissait sortir des mains d'une esthéticienne.

Quelques minutes plus tard, les deux jeunes femmes quittaient l'immeuble de Fleet Street. Le soleil brillait, ce jour-là, et les décorations de Noël étaient déjà installées : rues et vitrines étincelaient.

— C'est joli, n'est-ce pas ? fit remarquer Hazel dans le bus qui les amenait à Oxford Street. J'adore Noël !

— Mais nous sommes seulement au début du mois de décembre ! s'exclama Gina. Pourquoi sortent-ils si tôt les guirlandes et les sapins ?

— Espèce de rabat-joie ! lui lança Hazel en riant.

Le bus venait d'arriver à l'arrêt d'Oxford Street, et les deux jeunes femmes descendirent dans la rue grouillante de monde. Il soufflait un petit vent froid et, malgré le soleil et son manteau de fourrure, Gina frissonna. C'était étrange... Depuis sa rencontre avec Nick Caspian, il lui semblait être plus vulnérable. Elle avait acquis une sensibilité extrême quant à tout ce qui se passait autour d'elle, qu'il s'agisse du temps ou d'une dispute au bureau. Les larmes n'étaient jamais très loin, et elle était sujette à de brusques changements d'humeur.

L'animation du quartier et le spectacle des magasins la détendirent cependant un peu. Hazel cherchait des chaussures pour compléter la tenue qu'elle comptait porter au mariage d'une amie, et, après avoir exploré plusieurs boutiques, elle finit par les trouver.

— Si nous déjeunions, maintenant ? demanda-t-elle.

— Je n'ai pas beaucoup de temps, répondit Gina en consultant sa montre. J'ai un rendez-vous à 15 h 15, et il faudra donc que je te quitte à 14 h 30. Allons chez Selfridges, c'est juste à côté.

— D'accord !

Malheureusement, quand elles arrivèrent au dernier étage du célèbre magasin, où se situait le restaurant, un serveur vint leur annoncer qu'il n'y avait pas de table libre.

— On attend ? lança Hazel.

— Non. Ce sera pour une autre fois.

Gina s'apprêtait à partir lorsqu'une voix la héla depuis la salle :

— Bonjour, madame Tyrrell ! Vous vous souvenez de moi ? Piet Van Leyden... J'ai entendu ce que le serveur vous a dit, mais je serais ravi de partager ma table avec vous. On peut largement y tenir à trois.

— Je... Merci, monsieur Van Leyden, c'est très aimable à vous, bredouilla Gina en s'approchant.

— Appelez-moi Piet, je vous en prie !

— Eh bien, merci, Piet... Et appelez-moi Gina.

Elle fit les présentations, et le jeune homme serra la main de Hazel poliment mais distraitement.

— Enchanté, mademoiselle, déclara-t-il.

Puis il adressa un grand sourire à Gina avant d'ajouter :

— Je ne pensais pas avoir la chance de vous revoir... C'est merveilleux ! Asseyez-vous !

Pendant qu'ils parlaient, le serveur avait installé deux autres couverts. Piet montra à Gina la chaise voisine de la sienne, et Hazel s'installa en face d'eux.

Constatant que son amie fixait Piet avec curiosité, Gina expliqua alors :

— M. Van Leyden est architecte. Il travaille pour Caspian International.

— Architecte ? répéta Hazel. Ce doit être un métier passionnant !

— Oui, admit Piet sans même la regarder, il me donne beaucoup de satisfactions.

Hazel s'empourpra. Très jolie, elle était habituée à ce que les membres du sexe opposé la remarquent, et l'indifférence de Piet la froissait visiblement.

— Moi, je ne suis qu'une simple secrétaire, lança-t-elle d'un ton agressif. Rien de très intéressant ni de très important.

— Hazel est trop modeste, intervint Gina. Elle est secrétaire de direction.

— Vraiment ? marmonna Piet avec un bref coup d'œil en direction de Hazel.

— Oui, vraiment ! répliqua cette dernière en levant le menton d'un air de défi.

Mais Piet s'était de nouveau tourné vers Gina.

— Et vous, vous êtes la secrétaire particulière de sir George, c'est bien cela ?

Les yeux gris de Hazel lançaient des éclairs, et Gina, mal à l'aise, se contenta de répondre à Piet par un signe de tête affirmatif.

— Vous avez couru les magasins ? reprit le jeune architecte.

— Oui, déclara Hazel. Je me suis acheté des chaussures.

— Ah, bon ? Et vous, Gina, vous n'avez rien acheté ? Après cela, Hazel s'enferma dans un silence boudeur.

Inquiète, Gina l'observait de temps à autre à la dérobée — l'attitude de Piet montrait que, pour lui, Hazel était de trop, et cela l'ennuyait. Elle tenta à plusieurs reprises de faire participer son amie à la conversation, mais celle-ci refusa de jouer le jeu et, à peine son repas terminé, elle repoussa sa chaise en annonçant :

— Je m'en vais, Gina. A plus tard au bureau !

Piet leva la tête vers elle comme s'il se souvenait soudain de la présence d'une tierce personne à sa table, et commit alors une grosse erreur : il lui adressa un sourire chaleureux.

— Vous nous quittez déjà, mademoiselle ? demandat-il d'un ton qui cachait mal sa satisfaction de la voir partir.

— Et comment ! riposta Hazel en pivotant sur ses talons et en se dirigeant à grands pas vers la porte.

Ses beaux yeux bleus écarquillés, Piet la regarda s'éloigner, puis il murmura :

— Pourquoi est-elle en colère ? Qu'est-ce que j'ai dit ?

— Laissez tomber, lui conseilla Gina.

A quoi bon, en effet, se lancer dans de grandes explications ? Il n'aurait sans doute jamais plus l'occasion de rencontrer Hazel et, au cas où cela se produirait, Hazel se chargerait elle-même de lui fournir des éclaircissements.

— C'est une drôle de fille, votre amie ! s'exclama Piet. Mais maintenant que nous sommes seuls, nous allons pouvoir faire vraiment connaissance.

— Je n'ai malheureusement pas beaucoup de temps, observa la jeune femme.

Son interlocuteur soupira. Les rayons du soleil hivernal qui entraient par la fenêtre, derrière lui, nimbaient ses cheveux blonds d'un halo doré. Il était beau, gai et sympathique, mais il ne dégageait pas la même impression d'énergie et de virilité que... « Arrête ! songea Gina. Nick n'est pas le seul homme au monde ! »

— J'aimerais vous revoir, déclara Piet en lui prenant la main. Si nous dînions ensemble, la prochaine fois ? Cela nous permettrait de parler plus longuement.

— Oh ! je ne sais pas..., murmura-t-elle.

Puis elle s'empressa d'appeler le serveur. Celui-ci s'approcha, et elle lui indiqua :

74

— L'addition pour mon repas et celui de la personne qui m'accompagnait, s'il vous plaît.

— Non ! protesta Piet. L'addition est pour moi. J'insiste...

Ne voulant pas le froisser, la jeune femme ne discuta pas.

— Merci beaucoup, dit-elle en se levant. Mais à présent, il faut que je me sauve.

— Me permettez-vous de vous téléphoner ?

Gina hésita, puis l'idée que Piet était peut-être exactement ce qu'il lui fallait pour oublier Nick lui traversa l'esprit, et elle répondit avec un sourire :

— Oui, bien sûr !

— A très bientôt, donc ! s'écria Piet, les yeux brillants.

Allait-il parler de leur rencontre à Nick ? se demanda la jeune femme en montant dans le taxi qu'elle eut la chance de trouver devant le Selfridges. Elle l'espérait, en tout cas.

Le taxi la déposa devant la maison de Mayfair bien avant 15 heures. La grande demeure était vide. Daphné, la gouvernante, avait dû sortir acheter des provisions pour le dîner, et John, son mari, était avec sir George. Ce couple d'employés fidèles s'occupait de tout dans la maison : Daphné faisait la cuisine et le ménage, tandis que John, en plus de sa fonction de chauffeur, jouait le rôle de factotum.

En attendant sir George et son invité, la jeune femme se rendit dans la cuisine pour commencer les préparatifs du thé, puis elle gagna sa chambre afin de remplacer sa jupe noire et son chemisier blanc par une tenue un peu plus recherchée.

Ce n'était évidemment pas pour plaire à Nick Caspian, se dit-elle. Enfin, pas exactement... Elle le détestait et aurait préféré ne jamais le revoir, mais puisqu'il serait là dans quelques minutes, autant ne pas se montrer à lui sous les traits de la parfaite secrétaire, effacée et un peu gauche, que personne ne remarquait. Non, elle voulait le surprendre, lui prouver que Gina Tyrrell n'était pas aussi terne qu'il le croyait.

En fouillant sa penderie, la jeune femme finit par découvrir le genre de tenue qu'elle cherchait — un fourreau de soie noire acheté avec James en vue d'un bal costumé ayant pour thème les années 20. Son mari aimait beaucoup cette robe, mais Gina, la trouvant trop provocante, ne l'avait jamais portée après cette soirée. C'était en effet un modèle très moulant, avec un décolleté profond et une jupe qui s'arrêtait bien au-dessus du genou.

Entrerait-elle encore dedans ? La jeune femme l'enfila et constata que la robe lui allait parfaitement. Elle brossa alors ses longs cheveux roux, les releva en chignon sur sa nuque, mit du rouge à lèvres et de l'ombre à paupières couleur bronze, puis recula pour contempler son reflet dans la glace.

Aussitôt, elle fit la grimace. Non ! Impossible de se présenter ainsi devant Nick Caspian — ni devant sir George, d'ailleurs ! Elle voyait d'ici l'expression horrifiée du vieil homme... Il fallait enlever cette robe au plus vite et passer une tenue plus discrète.

Le timbre de l'entrée résonna juste à ce moment-là. Seigneur ! Était-ce déjà Nick ? Affolée, Gina hésitait sur la conduite à tenir lorsqu'un deuxième coup de sonnette retentit, plus insistant que le premier.

Pas moyen de se dérober... La jeune femme descendit précipitamment l'escalier et ouvrit la porte. C'était Nick, en effet, et bien qu'elle s'y attende, Gina ressentit en l'apercevant un brusque pincement au cœur.

— Vous êtes en avance ! déclara-t-elle d'une voix rauque.

Nick ne répondit pas : il était trop occupé à regarder la mince silhouette qui lui faisait face. Ses yeux se posèrent successivement sur les blanches épaules dénudées, la courbe des seins, la taille fine moulée par le tissu léger, les longues jambes gainées de soie... Le pouls de Gina avait commencé à s'accélérer bien avant le terme de cet examen.

Elle finit cependant par se ressaisir suffisamment pour annoncer :

— Sir George n'est pas encore là, mais il ne devrait pas tarder à arriver.

Tremblante, elle recula de quelques pas, et Nick entra. Il portait un élégant manteau de cachemire noir dont les pans ouverts révélaient un costume sombre à fines rayures blanches. Les nerfs tendus à se rompre, la jeune femme ferma la porte derrière lui. Nick continuait de la fixer. Que pensait-il ? Mieux valait sans doute ne pas le savoir...

Il enleva son pardessus et le jeta négligemment sur une chaise, puis alla étudier les tableaux accrochés au mur du vestibule.

— Vous serez peut-être mieux ici pour attendre, observa Gina en désignant de la main la porte du salon.

Toujours en silence, Nick la suivit dans la grande pièce vert et or, dont la décoration parut vivement l'intéresser. Il passa en revue les lourds rideaux de velours, la porcelaine anglaise du

xviiie siècle exposée dans une haute vitrine et le ravissant bronze de style Art nouveau, placé dans une niche et représentant une nymphe en train de danser. Après quoi, ses yeux perçants se posèrent de nouveau sur Gina.

— Asseyez-vous, je vous en prie ! s'empressa de dire cette dernière. Puis-je vous offrir quelque chose à boire ? Du thé, du café, un alcool ?

— Auriez-vous l'intention de m'enivrer pour me séduire et me convaincre d'accepter toutes les propositions de sir George? demanda-t-il d'un ton ironique.

— Quelle idée absurde!

— Pas tant que ça... Dans cette robe, je crois que vous arriveriez à me faire faire n'importe quoi.

— Ce n'est pas à votre intention que je l'ai mise!

— Ah, non? Et à l'intention de qui, alors?

— Cela ne vous regarde pas!

Puis, comme Nick se taisait, elle s'enquit de nouveau de ce qu'il voulait boire. Il la contempla un moment, le visage fermé, avant de répondre:

— Eh bien, comme j'aurai besoin d'avoir les idées claires pendant cette discussion et que j'ai bu un peu trop de vin pendant le déjeuner, du café noir me semble le plus indiqué.

— Je vais vous en chercher, déclara Gina, ravie d'avoir un prétexte pour quitter la pièce. Excusez-moi...

Dans la cuisine, elle commença à préparer le café tout en essayant de remettre un peu d'ordre dans ses pensées. Pourquoi avoir laissé entendre à Nick qu'il y avait un homme dans sa vie? Afin de le convaincre qu'elle n'avait pas choisi cette robe pour lui, bien sûr... Mais il n'était jamais bon de mentir; on finissait toujours par le regretter.

Le temps que le café passe, Gina sortit d'un placard des tasses et des soucoupes, un pot à lait et un sucrier, puis parcourut la pièce du regard à la recherche d'un plateau. Elle finit par s'apercevoir que la gouvernante les avait tous rangés sur la dernière étagère d'un vaisselier ancien qui montait presque jusqu'au plafond.

La jeune femme grimpa sur un tabouret, mais il lui fallut tout de même se hausser sur la pointe des pieds pour atteindre le haut du meuble, et elle sentit le tabouret vaciller.

— Attention ! dit la voix de Nick derrière elle.

Surprise, Gina glissa, poussa un cri de frayeur et perdit l'équilibre. Nick la rattrapa au vol et la tint étroitement serrée contre lui. Au même moment, un lourd plateau d'argent tomba avec fracas sur le carrelage de la cuisine.

Le bruit fit sursauter la jeune femme. Nick resserra alors son étreinte. Elle leva les yeux vers lui et, pendant une minute qui lui parut durer une éternité, ils restèrent à se fixer en silence. Le cœur de Gina battait la chamade, et il lui semblait entendre un autre battement en écho. Était-ce celui du cœur de Nick ?

Et soudain, dans un mouvement lent mais inexorable, il inclina la tête et posa sa bouche sur celle de la jeune femme. Elle gémit et ferma les yeux, brusquement consciente qu'elle attendait cet instant depuis le jour de leur première rencontre. Oui, c'était cela qui la tenait éveillée le soir, ce sourd désir de sentir le corps de Nick contre le sien, cette soif de connaître le goût de ses baisers...

Et maintenant, elle le connaissait... Chaudes, sensuelles, les lèvres de Nick devenaient de plus en plus insistantes, et Gina répondit à leur demande avec ardeur. Les longues années où elle avait dormi seule, où aucun homme ne l'avait touchée, avaient créé un besoin qui exigeait maintenant d'être assouvi.

Alors, comme dominée par une force qu'elle ne contrôlait pas, elle passa les bras autour du cou de Nick. Il fit glisser la fermeture Eclair de sa robe et, d'une main, se mit à lui caresser doucement le dos tandis qu'il glissait l'autre main sous la masse soyeuse des cheveux roux pour trouver la peau tendre de la nuque. Des frissons de plaisir parcouraient la jeune femme, et, quand la bouche de Nick commença à descendre le long de son cou, elle perdit pied, emportée par la violence de son désir.

Mais soudain, au-dehors, une portière claqua. Quelques secondes plus tard, il y eut le bruit d'une clé dans la serrure, et enfin, une voix retentit dans le vestibule.

Nick lâcha immédiatement Gina, qui le regarda d'un air affolé.

— Ce doit être sir George, chuchota-t-elle.

— Oui, déclara Nick d'une voix grave, presque dure. Je vais aller le voir. Occupez-vous du café, pendant ce temps.

Sur ces mots, il se dirigea vers la porte et disparut, laissant la jeune femme complètement désemparée. Comment pouvait-il se ressaisir aussi vite ? Quelques secondes plus tôt, il semblait en proie à une passion dévorante, et voilà que, en l'espace d'un éclair, il avait recouvré toute sa lucidité... Pour qu'il reprenne aussi rapidement ses esprits, il fallait que cette étreinte n'ait pas eu une grande signification pour lui !

Un profond sentiment d'amertume s'empara de Gina. Nick avait certainement beaucoup d'expérience en la matière... Combien d'autres femmes s'étaient-elles abandonnées dans ses bras, oubliant tout sous les caresses de ces mains expertes, de cette bouche sensuelle ?

Rouge de honte, la jeune femme remonta la fermeture Eclair de sa robe, puis humecta une serviette d'eau froide et la pressa contre son front brûlant. Une migraine commençait à lui vriller les tempes. Où allait-elle trouver le courage de rejoindre Nick dans le salon, d'affronter son regard moqueur et, peut-être, ses sarcasmes voilés ?

Ah ! Il l'avait bien eue ! Elle se rappelait encore les gémissements de plaisir qu'il avait laissé échapper, sa respiration haletante, l'impatience de ses mains... Quel acteur ! L'idée de s'être laissé abuser par cette comédie donnait à Gina l'envie de se gifler.

La sonnerie du téléphone intérieur la ramena brusquement à la réalité. Les jambes encore molles, elle alla répondre.

80

— Gina? dit sèchement sir George. Alors, il vient, ce café? Et apporte aussi une tasse pour moi. Inutile de faire du thé.

— J'arrive, murmura la jeune femme.

Elle raccrocha et resta quelques secondes immobile, tentant de recouvrer son sang-froid. Il ne fallait pas que Nick se rende compte de l'état dans lequel il l'avait mise.

Ramassant ensuite le plateau tombé par terre, Gina y disposa la cafetière et le service préparés quelques minutes plus tôt, puis sortit de la cuisine. Elle s'arrêta un instant devant la glace du vestibule pour vérifier son apparence et eut la surprise de constater que, à part ses cheveux un peu décoiffés, elle avait l'air tout à fait normal. Deux gestes rapides lui suffirent pour remonter les mèches qui s'étaient échappées de son chignon, après quoi elle inspira à fond et se dirigea vers le salon.

A son entrée, Nick quitta le fauteuil dans lequel il était installé et, le visage impassible, s'empara du plateau, qu'il alla poser sur une table basse.

— Vous m'avez bien demandé du café noir, monsieur Caspian? s'enquit-elle sans le regarder.

Nick tendit la main pour prendre la tasse que la jeune femme lui offrait, puis il retourna s'asseoir tandis qu'elle apportait son café à sir George. Celui-ci la fixait intensément, les sourcils froncés et une lueur de surprise dans les yeux.

— Je ne connaissais pas cette robe! s'écria-t-il soudain.

— Je l'ai depuis des années, mais je ne la mets pas souvent, répondit Gina en rougissant.

— Tu sors ce soir?

— Peut-être, déclara-t-elle.

C'était encore un mensonge, mais Nick ne devait pas savoir qu'elle avait choisi cette robe sinon pour lui, du moins à cause de lui.

— Pouvons-nous poursuivre notre discussion? intervint Nick avec une pointe d'impatience dans la voix.

Sir George lui lança un coup d'œil hostile, puis regarda de nouveau Gina.

— M. Caspian vient de m'annoncer qu'il avait acheté les actions de Laura Dailey, indiqua-t-il.

— C'est donc elle le premier rat à quitter le navire? observa la jeune femme.

— Oui, dit le vieil homme en soupirant.

— Écoutez, sir George, fit remarquer Nick, vous vous épargneriez bien des soucis en reconnaissant dès maintenant votre défaite.

Une expression de désarroi se peignit sur le visage du vieil homme. Il se tourna vers Gina, qui lui sourit tristement : elle se sentait tout aussi impuissante que lui.

— Vous êtes sûr de gagner tôt ou tard, n'est-ce pas, monsieur Caspian? finit par murmurer sir George.

— Absolument! répliqua Nick. Faute d'accepter mes conditions, vous serez inéluctablement acculé à la faillite.

Gina le considéra avec amertume. C'était le vrai Nick Caspian qu'elle avait en ce moment devant les yeux, un homme froid et implacable dont il fallait se méfier comme de la peste, un homme dont seule une idiote pourrait tomber amoureuse...

— Si votre société veut s'en sortir, reprit Nick, elle a besoin d'un gros apport de capital. Et personne ne fait ce genre d'investissement sans exiger en contrepartie de participer à la conduite des affaires. Vous savez cela aussi bien que moi.

— Je le sais, en effet, admit sir George d'un ton las. Très bien, je m'avoue vaincu.

A ces mots, un frisson glacé courut le long du dos de Gina. Nick avait triomphé. Mais au fond, sa victoire n'était-elle pas prévisible dès le début? Il évoluait avec une aisance terrifiante dans la jungle de la haute finance, prédateur cruel et impitoyable qui traquait sa proie avec une infinie patience, puis fondait sur elle sans pitié ni remords. Sir George n'avait jamais eu la moindre chance contre lui — peut-être, quand il était plus jeune, aurait-il été de taille à lutter, mais plus aujourd'hui ; l'âge et les épreuves l'avaient trop affaibli.

Oh, il garderait sans doute jusqu'à sa mort le titre de président du conseil d'administration mais, à partir de maintenant, ce serait Nick qui détiendrait véritablement le pouvoir à *L'Observateur*.

5.

Dix jours plus tard, Hazel mangeait un yaourt à la pêche devant son ordinateur lorsque la porte s'ouvrit soudain. Elle tourna vivement la tête pour voir qui arrivait, furieuse d'être surprise en train de déjeuner dans son bureau. Cela n'était pourtant pas rare, car elle avait des journées chargées et profitait souvent de cette heure calme pour finir de taper une lettre ou mettre un dossier à jour. Elle détestait prendre du retard. En la nommant à ce poste de secrétaire de direction, sir George l'avait préférée à plusieurs employées plus âgées, dont le ressentiment s'était exprimé de façon claire, sinon directe.

— Tu es bien trop jeune, lui avaient-elles dit. Tu ne seras pas à la hauteur.

Et quand, à force de volonté et de travail, Hazel avait infligé un cinglant démenti à leurs affirmations, elles avaient déclaré avec une feinte compassion :

— C'est trop dur pour toi. Tu ne tiendras pas longtemps.

Elles avaient guetté le moindre signe de relâchement ou de faiblesse, mais Hazel était bien résolue à garder son poste et à ne prêter le flanc à aucune critique. Si bien qu'elle avait pour habitude d'arriver tôt, de partir tard et de sauter le repas de midi si elle se sentait un tant soit peu débordée. Voulant cependant donner l'impression de dominer facilement la situation, elle essayait de faire en sorte qu'aucun membre du personnel — et même pas sir George — ne la surprenne à grignoter dans son bureau.

La personne qui venait d'entrer n'était pas une de ses collègues, mais Hazel n'en fut pas moins irritée, car il s'agissait de Piet Van Leyden. Elle se souvenait encore avec rancune de leur rencontre au Selfridges.

Posant son pot de yaourt derrière un dossier, elle se leva et annonça froidement :

— Sir George est absent, monsieur Van Leyden, et il ne sera pas là avant plusieurs heures. Puis-je lui transmettre un message ?

— Ce n'est pas sir George mais Mme Tyrrell que je voulais voir.

— Mme Tyrrell est, elle aussi, partie déjeuner.

— Pensez-vous qu'elle reviendra bientôt ?

— Je n'en ai pas la moindre idée.

Piet lui lança un regard perplexe, puis observa en fronçant les sourcils :

— Vous ne m'êtes pas d'une grande aide !

— Ah, non ? répliqua-t-elle, impassible. C'est que je suis très occupée, comme vous pouvez le constater, et qu'on ne me paie pas pour suivre Mme Tyrrell à la trace.

— Et vous n'êtes pas non plus très aimable, déclara le jeune architecte.

Ce reproche était justifié, mais Hazel ne jugea pas utile de s'excuser : si Piet Van Leyden n'était pas content, tant pis pour lui ! Il lui parlait certes poliment, mais elle était certaine qu'il ne se rappelait ni son nom ni sa fonction exacte, et que, de toute façon, il s'en moquait. Parmi les hommes qui entraient dans ce bureau pour voir sir George, pourtant, beaucoup la traitaient avec indifférence, et cela lui était égal... Alors, pourquoi cette même attitude de la part du Néerlandais la mettait-elle en rage ?

Sa colère devait se lire sur son visage, car Piet la

contemplait maintenant d'un air surpris. Au lieu de partir, cependant, il se dirigea vers la fenêtre et regarda dehors en faisant distraitement tinter des pièces de monnaie dans sa poche.

— Ça ne m'étonne pas que vous soyez de mauvaise humeur, fit-il remarquer. La vue que l'on a d'ici est plutôt déprimante.

— C'est un paysage londonien typique, riposta Hazel, et il se trouve que je l'aime beaucoup. D'autre part, je ne suis pas de mauvaise humeur. Juste occupée.

Se tournant alors vers la table, Piet aperçut le pot de yaourt entamé et lança, l'air amusé :

— Ce n'est pas ce maigre déjeuner qui vous remontera le moral... Vous n'avez pourtant pas besoin de maigrir !

— Écoutez, monsieur Van Leyden, je n'ai ni le temps ni l'envie de discuter avec vous. Maintenant, si vous voulez laisser un message pour Mme Tyrrell, je me chargerai de le lui remettre.

— Merci, mademoiselle... Excusez-moi, j'ai oublié votre nom.

Elle l'avait deviné, mais cela ne l'empêcha pas de se sentir humiliée.

— Forbes, répondit-elle d'une voix glaciale.

— Oui, Hazel Forbes, je m'en souviens, à présent... C'est un joli prénom, qui signifie « noisetier » en anglais, si je ne me trompe... Les noisetiers sont de très beaux arbres, mais on n'en voit plus beaucoup dans ce pays. De nombreux artisans les utilisaient autrefois, de la vannerie à l'ébénisterie.

Tout en parlant, Piet s'était approché de Hazel, et il se mit à la fixer si intensément qu'elle rougit, gagnée par une étrange émotion. Pourquoi la regardait-il ainsi ? Sans doute trouvait-il que ce prénom ne lui allait pas...

Comme par hasard, le jeune architecte observa :

— Vos yeux ne sont pas de la bonne couleur.

— Pardon ?

— Ils devraient être noisette... En fait, ils n'ont pas de couleur vraiment définie, n'est-ce pas ?

— Ils sont gris, répliqua Hazel.

Mais le Néerlandais pensait déjà à autre chose. Il se détourna et, consultant sa montre, déclara :

— Pouvez-vous demander à Mme Tyrrell de me téléphoner quand elle rentrera ?

Sans attendre la réponse, il quitta rapidement la pièce, et Hazel se rassit devant son ordinateur. Son yaourt ne la tentait plus, et elle le jeta dans la corbeille, puis contempla d'un air songeur la ligne des toits de Londres. Et, comme pour donner raison à Piet Van Leyden, elle trouva ce spectacle tout à fait déprimant. A moins que cette soudaine mélancolie ne soit due à l'indifférence du jeune architecte ? Il s'était certes brièvement intéressé à elle, mais pour finalement conclure que ses yeux n'avaient pas de couleur définie et — même s'il était trop poli pour le dire — qu'elle était ennuyeuse. Non, la seule personne à qui il attachait de l'importance, c'était Gina...

Morose, Hazel écrivit un mot à son amie l'informant que Piet Van Leyden était passé et voulait qu'elle l'appelle, puis se remit au travail en essayant d'oublier Piet et les relations qu'il entretenait avec Gina. Il n'était d'ailleurs pas sûr que ces relations existent ou aient une chance d'exister. D'un naturel réservé, Gina parlait rarement de sa vie privée, et Hazel ne savait pas si elle sortait avec quelqu'un — que ce soit Piet Van Leyden ou un autre. A une ou deux reprises, l'idée lui était venue que Gina s'intéressait à Nick Caspian. A chaque fois qu'elle les voyait ensemble, cependant, c'était de l'hostilité et non de l'attirance qu'ils semblaient éprouver l'un pour l'autre — même si, de l'extérieur, il n'était pas toujours facile de différencier ces deux sentiments.

Une chose était sûre, en tout cas : quand ils se rencontraient, il y avait de l'électricité dans l'air. Et, à bien y réfléchir, Hazel penchait plutôt pour la thèse d'une inimitié réciproque. S'agissant de Gina, cela paraissait en effet plus logique : Nick Caspian cherchait à prendre le contrôle de *L'Observateur* au détriment de sir George, et Gina ne lui pardonnerait sans doute jamais de vouloir nuire à un homme qu'elle aimait beaucoup. Piet Van Leyden avait donc peut-être ses chances...

Hazel était cependant partie dans un autre service quand Gina rentra de déjeuner, et elle ne vit donc pas sa réaction à la lecture du mot laissé à son intention. Quant à lui demander si elle sortait avec le jeune architecte ou si elle accepterait de sortir avec lui s'il le lui proposait, Hazel était bien trop orgueilleuse pour le faire. Elle n'obtiendrait d'ailleurs sans doute pour toute réponse qu'un sourire timide ou un haussement d'épaules, comme d'habitude, et elle préférait de toute façon ne pas le savoir.

L'architecte néerlandais se présenta de nouveau dans le bureau de Hazel le lundi suivant, mais cette fois, la jeune femme s'y attendait car il avait rendez-vous avec sir George. Il s'était même habillé en conséquence, constatat-elle en l'examinant du coin de l'œil. Il avait aujourd'hui troqué ses vêtements sport contre un costume sombre et une chemise d'un blanc immaculé. Ses cheveux blonds impeccablement coiffés brillaient comme de la soie.

— Bonjour, mademoiselle Forbes... J'imagine que vous ne m'autoriserez pas à vous appeler Hazel ?

Une lueur taquine brillait dans les prunelles bleues de Piet, et la jeune femme se raidit. D'abord incapable de parler, elle finit cependant par déclarer d'une voix posée :

— Bonjour, monsieur Van Leyden. Sir George est occupé en ce moment, mais il vous recevra dans un instant. Asseyez-vous, je vous en prie! Voulez-vous une tasse de café?

— Volontiers, merci.

Hazel se leva et se dirigea vers la table où était installée la cafetière. Elle sentait que Piet la détaillait de la tête aux pieds, et cela l'irritait. Toujours vêtue sobrement au bureau afin de paraître plus âgée et plus responsable, elle portait ce jour-là une jupe droite gris foncé et un chemisier de soie crème qui soulignaient sa silhouette mince, mais elle se savait moins fascinante que Gina, dont les cheveux flamboyants et l'apparence fragile formaient un contraste saisissant.

La comparaison avec son amie — que Piet était sûrement en train de faire — n'était donc pas à son avantage, et ce fut avec une certaine brusquerie qu'elle tendit son café au jeune architecte.

— Merci, dit-il.

Toujours en silence, elle regagna son bureau. Le Néerlandais but quelques gorgées, puis observa avec un haussement de sourcils approbateur :

— Ce café est excellent! Exactement comme je l'aime...

Feignant d'être absorbée dans son travail, Hazel se contenta d'incliner la tête en signe de remerciement. Piet finit alors sa tasse, puis se leva pour aller la poser sur la table et, ensuite, au lieu de se rasseoir, il se mit à déambuler dans la pièce. Il s'arrêta devant chacun des classeurs, dont les tiroirs ouverts révélaient des rangées de documents bien alignées, resta un moment à contempler le bureau parfaitement en ordre, et vint finalement se camper derrière l'ordinateur sur lequel Hazel était en train de taper une circulaire.

— Vous êtes une perfectionniste, déclara-t-il.

90

Elle ne répondit pas. Cette remarque ressemblait plus à une critique qu'à un compliment, et mieux valait donc la traiter par le mépris.

— Vous êtes si soignée, si élégante, si compétente..., reprit Piet.

Pour la première fois, elle perçut une pointe d'accent néerlandais dans sa voix. Il se tut quelques secondes, comme s'il attendait un commentaire, puis murmura :

— Terrifiant...

Les mâchoires de Hazel se contractèrent, et elle était sur le point de répliquer vertement lorsque, du bureau de sir George, s'éleva un bruit de chaises que l'on repoussait.

— Je vais voir si sir George peut vous recevoir, annonça-t-elle d'un ton glacial.

Le mouvement qu'elle fit pour se mettre debout fut cependant si brusque que Piet n'eut pas le temps de s'écarter. Ils se cognèrent l'un à l'autre, Hazel perdit l'équilibre et le jeune architecte, d'un geste vif, lui passa un bras autour de la taille pour l'empêcher de tomber.

Ce fut comme si l'on venait de donner à Hazel un coup de poing dans l'estomac : l'espace de quelques secondes, elle eut le souffle coupé et resta pétrifiée, le visage levé vers Piet, le corps serré contre le sien.

— Vous étiez trop pressée de vous débarrasser de moi ! s'écria le Néerlandais avec un sourire ironique.

Il lâcha alors Hazel et recula de quelques pas. Le feu aux joues, la jeune femme s'apprêtait à se rendre dans le bureau de sir George lorsque ce dernier parut sur le seuil.

— Monsieur Van Leyden ! dit-il en lui tendant la main. Excusez-moi de vous avoir fait attendre. J'ai eu la visite imprévue de...

La porte se ferma derrière les deux hommes, et Hazel

se rassit. Elle se sentait étourdie et tremblait de tous ses membres. Cela ne lui était encore jamais arrivé — sauf une fois, pendant une mauvaise grippe.

Mais aujourd'hui, ce n'était pas la grippe, songea-t-elle avec dérision. Ce devait être l'amour...

Accablée, elle gémit et ferma les yeux.

— Qu'est-ce que tu as ? demanda soudain Gina. Tu es malade ?

Hazel souleva les paupières et répondit en rougissant :

— Non, non... J'étais juste en train de réfléchir.

Gina fixa son amie d'un air pensif.

— Tu es fatiguée, décréta-t-elle. Comme tout le monde ici, d'ailleurs. Nous vivons des moments difficiles, et je serai contente quand nous aurons enfin déménagé à Barbary Wharf.

— Et moi donc ! s'écria Hazel avec conviction.

Car une fois le chantier terminé, elle ne reverrait sans doute plus jamais Piet Van Leyden, et ce serait beaucoup mieux ainsi. Il n'y avait pas de place dans sa vie pour un chagrin d'amour.

Quelques semaines plus tard, en revenant de déjeuner, Gina se rendit au service étranger pour parler à Rose. Elle fut frappée par le mauvais éclairage de l'immense salle de rédaction, par les courants d'air que laissaient passer les hautes fenêtres disjointes et, surtout, par le bruit : un téléscripteur mugissait à chaque bout de la pièce, une télévision beuglait dans un coin, des téléphones sonnaient, des imprimantes et des machines à écrire cliquetaient, les gens criaient pour se faire entendre par-dessus tout ce vacarme... Les journalistes se plaignaient depuis des années de leurs mauvaises conditions de travail, et pour-

92

tant, maintenant qu'ils allaient emménager dans des locaux ultramodernes, ils étaient tristes à l'idée de quitter le vieil immeuble de Fleet Street.

— Où est Rose ? demanda Gina à un reporter qui venait à sa rencontre.

Une cigarette dans une main, une dépêche dans l'autre, l'homme s'arrêta et, du menton, il désigna un bureau aux cloisons vitrées.

— Dans l'aquarium, répondit-il en esquissant un sourire.

Gina regarda dans la direction indiquée et vit Rose debout devant une grande table encombrée derrière laquelle était assis Daniel Bruneille, en manches de chemise, le col déboutonné, les cheveux en bataille et l'air furibond.

Bien qu'il soit impossible d'entendre leur conversation, il était évident qu'ils se disputaient, et Gina contempla la scène, fascinée.

— On dirait un film muet, observa-t-elle.

— Ou deux poissons rouges en colère, fit remarquer le reporter en riant. Pourquoi croyez-vous que l'on appelle cette pièce « l'aquarium » ?

Craignant d'être indiscrète, Gina se détournait pour partir lorsque Rose sortit en trombe du bureau, dont elle claqua la porte avec une telle violence que les cloisons de verre tremblèrent. Tous les gens présents dans la salle levèrent la tête en souriant. Personne ne semblait surpris, et Gina en conclut que ce genre de querelle devait être fréquent.

Elle se dirigea vers Rose, dont les traits exprimaient une forte envie de mordre quelqu'un, et déclara en tendant un paquet joliment emballé :

— Bonjour, Rose ! On m'a dit que tu étais revenue de Berlin... Bon anniversaire !

La colère céda la place à la surprise sur le visage de la jeune journaliste.

— Merci, Gina! Comment fais-tu pour toujours te souvenir de tout?

Rose entreprit alors d'ouvrir le paquet. Gina, qui avait passé beaucoup de temps à chercher un cadeau susceptible de plaire à son amie, attendit, le cœur battant, et poussa un soupir de soulagement quand le visage de Rose s'éclaira d'un grand sourire.

— C'est magnifique, Gina! Où l'as-tu trouvé?

— Chez un antiquaire.

— Merci mille fois!

D'un geste gracieux, Rose jeta le châle de soie sur ses épaules. Il était décoré d'un motif de coquelicots rouge vif et d'épis de blé dorés sur un fond noir, et Gina, en le voyant, avait tout de suite pensé qu'il avait ce style théâtral que Rose affectionnait pour ses vêtements.

— Je suis contente que tu l'aimes, observa Gina.

— Je ne l'aime pas, je l'adore!

— Il te va bien... Dis-moi, es-tu libre ce soir?

— Oui. Pourquoi?

— Si nous dînions ensemble? Je voudrais te parler.

— Des problèmes? demanda Rose en fronçant les sourcils.

Il y avait trop de monde autour d'elles pour entrer dans les détails, et Gina se contenta donc d'un signe de tête affirmatif.

— Nous pourrions manger chez moi, suggéra Rose. Je m'arrêterai en rentrant dans un restaurant chinois pour acheter des plats tout préparés.

— D'accord.

Une voix grave à l'accent français s'éleva alors derrière les deux jeunes femmes.

— Vous vous croyez où ? Dans un salon de thé ? C'est une salle de rédaction, ici, et si tu n'as pas envie de travailler, Rose, laisse au moins les autres se concentrer !

Rouge de colère, la jeune femme pivota sur ses talons et riposta :

— Tu ne peux pas me fiche la paix deux minutes ?

— J'allais partir, intervint Gina. Excusez-moi de vous avoir dérangé, monsieur Bruneille.

— Tu ne l'as absolument pas dérangé, remarqua Rose en foudroyant son patron du regard. Dans l'aquarium, on n'entend rien de ce qui se passe à l'extérieur. Il est donc sorti dans le seul but de nous espionner... et de trouver un prétexte pour m'attraper.

— Hé ! Je dirige ce service, au cas où tu ne le saurais pas !

— Ça, pas de danger qu'on l'oublie ! s'écria Rose d'un ton sarcastique.

— Je te rappelle, Rose, que je veux avoir ton article sur mon bureau avant ce soir.

— Tu l'auras !

— Ça vaudrait mieux pour toi !

Daniel se détourna, puis il se ravisa et, les yeux fixés sur le châle posé sur les épaules de Rose, il déclara froidement :

— Au fait, ce châle est superbe.

— Euh... merci, bredouilla Rose, ébahie.

— Tu as presque l'air d'une femme, avec ça ! s'exclama Daniel d'une voix forte avant de s'éloigner.

Tous les hommes de la salle éclatèrent de rire, et Rose serra les poings.

— Tu vois ce que je suis obligée de supporter..., grommela-t-elle. Il ne rate jamais une occasion de m'humilier !

En quittant son amie, quelques secondes plus tard, Gina se félicita de ne pas travailler au milieu de tout ce bruit et dans cette atmosphère tendue. Elle n'aurait jamais pu être journaliste, ni dans ce service ni dans un autre : il y avait trop de rivalités, trop de pression. Douce et calme, elle préférait mener une vie tranquille et regrettait souvent de ne pas avoir eu d'enfant avec James. Ils en avaient parlé, mais ils s'étaient dit, alors, que rien ne pressait...

Après le dîner, ce soir-là, Gina et Rose s'installèrent sur le canapé pour regarder le journal télévisé, qui devait diffuser une interview de Nick Caspian et de sir George enregistrée le matin dans les bureaux de *L'Observateur*.

Il s'était passé beaucoup de choses depuis que sir George avait accepté l'entrée de Nick au conseil d'administration. Tous les jours, les deux hommes accompagnés de leurs avocats et de leurs comptables respectifs avaient longuement discuté de l'avenir. A son grand soulagement, Gina n'avait pas eu à assister à ces entretiens, mais du coup, elle n'avait appris les termes de l'accord final qu'au moment de leur annonce officielle. Cet accord stipulait notamment le rachat par Nick d'une partie des actions de sir George. Pas suffisamment pour donner à Nick une participation majoritaire dans la société — sir George et lui en détiendraient désormais le même nombre —, mais tout le monde avait compris que *L'Observateur* serait désormais sous le contrôle de Caspian International, et le cours des actions avait encore monté.

Simultanément, la nouvelle direction avait eu des entretiens avec les différents syndicats du personnel, qui réclamaient des informations, des garanties et la promesse que leurs membres ne pâtiraient pas des inévitables bouleversements à venir.

Nick Caspian leur avait déclaré qu'il y aurait des suppressions d'emplois dans la plupart des services, mais qu'il n'avait pas encore eu le temps de déterminer où et combien. Les syndicats étaient furieux et allaient certainement se battre contre ces licenciements.

Et ce fut précisément ce dont Gina à Rose parlèrent en attendant l'interview annoncée.

— Il y aura forcément une grève, conclut Rose. La question est de savoir quand, et quels syndicats en lanceront l'ordre. Je doute que Nick Caspian ait évoqué cette perspective devant les caméras de la télévision... Tu as assisté à l'enregistrement ?

— De loin. Il faisait si chaud sous les projecteurs que mon mascara coulait !

— Et comment s'est comporté Nick Caspian ?

— Il a gardé la tête froide, naturellement ! répondit Gina avec amertume.

— Tu ne l'aimes pas, hein ? observa Rose en la fixant avec attention.

— Il ne m'inspire aucune confiance.

— Ça, je le comprends ! N'empêche que la plupart des femmes ont le cœur qui s'affole à la seule mention de son nom... Allez, avoue que tu le trouves séduisant, toi aussi, même s'il n'a pas que des qualités.

— En parlant d'hommes séduisants et difficiles à vivre, que devient Daniel Bruneille ? lança Gina.

— Pardon ?

— Excuse-moi... C'était méchant de ma part, dit Gina, qui regrettait déjà son attitude agressive.

Rose lui lança un coup d'œil furieux, puis se radoucit et émit un petit rire.

— Non, ce n'était pas méchant. Si je te demande de regarder les choses en face, il faut bien que j'en fasse autant... Et Daniel est en effet très séduisant.

— N'est-ce pas ? Je crois que son accent français y est pour quelque chose.

— Oui, sans aucun doute.

— Il a aussi des yeux malicieux.

— Polissons, même !

— Et des jambes si longues...

— Hé ! s'exclama Rose, soudain méfiante. Est-ce que tu t'intéresserais aussi à lui, par hasard ?

— Eh bien..., commença Gina, taquine.

Puis, recouvrant son sérieux, elle ajouta :

— Non, aussi beau qu'il soit, Daniel n'est pas mon genre. J'ai même un peu peur de lui.

— Ça ne m'étonne pas, observa tristement Rose. C'est l'un des hommes les plus insupportables que j'ai eu la malchance de rencontrer. Et j'en ai rencontré pas mal ! Aujourd'hui, par exemple, j'étais à peine descendue de l'avion qu'il me demandait mon article ! Ce voyage en ex-Allemagne de l'Est m'avait durement secouée et je comptais attendre demain pour rédiger mon papier. Alors, je lui ai répondu : « Laisse-moi tout de même le temps de souffler ! » Et il a répliqué : « Pourquoi ? Parce que tu es une femme ? » Devant toute la salle de rédaction ! Les gens se sont mis à rire, évidemment, si bien que je n'ai pas eu le choix : je me suis assise et j'ai écrit l'article. Et maintenant, j'ai l'impression d'être complètement vidée !

— Tu as en effet l'air épuisé, admit Gina. Désolée de t'avoir taquinée au sujet de Daniel.

— Non, c'est moi qui perds mon sens de l'humour dès qu'il s'agit de lui.

— Je connais ça ! J'appréhende toujours l'instant où Nick Caspian va arriver au bureau.

C'était vrai, mais Gina ne précisa pas à son amie que, les jours où il ne venait pas, elle ne tenait pas en place et se fâchait pour un rien.

— Il faudra pourtant bien que tu t'y habitues, affirma Rose avec un sourire désabusé. On verra beaucoup Nick Caspian au journal dans les prochaines semaines.

— Mais sir George restera président du conseil d'administration...

— Pas longtemps, si tu veux mon avis.

— Ne dis pas ça !

— Excuse-moi, déclara Rose en adressant à son amie un regard compatissant. Mais je sais que Nick Caspian est résolu à régner en maître sur la société, et il ne laissera sir George siéger au conseil d'administration que si ça l'arrange.

— Oui, tu as sans doute raison, mais s'il oblige sir George à partir, je... je...

— Tu le tueras ? Eh bien, tu n'es pas la seule chez qui il suscite des envies de meurtre. Une foule d'autres gens ont juré d'avoir la peau de Nick Caspian, mais tout lui réussit. Il faut avouer qu'il est assez extraordinaire : Caspian International s'est étendu dans toute l'Europe au cours de ces dix dernières années.

— Je me demande combien de journaux il possède.

— Aucune idée... Mais si ça peut te rassurer, je ne pense pas qu'il reste longtemps à Londres. Pour garder le contact avec ses différentes compagnies, il voyage sans cesse d'un pays à l'autre, le Luxembourg étant cependant celui où il passe le plus de temps.

— Pourquoi le Luxembourg ?

— C'est là qu'est installée la société mère.

— Vraiment ? Mais dis-moi, comment se fait-il que tu sois aussi bien informée sur Nick Caspian ?

— J'ai travaillé pour l'un de ses journaux, et il m'a semblé utile, à l'époque, de me renseigner sur son propriétaire.

— Ton père a lui aussi travaillé pour lui, non ?

Rose lui lança un coup d'œil surpris.

— En effet, répondit-elle. Comment le sais-tu ?

— Il m'a dit qu'il connaissait ton père. Il l'admire beaucoup, apparemment.

— Ah ! Ça commence ! s'écria Rose en montant le son à l'aide de la télécommande.

Les deux jeunes femmes se turent pour écouter l'interview. Nick était très impressionnant à la télévision : ses yeux gris regardaient la caméra bien en face, son expression était chaleureuse et franche, son élocution claire. Sir George, en revanche, paraissait mal à l'aise : il avait le visage rouge et parlait d'un ton bourru. Le cœur de Gina se serra : le vieil homme aurait préféré être ailleurs, et cela se voyait.

Après avoir évoqué des problèmes d'ordre général, la journaliste qui conduisait l'interview demanda à Nick :

— Quand allez-vous emménager à Barbary Wharf ?

— Dans quelques mois, répondit-il. L'immeuble est presque terminé.

— Y aura-t-il des suppressions d'emplois ?

— Il est trop tôt pour en parler, déclara Nick avec un charmant sourire à l'adresse de la journaliste.

L'interview se termina peu après, et Rose éteignit la télévision, puis observa d'un ton ironique :

— Voilà ce qui s'appelle une réponse évasive !

— Évidemment ! Il ne va pas crier sur les toits qu'il y aura des licenciements et que cela provoquera une grève.

Le lendemain matin au bureau, Hazel accueillit Gina en disant :

— En voyant cette interview, hier soir, j'ai compris à quel point les choses vont changer ici quand M. Caspian aura pris les rênes. Je crois que je devrais commencer à chercher du travail ailleurs.

— Mais ton emploi n'est pas menacé ! s'exclama Gina, surprise.

100

— Tant que sir George est là, peut-être pas, mais combien de temps cela durera-t-il ? Et je préfère partir de mon plein gré que d'être jetée dehors.

— A ta place, j'attendrais. Si tu es vraiment licenciée, tu as droit à une indemnité calculée sur la base de tes années d'ancienneté dans la société. Ce serait bête de la perdre.

— Je te remercie pour tes conseils, mais je suis assez grande pour savoir ce que j'ai à faire, répliqua Hazel.

Ces mots n'étaient pas plus tôt sortis de sa bouche qu'elle les regrettait. Depuis quelque temps, elle se sentait nerveuse et irritable. Ce travail qu'elle adorait jusque-là ne la satisfaisait plus, et il lui arrivait de plus en plus souvent de se mettre en colère contre Gina. Elle n'avait pourtant aucune raison de lui en vouloir. Bien sûr, au début, elle avait eu peur que Gina ne se pose en rivale, mais cette crainte s'était très vite dissipée : Gina appartenait à la famille Tyrrell, par alliance tout du moins, et n'avait aucun besoin de se battre pour gravir les échelons. Sir George lui léguerait à sa mort ses parts dans la société, et elle ne resterait alors sûrement pas secrétaire. Il était évident que sir George la préparait pour un poste à hautes responsabilités, même si Gina elle-même ne semblait pas en être consciente.

Et cette naïveté, ce désintéressement la rendaient très attachante. Gina était vraiment quelqu'un d'exceptionnel. Elle avait aimé son mari pour lui-même, non pour son argent, elle était toute dévouée à sir George, dont elle s'occupait avec beaucoup de tendresse...

Oui, au fil des mois et des années, Hazel avait appris à connaître Gina, en qui elle avait maintenant plus confiance qu'en personne d'autre. Alors pourquoi cette propension soudaine à se fâcher contre elle, à la provoquer, à éprouver presque de la haine à son égard ?

Ce devait être le stress, songea Hazel. Juste le stress.

6.

— Tu as mauvaise mine, dit sir George à Gina un matin, au petit déjeuner. Tu ne te sens pas bien?

— J'ai mal à la tête, reconnut la jeune femme.

— Et tu es enrouée... C'est peut-être un début de rhume. Tu n'aurais pas dû te lever. Reste donc à la maison aujourd'hui.

Gina protesta pour la forme, mais au fond, elle était ravie d'avoir une excuse pour ne pas se rendre au bureau. Elle y voyait Nick beaucoup trop souvent à son goût, et cette possibilité de l'éviter sans que cela paraisse bizarre était donc la bienvenue.

— Tu as trop travaillé ces derniers temps; un peu de repos te fera du bien, décréta sir George d'un ton qui n'admettait pas de réplique.

Sur ces mots, il se leva et appela John pour lui demander d'avancer la voiture. Sans plus discuter, Gina monta se recoucher et s'endormit presque immédiatement.

Quand elle se réveilla, il était 11 h 30. Sa migraine avait disparu, si bien qu'elle put quitter son lit et prendre une longue douche, qui lui procura un merveilleux sentiment de détente. Elle essuya ensuite ses cheveux mouillés, enfila un peignoir de bain et, pieds nus, regagna sa chambre pour s'habiller.

Le timbre de la porte d'entrée retentit alors, mais Gina

ne bougea pas : la gouvernante irait ouvrir. La jeune femme continua donc d'inspecter le contenu de sa penderie. Que mettre ? Un jean et un pull-over ? Une robe de laine ? Puisqu'elle n'allait pas au bureau, il serait agréable de porter pour une fois une tenue décontractée.

Un nouveau coup de sonnette l'interrompit dans ses réflexions. Elle fronça les sourcils. Daphné était-elle sortie faire des courses ?

Se dirigeant vers la fenêtre, Gina jeta un coup d'œil dans la rue et vit la Rolls-Royce garée devant la maison. Sir George, inquiet pour elle, devait être venu prendre de ses nouvelles pendant la pause de midi. Il lui arrivait souvent d'oublier sa clé, et, si personne ne répondait, il s'inquiéterait encore plus !

La jeune femme descendit donc l'escalier en courant. Elle était toujours pieds nus, vêtue de son seul peignoir, et ses cheveux pendaient en mèches humides sur ses épaules, mais quelle importance ? Sir George ne s'en formaliserait pas.

Prête à sourire au vieil homme, Gina ouvrit la porte... et resta interdite.

— Vous ! s'exclama-t-elle, comprenant seulement alors qu'elle avait confondu la Rolls-Royce de Nick Caspian avec celle de sir George — les deux voitures étaient du même modèle et de la même couleur.

— Moi ! répliqua Nick d'un ton ironique en pénétrant dans le vestibule.

— Je ne vous ai pas invité à entrer !

Puis, se rappelant soudain la légèreté de sa tenue, elle rougit jusqu'aux oreilles et se dépêcha de rajuster les pans de son peignoir — qui, malheureusement, était très court : il s'arrêtait à mi-cuisses et, à la façon dont Nick la regardait, il avait deviné qu'elle ne portait rien en dessous.

— Fermez donc la porte, dit-il. Le vent est froid.

C'était vrai : un courant d'air glacial s'engouffrait dans le hall et faisait frissonner Gina. Elle obéit, mais emportée par la colère, elle mit tant de force dans son geste que le claquement du lourd vantail résonna dans la grande demeure.

— Vous êtes de mauvaise humeur? demanda Nick d'un air faussement innocent.

— Si sir George vous savait ici, il ne serait pas content. Et il peut revenir d'une minute à l'autre.

— Non, car je l'ai vu il y a un quart d'heure partir déjeuner avec le directeur de la banque.

— Ah, bon..., balbutia Gina, atterrée à l'idée de rester seule avec Nick.

« Pourvu que Daphné rentre vite! » songea-t-elle. C'était son dernier espoir, mais peut-être la gouvernante avait-elle décidé de déjeuner dehors...

— Sir George m'a dit que vous ne vous sentiez pas bien ce matin, expliqua Nick, et je me suis inquiété, mais vous n'avez pas du tout l'air malade!

Il l'examina de nouveau avec attention, et elle devint écarlate.

— J'ai dormi et... et je vais maintenant beaucoup mieux, bredouilla-t-elle.

— Vous vous êtes rétablie très vite! observa Nick avec un sourire sarcastique.

— J'avais juste la migraine, mais... mais sir George craignait que je ne couve un rhume. Alors il a insisté pour que je ne sorte pas aujourd'hui.

La jeune femme s'aperçut qu'elle tremblait, et elle baissa la tête, trop troublée pour soutenir le regard de Nick. Elle avait beau détester et mépriser cet homme, il éveillait en elle des pulsions incontrôlables.

Produisait-elle le même effet sur lui? En tout cas, elle

entendit la respiration de son visiteur s'accélérer, le sentit s'approcher, et soudain, une main se posa doucement sur sa joue.

— Vous êtes très sexy dans ce peignoir, fit remarquer Nick d'une voix étrangement rauque.

Terrifiée par la violence des émotions qui l'assaillaient, Gina tapa sur la main de Nick en marmonnant :

— Ne me touchez pas !

— Je vous ai juste effleuré la joue ! s'écria-t-il, furieux. Je ne vous violentais pas... Qu'avez-vous donc ? Etes-vous complètement insensible, ou bien traitez-vous toujours les hommes de cette manière ? Afin de mieux les attirer dans vos filets, peut-être ? Est-ce ainsi que vous avez convaincu James Tyrrell de vous épouser ? En refusant de le laisser vous toucher afin que, fou de frustration, il soit prêt à faire n'importe quoi pour vous avoir ?

De rouge, Gina devint livide, et une lueur de colère s'alluma dans ses yeux.

— James et moi, nous nous aimions ! s'exclama-t-elle. N'essayez pas de salir les sentiments que nous éprouvions l'un pour l'autre. Mon Dieu ! Comment pouvez-vous tomber aussi bas ?

Le visage de Nick se durcit. Il resta quelques secondes à fixer la jeune-femme, les mâchoires contractées, puis il déclara d'une voix tendue :

— Excusez-moi... Vous avez raison, je suis impardonnable.

Sachant qu'il n'était pas homme à admettre facilement ses torts, Gina fut surprise et se radoucit un peu.

— Vous m'effrayez, parfois, murmura-t-elle. Vous êtes si... imprévisible !

— Imprévisible, moi ? Que devrais-je dire de vous, alors ? Nous nous connaissons maintenant depuis plusieurs semaines, et vous me semblez toujours aussi lointaine, aussi énigmatique...

106

— En tout cas, si vous croyez vraiment que j'ai utilisé un stratagème pour amener James à m'épouser, vous vous trompez complètement sur mon compte !

— Oubliez cette parole malheureuse... Je savais que ce n'était pas vrai. Je voulais uniquement vous blesser.

— Me blesser ? Et pour quelle raison ?

— Si vous l'ignorez, ce n'est pas à moi de vous l'expliquer... Ecoutez, je pars au Luxembourg la semaine prochaine... Pourquoi ne viendriez-vous pas avec moi ?

— Au Luxembourg ? répéta-t-elle, le cœur battant.

— Ce serait une bonne chose que vous visitiez le siège de mon groupe. Ce voyage vous en apprendrait beaucoup sur Caspian International, et je suis sûr que sir George sera d'accord.

— Ah ! Il s'agit d'un voyage d'affaires...

Les paupières mi-closes, Nick adressa à Gina un sourire taquin qui lui fit de nouveau monter le rouge aux joues.

— Nous pourrions joindre l'utile à l'agréable, susurra-t-il.

C'était tentant... Les images qu'évoquaient les mots et la voix caressante de Nick mettaient tous les sens de Gina en émoi, mais sa raison fut finalement la plus forte : comment accorder la moindre confiance à un homme qui l'avait accusée de fourberie ? Pour la soupçonner d'un acte aussi vil, cet homme-là ne serait jamais capable ni de la connaître ni de la comprendre...

— Non, dit-elle donc en défiant son interlocuteur du regard.

— Vous avez peur, Gina ? Ce...

— Je n'ai pas peur, non. Je n'ai pas envie de vous accompagner au Luxembourg, c'est tout.

Les prunelles grises de Nick reflétèrent alors une telle colère que la jeune femme, ne voulant pas voir la discussion dégénérer de nouveau en dispute, ajouta :

— Cela m'ennuie de partir en ce moment et de laisser sir George tout seul. Il est très âgé...

— Il peut tout de même se passer de vous pendant quelques jours !

— Il a besoin de moi..., commença Gina.

Puis elle s'arrêta, car Nick s'était dangereusement rapproché d'elle, et son cœur battait si fort qu'il semblait sur le point d'éclater.

— Moi aussi, j'ai besoin de vous, affirma Nick.

En cet instant, son regard et ses traits exprimaient un désir si intense que la jeune femme recula, terrifiée mais en même temps incapable de détourner les yeux, comme un lapin pris dans la lumière des phares d'une voiture.

— Je suis désolée, mais... je ne peux pas, balbutia-t-elle.

— Pourquoi ? demanda Nick d'un ton plus dur. Il y a un autre homme dans votre vie ?

— Oui, déclara-t-elle en désespoir de cause.

— Qui est-ce ?

— Mêlez-vous de vos affaires !

— Et si je considère, moi, que ce sont mes affaires ?

Sur ces mots, il pencha brusquement la tête et s'empara de la bouche de Gina. Mille sensations fusèrent alors à travers le corps de la jeune femme. Elle se mit à trembler violemment et, poussée par une force irrésistible, elle s'offrit sans réserve au baiser de Nick. D'un geste impatient, ce dernier dénoua alors la ceinture du peignoir de bain, dont les pans s'entrouvrirent. Sa main se glissa sous le tissu pour trouver la peau tiède et satinée, puis se referma doucement sur la rondeur d'un sein. Gina poussa un gémissement de plaisir et de chagrin mêlés car, pour enivrantes que soient les caresses de Nick, elle savait que cet homme ne l'aimait pas, que son ardeur n'allait pas au-delà d'une simple attirance physique.

— Gina..., chuchota-t-il, tandis que ses doigts sui-

108

vaient à présent la courbe de la hanche de la jeune femme.

Celle-ci ferma les yeux afin que Nick n'y lise pas le désir qui la consumait. Il lui semblait que toute la passion refoulée depuis la mort de James explosait maintenant avec la force et le flamboiement d'un feu d'artifice.

— Il y a si longtemps que je rêve de vous tenir dans mes bras..., murmura Nick. Si nous ne faisons pas bientôt l'amour, je vais devenir fou ! Il faut que vous m'accompagniez au Luxembourg, Gina !

Trop troublée pour répondre, la jeune femme garda le silence, mais elle ne put s'empêcher d'imaginer ce voyage, et de nouveau, la tentation d'accepter fut très forte.

— Nous devrons rester quelques jours dans mon appartement, reprit Nick, mais vous vous y plairez... Il domine toute la vallée de l'Alzette ; la vue est magnifique. Pendant que je serai en réunion, vous pourrez visiter la ville, vous amuser et, quand j'aurai réglé mes affaires, je vous emmènerai dans la maison que je possède à une cinquantaine de kilomètres de Luxembourg. Elle est située en pleine forêt, et nous y passerons un ou deux jours seuls. Nous traînerons au lit, ou bien nous discuterons au coin du feu... Nous nous aimerons...

Un rude combat se livrait dans le cœur de Gina. Elle mourait d'envie d'accepter, mais en fin de compte, Nick ne lui proposait qu'une brève aventure, quelques heures de plaisir au bout desquelles ils reprendraient leur vie chacun de leur côté...

Non, il ne fallait pas céder. Elle se mépriserait trop, sinon. Combien de temps s'écoulerait-il, ensuite, avant qu'elle voie de nouveau Nick au bras de Christa Nordström ou d'une autre ravissante créature ? Comment supporterait-elle les affres de la jalousie et de l'humiliation ?

D'autant plus furieuse qu'elle avait été sur le point de

capituler, la jeune femme posa les mains sur la poitrine de Nick et le repoussa sans douceur. Il ne s'attendait visiblement pas à cette réaction, car il vacilla, se rattrapa de justesse et jura entre ses dents.

— Laissez-moi tranquille, Nick, déclara Gina en renouant sa ceinture d'une main tremblante. Quoi que vous fassiez ou disiez, vous ne me convaincrez pas. Votre offre ne m'intéresse pas. Emmenez quelqu'un d'autre au Luxembourg.

Il fallut plusieurs secondes à Nick pour se ressaisir, et, devant la façon presque incrédule dont il la fixait, Gina se demanda si elle n'était pas la première femme à lui opposer un refus.

— Vous ne pouvez pas continuer toute votre vie à refouler vos pulsions, finit-il par marmonner. Vous avez une nature passionnée, mais depuis la mort de votre mari, vous essayez de vous persuader que l'amour ne vous manque pas. C'est une position intenable, Gina... Vous êtes humaine, et il est évident que tôt ou tard, même si vous ne m'aviez pas rencontré, l'appel des sens aurait bouleversé votre petite existence tranquille. Pourquoi vous obstinez-vous à nier les besoins de votre corps ?

— N'était-ce pas vos besoins à vous que vous tentiez d'assouvir, à l'instant ?

— Oui, Gina, bien sûr que je vous désire... Mais je veux aussi que nous apprenions à mieux nous connaître, et nous devons pour cela nous éloigner de Londres, de sir George, de *L'Observateur,* de tous ces problèmes qui n'ont rien à voir avec nous.

Il était si persuasif ! songea la jeune femme. Quand il la regardait ainsi, elle arrivait presque à croire que la lutte de Nick pour prendre le contrôle du journal n'avait en effet rien à voir avec eux deux... Mais presque seulement,

110

car, après ce que lui avait expliqué Rose, elle était sûre qu'il convoitait les actions dont elle hériterait sans doute un jour.

— Allez, Gina ! poursuivit Nick d'une voix basse et implorante. Admettez que vous êtes un être de chair, que vous avez besoin d'amour, comme tout le monde... Et cet amour, laissez-moi vous le donner !

Son désir de partir avec lui était si fort qu'elle tremblait, mais encore une fois, elle s'obligea à réfléchir. Lui avait-il dit qu'il l'aimait ? Non... Il n'avait d'ailleurs sans doute jamais été amoureux de sa vie. Quand Nick utilisait le mot « amour », il l'entendait au sens de « sexe ». « Admettez que vous avez besoin de sexe », voilà ce qu'il fallait comprendre. Et il était sûrement expert en la matière, avec toutes les femmes qui devaient lui courir après...

Elle, Gina, n'avait connu qu'un seul homme, et Nick la considérait sûrement comme une proie facile, une ingénue dont il se proposait de faire l'éducation... Eh bien, elle préférait rester ignorante que d'apprendre ce qu'il avait à enseigner — l'infidélité, le mensonge et les aventures sans lendemain où seule comptait la satisfaction des sens.

— Je sais que je suis un être de chair, monsieur Caspian, finit-elle par répondre, et j'ai en effet besoin d'amour, mais pas du type d'amour dont vous parlez. Je n'accepterai donc jamais d'avoir une liaison — ou quelque autre forme de relation intime — avec vous.

Nick pâlit et s'écria, les yeux brillants de colère :

— Vous me désiriez pourtant, il y a deux minutes à peine ! Inutile de prétendre le contraire ! Je l'ai très bien senti.

— Je viens d'admettre que j'étais un être humain, répliqua-t-elle, écarlate, et quand un homme me caresse comme vous tout à l'heure, je ne peux empêcher mon corps de réagir, mais cela ne veut rien dire du tout. C'est une sorte de réflexe conditionné, que n'importe quel homme provoquerait.

— N'importe quel homme ? répéta Nick d'un ton hargneux. C'est faux ! Je ne vous crois...

Des bruits provenant de l'arrière de la maison l'interrompirent net — le claquement d'une porte, le son mat d'un objet lourd que l'on posait, puis un flot de musique... Gina comprit immédiatement ce que cela signifiait : Daphné était rentrée. La gouvernante avait dû passer par la ruelle qui longeait le jardin et donnait directement sur le quartier piétonnier voisin. Maintenant, elle était dans la cuisine et rangeait ses achats en écoutant la radio.

A l'idée d'avoir quelqu'un à portée de voix, la jeune femme sentit sa nervosité refluer d'un coup. Elle laissa échapper un léger soupir, et Nick lui jeta un coup d'œil narquois.

— Soulagée, Gina ? Je me demande pourquoi...

— Oui, je suis soulagée, monsieur Caspian, riposta-t-elle, parce que j'en ai assez d'être obligée de repousser vos avances chaque fois que nous sommes seuls. Et je vous prierai de ne plus vous approcher de moi à l'avenir.

Nick tressaillit, et une lueur menaçante s'alluma dans ses prunelles. C'était un homme moderne, vêtu de façon élégante et même raffinée, mais sous cette apparence policée couvait une violence sourde, primitive, qui effraya Gina et lui donna envie de s'enfuir à toutes jambes. Elle se maîtrisa cependant et leva la tête dans un mouvement de défi.

— Vous n'avez donc pas encore compris que je ne renonçais jamais ? lança Nick après un bref silence. Quand je veux quelque chose, je finis toujours par l'obtenir. Et je vous veux, Gina. Alors, sachez que plus vous me résisterez, plus je serai déterminé à vous avoir.

112

— A votre place, je ne me vanterais pas de gagner à tous les coups, monsieur Caspian, car en ce qui me concerne, vous aurez beau insister, la réponse sera toujours non. A présent, je vous prie de quitter cette maison !

Se détournant, la jeune femme alla ouvrir la porte et considéra Nick d'un air farouche. Celui-ci resta immobile quelques secondes, puis il partit en claquant la porte derrière lui. Aussitôt, Gina entendit Daphné pousser une exclamation sourde et sortir de la cuisine. Comme elle n'avait pas le courage de lui parler maintenant, la jeune femme remonta en courant dans sa chambre, où elle s'enferma avant de s'écrouler sur le lit, le corps secoué de violents frissons.

Une minute plus tard, cependant, la gouvernante frappait à la porte.

— Vous êtes réveillée, madame Tyrrell ?

— Je suis en train de m'habiller, déclara Gina d'une voix étranglée.

— Vous étiez en bas, à l'instant ? Il m'a semblé entendre du bruit.

— Oui, je cherchais un livre.

Puis, jugeant préférable de changer de sujet, la jeune femme se dépêcha d'ajouter :

— Qu'y a-t-il pour le déjeuner ?

— Ce que vous voulez... Avez-vous faim, ou bien désirez-vous quelque chose de léger, comme du poisson ou une omelette ?

— Une omelette aux champignons et de la salade seraient parfaits.

— Je commence à préparer le repas tout de suite ? Je pourrais vous l'apporter dans votre chambre... Sir George m'a dit que vous aviez mal à la tête.

— Merci, mais je vais beaucoup mieux. J'irai m'installer dans le salon dès que je serai prête. Dans une dizaine de minutes, d'accord ?

Daphné s'éloigna, et Gina enfila un pantalon de toile blanche et un pull-over bleu marine. Elle se maquilla ensuite avec soin, puis descendit l'escalier. Là, elle perçut le bruit lointain du téléphone, mais n'en tint pas compte : Daphné prendrait l'appel sur le poste de la cuisine.

La jeune femme continua donc son chemin et, une fois dans le salon, alluma la télévision pour regarder les informations de midi. L'appareil téléphonique qui se trouvait dans la pièce se mit alors à sonner, et Gina le fixa, le cœur battant. Et si c'était Nick ? Mais il fallait bien répondre...

— Oui ? Qui est-ce, Daphné ? s'enquit-elle, méfiante.

— Un certain M. Van Leyden demande à vous parler, madame Tyrrell. Je vous le passe ?

— S'il vous plaît... Allô, Piet ?

— Comment vas-tu, Gina ? Sir George était à Barbary Wharf ce matin, et il m'a confié que tu étais souffrante. Rien de grave, j'espère ?

— Non, j'étais juste un peu fatiguée, et je me suis recouchée après le petit déjeuner, mais maintenant, ça va. Tous ces problèmes à *L'Observateur* ont mis mes nerfs à rude épreuve, et ceux de sir George aussi !

— Oui, je comprends. Cela dit, je t'envie d'avoir droit à un jour de repos ! Ce n'est pas mon cas. Nick Caspian est un véritable négrier... Il veut que l'immeuble de Barbary Wharf soit terminé dans les meilleurs délais, et il compte sur moi pour accélérer les travaux, ce qui n'est pas une mince affaire. Les ouvriers britanniques ne sont pas faciles à manœuvrer !

— J'adore ton sens de la litote ! s'écria Gina en riant.

— Tu adores donc quelque chose en moi ? Ravi de l'apprendre !

Surprise par cette remarque, la jeune femme rougit et se félicita que Piet ne la voie pas en cet instant précis.

— Nous devions dîner ensemble ce soir, tu te rap-

114

pelles ? continua le Néerlandais. C'est toujours d'accord, ou bien tu ne te sens pas assez bien ?

— Désolée, Piet, mais je préfère ne pas sortir, répondit Gina. Si nous reportions ce dîner à demain ?

Ses regrets étaient sincères, car elle aimait beaucoup le jeune architecte. Ce n'était bien sûr pas le genre d'homme qu'elle pourrait jamais prendre au sérieux, mais au fond, cela valait beaucoup mieux : Nick Caspian lui compliquait déjà bien assez la vie comme ça !

Piet, lui, avait un caractère facile, et il le prouva une fois de plus en déclarant gentiment :

— Entendu pour demain ! Je passerai te chercher à 7 heures.

Gina raccrocha, et Daphné lui apporta son déjeuner cinq minutes plus tard. La jeune femme n'avait cependant pas faim, et elle grignota en regardant distraitement les informations à la télévision. Dehors, le ciel était gris, du même gris acier que les prunelles de Nick quand il se mettait en colère. « Oh ! arrête de penser à lui, songea-t-elle, furieuse. Pense à quelqu'un d'autre ! »

Mais à qui ? A Piet ? Gina essaya d'évoquer le visage du jeune architecte et, à sa grande consternation, elle n'y parvint pas. Elle se souvenait qu'il avait les cheveux blonds et les yeux bleus, mais, même en se concentrant, elle ne pouvait reconstituer ses traits.

Sir George lui avait dit que Piet était l'un des collaborateurs les plus proches de Nick, et elle-même avait constaté que les deux hommes se tutoyaient, mais cela ne signifiait pas grand-chose... Alors, entretenaient-ils des rapports strictement professionnels, ou bien étaient-ils aussi amis ? Piet savait-il, par exemple, que Nick s'intéressait à elle ? Gina imaginait cependant mal Nick en train de confier ses affaires de cœur à qui que ce soit.

Une brusque rougeur lui monta aux joues. Pourquoi avoir utilisé ce terme d'« affaires de cœur » ? Nick ne l'aimait pas... Il lui avait seulement fait quelques avances et, comme elle les avait repoussées, il était encore moins probable qu'il en ait parlé à Piet. De même, ce dernier ne devait pas avoir informé Nick qu'il la voyait. Il n'y avait d'ailleurs pas grand-chose à raconter : ils étaient allés deux ou trois fois au restaurant et au cinéma ensemble, rien de plus. Leurs relations étaient si amicales et détendues qu'ils avaient très vite décidé de se tutoyer, mais Piet n'avait même pas essayé de l'embrasser, et elle appréciait cette réserve : le jeune architecte ne considérait pas toutes les femmes comme des proies potentielles. Il était très différent de Nick.

Restait bien sûr la possibilité qu'il sorte avec elle justement parce qu'il savait que Nick la désirait... Les hommes jouaient volontiers à ce petit jeu : cela flattait leur amour-propre de se montrer au bras d'une femme convoitée par un autre.

A bien y réfléchir, cependant, Gina avait du mal à croire Piet capable d'un tel comportement. Non, s'il était au courant de l'attirance que ressentait Nick pour elle, le Néerlandais ne se permettrait sûrement pas de se poser en rival : quel que soit leur degré d'intimité, l'un restait le patron de l'autre.

Cela dit, quand Nick apprendrait que Piet et elle se fréquentaient, il ne serait certainement pas ravi ! Il se demanderait sûrement jusqu'où allaient leurs relations, et l'idée qu'ils puissent être amants le tourmenterait. Oh, ce ne serait pas de la jalousie qu'il ressentirait — elle ne se faisait pas d'illusions —, juste de la colère, parce qu'il s'était mis en tête de la séduire et détestait perdre.

Nick collectionnait les femmes comme les sociétés et voulait ajouter Gina Tyrrell à son tableau de chasse... Eh bien, une rude déception l'attendait, car elle n'avait nullement l'intention de lui tomber dans les bras, comme Christa Nordström et toutes les autres...

Non, elle continuerait au contraire de sortir avec Piet et tenterait d'oublier l'existence même de Nick Caspian. Ce n'était pas l'homme qu'il lui fallait, et mieux valait s'y résigner dès maintenant.

7.

Nick partit pour le Luxembourg le week-end suivant, et Gina, à son grand soulagement, n'eut pas de nouveau tête-à-tête avec lui dans l'intervalle. Elle ne put malheureusement pas l'éviter complètement : il voyait sir George presque tous les jours, et elle était constamment auprès du vieil homme, l'aidant à s'asseoir et à se lever, lui apportant lettres et dossiers, scrutant son visage à la recherche du moindre signe de fatigue excessive.

A chacune de ces rencontres, Gina sentait les yeux froids de Nick posés sur elle. Enfin, c'était ainsi qu'elle les imaginait... Et puis, elle levait la tête et s'apercevait qu'une lueur de colère et de désir animait ses prunelles gris acier. Cela l'effrayait, et elle se demandait alors pourquoi personne ne semblait conscient de l'atmosphère électrique qui régnait dans la pièce.

Le vendredi, Nick dit brusquement à sir George :

— Mon jet m'emmène ce soir au Luxembourg. Si vous voulez me joindre, téléphonez-moi là-bas. J'irai à Berlin après la réunion du conseil d'administration pour régler un petit problème, et ensuite à Madrid, où le directeur général prend une retraite anticipée.

Comme le vieil homme lui lançait un regard narquois, Nick précisa sèchement :

— Non, je ne l'ai pas renvoyé ! Il a eu un infarctus et

119

les médecins lui ont prescrit un repos absolu. Il n'a que cinquante ans... C'est fort regrettable, pour lui comme pour nous, car j'aurai du mal à trouver quelqu'un d'aussi compétent pour le remplacer.

— Quand reviendrez-vous ? demanda sir George.

— Je l'ignore, répondit Nick en haussant les épaules. Je vous avertirai dès que je le saurai.

Sur ces mots, il se leva, esquissa un pas en direction de la porte, puis s'arrêta et déclara :

— Il serait peut-être bon que Mme Tyrrell m'accompagne au Luxembourg et assiste à cette réunion du conseil d'administration. Cela lui donnerait une idée de la façon dont fonctionne une multinationale.

— Vous avez sans doute raison, admit le vieil homme après un court silence. J'avoue que cela ne m'était pas venu à l'esprit... Tu veux y aller, Gina ?

— Oh, quel dommage ! susurra-t-elle. J'aurais sûrement appris beaucoup de choses...

A en juger par l'expression furieuse de Nick, le double sens de cette phrase ne lui avait pas échappé et, cachant son triomphe sous une feinte contrariété, elle déclara :

— Malheureusement, je suis très occupée cette semaine. Ce sera pour une autre fois...

— Bien, grommela Nick.

Puis, s'adressant à sir George, il ajouta :

— Je vous téléphonerai sans doute du Luxembourg tous les jours, mais s'il y a le moindre problème avec les syndicats, prévenez-moi immédiatement.

— Vous craignez qu'il y en ait ? s'enquit le vieil homme.

— Quand le chat n'est pas là, les souris dansent !

— Je ne crois pas que vous jouissiez d'une grande popularité au journal, observa sir George avec une satis-faction non dissimulée.

120

— La popularité n'est pas l'une de mes priorités, répliqua Nick.

— Heureusement! marmonna Gina, qui était en train de remettre de l'ordre sur le bureau.

— Pardon? lança Nick en se tournant vivement vers elle.

— Je plaisantais, voyons, dit la jeune femme.

Se rappelant alors sans doute la présence de sir George, Nick ébaucha un sourire forcé, puis se dirigea à grands pas vers la porte. Gina affecta d'être trop occupée pour remarquer son départ et ne leva pas la tête. La perspective de ne plus le voir pendant une semaine, peut-être plus, lui causait pourtant une sensation de déchirement. Elle l'entendit saluer sir George, eut conscience qu'il posait une dernière fois les yeux sur elle, mais il ne lui adressa pas la parole. Et quand la porte se fut refermée derrière lui, une terrible impression de vide la submergea. Il lui semblait que sa vie avait soudain perdu toute signification.

Les jours suivants lui parurent interminables bien que le travail ne manquât pas. Les préparatifs du déménagement à Barbary Wharf avaient en effet commencé. Dans tous les services, les déchiqueteuses marchaient du matin au soir, détruisant les monceaux de papiers inutiles accumulés au fil des années. On vidait placards et classeurs, on mettait les dossiers dans des caisses, on étiquetait les meubles — tous destinés à être vendus, car les nouveaux locaux seraient équipés d'un mobilier neuf.

Sir George fit plusieurs fois le tour des étages avec Gina, évoquant ses souvenirs et tentant peut-être de graver certaines images dans sa mémoire avant qu'elles ne disparaissent. Il ne cessait de parler du « bon vieux temps » et semblait presque oublier que Gina n'avait pas connu cette époque.

Un jour, au service de la comptabilité, il considéra pensivement les jeunes femmes assises devant leurs ordinateurs et hocha la tête en expliquant :

— Quand j'ai commencé ici, il y avait des employés en blouse noire et col dur, qui portaient des visières vertes pour moins se fatiguer les yeux. Ils étaient installés sur de hauts tabourets, devant de grands registres à reliure de cuir, et écrivaient avec des plumes et de l'encre.

— On croirait une scène sortie d'un livre de Dickens, observa Gina tout en se félicitant d'être née à l'ère de l'informatique.

— Cela y ressemblait, en effet, déclara sir George avec un rire étranglé. Mais il régnait une atmosphère spéciale, que je trouvais romantique.

Le vieil homme s'interrompit et parcourut du regard la pièce brillamment éclairée par des tubes au néon, les murs couleur crème, le sol moquetté...

— On ne peut pas dire que ce soit romantique, maintenant ! ajouta-t-il d'un air dégoûté.

— Non, mais c'est certainement plus confortable ! fit remarquer Gina d'une voix douce.

— Peuh ! Bon, descendons à l'imprimerie, à présent !

Appuyé sur la jeune femme, il se dirigea vers l'ascenseur. Il était si frêle ! pensa Gina avec un pincement au cœur. Il paraissait un peu plus vieux tous les jours, et c'était la faute de Nick, qui lui avait enlevé son unique raison de vivre, *L'Observateur*.

— Ah ! Ici, au moins, les choses n'ont pas trop changé, s'écria sir George en pénétrant dans le sombre atelier où se trouvaient les presses, pour l'instant silencieuses. Je me rappelle encore la première fois où j'ai vu les ouvriers sortir de l'imprimerie au moment de la pause.

122

Ils se sont tous précipités au pub, de l'autre côté de la rue, où les serveuses avaient déjà disposé sur le comptoir des rangées de pintes de bière. Les hommes étaient en sueur, le visage écarlate, les manches retroussées ; certains ne portaient que leur maillot de corps ou un tablier... Ce sous-sol est une vraie fournaise en été et, même l'hiver, il peut y faire très chaud.

La jeune femme regarda les murs crasseux, le plafond noirci, les énormes machines... Tout cela ne lui évoquait que le bruit et la saleté, si bien qu'elle observa avec une petite grimace :

— Je détesterais travailler ici ! Les imprimeurs devraient être contents de déménager. Ils seront bien mieux dans des locaux propres et modernes que dans ce trou à rats ! Et au lieu de ça, ils menacent de se mettre en grève...

— Les gens n'aiment que ce qu'ils connaissent, affirma sir George. Moi-même, je ne désire plus aller à Barbary Wharf. Je croyais en avoir envie, mais je suis trop vieux pour changer. Le jour où nous quitterons Fleet Street marquera la fin de ma vie professionnelle. Ce n'était pas ce que j'avais prévu pour mon départ, mais à cause de Caspian, il en sera ainsi, pour moi et pour beaucoup de gens qui ont passé toute leur carrière à *L'Observateur.*

Les larmes aux yeux, Gina caressa tendrement la main du vieil homme.

— Ne dites pas de bêtises, grand-père ! Vous resterez au journal après le déménagement, puisque vous continuerez à présider le conseil d'administration.

— Je n'en suis pas aussi sûr ! Nick Caspian ne m'inspire aucune confiance. Depuis qu'il nous a sauvés en injectant de l'argent dans l'entreprise, les autres membres du conseil d'administration lui mangent dans la main et sont prêts à croire tout ce qu'il leur raconte... Mais ils ne savent pas à qui ils ont affaire !

— Et vous, vous le connaissez ? demanda la jeune femme.

Sa question était intéressée : la personnalité de Nick demeurait un mystère pour elle, et si sir George pouvait l'éclairer sur le Nick Caspian magnat de la presse, peut-être comprendrait-elle mieux l'homme qui la poursuivait avec autant d'acharnement. Les mêmes traits de caractère régissaient en général la conduite des gens dans leur vie professionnelle et dans leur vie privée.

— Je ne prétends pas bien connaître Caspian, répondit sir George d'une voix amère, mais je suis sûr d'une chose : on ne parvient pas à bâtir un empire comme le sien sans être aussi féroce qu'Attila. Caspian a hérité un groupe de presse de son père il y a quinze ans, et il en a quadruplé l'importance en achetant des journaux dans tous les pays d'Europe. Pour réaliser ce genre d'exploit, il ne faut pas faire de sentiment. Personne ne sait très bien quelles méthodes Caspian a utilisées pour atteindre ses objectifs, mais il est réputé pour être très dur en affaires. Et cela explique pourquoi, malgré sa promesse de me maintenir à mon poste, je ne suis pas tranquille.

L'esprit agité de sombres pensées, la jeune femme resta silencieuse, et ils remontèrent quelques minutes plus tard à l'étage de la direction. Sir George devait présider une nouvelle réunion des chefs de service, et comme il n'était pas prévu que Gina y assiste, elle regagna son bureau. Là, elle trouva Hazel en train d'examiner un tableau fixé au mur et montrant les différentes étapes du déménagement du journal à Barbary Wharf.

— Tout paraît simple et parfaitement organisé, sur ce

124

calendrier, déclara Hazel avec une ironie désabusée, mais j'ai la nette impression que ce sera une drôle de pagaille, le moment venu !

— Ne te tracasse donc pas ! s'exclama Gina. Dans un an, tu ne te souviendras même plus d'avoir un jour travaillé ici.

Le téléphone sonna alors, et Hazel décrocha.

— Le bureau de sir George Tyrrell... Ah ! c'est vous...

Le ton glacial de son amie surprit Gina. Était-ce encore Nick ? Il avait déjà appelé de Madrid dans la matinée. Des ennuis imprévus l'obligeaient-ils à rentrer à Londres ?

Le cœur de la jeune femme se mit à battre si fort que la tête lui tourna.

— Oui, elle est là, annonça Hazel de la même voix froide.

Puis elle tendit le combiné à Gina en marmonnant :

— Désolée... J'avais oublié que nous étions dans ton bureau... C'est pour toi.

— Qui est-ce ? s'enquit Gina, la main sur le combiné.

— Piet Van Leyden, répondit Hazel avant de quitter la pièce.

Gina la suivit des yeux, songeuse. Hazel avait une mémoire d'éléphant, et elle en voulait à Piet de l'avoir ignorée lors de leur première rencontre. L'architecte, de son côté, ne devait pas comprendre l'hostilité qu'elle lui témoignait : il était habitué à attirer la sympathie des gens, et tout particulièrement celle des femmes.

— Bonjour, Piet, dit Gina.

— Pourquoi Mlle Forbes est-elle aussi désagréable avec moi ? Le seul son de ma voix la rend hargneuse !

Comment Gina aurait-elle pu expliquer à Piet qu'il avait offensé Hazel en la traitant comme quantité négligeable et en lui préférant une autre femme ?

— Mais peut-être ne suis-je pas visé personnellement ?

125

reprit Piet. Il se peut très bien qu'elle n'aime pas les hommes...

— Oh! si, elle les aime... Et c'est réciproque!

— Vraiment? observa Piet d'un ton désinvolte, comme si ce sujet l'ennuyait déjà.

Ce qui ne l'empêcha pas de demander aussitôt :

— Elle sort avec quelqu'un?

— Hazel a toujours un beau garçon pendu à ses basques, répliqua Gina en riant. Si tu viens à la réception qui marquera nos adieux à Fleet Street, tu verras certainement le dernier en date de ses petits amis. Je ne sais pas qui c'est : Hazel en change tellement souvent que j'ai du mal à suivre!

— Tiens! Je ne l'imaginais pas en femme fatale... Elle est si froide! C'est une secrétaire modèle, bien sûr, mais cette attitude distante me déplaît au plus haut point.

Quand l'anglais d'habitude parfait de Piet se teintait d'une pointe d'accent néerlandais, Gina savait que c'était un symptôme soit de colère, soit de nervosité. Lequel de ces deux sentiments éprouvait-il en ce moment?

Elle n'eut pas le loisir de s'interroger bien longtemps, car il passa alors à un autre sujet :

— J'attends avec impatience la soirée dont tu parlais tout à l'heure. On m'a dit que sir George avait loué tout un hôtel. Est-ce vrai?

— Oui. Il s'agit du Old City Hotel. La réception aura lieu dans les salons du rez-de-chaussée et, comme beaucoup de gens voulaient prendre une chambre plutôt que de partir tôt ou de se priver de boire, sir George a décidé de retenir l'ensemble de l'hôtel pour ce jour-là et le suivant. Cela n'a pas posé de problème, car c'est une période creuse — les fêtes de fin d'année sont terminées depuis longtemps, et Pâques est encore loin. Le Old City

126

est une grande bâtisse édouardienne qui a connu des jours meilleurs, mais il a le gros avantage de se trouver à proximité de Fleet Street.

— Vous êtes sûrement tous très excités à la perspective de prendre enfin possession de vos nouveaux locaux !

— Eh bien, pour l'instant, c'est un peu la panique, parce qu'il reste encore beaucoup de choses à faire. Hazel, notamment, croule sous le travail. Heureusement qu'elle est gentille et patiente !

— Gentille et patiente, Hazel ? répéta Piet. Tu es certaine que nous parlons de la même personne ?

— Mais oui ! s'exclama Gina en riant. Ça t'étonne ?

Puis, craignant que Hazel, installée dans le bureau d'à côté, ne l'entende, elle changea de sujet :

— Pourquoi m'as-tu appelée, Piet ? Juste pour bavarder ? Je suis toujours ravie de discuter avec toi, mais j'ai un emploi du temps assez chargé et...

— Non, je téléphonais pour t'inviter à la première d'un film qui aura lieu demain à Leicester Square. Je connais l'une des vedettes, Bianca Valence — je lui ai dessiné les plans de sa villa en Italie, et depuis, nous sommes restés en contact. Elle m'a envoyé deux billets pour cette première.

— J'accepte avec plaisir ! déclara Gina, passant déjà mentalement en revue sa garde-robe. Euh... Est-ce une soirée très habillée ?

— Tout ce qu'il y a de plus habillée !

Piet raccrocha peu après, et Gina se remit au travail. Hazel vint la rejoindre au bout de quelques minutes, et Gina observa avec un petit sourire en coin :

— Il est vraiment charmant, tu sais !

— Avec toi, peut-être, mais pas avec moi, répondit sèchement Hazel. Au fait, que voulait-il ? Où t'emmène-t-il, cette fois ? Au théâtre ou au restaurant ?

— Ni l'un ni l'autre. Bianca Valence est l'une de ses

anciennes clientes, et elle lui a donné deux entrées pour la première de son dernier film. J'ai l'impression que ce sera un événement très mondain !

— Il ne serait pas sorti avec elle, par hasard ? grommela Hazel tout en enfournant une pile de documents dans la déchiqueteuse.

— Non, je ne pense pas.

— Évidemment, ce n'est pas le genre de chose qu'il irait te raconter ! Mais à ta place, je me méfierais : cette Bianca Valence ne cesse de poser pour les journaux avec un nouveau chevalier servant à son bras. C'est une femme qui aime les hommes, et ça m'étonnerait que Piet Van Leyden, séduisant comme il l'est, ne lui ait pas tapé dans l'œil. Il ressemble un peu à un acteur de cinéma, tu ne trouves pas ?

Surprise, Gina adressa à son amie un regard pensif.

— Je croyais que tu ne l'aimais pas ?

— Je ne l'aime pas, mais je ne suis pas aveugle, répliqua Hazel en rougissant.

— En effet, convint Gina avec un sourire malicieux.

— Qu'est-ce qu'il y a de drôle ?

— Rien. C'est juste que...

— Que quoi ?

— Non, rien... Tu as fini avec la déchiqueteuse ?

Ce n'était pas la première fois que Gina s'interrogeait sur les sentiments exacts que son amie éprouvait à l'égard de Piet. Non que cela l'inquiète : même si Hazel s'intéressait plus au jeune architecte qu'elle ne voulait l'admettre, elle-même ne s'en offusquerait pas. Elle aimait beaucoup Piet et appréciait sa compagnie, mais elle savait aussi qu'elle ne tomberait jamais amoureuse de lui, ni lui d'elle : leurs relations étaient purement amicales. Le week-end précédent, par exemple, il l'avait emmenée visiter plusieurs édifices célèbres de Londres et lui avait donné des explications passionnantes sur leur histoire et leur architecture. C'était un puits de science, et elle avait été impressionnée, mais en même temps, cela l'avait conduite à prendre conscience de sa propre ignorance. Mariée très jeune, puis brusquement plongée dans le monde du travail, elle n'avait eu ni le temps ni la possibilité de se cultiver et de poursuivre des études.

Cette pensée la hanta toute la journée, et elle finit par en parler à Hazel :

— Je commence à me demander si je ne devrais pas quitter mon poste à *L'Observateur* et m'inscrire dans une école de journalisme, de gestion ou d'autre chose. Depuis que Caspian International a une participation dans la société, je me rends compte que je ne suis qu'un amateur dans un univers de professionnels.

— C'est Piet Van Leyden qui t'a mis cette idée dans la tête ? lança Hazel, les yeux brillants de colère. Ne l'écoute pas ! Il s'y connaît mieux que toi en architecture ? Évidemment, c'est son métier ! Toi, en revanche, tu en sais plus que lui sur la façon dont on gère un journal. Tu as appris sur le tas, mais cela ne t'empêche pas de faire du bon travail. Tu as un excellent contact avec les gens, tu es efficace au bureau, tu tiens la maison de sir George et tu t'occupes entièrement de lui... En fait, tu as une foule de compétences, et si sir George était obligé de payer quelqu'un pour remplir toutes tes fonctions, cela lui coûterait une fortune ! Il lui faudrait une infirmière, doublée d'une dame de compagnie, d'une secrétaire particulière, d'une...

Gina éclata de rire.

— Non, je t'assure ! s'exclama Hazel avec véhémence. Tu ne dois pas te sous-estimer comme ça, et ne laisse pas Piet Van Leyden te dénigrer !

— Ce n'est pas le cas, observa Gina en souriant affectueusement à son amie, mais merci de me remonter ainsi le moral. Cela dit, comment pourrais-je abandonner sir

129

George? Il a besoin de moi. Je représente toute sa famille.

— N'empêche qu'il a de la chance de t'avoir, décréta Hazel.

Elle jeta alors un coup d'œil à la pendule et s'exclama :

— Mon Dieu ! Il est déjà presque 5 heures et nous sommes encore loin d'avoir terminé !

— Désolée... C'est ma faute : je bavarde au lieu de travailler.

Après cela, le silence s'abattit dans la pièce. La date du départ pour Barbary Wharf était si proche, et il restait tant de choses à faire que tout le monde commençait à penser que rien ne serait prêt le jour où les camions de déménagement arriveraient.

Sir George convoqua les deux jeunes femmes dans son bureau un peu avant 6 heures. Assis derrière sa grande table, ses mains noueuses jointes devant lui, le vieil homme leur demanda si les choses avançaient, et elles lui affirmèrent avec une belle conviction que tout serait fini à temps.

— Parfait ! déclara-t-il avec un sourire. Maintenant, je pense qu'il serait bon que vous vous rendiez toutes les deux à Barbary Wharf pour vous familiariser avec les locaux dans lesquels vous travaillerez bientôt. Demain matin me paraît le moment idéal : je ne serai pas au journal et je n'aurai donc pas besoin de vous. Prenez un taxi pour y aller et en revenir.

Quand Gina et Hazel sortirent de l'immeuble de Fleet Street, le lendemain matin, pour monter dans leur taxi, elles constatèrent qu'il pleuvait. Avec ce ciel bas où couraient de gros nuages noirs, on se serait, cru en novembre plutôt qu'en mars.

Le chantier de Barbary Wharf était maintenant achevé,

même s'il y avait encore des ouvriers partout, qui mettaient la dernière main à la décoration et vérifiaient que rien n'avait été oublié.

Lorsque la voiture arriva devant les grilles électroniques qui barraient l'accès principal, le chauffeur s'écria :

— C'est une vraie forteresse ! Comment y entre-t-on ?

— Nous avons des laissez-passer, répondit Hazel avant de sortir de son sac une carte plastifiée où figuraient sa photo et la signature du chef de la sécurité.

— Ça vous ennuie de finir le chemin à pied ? demanda le chauffeur de taxi en regardant d'un air méfiant le vigile qui les observait depuis sa cabine vitrée.

— Sous cette pluie ? s'écria Hazel.

Mais le chauffeur ne voulut pas en démordre, si bien que les deux jeunes femmes le payèrent, descendirent du véhicule, puis montrèrent leurs passes au gardien. Une petite barrière latérale s'ouvrit alors, qu'elles franchirent d'un pas vif.

Le site était à présent entièrement entouré d'une haute muraille dépourvue d'ouvertures. Une allée piétonnière doublait la large avenue goudronnée qui menait au bâtiment abritant les bureaux. Le vent leur rabattant la pluie sur le visage, Hazel et Gina se mirent à courir vers la porte de verre de l'entrée principale. Au moment où elles allaient l'atteindre, cependant, elles eurent la surprise de la voir s'ouvrir, poussée de l'intérieur, et d'apercevoir Piet Van Leyden qui les attendait, souriant, dans le hall.

Gina lui rendit son sourire, mais Hazel fronça les sourcils, l'air furieux, et fonça tête baissée vers la porte.

— Attention ! cria Piet.

Trop tard... Hazel heurta un pot de peinture blanche laissé là par un ouvrier et trébucha. Le pot se renversa, et Hazel, emportée par son élan, tomba à plat ventre sur les dalles de l'allée. Elle se releva aussitôt, mais le mal était fait : elle avait la figure dégoulinante de peinture, les cheveux trempés, et son élégant manteau bleu pâle était maculé de boue.

Et, pour tout arranger, Piet éclata de rire !

Des larmes de rage montèrent aux yeux de la jeune femme, qui s'exclama d'une voix entrecoupée :

— Mon Dieu ! Regardez-moi... Et arrêtez de vous moquer de moi, vous, espèce de... de... Oh ! non, ce n'est pas possible...

Sa colère était telle qu'elle se mit à taper du pied comme une enfant, et Gina sentit une terrible envie de rire la gagner, car c'était l'un des spectacles les plus drôles qu'elle ait jamais vus. Mais Hazel n'étant manifestement pas d'humeur à comprendre la plaisanterie, Gina se contint et s'avança vers son amie pour lui porter secours. Piet la prit cependant de vitesse : il s'approcha vivement de Hazel et, sortant un mouchoir de sa poche, commença à lui essuyer le visage.

— Ne me touchez pas ! lança sèchement Hazel en lui arrachant le mouchoir des mains pour finir elle-même de se nettoyer.

— Ne restez pas sous la pluie... Entrez ! dit Piet avec un grand sourire.

— Fichez-moi la paix ! riposta Hazel.

Le jeune architecte lui jeta un coup d'œil narquois, puis, avant qu'elle n'ait eu le temps de s'écarter, il lui passa un bras autour de la taille et la souleva de terre.

— Posez-moi tout de suite ! hurla Hazel.

Cet ordre n'eut aucun effet : Piet se dirigea en courant vers la porte, tenant la jeune femme sous son bras comme s'il s'agissait d'une vulgaire poupée de chiffon. Hazel se débattit, mais son compagnon ne la lâcha qu'une fois arrivé à l'intérieur du bâtiment.

— Vous êtes un... un..., bredouilla Hazel, folle de rage.

— Un homme secourable ? compléta Piet, dont les efforts pour garder son sérieux n'étaient pas entièrement couronnés de succès.

— Arrêtez de rire ! cria Hazel.

— Excusez-moi... Euh... Il y a un vestiaire au bout de ce couloir.

— Ce n'est vraiment pas drôle ! Ce pot de peinture oublié par un de vos ouvriers risquait de provoquer un accident. J'ai eu de la chance de ne pas me casser quelque chose !

— Beaucoup de chance, en effet, admit Piet. Vous êtes sûre de ne rien vous être cassé, au moins ?

— Oui, déclara-t-elle, comme à regret. Mais j'aurais pu me faire très mal !

— C'est vrai, et je tancerai vertement celui qui a commis cette négligence. Maintenant, permettez-moi de vous accompagner jusqu'au vestiaire.

— Je trouverai bien mon chemin toute seule !

Hazel s'engagea dans le couloir d'un air digne, mais ses chaussures trempées faisaient flic flac à chacun de ses pas, et Piet éclata de rire. Rouge de colère, la jeune femme se retourna et le foudroya du regard.

— Pardon ! Pardon ! déclara-t-il, les mains levées comme pour se protéger. Mais c'est plus fort que moi : vous êtes si comique... Ces marques blanches sur votre visage, on dirait les peintures de guerre d'un Indien, et avec vos cheveux plaqués sur la tête, on croirait que vous avez été scalpée... Et votre manteau tout sale... Et vos collants... Je n'imaginais pas vous voir un jour dans cet état. Vous êtes toujours si impeccable... La secrétaire modèle, presque inhumaine à force d'être parfaite.

— Inhumaine ! répéta Hazel, suffoquant de rage.

Piet fixa la jeune femme droit dans les yeux, et l'expression de son visage changea.

— Non, observa-t-il d'un ton pensif, comme ça, vous

êtes tout à fait humaine. Je vous trouve même très touchante.

Cette remarque laissa Hazel sans voix, ce qui lui arrivait rarement : elle avait généralement la riposte prompte. Gina observa son amie attentivement et constata avec étonnement qu'elle regardait le jeune architecte d'un air étrange, à la fois surpris et troublé.

Hazel, troublée par Piet ? Elle ne lui avait jusqu'ici témoigné que de l'hostilité, ne cessait de le critiquer et se hérissait à chacune de leurs rencontres. Mais elle parlait aussi beaucoup de lui... Piet, de son côté, avait commencé par la traiter avec indifférence, puis il s'était mis à poser des questions sur elle, à se plaindre de son attitude, à se montrer belliqueux à son égard... Hazel n'était pourtant pas vaniteuse au point de penser que tous les hommes devaient tomber à ses pieds, et Piet était extrêmement poli et gentil avec tout le monde... Alors, cet antagonisme mutuel avait-il une cause plus profonde ?

Tout cela rappelait à Gina les sentiments violents et contradictoires que lui inspirait Nick Caspian... Seigneur ! Pourquoi fallait-il que les relations entre les hommes et les femmes soient aussi compliquées ?

S'arrachant à sa rêverie, Gina se tourna vers Piet. Lui aussi avait un air bizarre : il considérait Hazel comme s'il la voyait pour la première fois — ce qui, à bien y réfléchir, était presque le cas, car la Hazel de *L'Observateur,* la secrétaire calme, efficace et soignée, avait disparu, remplacée par une femme aux vêtements tachés, aux cheveux décoiffés, et dont le visage maculé de peinture exprimait un total désarroi.

Piet eut alors un geste inattendu ; il s'approcha de Hazel et lui prit doucement le bras en disant :

— Vous êtes ravissante !

Les joues de Hazel s'empourprèrent, mais pas sous l'effet de la colère, cette fois.

« Eh bien, songea Gina, la vie réserve de drôles de surprises ! Ces deux-là sont bel et bien en train de tomber amoureux l'un de l'autre, si ce n'est déjà fait... »

8.

Piet insista pour faire visiter le nouveau complexe aux deux jeunes femmes. Il supervisait le chantier depuis maintenant deux mois et était visiblement fier d'avoir réussi à accélérer les travaux sans soulever trop de mécontentement parmi les ouvriers. Gina l'en félicita chaudement, ce dont il parut ravi.

Hazel, quant à elle, marmonna quelques phrases polies, et Piet lui répondit d'un ton désinvolte ; Gina constata pourtant que jamais leurs regards ne se croisaient. Elle aurait aimé les obliger à se parler franchement, mais jugea plus sage de ne rien dire pour l'instant. Peut-être trouverait-elle plus tard l'occasion de discuter en privé avec Hazel.

Une fois de retour à Fleet Street, cependant, le reste de la journée se passa sans qu'elle revoie son amie. Sir George lui avait demandé de s'occuper de l'organisation d'un dîner commémoratif réunissant de nombreuses personnalités en vue : politiciens, membres de la famille royale et de l'aristocratie, écrivains, architectes, artistes, sportifs et hommes d'affaires... La liste des invités potentiels étant très longue, il fallait la raccourcir, ce qui représentait une tâche difficile, mais il n'y avait qu'un nombre limité de tables au Savoy. C'était en effet dans ce célèbre hôtel londonien que se tiendrait la réception, deux jours avant que *L'Observateur* ne quitte définitivement Fleet Street. La soirée donnée au Old City Hotel aurait eu lieu la veille, et ensuite, beaucoup de membres du personnel profiteraient du déménagement pour prendre quelques jours de congé.

A 6 heures, Gina se dépêcha de rentrer chez elle pour se préparer : Piet devait passer la chercher à 7 heures. Heureusement, elle avait déjà choisi sa tenue : sa robe de soie vert jade et une parure de bijoux que sir George lui avait offerte le jour de son mariage — un collier d'émeraudes et de diamants avec des boucles d'oreilles et un bracelet assortis. La jeune femme ne les mettait pas souvent ; elle les avait retirés le matin même du coffre-fort que sir George louait à la banque, et ils y retourneraient dès le lendemain. Gina se sentait toujours un peu mal à l'aise quand elle les portait, d'une part parce qu'elle n'avait pas grandi dans un milieu où l'on arborait avec désinvolture des objets d'une telle valeur, d'autre part parce qu'elle avait peur de les perdre. Il lui semblait qu'ils ne lui appartenaient pas vraiment, qu'elle les avait juste empruntés à leur véritable propriétaire.

Quoi qu'il en soit, ces bijoux impressionnèrent vivement Piet quand il se présenta, à l'heure dite, devant la maison de Mayfair : il les fixa d'un air admiratif et s'écria :

— Magnifique ! Et ce ne sont pas des imitations, j'imagine ?

— Non, répondit Gina, gênée.

— Cela m'intimide un peu de sortir avec une femme aussi richement parée...

— Tu veux que je les enlève ?

— Non, nous n'avons pas le temps. Il ne faut surtout pas que nous soyons en retard, car on ne laissera plus entrer personne après l'arrivée de la famille royale.

Lorsque la limousine avec chauffeur louée par Piet les

déposa en face du cinéma, Leicester Square grouillait de badauds, qui les dévisagèrent dans l'espoir de reconnaître en eux des vedettes, puis se détournèrent, déçus. Piet et Gina se frayèrent ensuite un chemin à travers le foyer envahi de célébrités avides d'être vues en train de parler à des gens encore plus illustres qu'eux.

Enfin, ils atteignirent leurs places, et le spectacle commença peu après. C'était un bon film. Bianca Valence y jouait remarquablement bien, et quand la lumière revint dans la salle, Piet s'exclama, le visage rayonnant :

— Quelle actrice formidable, n'est-ce pas ?

— Excellente, en effet, admit Gina en souriant.

Son compagnon avait l'air si fier de Bianca Valence que la jeune femme se demanda s'ils n'avaient pas eu une petite aventure. Que s'était-il passé en Italie ? Piet avait-il fait plus que dessiner les plans de la villa de Bianca, comme l'avait suggéré Hazel ?

Mais au fond, cela n'intéressait pas vraiment Gina, qui se contenta donc de déclarer tout en parcourant l'assistance des yeux :

— Merci de m'avoir amenée, Piet. Cette soirée a vraiment été très agréable... Oh ! regarde, là-bas... C'est Jack Quilliam, celui qui joue dans cette série policière à la télévision... Quand je dirai à Hazel qu'il était là, elle sera verte de jalousie !

Considérant froidement l'acteur, qui dominait d'une tête toutes les personnes présentes, le jeune architecte observa :

— Qu'a-t-il de si extraordinaire ? Il est très laid, et en plus, il perd ses cheveux !

— Hazel le trouve irrésistible, répliqua Gina en riant.

— Elle est folle ! Et le dernier en date de ses petits amis, est-il laid et chauve, lui aussi ?

— Je n'en sais rien. Il faudra que tu le lui demandes.

— Pour qu'elle me gifle ? Merci bien !

Tout le monde s'était levé, à présent, et commençait à se bousculer vers la sortie, si bien qu'ils restèrent plusieurs minutes à piétiner dans l'allée. Un remous de la foule les sépara brusquement et, alors que Gina cherchait Piet des yeux, son regard se posa soudain sur Nick. Sa surprise fut telle que son cœur manqua un battement, et tout, autour d'elle, disparut — les visages, le bruit, le scintillement des lustres...

C'était impossible qu'il soit là, songea-t-elle, hébétée. Ce devait être une hallucination provoquée par la force du désir qu'elle avait de le voir !

Et puis, la conscience du monde extérieur lui revint, et elle dut se rendre à l'évidence : c'était bien Nick, en chair et en os. Vêtu d'un élégant smoking, il tenait par la taille une jeune femme qu'il guidait à travers la cohue.

Pétrifiée, Gina fixa le couple. Elle reconnaissait Christa Nordström, même de dos, à ses longs cheveux blonds, à sa silhouette élancée, à son port de tête gracieux. Et, si cela n'avait pas suffi, elle l'aurait de toute façon identifiée, car toutes les têtes se retournaient au passage du ravissant mannequin, et les gens chuchotaient son nom. Christa Nordström était l'un des trois top models les plus recherchés du moment et, même parmi cette assistance essentiellement composée de célébrités, elle faisait sensation. Son visage et les détails de sa vie privée s'étalaient dans tous les journaux, elle menait une existence brillante et n'aurait sûrement manqué pour rien au monde l'occasion que lui offrait cette première d'être une fois de plus admirée et photographiée. Arborant ce soir une robe venant visiblement de chez un grand couturier et un collier de perles dont l'éclat laiteux garantissait l'authenticité, elle constituait la compagne idéale pour un homme comme Nick Caspian.

A cette pensée, les yeux de Gina se remplirent de

140

larmes, et elle fut soulagée lorsque Piet surgit soudain à son côté et la prit par le bras.

— Ah, te voilà! s'écria-t-il. Tiens-moi bien, sinon nous risquons encore de nous perdre.

Ils réussirent finalement à sortir, mais une fois sur le trottoir, ils ne virent pas la limousine qui les avait déposés et qui aurait dû être là pour les ramener.

— Attends-moi ici, dit Piet. Je vais chercher la voiture.

Il s'éloigna en courant, et Gina alla se mettre un peu à l'écart de la foule rassemblée devant le cinéma. Malgré sa cape de velours chaudement doublée, elle avait très froid. De plus, sa gaieté avait cédé la place à un profond abattement. Deux questions la taraudaient : depuis quand Nick était-il rentré à Londres, et quelle était la nature exacte des sentiments qu'il éprouvait pour Christa Nordström ? Ils avaient l'air si bien ensemble, tout à l'heure ; ils se souriaient et paraissaient liés par une tendre complicité... Étaient-ils amoureux l'un de l'autre ?

Cette pensée lui déchira le cœur. Elle ferma les yeux pour chasser l'image de Nick enlaçant la belle Suédoise. Si seulement elle pouvait oublier cet homme, oublier qu'elle l'aimait et qu'il ne l'aimait pas...

Le retour de Piet la ramena à la réalité. Le jeune architecte paraissait furieux.

— Je ne vois la voiture nulle part, annonça-t-il d'une voix dont la colère renforçait l'accent néerlandais. Il faut que j'appelle la société de location. Excuse-moi, Gina... Je vais essayer de faire vite.

Mais la jeune femme était impatiente de regagner le calme de sa maison. Comme ils avaient peu de chance de trouver un taxi et que l'idée de monter dans un bus en robe du soir ne lui disait rien, elle était sur le point de suggérer à Piet de téléphoner chez sir George pour demander à John de venir les chercher, lorsqu'une voix s'éleva derrière eux :

— Bonsoir !

Gina pâlit, puis rougit. C'était Nick. Piet se retourna vivement, d'autant plus surpris qu'il n'avait pas aperçu son patron dans la salle de cinéma et ne s'attendait donc pas du tout à le rencontrer.

— Nick ! s'exclama-t-il. Quand es-tu revenu ? Je croyais que tu devais rester encore une semaine à Madrid.

— J'ai changé mes plans, répliqua Nick en avançant, les yeux fixés sur Gina. J'avais une affaire urgente à régler ici.

— Concernant Barbary Wharf ? s'enquit le jeune architecte en fronçant les sourcils.

— Non.

— Des problèmes personnels, alors ?

— Oui, mais rien que je ne puisse résoudre.

Cette réponse s'adressait à Piet, mais Nick observait toujours Gina avec attention, et celle-ci se demanda soudain où se trouvait Christa Nordström. Était-elle partie de son côté ? Ou bien attendait-elle Nick quelque part ?

— Comment rentrez-vous, tous les deux ? reprit ce dernier.

Piet lui expliqua alors que la limousine louée par ses soins n'était pas revenue les chercher.

— J'allais justement appeler la société, ajouta-t-il, amer.

— Inutile, décréta Nick. Je vais vous ramener.

Atterrée, Gina ouvrit la bouche pour protester, mais elle croisa alors le regard autoritaire de Nick et renonça à parler. Elle n'avait aucune envie qu'il la raccompagne, mais il n'était visiblement pas d'humeur à discuter et, de toute façon, Piet serait là. Alors, où était le problème ?

— Ça ne te dérange pas trop ? lança le jeune archi-

142

tecte, l'air soulagé. Merci beaucoup... Je suis tellement ennuyé d'obliger Gina à attendre dehors par ce froid !

— Ce n'est pas ta faute, dit-elle.

— Tu es gentille... Mais je téléphonerai demain à la société de location, et je te jure qu'ils vont m'entendre !

— Ma voiture est tout près, déclara Nick.

Pivotant sur ses talons, il traversa alors la place à si grandes enjambées que Piet et Gina eurent du mal à le suivre.

— Nous avons eu de la chance de tomber sur Nick, murmura Piet.

— N'est-ce pas ? s'écria la jeune femme avec une ironie que Piet ne saisit pas — contrairement à Nick, qui se retourna pour lancer à Gina un coup d'œil furieux.

La Rolls-Royce noire qu'elle avait un jour confondue avec celle de sir George était garée dans une rue voisine. Le chauffeur assis au volant se précipita pour ouvrir la portière, et Nick aida Gina à monter à l'arrière de la voiture. Il s'installa ensuite à côté d'elle, ce qui força Piet à s'asseoir en face d'eux.

— Tu n'habites pas loin d'ici, Piet, il me semble ? dit alors Nick.

Puis, sans attendre la réponse, il donna une adresse au chauffeur, qui démarra immédiatement.

Nick avait donc décidé de déposer Piet avant de la reconduire, pensa Gina, de plus en plus nerveuse. Elle chercha désespérément un prétexte pour échapper à ce tête-à-tête forcé, mais n'en trouva pas.

— Écoute, Nick, objecta Piet, qui ne paraissait pas ravi lui non plus, c'est moi qui ai amené Gina au cinéma, et il serait donc plus courtois que je la raccompagne jusque chez elle. Amène-nous tous les deux à Mayfair, et je prendrai ensuite un taxi pour regagner mon appartement.

— Mais non ! rétorqua Nick. Nous y sommes presque,

et d'ailleurs, ce genre de galanterie est dépassé. Les femmes d'aujourd'hui ne veulent pas qu'on les traite comme des êtres fragiles et désarmés... Nous sommes au xxe siècle !

— Est-ce pour cela que vous n'avez pas raccompagné Christa Nordström ? demanda Gina d'une voix glaciale.

— Vous nous avez vus dans la salle ? lança Nick en lui jetant un regard surpris.

— Qu'avez-vous fait d'elle ? reprit la jeune femme. Vous l'avez mise dans un taxi, ou bien vous l'avez laissée rentrer à pied ?

— Ni l'un ni l'autre ! Elle est venue dans la voiture de quelqu'un d'autre, et elle est repartie de la même façon.

— Christa était là ? intervint Piet. Je ne l'ai pas aperçue... Comment va-t-elle ? Et où en sont ses projets de film ?

— Il y a de bonnes chances qu'ils se concrétisent, déclara Nick d'un ton sec.

La voiture ralentit juste à ce moment-là, puis se gara devant un immeuble. Piet poussa un soupir agacé, mais l'expression dure de son patron l'empêcha sans doute de protester, car il se pencha pour embrasser Gina sur la joue en murmurant :

— Excuse-moi pour cette histoire de limousine...

— Tu es tout excusé, et..., commença la jeune femme.

La portière de la Rolls-Royce s'ouvrit alors si brusquement que Gina sursauta et s'interrompit net.

— Bonsoir, Piet ! dit Nick, la main posée sur la poignée.

— Tu es bien impatient de me voir partir ! s'exclama le jeune architecte. Mais ne t'inquiète pas : je m'en vais... Bonsoir, Gina !

Il sortit de la voiture, dont Nick lui claqua pratique-

144

ment la portière au nez, et le chauffeur redémarra. Gina se retourna pour faire un signe de la main à Piet, mais la Rolls-Royce s'engagea alors dans une rue latérale, et la jeune femme eut juste le temps d'apercevoir son ami immobile sur le trottoir, les yeux fixés sur le véhicule qui s'éloignait.

En se remettant dans le sens de la marche, la jeune femme surprit le reflet de Nick dans la vitre qui les séparait du chauffeur — la masse brillante de ses cheveux de jais, ses traits énergiques, la courbe sensuelle de sa bouche...

Gina en eut la gorge nouée. Même si, par quelque improbable concours de circonstances, ce devait être là leur dernière rencontre, elle savait que cette image de Nick resterait à jamais gravée dans son cœur et dans sa mémoire.

Le silence qui avait suivi le départ de Piet se prolongeait cependant, et Gina sentait sa nervosité augmenter de seconde en seconde.

Nick finit par lui lancer un regard de côté et demanda :

— Était-ce Piet le petit ami dont vous me cachiez si soigneusement le nom ? Je comprends pourquoi vous gardiez le secret, tous les deux... Il me semblait bien que vous plaisiez à Piet, mais jamais je n'aurais imaginé que c'était réciproque !

— Pourquoi ? répliqua la jeune femme, furieuse. Il est beau, gai, sympathique...

— D'accord ! D'accord ! C'est un grand séducteur... Je n'en ai pas moins été stupéfait quand sir George m'a dit que vous le fréquentiez, et depuis, cette pensée m'obsède. Je ne dors plus, et je n'arrive plus à fixer mon attention sur rien.

Gina le toisa avec mépris. Il avait sans doute peur qu'elle n'épouse Piet, ce qui compromettrait ses chances de prendre le contrôle de *L'Observateur*.

— Même pas sur Christa Nordström ? lança-t-elle après une longue pause.

— Seriez-vous jalouse ? murmura-t-il, l'air soudain taquin. Vous n'avez aucune raison de l'être. Nous ne sortons plus ensemble depuis longtemps, Christa et moi. C'était déjà fini entre nous avant même que je vous rencontre.

— Alors, pourquoi étiez-vous avec elle ce soir ?

— Nous sommes restés amis.

— Mais vous avez été amants ?

Il fallait qu'elle sache, songea la jeune femme. La vérité serait plus facile à supporter que ce doute qui lui rongeait le cœur.

— Oui, autrefois, répondit Nick avec impatience, mais je vous le répète : c'est fini depuis longtemps.

— Et combien de temps cela a-t-il duré ? Combien de temps vos liaisons durent-elles généralement ? Vous paraissez vous lasser si vite...

— C'était comme ça jusqu'à maintenant, je l'admets. Je mène une existence assez agitée. Mes affaires m'obligent à voyager constamment, et j'ai très peu de temps à consacrer à ma vie privée. Ce qui explique le fait que je ne me suis pas marié et que je n'ai jamais noué de liens durables avec une femme.

Sur ces mots, Nick se tourna vers la vitre et regarda les magasins brillamment éclairés devant lesquels ils étaient en train de passer. Gina se mordit la lèvre, trop malheureuse pour parler. Ce qu'il venait de lui dire confirmait ce dont elle avait eu l'intuition : toute relation qu'ils pourraient avoir ensemble était vouée à l'échec dès le départ. Il n'y avait pas de place pour l'amour dans la vie trépidante de Nick Caspian.

— Mais cette fois, c'est différent, reprit-il soudain. Et je m'en suis vraiment rendu compte à quel point que lors de mon séjour au Luxembourg. J'avais une réunion très

146

importante à présider, des problèmes compliqués à résoudre, de graves décisions à prendre et, pour la première fois de mon existence, j'ai été incapable de me concentrer sur mon travail. Je ne cessais de penser à vous, je me demandais jour et nuit où vous étiez et avec qui...

Sa voix était si basse et son débit si rapide que Gina devait tendre l'oreille pour l'entendre. Pendant tout ce discours, il avait gardé les yeux baissés, mais juste après, il releva brusquement la tête et considéra la jeune femme avec une intensité qui l'effraya.

— Je vous en prie, taisez-vous ! chuchota-t-elle.

Mais il ignora cette prière.

— Il faut que je fasse l'amour avec vous, Gina. Et très bientôt, sinon je vais devenir fou.

— La réponse est toujours non, déclara-t-elle aussi fermement que le lui permettaient les battements précipités de son cœur.

Serrant les poings, Nick baissa de nouveau les yeux puis, après un bref silence, il les plongea dans ceux de la jeune femme.

— Voulez-vous m'épouser, Gina ?

Muette de stupeur, elle le fixa d'un air incrédule. Les pensées se bousculaient dans son cerveau. Avait-elle bien compris ? Et si oui, pourquoi Nick la demandait-il en mariage ? Pas parce qu'il l'aimait, en tout cas, et comme c'était la seule chose qui comptait pour elle...

— Vous avez perdu la tête ! dit la jeune femme quand elle eut recouvré ses esprits.

— Oui, répliqua-t-il avec un rire amer, vous avez raison : j'ai perdu la tête, et à cause de vous... Personne ne m'avait encore fait cet effet-là. Je souffre et je ne le supporte pas. Il faut que je trouve un moyen de mettre un terme à cette douleur.

147

— Vous parlez de moi comme d'une maladie !

— Je suis en effet malade... Tenez, tâtez mon front ! Il est brûlant.

Comme Gina ne bougeait pas, Nick lui saisit la main, mais la jeune femme se dégagea vivement : elle ne voulait pas qu'il la touche ; au moindre contact de leur peau, son pouls s'affolait.

— Vous racontez n'importe quoi ! s'écria-t-elle en le regardant d'un air méfiant. Seriez-vous ivre ?

— Vous croyez que, pour vous demander en mariage, il faut que j'aie trop bu ? Eh bien, détrompez-vous, Gina. Je m'efforce seulement d'être pragmatique : je dirige une multinationale, et je ne peux pas me permettre de me laisser distraire de mon travail. Mon emploi du temps pour les douze prochains mois est déjà fixé : je sais plus ou moins où je serai à telle ou telle date, sauf accident ou changement de programme. Je suis un homme très occupé, vous me posez un problème, et je dois le résoudre afin de pouvoir reprendre le cours normal de mon existence.

— Si je vous pose vraiment un problème, le remède est simple : évitez-moi !

— Ça ne marcherait pas, grommela-t-il comme s'il avait déjà envisagé, puis écarté cette solution. Cela ne m'empêcherait pas de penser à vous.

Malgré tous ses efforts pour rester calme, Gina avait le cœur battant. Nick avait-il donc autant pensé à elle qu'elle à lui ? Mais, même si c'était le cas, pourquoi l'obsédait-elle à ce point ? Qu'éprouvait-il exactement ? Elle aurait aimé le connaître assez bien pour répondre à cette question...

— Et je ne veux pas que vous fréquentiez d'autres hommes, ajouta-t-il d'un ton dur.

Cette remarque éclaira enfin la jeune femme sur l'étrange logique qui sous-tendait la proposition de Nick :

148

si elle l'épousait, elle cesserait de sortir avec d'autres hommes, et Nick, délivré à la fois de son obsession et de ses craintes, pourrait de nouveau concentrer toute son attention sur la seule chose qui comptait pour lui : son travail.

Ce n'était pas la jalousie qui le poussait, bien sûr, mais un mélange d'obstination et de calcul : au cas où elle se marierait avec quelqu'un d'autre, il perdrait à la fois le pari qu'il avait fait de la séduire et, à plus long terme, le contrôle absolu de *L'Observateur* qu'il convoitait.

Gina se rendit brusquement compte que Nick la considérait avec attention, essayant sans doute de deviner ses pensées. Elle détourna la tête et fixa la casquette noire du chauffeur. Celui-ci conduisait en regardant droit devant lui, et la vitre épaisse qui le séparait de l'arrière du véhicule l'empêchait d'entendre la conversation, mais s'il jetait de temps en temps un coup d'œil dans le rétroviseur, les gestes et les expressions de ses deux passagers devaient beaucoup l'intriguer !

— Eh bien ? lança Nick. Cessez de me tourmenter, Gina... Dites oui !

— Impossible.

— Et pourquoi donc ? demanda-t-il en se tournant brusquement vers elle, le visage rouge de colère.

— Parce que nous nous connaissons à peine.

— Mais nous nous connaissons depuis des mois !

— Trois seulement.

Et alors, quelle importance ? A la seconde même où je vous ai vue, à Barbary Wharf, j'ai eu l'impression de recevoir un coup sur la tête. Il m'a fallu ensuite un peu de temps pour comprendre à quel point vous m'attiriez, mais j'ai su dès le premier instant ce qui se passait, et vous aussi, Gina, n'est-ce pas ?

Ne voulant rien admettre avant d'avoir eu le loisir de réfléchir, la jeune femme fit non de la tête.

— Vous mentez ! cria Nick.

Puis, d'un geste vif, il posa la main derrière la nuque de Gina, se pencha, et ses lèvres cherchèrent avidement les siennes. Elle se débattit, certaine que, s'il l'embrassait, elle n'aurait pas le courage de le repousser. Mais Nick était plus fort qu'elle : il la maintint pressée contre le siège de la Rolls-Royce et s'empara finalement de sa bouche.

Et, comme l'avait prévu la jeune femme, cette caresse l'embrasa à tel point qu'elle perdit toute capacité de résistance. Avec un gémissement de résignation et de plaisir mêlés, elle s'abandonna et, fermant les yeux, répondit avec une ardeur grandissante au baiser passionné de Nick.

Combien de temps restèrent-ils ainsi enlacés ? Gina n'aurait su le dire, mais soudain, la voiture ralentit, s'arrêta... Ils étaient arrivés.

Nick s'écarta lentement, et la jeune femme souleva les paupières. Pendant quelques secondes, ils se fixèrent en silence, comme étourdis par la violence des sensations qu'ils venaient d'éprouver, puis Nick murmura d'une voix rauque :

— Épousez-moi...

Une telle confusion régnait dans l'esprit de Gina qu'elle faillit accepter, mais ses idées finirent par s'éclaircir un peu, et elle déclara avec un petit soupir :

— Je ne peux pas... Tout cela est trop rapide. J'ai besoin de réfléchir.

— Réfléchir ? répéta Nick, l'air furieux. Et à quoi ?

Craignant que le chauffeur ne les observe dans le rétroviseur, Gina lui jeta un coup d'œil, mais il avait la tête tournée vers la maison, comme s'il en admirait l'architecture. Le regard de la jeune femme suivit la même direction, et elle constata que deux lumières seulement brillaient dans la grande demeure : l'une sur le perron et l'autre à la fenêtre de la chambre de sir George. Le vieil homme devait lire dans son lit.

— Gina! chuchota Nick avec impatience.

— Il faut que je réfléchisse!

— Non! Je veux régler cette affaire tout de suite. J'en ai assez d'attendre. Je sais que vous me désirez autant que je vous désire, et, chaque fois que nous nous embrassons, ce désir s'exacerbe... A quoi bon réfléchir?

— Le mariage est une chose sérieuse, dans laquelle on ne peut pas s'engager à la légère. Pourquoi êtes-vous si pressé?

— Vous l'ignorez? demanda-t-il d'une voix basse et rauque qui fit frissonner la jeune femme. Eh bien, je vais vous le dire! Comme vous refusez d'avoir une liaison avec moi, le mariage est la seule solution qui me reste pour vous avoir.

Les lèvres de Gina étaient si sèches qu'elle les humecta du bout de la langue, et Nick la fixa, la bouche entrouverte, comme hypnotisé. Quelques secondes passèrent, pendant lesquelles la jeune femme s'obligea à inspirer profondément afin de recouvrer son sang-froid.

— J'ai besoin d'être sûre que vous ne m'épousez pas dans le seul but de vous emparer des actions des Tyrrell, déclara-t-elle ensuite.

Nick tressaillit comme un enfant pris en faute, puis, sans doute conscient de s'être trahi, détourna vivement la tête. Mais trop tard : Gina avait vu sa réaction, et un profond sentiment de détresse s'empara d'elle, car elle était maintenant sûre de connaître les motivations de Nick. Oh! il la désirait certainement — sa passion, tout à l'heure, n'était pas simulée —, mais il y avait une autre raison à sa volonté de l'épouser : il voulait régner sans partage sur *L'Observateur*. Et l'une des façons les plus simples d'y parvenir, c'était de se marier avec l'héritière

151

de sir George, cette solution lui permettant accessoirement de mettre dans son lit une femme qu'il s'était juré de séduire.

— Savez-vous combien de journaux je possède? demanda sèchement Nick après un bref silence. J'ai déjà consacré beaucoup plus de temps à *L'Observateur* que je ne l'aurais dû... J'ai de nombreux autres problèmes à régler en ce moment. Il faut que je reparte au Luxembourg la semaine prochaine, que je me rende ensuite à Athènes pour y rencontrer Alex Gregaros, mon associé grec, puis à Paris, où nous lançons une nouvelle revue au printemps...

— Oui, je sais que vous êtes quelqu'un de très important et de très occupé. Mais je sais aussi que vous voulez devenir l'actionnaire majoritaire de *L'Observateur,* et pour y arriver, vous avez besoin de moi.

— Écoutez, Gina, je dirige une grosse multinationale, dont les intérêts dans les autres pays d'Europe sont bien plus considérables qu'en Grande-Bretagne. Et si je me suis introduit si tardivement sur le marché anglais, c'est parce que j'ai eu du mal à trouver un grand quotidien national capable de jouer le rôle de vaisseau amiral pour tous les journaux régionaux que je suis en train de racheter.

Des journaux régionaux? Gina écarquilla les yeux. Elle avait oublié que les ambitions de Caspian International en Angleterre ne se limitaient pas au contrôle de *L'Observateur.*

L'air sarcastique, Nick ajouta :

— Les actions de sir George ne m'intéressent cependant pas au point de sacrifier ma liberté pour elles. Je n'en ai même pas besoin pour diriger le journal comme je l'entends. Je possède un nombre de parts égal à celui de sir George, il a renoncé à s'opposer à moi, et le conseil d'administration approuve toutes mes décisions.

152

— Vous ne serez pourtant vraiment tranquille que le jour où vous régnerez en maître absolu sur *L'Observateur,* répliqua la jeune femme avec véhémence.

Nick l'observa un moment, puis dit lentement :

— Vous ne me faites donc aucune confiance ?

Au bord des larmes, car elle aurait aimé lui faire confiance, mais ne le pouvait pas, Gina garda le silence. Nick se redressa alors, le visage crispé, chacun de ses gestes et la façon même dont il respirait trahissant une froide colère.

— Vous me repoussez, Gina ?

— Je...

— Oui ou non ?

— Je suis désolée...

Un instant, elle crut qu'il allait la frapper, mais au lieu de cela, il ouvrit brutalement la portière de la limousine, sortit, puis tendit la main pour aider la jeune femme à descendre. Ne voulant pas qu'il la touche de nouveau, elle quitta cependant seule la voiture.

— Merci de m'avoir raccompagnée..., commença-t-elle.

Mais Nick était déjà remonté dans la Rolls, dont il claqua la portière derrière lui. Gina gravit alors les marches du perron en courant et introduisit sa clé dans la serrure d'une main tremblante. Au moment où elle franchissait le seuil, elle entendit la voiture redémarrer, mais ne tourna pas la tête. Peut-être Nick l'observait-il, et il ne fallait pas qu'elle lui donne l'impression d'avoir des regrets ou des remords.

Car sa décision était irrévocable, même si la fureur de Nick la remplissait d'appréhension. Jamais elle ne l'avait vu dans une telle colère. Il s'était souvent montré impatient, irrité, pressant, mais cette fois, c'était un sentiment beaucoup plus violent qui l'animait. Elle l'avait atteint à l'endroit le plus sensible : dans sa virilité.

Cette demande en mariage, il ne l'avait en effet pas faite à la légère. Il avait dû longuement peser le pour et le contre, et une fois sa décision prise, l'idée que son offre puisse être refusée ne lui avait même pas traversé l'esprit. D'où sa stupéfaction et sa rage... Nick était un battant, que les obstacles stimulaient, mais qui n'admettait pas la défaite. Et ce soir, il avait perdu.

Sortie gagnante du bras de fer qui les opposait, Gina n'éprouvait pourtant aucun sentiment de triomphe. Sa victoire avait même un goût si amer que, une fois dans sa chambre, elle se jeta sur son lit et pleura à chaudes larmes, le visage enfoui dans son oreiller afin que sir George ne l'entende pas.

Quand elle se fut un peu calmée, la jeune femme se déshabilla avec des gestes d'automate et se coucha, mais il lui fallut beaucoup de temps pour trouver le sommeil, si bien qu'elle se réveilla le lendemain matin la tête lourde et les yeux cernés.

Sa pâleur et ses traits tirés n'échappèrent pas à sir George lorsqu'elle le rejoignit dans la salle à manger.

— A quelle heure es-tu rentrée, hier soir? demanda-t-il, les sourcils froncés.

— Vers minuit, mais j'ai eu du mal à m'endormir, déclara-t-elle en se servant un verre de jus d'orange.

Daphné avait préparé un copieux petit déjeuner, comme d'habitude, mais la jeune femme se sentait incapable d'avaler autre chose qu'un toast, et encore...

— Pourquoi, Gina?

— Pourquoi quoi?

— Pourquoi as-tu eu du mal à t'endormir? Quelque chose te tracasse?

Gina rougit, et le vieil homme émit un petit rire.

— Ne me dis pas que tu es amoureuse de cet architecte néerlandais?

Ainsi, sir George croyait que c'était Piet la cause de

cette insomnie... Soulagée, la jeune femme rit elle aussi et répondit, évasivement mais sans mentir :

— Il est charmant.

— Mmh... Il est intelligent et sympathique, je te l'accorde, mais il manque un peu de personnalité... Oh ! excuse-moi, ma chérie... Tu dois penser que je me mêle de ce qui ne me regarde pas.

— Mais non !

— C'est que ton avenir me préoccupe, expliqua le vieil homme, gêné comme chaque fois qu'il parlait de ses sentiments. Je veux que tu sois heureuse, et James est mort depuis longtemps, maintenant. Tu ne vas pas passer le reste de ta vie à le pleurer !

— Si, affirma-t-elle calmement. J'aimais James et jamais je ne l'oublierai.

— Je le sais, mais tu es jeune, tu te remarieras un jour... Je ne suis cependant pas sûr que ce Néerlandais, même s'il est charmant, soit l'homme qu'il te faut.

Un sourire naquit sur les lèvres de Gina : sir George avait atteint la même conclusion qu'elle. Que dirait-il, en revanche, s'il apprenait que Nick l'avait demandée la veille en mariage ? Le vieil homme aurait certainement été enchanté qu'elle épouse le P.-D. G. de Caspian International : pour lui, cela signifierait que les Tyrrell reprenaient possession de *L'Observateur*. Et la jeune femme n'osait imaginer la réaction de sir George si jamais il découvrait qu'elle avait repoussé l'offre de Nick.

Gina et Hazel déjeunèrent ce jour-là à la cantine pour gagner du temps.

— C'est la dernière fois que nous mangeons ici, Dieu merci ! s'écria Hazel en contemplant son assiette d'un air sombre.

155

— Pourquoi n'as-tu pas choisi le plat du jour, comme moi ? répliqua Gina. Cette blanquette est excellente !

— Je suis au régime... Mais regarde cette salade composée : je suis sûre qu'on l'a faite avec des restes d'hier, ou même d'avant-hier !

— Rapporte-la et plains-toi !

— Je n'en ai pas le courage et, de toute façon, je n'ai pas faim.

Écartant une feuille de laitue flétrie, Hazel piqua une rondelle de tomate avec sa fourchette, la mâcha sans appétit, puis demanda d'un ton désinvolte :

— Tu t'es bien amusée, hier soir ?

— Hier soir ? répéta Gina sans comprendre.

— A cette première...

— Ah, oui ! Eh bien, c'est un très bon film. Je te conseille d'aller le voir.

— Et Piet, il l'a aimé ?

— Beaucoup.

— Tu sors souvent avec lui, il me semble... C'est sérieux, entre vous ?

Gina ne leva pas les yeux, mais le ton soudain grave de son amie l'alerta, et elle choisit soigneusement ses mots avant de lui répondre :

— Piet est très gentil et nous nous entendons bien, mais il n'y a rien entre nous.

— Je ne crois pas aux amours platoniques, observa Hazel avec un petit rire sans joie.

— Il ne s'agit pas d'amour mais d'amitié, affirma Gina, et cela en restera toujours là.

— Mais vous ne cessez pas de vous voir !

— En tout bien tout honneur... Nous nous tenons mutuellement compagnie, c'est tout.

Puis, comme elle voulait absolument convaincre Hazel, Gina se résolut à lui confier :

— Je suis amoureuse de quelqu'un d'autre, et Piet ne pourra donc jamais être qu'un ami pour moi.

— Le sait-il?

— Ne t'inquiète pas! Il n'est pas non plus amoureux de moi. Nous n'en avons pas parlé, mais je suis sûre qu'il aime une autre femme.

— Qui? murmura Hazel d'une voix étranglée.

— Demande-le-lui!

— Certainement pas! répliqua Hazel en rougissant jusqu'aux oreilles.

9.

Le Old City Hotel datait de l'époque où le style rococo faisait fureur, et bien qu'il soit à présent un peu vieillot, le souvenir de sa splendeur passée subsistait dans son immense salle de bal ornée de chérubins, de colonnes de marbre et de grands miroirs à cadres dorés.

Le personnel de *L'Observateur* était assis à des tables rondes disposées autour de la piste, qui resta vide pendant les deux premières heures : les gens admiraient le décor, écoutaient la musique et bavardaient entre eux.

Le dîner avait été long, ponctué de discours prononcés depuis la table d'honneur où étaient notamment installés sir George, Harry Dreaden, le rédacteur en chef, et Joe Mackinlay, le directeur général — qui prenaient tous les deux une retraite anticipée —, ainsi que la plupart des chefs de service et des membres du conseil d'administration. Le repas avait été excellent, copieusement arrosé et, après le café, on avait apporté des liqueurs, si bien qu'au moment de danser, tout le monde avait envie de s'amuser, mais se sentait un peu léthargique.

Sir George attendit un peu puis, afin d'obliger les gens à bouger, ouvrit la danse avec une employée qui avait servi le thé à l'étage de la direction pendant quarante ans et partait elle aussi à la retraite. Gina laissa son regard errer autour de la pièce et songea avec amertume que l'emploi de beaucoup des personnes présentes avait été supprimé par Nick. Il n'était guère étonnant que sir George ait l'air si fatigué... La semaine qui venait de s'écouler avait été épuisante et déprimante pour lui. Il travaillait dans l'immeuble de Fleet Street depuis la fin de ses études universitaires, quelque cinquante ans plus tôt, et c'était la famille Tyrrell qui avait construit cet immeuble. Le fait de le quitter représentait un déchirement plus cruel que le vieil homme ne l'avait escompté, surtout dans ces circonstances, car à ce changement de cadre s'ajoutait la prise de participation de Caspian International dans *L'Observateur*.

Ayant été la secrétaire particulière de sir George pendant plusieurs années, Gina connaissait la plupart des gens rassemblés là ce soir. Ses fonctions l'avaient amenée à établir des contacts avec presque tous les services, et cela lui donnait une conscience aiguë du caractère familial qu'avait eu jusqu'ici l'entreprise.

Après le départ de sir George, rien ne serait plus pareil. Caspian International apporterait certes des améliorations dans le domaine de l'organisation, du rendement et des salaires, mais sur le plan humain, *L'Observateur* y perdrait quelque chose d'essentiel : le sentiment d'appartenance à une grande famille qu'éprouvait le personnel.

La vue de Piet et de Hazel qui dansaient ensemble ramena Gina à des pensées moins sombres : peut-être ces deux-là allaient-ils enfin se décider à s'avouer leur amour ?

Un autre couple, en revanche, ne paraissait pas près de se former, et c'était celui que constituaient Rose et Daniel Bruneille, installés à une table voisine avec les autres employés du service étranger. Rose arborait comme d'habitude une tenue voyante et originale — une robe écarlate largement décolletée, très ajustée à la

160

taille, et dont la jupe à volants rappelait le costume des danseuses de flamenco. Elle avait les joues rouges et une lueur de colère brillait dans ses yeux, comme toujours quand elle se trouvait à proximité de Daniel Bruneille. Gina ressentit un élan de compassion pour son amie : tout comme Nick Caspian, Daniel était un homme aussi difficile à vivre qu'à oublier. Et Rose ne plaisait visiblement pas à Daniel ; il devait préférer les femmes très féminines, douces et soumises. Peut-être était-ce le cas de tous les Français ? Gina ne connaissait pas assez la France pour le savoir. Ce qui était sûr, en revanche, c'était que Daniel aurait du mal à dompter Rose ou à la convaincre de quitter le service étranger, car la jeune journaliste entendait bien suivre les traces de son père. Elle avait des choses à prouver, aux autres et à elle-même.

Gina en était là de ses réflexions lorsque Rose, croisant son regard, lui cria :

— Viens nous rejoindre !

— Plus tard ! répondit Gina.

Il lui fallait en effet rester avec sir George jusqu'à ce qu'il décide de partir.

— M'accorderez-vous cette danse, Gina ? demanda alors Joe Mackinlay, assis à la même table qu'elle.

— Volontiers, Joe, déclara-t-elle en se levant.

Ce mouvement fit bruisser la soie de sa robe longue. Elle l'avait achetée spécialement pour cette soirée, après avoir un peu hésité à cause d'un décolleté trop plongeant à son goût. La couleur jaune pâle de la robe lui plaisait cependant beaucoup et, s'étant finalement décidée à la prendre, elle l'avait rendue moins provocante en portant un gros collier victorien d'or et d'ambre qui couvrait une bonne partie de sa gorge ; c'était l'un des bijoux de la famille Tyrrell, et elle n'avait encore jamais eu l'occasion de le mettre.

— Quels sont vos projets, Joe? s'enquit-elle quand ils furent sur la piste.

— Ma femme veut que nous vendions notre maison de Londres et que nous nous installions en Écosse pour être plus près de sa famille. Là, je pêcherai et je me promènerai dans la campagne. Ce sont mes deux passe-temps favoris. Cela dit, il y a une différence entre les pratiquer pendant ses vacances et à longueur d'année... Non, pour tout vous avouer, l'idée de ne plus travailler m'effraie un peu.

— Vous allez manquer à sir George, affirma Gina, qui aimait beaucoup Joe Mackinlay.

— Lui aussi, il me manquera, et beaucoup d'autres personnes du journal également. Ce départ à la retraite m'est tombé dessus si soudainement... Je n'ai pas eu le temps de m'y préparer. Et tout ça à cause de ce maudit Caspian!

— Je suis désolée pour vous, Joe.

— Oh, à quoi bon se lamenter? Nick Caspian est comme la mort et les impôts : on ne peut pas l'éviter, alors autant l'accepter.

Gina frissonna en entendant ces paroles fatalistes, mais son regard se posa alors sur Hazel et Piet, qui dansaient maintenant étroitement enlacés, et ce spectacle la réconforta.

La musique s'arrêta juste à ce moment-là. Piet laissa lentement tomber son bras et fixa sa cavalière, qui avait les joues rouges et les yeux brillants.

— J'aurais dû me douter que vous dansiez à la perfection, fit-il remarquer d'un ton taquin.

Hazel se rembrunit, et elle se détourna pour que le jeune architecte ne voie pas combien il l'avait blessée, mais il lui prit alors la main en déclarant :

162

— Je vous en prie, ne vous vexez pas ! Je me suis mal exprimé. J'essayais seulement de vous faire part du plaisir que j'ai eu à danser avec vous.

— Vous vous moquez tout le temps de moi, murmura Hazel.

Il n'y avait plus qu'eux sur la piste, et elle était sûre que tout le monde les observait. Des gens riaient, à une table... A cause d'une plaisanterie qui la visait ? Pas forcément, mais depuis sa rencontre avec Piet Van Leyden, elle avait perdu toute son assurance et se tenait constamment sur la défensive.

Irritée contre les autres et contre elle-même, Hazel s'éloigna à grands pas de son cavalier et quitta la salle. Une fois dans le hall, elle s'arrêta pour chercher les toilettes. Piet faillit la heurter, et ce fut seulement alors qu'elle se rendit compte qu'il l'avait suivie.

— Laissez-moi tranquille ! lui cria-t-elle, furieuse.

— Vous êtes la personne la plus agaçante que je connaisse ! répliqua-t-il en la considérant d'un air tout aussi furieux.

— Ne faites pas attention à moi, alors !

— Je n'y arrive pas.

— Ah, bon ? La première fois que nous nous sommes rencontrés, pourtant, vous m'avez traitée comme si je n'existais pas.

— De quoi parlez-vous ?

— Vous voyez ! Vous ne vous en souvenez même pas... C'était au restaurant du Selfridges. J'étais avec Gina, et pas une fois vous ne l'avez pas quittée assez longtemps des yeux pour remarquer ma présence.

— Ah, oui ! Je me rappelle, maintenant... Mais j'avais déjà rencontré Gina, vous comprenez... A Barbary Wharf. Elle était si jolie, avec ses magnifiques cheveux roux et ses grands yeux tristes...

163

— Cessez de me parler d'elle ! Retournez dans la salle, invitez-la à danser et fichez-moi la paix !

— Gina est charmante et je l'aime beaucoup, expliqua calmement Piet, mais quand nous nous sommes mieux connus, il est devenu évident que jamais l'étincelle ne jaillirait entre nous.

La colère céda la place à l'hésitation sur le visage de Hazel. C'était exactement ce que Gina lui avait dit quelques jours plus tôt, mais elle ne l'avait pas vraiment crue. Ces mêmes paroles avaient cependant un tout autre poids dans la bouche de Piet.

Celui-ci tendit alors la main, doigts écartés, et murmura :

— Touchez-moi et vous la sentirez...

— Je sentirai quoi ? demanda-t-elle, surprise.

— L'étincelle.

Obéissant presque malgré elle, Hazel appuya sa paume contre celle de son compagnon et sentit en effet comme une décharge électrique. Elle leva les yeux, tremblante, et croisa le regard de Piet, qui la fixait intensément. Ils restèrent ainsi un long moment, paralysés par l'émotion, puis Piet pencha légèrement la tête vers la bouche de la jeune femme...

A cet instant précis, les portes de la salle de bal s'ouvrirent et plusieurs invitées sortirent, riant et parlant fort. Hazel et Piet s'écartèrent vivement l'un de l'autre, se détournèrent et feignirent d'admirer les gravures de chasse accrochées aux murs.

L'une des personnes qui venaient de surgir devait cependant les avoir surpris, car Hazel l'entendit glousser et l'aperçut du coin de l'œil chuchoter et donner de petits coups de coude à ses amies. Hazel rougit jusqu'aux oreilles et observa Piet à la dérobée. Sans ces indésirables, il l'aurait embrassée... Oh, si seulement ils pouvaient être de nouveau seuls...

164

Pendant ce temps, dans la salle de bal, Gina discutait tranquillement avec sir George à la table où ils s'étaient rassis après la première danse.

— Vous vous amusez, grand-père ?

— Beaucoup ! Mais je me rends compte d'une chose très surprenante : il y a ici des gens que je n'avais pas vus depuis des années.

— Une grosse entreprise comme la vôtre a trop d'employés pour que vous les connaissiez tous.

— Il n'empêche qu'il y a ce soir des gens que je connais bien et que je vois rarement, à présent. Molly Lynn, par exemple, travaille au journal depuis Dieu sait quand, mais cela doit faire au moins dix ans que je ne l'ai pas vue. Non, il faut se rendre à l'évidence : j'ai perdu le contact avec le personnel.

— Vous n'avez rien à vous reprocher ! protesta Gina.

— Tu es gentille, ma chérie, mais je n'en suis pas aussi sûr, et du coup, je me demande comment Caspian se débrouille pour suivre de près ce qui se passe dans son groupe, qui compte des milliers de personnes réparties dans une dizaine de pays différents.

Lord Hampden, l'un des membres du conseil d'administration, émit alors un petit rire et observa :

— Caspian reçoit de ses filiales des rapports quotidiens sur la comptabilité, le chiffre des ventes, l'humeur des syndicats, les problèmes locaux... Et il les lit tous !

— C'est un homme ou un robot ? marmonna sir George, les yeux fixés sur Nick qui, assis un peu plus loin, discutait avec un autre membre du conseil d'administration.

— Peut-être est-ce un extraterrestre venu préparer l'invasion de notre planète ? déclara lord Hampden avec un sourire malicieux.

— Sûrement ! s'écria sir George en éclatant de rire.

Puis il regarda de nouveau en direction de Nick et fronça les sourcils.

— Cela fait une demi-heure qu'il parle avec le jeune Slade... Qu'est-ce qu'ils peuvent bien se raconter ?

— Je ne sais pas, mais leurs airs de conspirateurs ne me dit rien qui vaille, fit remarquer lord Hampden.

Le chef d'orchestre annonça à ce moment-là un quart d'heure américain, et lady Hampden se leva, la main tendue vers son mari, qui bougonna :

— Je suis vraiment obligé ?

Mais il se mit tout de même debout et suivit sa femme sur la piste. Sir George se pencha alors vers Gina et lui murmura à l'oreille :

— Va les séparer, ma chérie !

— Pardon ? demanda la jeune femme sans comprendre.

— Éloigne Nick du jeune Slade... J'en profiterai pour essayer de découvrir ce qu'ils manigancent, tous les deux.

— Mais ce serait très impoli d'interrompre leur conversation !

— Invite Nick à danser ! ordonna le vieil homme d'une voix basse mais autoritaire. N'est-ce pas pour cela que nous sommes ici, après tout ? Au lieu de discuter affaires, il devrait se montrer prévenant envers le personnel. Alors invite-le et suggère-lui de danser ensuite avec l'une des secrétaires.

— Non ! Je... je ne peux pas, bredouilla Gina en se mordant la lèvre.

— Bien sûr que si ! répliqua sir George avec impatience.

Encore hésitante, la jeune femme jeta un coup d'œil discret à Nick. Elle était parvenue jusqu'ici à l'éviter : ils avaient dîné à la même table, mais suffisamment loin l'un de l'autre pour qu'elle l'ignore sans paraître grossière.

Cela ne l'avait empêchée de l'observer à la dérobée et de constater qu'il paraissait tendu et fatigué. Il avait les traits tirés, le visage sombre, des plis amers au coin de la bouche et, bien qu'habillé d'un smoking très élégant, il n'était visiblement pas d'humeur à faire la fête.

— Allez ! insista sir George, de plus en plus irrité. Je sais que tu n'aimes pas cet homme, et moi non plus, je ne l'aime pas, mais le jeune Slade a hérité de son père environ huit pour cent des actions du journal, et je ne veux pas que Caspian le convainque de les lui céder. Heureusement, la succession n'est pas encore réglée, si bien que Slade ne peut pas encore en disposer.

— Votre accord avec Nick ne stipulait-il pas qu'il se contenterait des parts qu'il vous a rachetées ?

— Oh, il m'a donné toutes sortes de garanties, mais je me méfie... Un nombre d'actions égal au mien ne lui suffit pas : c'est une participation majoritaire qu'il convoite. Et je suis sûr qu'il espère persuader le jeune Slade de lui vendre ses actions quand il entrera en possession de son héritage.

L'inquiétude qui avait gagné Gina en entendant cela devait se lire sur son visage, car sir George ajouta d'un ton rassurant :

— Ne te tracasse pas, ma chérie ! Je veillerai à ce que Caspian ne prenne pas le contrôle absolu du journal. Je connais le jeune Slade depuis sa naissance, j'ai eu d'excellentes relations de travail avec son père et son grand-père... Non, si je lui rappelle les liens qui unissent nos deux familles, il saura résister aux offres de Caspian, aussi mirobolantes soient-elles.

— Vous avez certainement raison, dit la jeune femme, à présent convaincue de la nécessité de séparer Nick et Philip Slade.

Elle se leva donc, inspira à fond, puis se dirigea vers les deux hommes. Ils s'arrêtèrent de parler à son arrivée et tournèrent la tête vers elle.

— Oui, Gina? demanda Nick en la considérant d'un air sarcastique qui l'irrita profondément.

Philip Slade, lui, sourit à la jeune femme. Il avait une vingtaine d'années, mais son visage lisse et sa silhouette mince lui donnaient une allure d'adolescent. Avec ses cheveux bruns et ses yeux bleu clair, il ne manquait pas de charme, même si ses traits dénotaient une certaine faiblesse de caractère.

— J'espère que vous passez tous les deux une agréable soirée, déclara poliment Gina.

Puis, s'adressant à Nick, elle ajouta :

— Il ne me semble pas vous avoir encore vu sur la piste, monsieur Caspian.

— En effet, madame Tyrrell, répliqua-t-il avec une solennité empreinte d'ironie. Je vais d'ailleurs tout de suite réparer cette coupable négligence... Me ferez-vous l'honneur de m'accorder cette danse ?

Consciente du regard de sir George posé sur elle, Gina accepta la main que Nick lui tendait, mais ne put réprimer un frisson en sentant ces longs doigts toucher sa peau. De petites gouttes de sueur perlèrent sur sa nuque, sous les cheveux relevés en chignon. Dans une seconde, elle serait dans les bras de Nick... Comment ses nerfs supporteraient-ils une étreinte aussi intime ?

Nick l'entraîna alors vers la piste. L'orchestre jouait une valse, et ils commencèrent à évoluer au milieu des autres couples — les hommes en smoking, les femmes en robe du soir dont la jupe froufroutait et virevoltait autour de leurs jambes gainées de soie. Gina aperçut Hazel, qui dansait de nouveau avec Piet, et elle haussa les sourcils en voyant le jeune architecte se pencher et appuyer sa joue contre celle de sa cavalière.

168

Eh bien ! pensa Gina, il avait dû se passer des choses depuis le début de la soirée... Le matin même, ces deux-là se chamaillaient, comme d'habitude, et voilà qu'ils étaient tendrement enlacés...

— J'adore votre robe, était en train de murmurer Piet à Hazel.

Celle-ci déplaça sa main et la posa sur la nuque de son cavalier, dont elle caressa la peau du bout des doigts.

— Mmh... C'est délicieux ! chuchota-t-il. Refaites-le !

— Plus tard ! rétorqua-t-elle, amusée.

— Je ne peux pas attendre... Si nous partions ?

— Pas tout de suite ! s'écria-t-elle en riant.

Mais elle se serra plus étroitement contre lui, et le bras du jeune architecte l'emprisonna avec fermeté.

Gina les observait avec un petit sourire. Elle avait hâte d'être seule avec Hazel pour savoir comment s'était opéré ce changement radical dans les relations de ses deux amis.

Soudain, elle sentit que Nick la regardait et, levant les yeux vers lui, constata qu'il la fixait d'un air interrogateur.

— Pourquoi arborez-vous ce sourire énigmatique, Gina ? Comploteriez-vous quelque chose ?

— Quelle idée ridicule ! répliqua-t-elle vivement. Vous devenez paranoïaque ?

— Paranoïaque ou pas, je suis sûr que sir George vous a donné l'ordre de m'inviter à danser. Je me trompe ?

— Il trouvait que vous manquiez à vos devoirs, se contenta-t-elle de répondre.

— N'essayait-il pas plutôt de m'empêcher de parler avec Philip Slade ?

Comment Nick se débrouillait-il pour toujours deviner ce qui se passait dans le cerveau des gens ? songea

Gina, les lèvres serrées. Était-ce de la télépathie ou une forme d'empathie, la faculté de s'identifier à ses semblables ? Ou bien avait-il des pouvoirs magiques qui lui permettaient de lire jusqu'au fond de la pensée des autres, de connaître avant eux leurs intentions les plus secrètes ? Quelle que soit la méthode utilisée, elle était efficace et révélait une intelligence diabolique.

Afin de se tirer d'embarras sans avoir à mentir, la jeune femme expliqua :

— Sir George danse toujours avec une employée de chaque service. Les gens attendent la même chose de vous, et sir George s'est sans doute dit que vous l'ignoriez. Vous voyez toutes ces femmes assises autour de la piste ? Eh bien, elles se demandent depuis l'ouverture du bal quand et avec qui vous allez danser... Sir George voudrait qu'après moi, vous invitiez l'une des secrétaires, puis une journaliste, puis une comptable...

— C'était bien mon intention, mais un peu plus tard, affirma Nick.

Quelque chose sembla alors accrocher son regard. Il se raidit, puis un sourire narquois se dessina sur ses lèvres.

Qu'est-ce qui avait donc retenu son attention ? Gina jeta un coup d'œil dans le miroir placé en face d'elle et se rendit compte que Nick avait les yeux fixés sur sir George, maintenant en grande conversation avec Philip Slade. Une autre glace, derrière les deux hommes, renvoyait l'image de la première, créant un jeu de miroirs se reflétant à l'infini les uns dans les autres. La jeune femme s'y apercevait, silhouette tourbillonnante de plus en plus lointaine, avec les lustres étincelants et les couples qui souriaient et virevoltaient alentour...

Prise d'un brusque vertige, Gina vacilla, et Nick la serra plus fort contre lui. Il baissa ensuite les yeux vers elle, et leurs regards se croisèrent. La flamme qui luisait

170

dans les prunelles gris acier de son cavalier finit d'étour-
dir Gina, qui dut se cramponner à lui pour ne pas tomber. Et il se produisit alors un phénomène étrange : la
salle, autour d'eux, disparut, et ils se mirent à danser
sans parler, leurs corps évoluant en parfaite harmonie et
se livrant pourtant une bataille silencieuse : tout en Nick
exprimait la fièvre du désir, tandis que la jeune femme
luttait pour étouffer la passion qui commençait à monter
en elle.

— Nous ne pouvons pas continuer comme ça, déclara
soudain Nick.

— Allons nous asseoir, alors, suggéra Gina, feignant
de ne pas comprendre le véritable sens de cette phrase.

— Vous savez très bien ce que je veux dire !

— Arrêtez, Nick ! répliqua-t-elle en tentant de se
dégager, car elle craignait qu'une dispute n'éclate entre
eux sous l'œil intéressé de tout le personnel de *L'Observateur*.

— Gina..., chuchota-t-il en resserrant encore son
étreinte.

Puis il poussa un gémissement mi-rageur, mi-sup-
pliant, et sa joue se posa contre celle de la jeune femme.
Elle sentit la chaleur de sa peau, la tension des muscles
de son visage, et un frisson la parcourut.

— Arrêtez, Nick ! répéta-t-elle, affolée par les réactions incontrôlables qu'il provoquait en elle. Les gens
vont commencer à se poser des questions...

— Je vous veux, Gina. Toute ma vie, j'ai couru après
quelque chose, je suis fait comme ça. Une société, et
puis une autre...

— Il n'y a vraiment que cela qui vous intéresse !
s'écria la jeune femme avec colère.

— Autrefois, oui, admit-il. Et l'expérience m'a
appris à la fois la souffrance que l'on ressent à force de
vouloir quelque chose qui vous échappe et la satis-

171

faction que l'on éprouve à l'obtenir. Je vous raconterai tout cela un jour, Gina, mais sachez que j'ai été à rude école, une école qui m'a enseigné la ténacité et la patience. Pourtant, jamais je n'ai rien voulu autant que vous.

— Suis-je censée être flattée ? Vous semblez me considérer comme un objet, un bien que l'on achète, dont on s'empare ou que l'on échange !

— Non, ce n'est absolument pas ainsi que je vous considère, déclara Nick d'une voix rauque. Vous, vous m'obsédez d'une tout autre façon... Je n'arrive plus à dormir, ni à réfléchir ni à travailler depuis des semaines, et ça ne peut plus durer. Je suis en train de devenir fou.

— Vous m'effrayez, chuchota Gina sans lever les yeux de crainte de voir des regards curieux ou amusés fixés sur eux.

Car si Nick parlait si bas qu'elle-même l'entendait à peine, l'expression de leurs deux visages et tout leur langage corporel devaient être faciles à déchiffrer.

— Il ne faut pas avoir peur, Gina. Ne vous privez pas, par lâcheté, d'un bonheur qui vous tend les bras. La vie est si courte... Et d'ailleurs, de quoi avez-vous peur ? Je désire seulement vous aimer et vous apprendre à m'aimer.

— Je voudrais tellement pouvoir vous croire !

— Vous le pouvez, affirma-t-il en lui effleurant le cou de ses lèvres.

— Oh ! Nick...

L'onde de plaisir qui se propageait en elle lui arracha un gémissement, et elle sentit sa résolution vaciller. Cela faisait des semaines qu'elle rêvait de se donner à Nick, de mettre un terme au combat qu'il lui fallait livrer contre lui et contre elle-même, et en cet instant, rien ne comptait plus que Nick : la force de l'amour balayait toute autre considération.

172

Comme pour vérifier l'effet de ses paroles et de sa caresse sur le visage de Gina, Nick se redressa soudain et plongea les yeux dans les siens, mais la jeune femme, incapable de soutenir ce regard où brillait un désir presque palpable, poussa un long soupir et appuya sa figure empourprée contre l'épaule de son cavalier.

— Partons ! dit ce dernier d'une voix pressante.

La musique s'arrêta soudain, et les couples de danseurs applaudirent l'orchestre avant de regagner leurs places. Le bras toujours passé autour de la taille de sa cavalière, Nick se dirigea vers sir George qui, debout près de sa table, les observait d'un air étrange.

— Partons ! répéta Nick.

— C'est impossible ! s'exclama Gina, que l'attitude de son grand-père inquiétait. Sir George s'attend que nous restions jusqu'à la fin pour le représenter, car il ne va sans doute pas tarder à se retirer.

— Mais non, les gens se passeront très bien de nous. Je suis sûr qu'ils ne remarqueront même pas notre absence.

Les pensées se bousculaient dans l'esprit enfiévré de la jeune femme, déchirée entre sa passion et son devoir. La première finit cependant par l'emporter, et la jeune femme décida d'accepter la proposition de Nick. Oui, il avait raison : la vie était courte, il fallait en profiter... Ils allaient s'éclipser discrètement, et...

Mais ils atteignirent alors la table de sir George, et Gina, voyant de près le visage du vieil homme, sentit son sang se glacer dans ses veines : pourquoi avait-il l'air si furieux ? Nick se raidit, lui aussi, et le sourire triomphant qu'il arborait l'instant d'avant céda la place à une expression méfiante.

Le souffle court, sir George le fixa quelques secondes en silence, puis laissa exploser sa colère.

— Espèce de traître ! hurla-t-il. J'aurais dû me douter

que vous me joueriez un mauvais tour ! Si j'avais su que la succession du vieux Slade était réglée, j'aurais veillé à ce que son fils me vende ses parts, mais je l'ignorais, et Philip ne m'avait pas dit non plus qu'il avait désespérément besoin d'argent... D'ailleurs, nous avions passé un accord, vous et moi : vous m'aviez juré de ne pas chercher à acheter d'autres actions si j'acceptais de vous en céder assez pour que nous en possédions un nombre égal. Mais cela ne vous a pas empêché de manœuvrer derrière mon dos, et maintenant, vous avez une participation majoritaire dans le journal. Vous...

Le vieil homme s'interrompit, apparemment incapable d'articuler un mot de plus. Il étouffait, le visage écarlate, les yeux exorbités.

— Grand-père ! s'écria Gina en se précipitant pour le soutenir.

D'un geste brusque, il la repoussa et, pointant un index accusateur vers Nick, reprit d'une voix entrecoupée :

— Votre intention a toujours été de régner sans partage sur *L'Observateur*, n'est-ce pas ?

— J'avais mes raisons, admit Nick.

Un sourire froid jouait sur ses lèvres, et Gina le regarda, hébétée. Il avouait sa trahison avec un tel calme, comme s'il se moquait éperdument de ce que sir George et le monde entier pensaient de lui...

Nick se tourna alors vers elle, et, bredouillant un peu sous l'effet de l'émotion, elle murmura :

— Vous n'avez donc aucun scrupule ? Aucun sens moral, aucune pitié ?

— Ne dites pas de bêtises, Gina, répliqua-t-il. Je l'ai fait pour vous.

— Pour moi ? répéta-t-elle, indignée. Pour moi ? Vous mentez !

— Gina ? intervint sir George comme s'il venait

174

d'avoir une brusque révélation. Pourquoi affirme-t-il l'avoir fait pour toi? Qu'as-tu à voir là-dedans? Que s'est-il passé entre vous? Tu m'avais caché que tu... Toi et lui? Oh! mon Dieu...

Les mots moururent sur ses lèvres, et un bruit rauque s'échappa de sa gorge.

— Grand-père! cria Gina. Vous ne vous sentez pas bien?

Le vieil homme ne répondit pas. Les mains crispées sur sa poitrine d'où sortait toujours cet horrible râle, il respirait de plus en plus difficilement, et, soudain, ses genoux plièrent. Gina lui saisit le bras pour l'empêcher de tomber, mais trop tard : il s'effondra sur le sol.

Les minutes qui suivirent s'écoulèrent pour la jeune femme dans une sorte de brouillard. Sir George était allongé par terre, les paupières closes, les lèvres bleuâtres, le souffle court. Tremblant de tous ses membres, Gina s'agenouilla à côté de lui et lui prit la main. Les autres invités, qui s'étaient massés autour d'eux, contemplaient la scène en silence. Nick ordonna alors à tout le monde de quitter la pièce, envoya quelqu'un appeler une ambulance et demanda des couvertures au directeur de l'hôtel.

— Il faut maintenir son corps à une température normale, expliqua-t-il.

Sa voix parvenait à Gina comme affaiblie par la distance. Elle ne pouvait détacher les yeux du visage livide du vieil homme. Instinctivement, elle posa les doigts sur le poignet aux veines saillantes de son grand-père, mais ne trouva pas le pouls. La poitrine de sir George continuait pourtant de se soulever de façon spasmodique.

— Que pouvons-nous faire? demanda la jeune femme, désespérée.

A cet instant précis, la respiration bruyante du malade s'interrompit net, et une folle terreur s'empara de Gina.

— Je vous en prie, ne mourez pas..., bredouilla-t-elle. Ne mourez pas...

Nick s'agenouilla alors et repoussa la jeune femme, puis arracha la cravate et déboutonna la chemise de sir George avant d'enlever sa propre veste. Gina le regardait avec effarement. C'était un vrai cauchemar... Les gestes de Nick lui semblaient totalement absurdes.

Au bout de quelques secondes, cependant, elle finit par comprendre qu'il voulait tenter de rétablir les fonctions respiratoires du vieil homme. Et en effet, il se pencha et commença à pratiquer la respiration artificielle. Le cœur battant, les yeux écarquillés, Gina vit le visage de Nick se couvrir de sueur et les muscles de son dos jouer sous son élégante chemise blanche.

Le temps parut s'arrêter, et puis, soudain, les portes de la salle de bal s'ouvrirent à toute volée, livrant passage à deux ambulanciers et à un homme qui portait une grosse trousse noire à la main — un médecin, de toute évidence. Ce fut lui qui arriva le premier près de sir George. Sans prononcer un mot, il écarta Nick et entreprit d'examiner le malade. Nick se releva, la poitrine haletante, les cheveux ébouriffés, et le bruit de sa respiration saccadée résonna dans la grande pièce silencieuse.

— Il n'est pas mort, n'est-ce pas ? demanda Gina d'une voix suppliante. Dites-moi qu'il n'est pas mort...

— Faites-la sortir ! ordonna le médecin sans se retourner.

— Non, je veux rester, décréta-t-elle.

— Désolé, mais je ne peux pas travailler avec des gens autour de moi, répliqua sèchement le médecin. Vous devez partir.

— Venez, Gina, déclara Nick d'une voix douce en lui passant un bras autour des épaules.

— Lâchez-moi ! cria-t-elle.

176

— Vous ne voyez donc pas que vous gênez?

— Ma place est ici, près de lui! Il aura besoin de moi si... quand...

Les sanglots qui lui nouaient la gorge l'empêchèrent de finir sa phrase et elle chancela, prise d'un brusque vertige. D'un geste vif, Nick passa alors son autre bras sous les genoux de la jeune femme et, ignorant ses protestations, la souleva de terre et quitta la pièce.

De nombreux employés de *L'Observateur* attendaient dans le hall. Ils chuchotaient entre eux, les yeux fixés sur la porte de la salle de bal, mais tous se turent immédiatement en voyant s'avancer Gina et Nick. A peine sorti, celui-ci posa la jeune femme et voulut la soutenir, car elle vacillait sur ses jambes, mais elle le repoussa durement et, apercevant Hazel et Piet à quelques mètres, courut vers eux comme un animal terrifié trouvant enfin un refuge.

— Sir George..., balbutia-t-elle. Je crois qu'il va mourir...

— Mais non, dit Hazel en l'enlaçant. La médecine opère des miracles, de nos jours, et les secours sont arrivés très vite. Je suis sûre qu'il s'en sortira.

Sa voix manquait cependant de conviction, et elle jeta un coup d'œil anxieux à Piet, qui lui adressa un sourire rassurant avant d'observer :

— Il vaut mieux qu'elle ne reste pas debout... Tenez, Gina, asseyez-vous dans ce fauteuil... Je vais vous chercher du cognac. Cela vous fera du bien.

Le jeune architecte s'éloigna en direction du bar et revint une minute plus tard avec un verre qu'il obligea Gina à boire. L'alcool réchauffa un peu le corps glacé de la jeune femme, mais elle entendit alors la porte de la salle de bal s'ouvrir, derrière elle, et son cœur s'arrêta de battre.

Pourtant, elle savait déjà ce qu'on allait lui annoncer.

Elle connaissait la terrible vérité avant même de sortir de la pièce : quand sir George avait cessé de respirer, elle avait tout de suite compris que jamais il ne reviendrait à la vie, que les efforts de Nick étaient vains. Mais elle avait refusé de l'admettre, à ce moment-là, et même maintenant, une sorte d'instinct la poussait à continuer de nier l'évidence.

La voix du médecin parlant à Nick lui parvint, puis un bruit de pas lents et pesants — les ambulanciers qui emportaient le corps de sir George, sans doute. Elle ne se retourna pas, mais le silence tendu qui régnait soudain sur le hall était suffisamment éloquent.

Nick s'approcha alors de la jeune femme.

— Je vais vous raccompagner chez vous, dit-il. Il est inutile que vous alliez avec lui... Je suis désolé, Gina, sincèrement désolé.

Levant la tête, elle le fixa droit dans les yeux et, malgré son chagrin, elle prit brusquement conscience de l'abîme qui les séparait à présent. Un abîme infranchissable.

Car il était maintenant certain que Nick la manipulait depuis le début afin d'obtenir une participation majoritaire dans le journal, tout en restant à l'affût d'un autre biais pour atteindre ce but. Et quand il avait appris que Philip Slade pouvait enfin vendre ses actions, il avait sauté sur l'occasion. Oui, la seule chose qui l'intéressait chez elle, c'étaient les parts que sir George comptait lui léguer, et toutes ces histoires d'amour et de mariage n'étaient que des mensonges : il n'avait jamais vu en elle qu'un moyen de parvenir à ses fins.

A cette pensée, une vague de douleur submergea la jeune femme, mais une autre idée, plus affreuse encore, lui traversa alors l'esprit, et elle murmura :

— Sir George est mort...

— Hélas oui, déclara Nick.

Ses yeux gris semblaient la sonder, et elle comprit qu'il essayait de deviner ce qui se passait dans sa tête. Il devait se rendre compte qu'elle avait quelque chose sur le cœur et cherchait à l'avance une parade.

— Mais s'il est mort, c'est parce qu'on l'a assassiné, précisa-t-elle, le visage dur.

Toutes les personnes qui se trouvaient assez près pour l'entendre sursautèrent ou poussèrent un petit cri de surprise.

— Vous êtes en état de choc, Gina, fit remarquer Nick.

Il pouvait bien feindre la compassion et l'inquiétude, songea la jeune femme, elle n'était pas dupe... Les gens réunis là ne le connaissaient pas vraiment et le croyaient sans doute sincère, mais elle qui avait fait l'expérience de la duplicité de cet homme ne se laissait plus prendre à ses manières enjôleuses.

— Ce tragique événement est un coup terrible pour nous tous, continua Nick de ce même ton apaisant qui donnait à Gina envie de hurler, mais plus terrible encore pour vous. Le médecin vous conseille d'aller vous coucher et d'essayer de dormir ; il vous a prescrit un calmant. Je vais vous ramener chez vous, maintenant.

— Vous pensez réellement que j'accepterais une aide quelconque du meurtrier de mon grand-père ? demanda-t-elle d'une voix chargée de haine contenue.

Un murmure s'éleva dans le hall. Tout le monde écoutait leur conversation, à présent, mais Gina s'en moquait : non content de l'avoir humiliée, abusée, trahie, il avait tué sir George, et s'il espérait s'en tirer comme ça, il se trompait ! Elle trouverait un moyen de le punir.

— Je ne vous pardonnerai jamais, reprit-elle, et je ne veux plus vous revoir.

Nick ne broncha pas : il resta immobile comme une statue, le visage froid et impénétrable.

Voilà, songea Gina, tout était dit, il n'y avait rien à ajouter. Elle se leva donc et se dirigea d'un pas mal assuré vers la sortie, consciente des regards curieux, ébahis ou compatissants qui la suivaient. Elle avait hâte de leur échapper, maintenant, même si c'était pour rentrer dans une grande maison vide.

— Il ne faut pas la laisser seule, murmura Piet à Hazel.

— Vous avez raison, convint celle-ci, très pâle. Je vais la raccompagner et passer la nuit avec elle. Mais la voiture de sir George n'est sans doute pas encore arrivée... Y a t-il des taxis dehors, ou bien faut-il demander à la réception d'en appeler un ?

— Inutile, ma voiture est garée sur le parking de l'hôtel, déclara Piet. Je cours la chercher. Je n'en ai pas pour longtemps.

Il s'éloigna à grands pas, et Hazel rejoignit Gina qui, debout sur le trottoir, regardait autour d'elle d'un air hésitant.

— Piet sera là dans une minute avec sa voiture, annonça Hazel à son amie d'une voix douce. Tu veux que nous attendions à l'intérieur ? Il faut de toute façon que tu récupères ton manteau au vestiaire. Tu en auras besoin : il fait froid, ce soir.

Mais Gina l'entendait à peine. Les pensées se bousculaient dans sa tête, et elle essayait en vain d'y mettre un peu d'ordre. Sa vie venait d'être entièrement bouleversée, et de façon si soudaine qu'il lui était encore impossible d'évaluer toutes les conséquences du malheur qui la frappait.

Au milieu de ce chaos, cependant, une certitude émer-

geait, presque réconfortante dans sa clarté : elle veille-
rait personnellement à ce que Nick paye d'une manière
ou d'une autre le mal qu'il avait fait à sir George.

Cet ouvrage a été publié en langue anglaise
sous le titre :
BATTLE FOR POSSESSION (BARBARY WHARF 2)

Traduction française de
BÉNÉDICTE DUCHET-FILHOL

Ce roman a déjà été publié dans la collection
AZUR N°1559
sous le titre :
UN DÉFI IMPOSSIBLE
_ *en septembre 1995*

CHARLOTTE LAMB

Entre cœur et raison

éditionsHarlequin

PERSONNAGES PRINCIPAUX

NICK CASPIAN : magnat de la presse européenne qui a décidé de prendre le contrôle de *L'Observateur*. Tenace et dur en affaires, il est prêt à tout pour atteindre son objectif.

GINA TYRRELL : jeune veuve du petit-fils adoré de sir George, James. Après la mort de sir George, elle devient copropriétaire avec Nick Caspian de *L'Observateur*. Elle rend Nick responsable de cette mort et jure de la lui faire payer.

ROSE AMERY : journaliste au service étranger. Ancienne camarade de classe de Gina, c'est une jeune femme très ambitieuse, qui entend faire carrière à *L'Observateur*.

DANIEL BRUNEILLE : directeur du service étranger, réputé pour sa rigueur et son exigence vis-à-vis de ses collaborateurs. Son tempérament fougueux et emporté le rend assez difficile à vivre.

DESMOND AMERY : père de Rose et journaliste de renom. Il vit à Montréal, mais passe beaucoup de temps à Paris, sa ville préférée.

IRENA OLIVERO : belle et mystérieuse jeune femme vue en compagnie de Desmond Amery à Paris.

1.

Rose Amery raccrocha le téléphone en fronçant les sourcils. C'était la cinquième fois qu'elle appelait le numéro de son père sans obtenir de réponse. Où pouvait-il bien être ?

Elle avait essayé de le joindre dans l'heure qui avait suivi la mort de sir George Tyrrell : Desmond préférerait certainement apprendre cette triste nouvelle par sa fille plutôt que par la radio ou par la presse... Il estimait beaucoup sir George, homme autoritaire et têtu qui appartenait à la vieille école des propriétaires de journaux, mais qui possédait de grandes qualités humaines. Bien que Desmond et lui aient souvent été en désaccord et se soient parfois battus pendant des heures sur des questions de politique rédactionnelle, ils s'aimaient et se respectaient mutuellement. Rose savait donc que son père voudrait assister à l'enterrement. Mais comment le prévenir à temps ?

D'habitude, il l'avertissait à l'avance de ses déplacements. Lors de leur dernière conversation téléphonique, cependant, il n'avait pas parlé de quitter Montréal dans l'immédiat.

— Ma vie de vagabondage est terminée, avait-il dit au contraire d'un ton enjoué. J'ai un chat à nourrir et mon autobiographie à rédiger, si bien que je ne viendrai pas à Londres ce printemps, finalement.

— Même pas pour quelques jours ? lui avait demandé Rose, déçue. Cela fait des mois que je ne t'ai pas vu !

— Viens, toi, ma chérie ! J'ai une chambre d'amis où tu pourras loger et que tu adoreras. Elle domine le Saint-Laurent, et de l'autre côté de la rue, il y a un restaurant où l'on mange aussi bien qu'à Paris. J'y prends tous mes repas, ce qui m'évite de cuisiner.

— Espèce de flemmard ! s'était-elle écriée. Mais je suis contente que ton retour au pays se passe bien.

Rose craignait en effet que son père ne s'ennuie maintenant qu'il était à la retraite, mais en fait, il n'avait quitté le journalisme que pour devenir écrivain à plein temps, et il était au moins aussi occupé qu'avant. De plus, la vie à Montréal semblait beaucoup lui plaire.

De fait, cela n'avait pas surpris Rose qu'il choisisse de se fixer dans sa ville natale. Il avait toujours eu l'intention d'y revenir le jour où il cesserait de courir le monde.

Né d'une mère québécoise et d'un père canadien anglophone, Desmond avait grandi dans un environnement bilingue et biculturel. Était-ce cette expérience qui lui avait ouvert l'esprit et suscité sa vocation de grand reporter ? En tout cas, ses articles témoignaient toujours d'une grande compréhension, et c'était l'une des qualités qui faisaient de lui un journaliste d'exception.

Mais où pouvait-il bien être en ce moment ? se répéta Rose en contemplant d'un œil vague le ciel tourmenté de mars. Quelqu'un devait le savoir, mais qui ? Comment s'appelaient donc ces voisins dont son père lui avait parlé plusieurs fois ? C'était un nom français... qui commençait par un *G*...

Un rayon de soleil frappa soudain les eaux agitées de la Tamise, y allumant des reflets étincelants. Une mouette passa en criant, ses grandes ailes blanches déployées, et

Rose la suivit des yeux. Ce panorama était si différent de celui que l'on avait des anciens locaux du journal à Fleet Street — la ligne des toits de Londres et un petit rectangle de ciel... La jeune femme avait l'impression que jamais elle ne se lasserait de regarder le fleuve couler au pied du nouveau complexe.

Les bureaux de la rédaction de *L'Observateur* occupaient tout un étage, et d'immenses baies vitrées permettaient de contempler la vue dans toutes les directions. Depuis sa table, Rose dominait Ratcliff Walk, l'entrée de Barbary Wharf côté fleuve, et derrière elle, les fenêtres donnaient sur North Street, où se trouvait l'accès au parking souterrain.

Pour l'instant, la plus grande confusion régnait dans l'immeuble, et Rose se demandait si le personnel du journal serait un jour capable de travailler de nouveau normalement. Le mobilier de bureau n'était pas encore entièrement installé, il y avait des électriciens partout, qui procédaient à des branchements de dernière minute, et des techniciens vérifiaient le fonctionnement des lignes de téléphone.

Depuis maintenant plusieurs semaines, deux journaux étaient fabriqués : l'un, le vrai, dans le vieux bâtiment de Fleet Street, et l'autre à Barbary Wharf, celui-ci étant seulement destiné à tester le nouveau matériel d'imprimerie.

L'emménagement à Barbary Wharf avait finalement eu lieu, et comme on était aujourd'hui samedi et que *L'Observateur* ne paraissait pas le dimanche, la plupart des employés avaient pris leur week-end. Rose parcourut du regard les rangées de tables inoccupées qui l'entouraient, équipées chacune d'un téléphone et d'un ordinateur. Dans les bureaux à parois vitrées qui bordaient l'immense salle, en revanche, elle vit plusieurs membres importants de la rédaction au travail.

Un exemplaire de *L'Observateur* de ce samedi était

187

posé devant Rose. Elle y jeta un coup d'œil ; en première page figurait une photographie de sir George Tyrrell, dont la mort soudaine, pendant la réception célébrant le départ du journal de Fleet Street, constituait l'information du jour. Sa nécrologie se trouvait à la page où étaient habituellement consignés les faits et gestes de la famille royale d'Angleterre. Les nécrologies des gens connus étaient toujours rédigées à l'avance, puis régulièrement mises à jour, si bien qu'il avait dû être facile de trouver celle de sir George et de la réviser avant de l'imprimer.

Inséré à l'intérieur du journal, un supplément gratuit entièrement consacré au déménagement de Fleet Street à Barbary Wharf comprenait un bref résumé de l'histoire de *L'Observateur*, un article sur la famille Tyrrell et un autre sur les origines, l'âge d'or et le déclin de Barbary Wharf. Y apparaissaient également des photographies de l'ancien immeuble du journal et du bâtiment ultramoderne construit au bord de la Tamise, avec sa structure octogonale et ses hauts murs — que Rose, quant à elle, jugeait un peu sinistres. Elle préférait de beaucoup les photos des vieux entrepôts qu'il avait fallu raser pour faire place au nouveau complexe, des photos couleur sépia représentant de grands navires amarrés le long de Barbary Wharf et dont des dockers barbus déchargeaient la cargaison exotique.

Rose soupira. *L'Observateur* ne serait plus jamais le même maintenant que sir George avait disparu... Nick Caspian allait y apporter des changements radicaux, et pas seulement dans le domaine technologique : l'informatisation de tous les services s'accompagnerait de profondes modifications sur le plan des choix rédactionnels. Finies, la prose noble des grands chroniqueurs, la revue complète et détaillée des affaires intérieures, la réserve jusque-là observée vis-à-vis des problèmes internationaux et qui donnait aux colonnes du journal l'allure de communiqués du Foreign Office...

188

Désormais, *L'Observateur* viserait un public plus populaire. Écrit dans un langage plus simple, il serait plus facile à lire et aurait pour objectif de surprendre et d'exciter les lecteurs plutôt que de leur donner un compte rendu mesuré de l'actualité. Manchettes accrocheuses, caractères plus gros, mots plus courts, nombreuses photographies... Rose connaissait le type de journaux que publiait Caspian International, et elle n'avait pas besoin d'une boule de cristal pour prédire l'avenir de *L'Observateur* sous la férule de Nick.

Ce n'était pas une mauvaise idée en soi que de moderniser un peu le journal, la jeune femme en convenait, mais elle n'avait pas non plus envie qu'il perde la qualité et le sérieux qui faisaient jusqu'ici sa réputation. Maintenant que la famille Tyrrell avait perdu le contrôle de l'entreprise, malheureusement, Nick allait pouvoir agir à sa guise ; il n'y aurait personne pour s'opposer à lui.

Une voix, derrière elle, interrompit brusquement la rêverie de Rose :

— Qu'est-ce que tu fabriques ici ?

Le seul son de cette voix mit les nerfs de la jeune femme à vif, car il s'agissait de celle de Daniel Bruneille, le directeur du service étranger, avec qui elle entretenait des relations orageuses. Elle ne se retourna pas, mais l'entendit s'approcher et, quand il fut à sa hauteur, posa sur lui un regard méfiant. Comme on était samedi, il portait une tenue décontractée — pull-over blanc à col roulé, pantalon sombre et veste de cuir noir, mais son attitude, elle, n'avait rien de détendu.

— Tu es censée prendre ton week-end, lança-t-il d'un ton accusateur, comme s'il la soupçonnait de nourrir de coupables desseins.

— Je suis venue avec Gina, répondit la jeune femme.

— Je croyais que la secrétaire de sir George était avec elle.

— Non, elle a ordonné ce matin à Hazel de partir. Hazel m'a téléphoné, je suis immédiatement allée chez Gina, qui était sur le point de se rendre au journal, et j'ai insisté pour l'accompagner malgré ses protestations. Je pense qu'il vaut mieux ne pas la laisser seule.

— Où est-elle en ce moment?

— Dans le bureau de sir George... Enfin, dans le bureau qui devait être le sien. Elle lit le courrier et passe des coups de téléphone.

— On dirait vraiment qu'elle est la petite-fille de sir George, et pas juste la veuve de son petit-fils! observa Daniel d'un ton admiratif. Rien ne l'obligeait à rester avec lui après la mort de son mari. Elle était à l'abri du besoin et aurait donc pu partir et recommencer sa vie. Au lieu de ça, elle s'est occupée de sir George avec un remarquable dévouement. Peu de gens, de nos jours, ont un tel sens du devoir et de la famille...

Ce panégyrique agaça Rose, qui se demanda — et pas pour la première fois — si Daniel était attiré par Gina. Après tout, celle-ci ne possédait-elle pas les qualités de douceur, de féminité et de modestie qu'il appréciait chez une femme? Des qualités dont elle-même était totalement dépourvue, comme il ne manquait pas une occasion de le souligner.

— Gina aimait beaucoup sir George, déclara sèchement la jeune femme.

— C'est évident, mais de là à sacrifier cinq années de son existence pour un vieil homme dont on n'est même pas parent... S'agissant de n'importe qui d'autre, on penserait qu'elle a agi par intérêt.

— Gina se moque de l'argent de sir George. Elle est restée avec lui parce que, étant orpheline, il représentait sa seule famille. Et maintenant, elle n'a plus personne.

— Elle se remariera, affirma Daniel avec une assurance exaspérante.

190

— Pour toi, le mariage est la seule chose qu'une femme ambitionne dans la vie, hein ?

— C'est vrai pour la plupart des femmes, répliqua-t-il, une lueur malicieuse dans le regard. Et surtout de celles qui sont très féminines, comme Gina. Belle et charmante comme elle l'est, il ne manquera d'ailleurs pas d'hommes pour lui faire la cour.

— Toi, par exemple ?

— Tu crois que je suis à son goût ? questionna-t-il en riant.

Quelle femme n'aurait pas trouvé Daniel à son goût ? songea Rose en s'efforçant de dissimuler son trouble. Il était si séduisant, il respirait un tel dynamisme... Qui n'aurait pas été fasciné par le sourire mi-moqueur, mi-enjôleur qu'il arborait à présent ? C'était pour cela qu'il ne s'était jamais marié, bien sûr... Pourquoi se contenter d'une seule femme quand il lui suffisait d'un regard pour avoir toutes celles qu'il voulait ?

— Gina et moi n'avons jamais parlé de toi ensemble, se contenta cependant de dire Rose.

— Jamais ? s'écria-t-il, l'air incrédule.

— Désolée..., susurra-t-elle en levant vers lui ses yeux bleu azur. Ça blesse ton amour-propre ?

— Pas le moins du monde !

— En fait, tu ne me crois pas, hein ? Tu es certain de constituer notre principal sujet de conversation...

— Un de ces jours, Rose..., déclara-t-il, le visage soudain crispé.

— Oui ?

— Rien, marmonna-t-il.

Il marqua une pause, puis fronça les sourcils et demanda brusquement :

— Quand ont lieu les obsèques ?

— Après-demain, indiqua la jeune femme. Et à ce propos... J'essaie de joindre mon père depuis hier, mais en vain. Tu ne lui aurais pas parlé récemment, par hasard ? Tu ne saurais pas s'il avait prévu un voyage ?

— Non. La dernière fois que j'ai eu de ses nouvelles, il m'a dit au contraire qu'il comptait passer les prochains mois à Montréal.

— C'est aussi ce qu'il m'a dit, mais son téléphone ne répond pas.

— Il est peut-être sorti ?

— J'ai appelé à intervalles réguliers ces dernières vingt-quatre heures. Il est impossible que papa s'absente de chez lui aussi longtemps. Tu connais Montréal en février et en mars...

— Je ne risque pas de l'oublier ! répliqua-t-il en frissonnant.

Les hivers québécois n'avaient en effet rien à voir avec ceux de la douce Angleterre. Rose songea avec une pointe de nostalgie aux hivers de son enfance : le vent aigre, l'épais manteau de neige qui recouvrait tout et conférait une allure féerique aux maisons, aux arbres, aux collines... A la campagne, les enfants se rendaient à l'école à skis, les lacs et les rivières gelaient, les voix portaient à des distances considérables dans l'air immobile et glacé...

C'était peut-être déjà le printemps à Londres, mais à Montréal, la neige n'avait sûrement pas encore fondu, et les gens vivaient sous terre : grâce au métro et à un immense réseau souterrain comprenant aussi bien des magasins et des banques que des restaurants et des salles de spectacle, ils pouvaient satisfaire tous leurs besoins sans être obligés d'affronter les intempéries. Et Rose connaissait les habitudes de son père : il mangeait le plus souvent au restaurant situé en face de son appartement, ou bien, s'il décidait de prendre ses repas chez lui, il se contentait de fromage, de pain et de fruits. Il se promenait presque tous les jours, mais seulement dans son quartier, il allait à la bibliothèque de l'une des universités de la ville quand il lui fallait un livre rare, ou fouinait avec délectation dans les rayons des excellentes librairies de Montréal. Il ne quittait donc jamais son domicile plus de quelques heures de suite.

— Tu as appelé les Gaspard ? interrogea Daniel. Ils doivent savoir où est Desmond.

— Gaspard ! C'est le nom que je cherchais ! J'étais sûre qu'il commençait par un G... Mais je n'ai pas leur numéro... Toi non plus, j'imagine ? Comment faire ?

— Et tu te prétends journaliste ? observa Daniel, railleur.

— Oui, bon... Je vais téléphoner aux renseignements, grommela Rose en rougissant.

Pourquoi n'y avait-elle pas pensé tout de suite ? Chaque fois qu'une chose aussi évidente lui échappait, Daniel marquait un point dans la lutte incessante qu'ils se livraient. Elle se serait giflée !

Deux minutes plus tard, la jeune femme avait le numéro des Gaspard, un couple de Québécois qui habitait un étage en dessous de son père, dans l'ancienne demeure d'une riche famille de marchands. Située dans le vieux Montréal, cette maison longtemps laissée à l'abandon avait été restaurée et divisée en appartements.

Rose téléphona ensuite aux Gaspard. Une voix de femme répondit en français, avec cet accent québécois qui rappela immédiatement à la jeune femme son enfance montréalaise.

— Madame Gaspard ? dit-elle, également en français. Ici, Rosalind Amery, la fille de M. Amery...

— Ah ! j'étais tellement inquiète..., coupa Mme Gaspard. Cela fait maintenant trois jours, et je ne me suis d'abord pas aperçue qu'il n'était pas là, mais le facteur m'a demandé hier si M. Amery était en voyage, parce que le courrier s'entassait dans sa boîte. J'avais bien remarqué que Gigi avait plus faim que d'habitude...

— Gigi ?

— La chatte. Elle vient souvent chez nous quémander de la nourriture quand M. Amery est occupé ou absent, si bien que ça ne m'a pas paru bizarre, au début. Elle rentre et sort par la chatière du balcon... Bref, c'est le facteur qui m'a alertée, et j'ai alors remarqué que les volets restaient fermés jour et nuit. Mais dites à votre père de ne pas se tracasser : je ramasse son courrier, maintenant, et je nourrirai Gigi. Il a oublié de me prévenir qu'il partait, c'est cela ?

— Je n'ai aucune nouvelle de lui, madame, déclara Rose, le cœur étreint par une horrible angoisse. J'ignore où il se trouve, et je vous téléphonais justement dans l'espoir de le découvrir.

Daniel, qui s'était approché, se tenait assez près pour entendre les paroles de Mme Gaspard, mais Rose était si bouleversée qu'elle avait à peine conscience de sa présence. De plus, son interlocutrice avait un débit très rapide, et la jeune femme avait du mal à la suivre. Cela faisait si longtemps qu'elle n'avait pas entendu parler québécois !

— M. Amery aurait dû m'avertir qu'il s'absentait, mais je suis sûre que vous recevrez très bientôt une carte postale de lui. Il ne faut pas vous inquiéter, mademoiselle. C'est un débrouillard, votre père.

Après avoir balbutié un remerciement, Rose raccrocha et leva les yeux vers Daniel.

— Je ne sais que penser, observa-t-elle d'une voix étranglée. Qu'est-il arrivé à papa ? Ça ne lui ressemble pas, de s'en aller sans s'arranger pour que quelqu'un s'occupe du chat et que la poste garde son courrier. Autrefois, il ne partait jamais en reportage sans prendre ce genre de dispositions.

— Il ne lui est rien arrivé, affirma Daniel avec conviction. Desmond est un voyageur professionnel ; il ne court

194

aucun risque. Et il avait sûrement une excellente raison pour ne pas prévenir ses voisins de son absence. Quant au chat, il pouvait le laisser sans crainte qu'il meure de faim : Mme Gaspard t'a dit elle-même qu'elle avait l'habitude de le nourrir.

— Peut-être, mais ça ne ressemble pas à Desmond, répéta Rose.

— Écoute, je vais téléphoner à quelques personnes pour leur demander si elles ont eu de ses nouvelles récemment ou si elles ont une idée de l'endroit où il est en ce moment.

— Merci beaucoup, Daniel !

— Toi, pendant ce temps, pourquoi n'irais-tu pas déjeuner avec Gina ? Emmène-la au restaurant français qui s'est ouvert cette semaine sur la place. J'y ai mangé l'autre jour, et la cuisine était délicieuse. Je t'y rejoindrai tout à l'heure.

Pour une fois, l'autoritarisme de Daniel n'irrita pas la jeune femme. Elle ne discuta même pas et alla jusqu'à lui sourire avant de s'éloigner.

Les locaux de l'administration et la salle du conseil se trouvaient un étage au-dessus, et Rose prit l'ascenseur pour s'y rendre. Là, un silence absolu régnait. Ces pièces avaient été finies les premières, puis décorées et meublées à grands frais, mais aujourd'hui, elles étaient presque toutes vides.

Les magnifiques boiseries de chêne clair qui ornaient les bureaux de la direction luisaient doucement au soleil. Rose poussa une porte et vit Gina assise derrière la grande table recouverte de cuir qui avait été celle de sir George — et de son père avant lui — à Fleet Street.

Rose s'arrêta sur le seuil et observa son amie, qui avait l'air plus fragile que jamais dans ses vêtements de deuil et, l'air absent, caressait de la main le dessus du bureau comme si le bois et le cuir étaient vivants et pouvaient répondre au contact de ses doigts. Elle pensait à sir George, c'était évident : tout en elle, depuis ses épaules voûtées jusqu'aux plis amers qui abaissaient les coins de sa bouche, exprimait la tristesse.

— Tu as terminé ? demanda finalement Rose. Si on sortait déjeuner ?

Arrachée à ses réflexions, Gina sursauta, puis déclara d'une voix étranglée :

— Ah ! c'est toi, Rose... Oui, j'en ai plus ou moins terminé pour l'instant, mais je n'ai pas très faim. Va déjeuner sans moi.

— Non, décréta Rose. Il faut que tu manges, ne serait-ce qu'une salade. Nous pourrions essayer ce nouveau restaurant, sur la place ; il mérite le détour, d'après Daniel. Allez, pas de discussion !

Sur ces mots, elle s'empara du manteau noir que son amie avait mis le matin et le lui tendit.

— Espèce de tyran ! grommela Gina, qui se leva malgré tout et esquissa même un sourire.

Pendant que son amie s'habillait, Rose l'examina plus attentivement. La disparition de sir George semblait avoir cassé quelque chose en elle ; sa peau était plus pâle que d'habitude, et ses cheveux roux eux-mêmes paraissaient moins flamboyants. Mais peut-être n'était-ce pas tant cette mort que ses circonstances qui bouleversaient Gina ? Cela avait été un tel coup, cette crise cardiaque après une violente dispute avec Nick Caspian, pendant la soirée d'adieu qui réunissait tout le personnel de *L'Observateur* ! C'était arrivé si brusquement, sans que rien ne le laisse prévoir...

Nick avait promis à sir George qu'il n'achèterait pas d'autres actions de la société si on lui donnait un siège au conseil d'administration et un droit de regard sur la gestion du journal, mais il avait manqué à sa parole lors de cette réception en persuadant Philip Slade de lui vendre ses parts. Nick devenait ainsi l'actionnaire majoritaire du journal et, quand sir George avait découvert cette trahison, il était entré dans une telle colère qu'une crise cardiaque l'avait foudroyé. Folle de chagrin, Gina avait alors accusé Nick d'avoir tué sir George et, à en juger par son apparence, elle était encore sous le choc.

Pleine de compassion, Rose prit le bras de son amie et la guida jusqu'à l'ascenseur. Elle aurait bien voulu savoir ce qu'il allait advenir de Gina. Car, si la mainmise de Nick sur *L'Observateur* avait toutes les chances de provoquer de profonds changements dans la vie de l'ensemble du personnel, elle aurait sans doute des conséquences plus dramatiques encore pour Gina, dont l'existence tout entière tournait jusqu'ici autour de sir George et du journal.

L'arrêt de l'ascenseur ramena Rose à la réalité, et les deux jeunes femmes sortirent sur la place. Cette vaste esplanade se trouvait juste au-dessus du parking souterrain, au niveau du rez-de-chaussée de l'immeuble. Elle était bordée d'arcades sur lesquelles s'ouvraient des magasins, des banques, un salon de beauté, une agence de voyages, des cafés et des restaurants. Son centre était occupé par une fontaine entourée de bancs et de parterres de fleurs. L'été, cette place serait sûrement un lieu très fréquenté par les gens qui travaillaient là, mais pour l'instant, elle était balayée par le vent et il y régnait un froid mordant.

Les deux jeunes femmes la traversèrent donc d'un bon pas pour se rendre Chez Pierre, le nouveau restaurant français, dont l'entrée s'ornait d'un auvent à élégantes rayures vertes et or. Il était heureusement presque vide, et elles furent reçues à bras ouverts.

— Pouvez-vous nous installer dans un coin tranquille ? demanda Rose au maître d'hôtel.

Celui-ci les conduisit aussitôt à une table à demi cachée par un énorme palmier en pot.

197

Au moment de commander, Rose persuada Gina d'accompagner de vin blanc le menu frugal qu'elle avait choisi — du melon suivi de poisson grillé et de salade —, et fut soulagée de voir le visage de son amie reprendre des couleurs aussitôt les premières gorgées avalées.

— As-tu décidé de ce que tu allais faire ? s'enquit-elle en remplissant de nouveau le verre de Gina.

— J'ai envie de m'inscrire dans une école de commerce pour apprendre l'économie et les techniques de gestion.

— Ah, bon ? s'écria Rose, stupéfaite. Mais... *L'Observateur*...

— Les Tyrrell en ont perdu le contrôle, tu te rappelles ? dit Gina avec amertume. Nick a convaincu Philip Slade de lui céder ses parts, il est donc maintenant actionnaire majoritaire de la société et, avec la... le départ de sir George, je n'ai plus de travail.

— Tu possèdes encore un nombre important d'actions... Exige de siéger au conseil d'administration. Nick sera obligé d'accepter.

— Je ne veux plus jamais le revoir, celui-là ! Il a tué sir George, qui lui avait pourtant laissé la direction effective du journal... Mais ce n'était pas assez pour M. Caspian !

— Rien n'est jamais assez pour Nick Caspian, déclara Rose d'un ton désabusé. C'est un rapace, résolu à obtenir coûte que coûte ce qu'il convoite. Pour le contrecarrer, tu dois le battre sur son propre terrain, mais tu disposes pour cela des armes nécessaires : un gros paquet d'actions et la sympathie de la plupart des membres du conseil d'administration. Ils te soutiendront, parce que la mort de sir George leur a donné mauvaise conscience. Et, en plus, ce sont tous des hommes... Ils ne se sentiront pas menacés par une femme et seront même ravis d'avoir quelqu'un d'agréable à regarder pendant les réunions. Ils te traiteront avec condescendance, te souriront gentiment... et penseront que tu n'y connais rien sur la manière de gérer un journal.

— Et ils auront raison ! Je n'ai aucune formation.

— Les années que tu as passées comme secrétaire particulière de sir George t'ont appris beaucoup plus de choses que tu ne le crois. Alors, pourquoi ne pas faire les deux ? Siéger au conseil d'administration et suivre des cours du soir ?

Gina se mordit la lèvre, indécise.

— Je... je ne sais pas, balbutia-t-elle. Ce qui est sûr, en revanche, c'est que je ne veux plus revoir Nick.

— Tu ne vas tout de même pas le laisser s'en tirer comme ça ? lança Rose avec véhémence.

Les joues de Gina s'empourprèrent, puis elle pâlit et fixa son amie en silence, ses grands yeux verts exprimant une profonde détresse. Consternée de l'avoir blessée alors qu'elle était déjà si malheureuse, Rose posa la main sur la sienne et déclara doucement :

— Excuse-moi... Je n'aurais pas dû dire cela.

— Non, tu as raison, murmura Gina d'une voix entrecoupée, mais je ne supporte pas l'idée d'entrer dans le bureau de Nick et de lui demander humblement un siège au conseil d'administration. Ce serait trop humiliant !

— Je comprends.

— J'aimerais trouver un moyen de le punir du mal qu'il a fait à sir George, mais dans l'immédiat, je n'ai pas l'esprit assez clair pour réfléchir.

— Bois, tu te sentiras mieux ! suggéra Rose en soulevant le verre de son amie et en le lui mettant de force dans la main.

— Oui, maman ! s'exclama Gina en riant.

Contente de la voir manifester un peu de gaieté, Rose déclara d'un ton léger :

— Désolée ! Suis-je trop autoritaire ?

— Non, à peine ! s'écria Daniel Bruneille en surgissant soudain à côté des deux jeunes femmes.

Surprises, elles levèrent les yeux vers lui, et il adressa à Gina l'un de ces sourires qui donnaient à son visage mince un charme irrésistible. Rose le considéra froidement. Commençait-il déjà sa campagne de séduction envers Gina ?

— L'autoritarisme est la grande spécialité de Rose, ajouta Daniel avec un regard moqueur en direction de la jeune journaliste.

— Elle ne voulait que mon bien, affirma Gina.

Un serveur apporta alors une chaise pour Daniel, qui demanda poliment à Gina :

— Puis-je me joindre à vous ?

— Bien sûr ! Nous n'en sommes qu'à l'entrée.

Daniel commanda, sans même consulter le menu, la terrine du chef et un coq au vin. Le sommelier arriva ensuite, et Daniel entreprit de choisir un vin sur la carte avec tout le sérieux qu'un Français accorde généralement à ce genre de décision.

Il était inutile d'essayer de lui parler pendant cette grave opération, Rose le savait, mais elle était sur des charbons ardents et, dès que le sommelier fut parti, elle demanda :

— Alors ?

— Rien, répondit Daniel. Personne n'a la moindre idée de l'endroit où il se trouve.

— Qui ça, « il » ? intervint Gina.

Rose exposa alors la situation à son amie, qui observa ensuite, pleine de compassion :

— Je comprends que tu sois inquiète ! Mais ce n'est pas la première fois que Desmond part brusquement comme ça, non ? Je suis sûre que tu vas très bientôt recevoir une lettre de lui.

— L'idée m'est venue qu'il avait peut-être appris le

décès de sir George avant que tu ne commences à l'appeler, annonça Daniel, et qu'il a sauté dans le premier avion pour Londres.

— C'est possible, en effet, admit Rose, réfléchissant tout haut. Oui, ça paraît plausible... Quelqu'un d'autre a pu l'avertir, et il m'a alors téléphoné pour me prévenir de son arrivée, mais je n'étais pas chez moi. Pourtant, mon répondeur est toujours branché...

— Et s'il avait tout simplement oublié de t'appeler? demanda Daniel. Il connaissait sir George depuis des années, et l'annonce de sa mort lui a sûrement donné un choc terrible.

— Oui, mais s'il a pris l'avion hier, objecta Rose, il aurait déjà dû arriver !

— Peut-être est-il descendu à l'hôtel et tente-t-il de te joindre en ce moment même? suggéra Daniel.

— Bien sûr! s'écria Rose, le visage illuminé. Il ne songerait pas à venir ici : il pense que le journal est encore à Fleet Street... Je passerai chez moi après le déjeuner pour voir s'il a laissé un message sur mon répondeur.

Quand Rose rentra dans son appartement, cependant, il n'y avait aucun message de son père, et pendant la nuit, elle se réveilla brusquement en se rappelant les paroles de Mme Gaspard : Desmond était absent depuis *trois* jours.

La jeune femme s'assit dans son lit et alluma la lampe de chevet. Trois jours... Cela signifiait que son père avait disparu avant la mort de sir George et que les deux faits ne pouvaient donc être liés.

Le réveil indiquait 2 h 30 du matin. Quelle heure était-il à Montréal? Elle ne parvint pas à le calculer. La fatigue, sans doute... Comme une automate, elle décrocha le téléphone posé sur la table de nuit et composa le numéro de son père. Toujours pas de réponse.

Un terrible sentiment d'angoisse et d'impuissance la

submergea alors. Elle éteignit la lampe, s'allongea et essaya de se raisonner : Desmond était un homme expérimenté, qui avait voyagé dans le monde entier, le plus souvent seul, et il avait très bien pu décider de partir de nouveau en reportage. Mais il n'avait pris aucune disposition pour son chat et son courrier...

« Cesse de te tracasser ! se dit la jeune femme avec irritation. Si ça se trouve, il sera après-demain à l'enterrement de sir George ! »

Le lundi, cependant, Rose eut beau scruter les visages des centaines de personnes qui s'entassaient dans l'église, elle n'y découvrit pas celui de son père. Il y avait là beaucoup de gens qu'elle ne connaissait pas, mais cela n'avait rien d'étonnant : sir George était un personnage important, presque un homme public.

Ce qui surprit la jeune femme, en revanche, ce fut de voir arriver Nick Caspian. Encore que, à bien y réfléchir, sa présence s'expliquât : s'il n'était pas venu, toute la presse l'aurait remarqué. Les rumeurs allaient déjà bon train, car la mort de sir George et la dispute avec Nick qui l'avait précédée s'étaient produites devant de nombreux témoins. Et ces témoins avaient également entendu Gina accuser Nick de meurtre et le menacer de lui faire payer sa trahison. Son absence aux obsèques aurait donc constitué une sorte d'aveu de culpabilité.

Cela n'empêcha pas un murmure de s'élever dans l'assistance à son entrée. Tous les regards se tournèrent ensuite vers Gina, à l'affût de sa réaction. Nick était accompagné de quelques membres du conseil d'administration de *L'Observateur*, qui l'entouraient comme des gardes du corps, et peut-être jouaient-ils en effet ce rôle, d'une certaine façon. Nick entendait-il ainsi empêcher Gina de s'approcher de lui pour l'insulter de nouveau et le sommer de partir ? Ou bien était-ce des journalistes qu'il voulait se protéger ?

Il portait des vêtements de deuil — complet sombre, chemise blanche et cravate noire — qui allongeaient encore sa silhouette et lui donnaient un air vaguement menaçant. Pâle et les traits tirés, il gardait pourtant une expression impénétrable. Les gens s'écartaient sur son passage et le fixaient avec curiosité, mais il n'adressa la parole à personne, se contentant de saluer l'un ou l'autre de la tête.

En l'apercevant, Gina s'était raidie et son visage avait blêmi, mais ensuite, elle feignit de ne pas le voir. Pourrait-elle continuer à l'ignorer, cependant, s'il avait l'audace de se rendre à la réception prévue après l'enterrement ? se demanda Rose.

L'office lui sembla durer des heures. Il pleuvait, dehors. La lumière grise qui baignait l'église, le parfum lourd des freesias d'une couronne et le bruit des gouttes qui s'écrasaient sur les vitraux créaient une atmosphère lugubre et oppressante. La jeune femme dut se retenir pour ne pas pleurer.

La cérémonie enfin terminée, Rose monta avec Gina et Hazel dans une limousine noire qui les ramena dans la maison des Tyrrell. Là, elles trouvèrent la gouvernante en train de mettre la dernière main aux préparatifs ; elle avait les yeux rouges et les paupières gonflées : la mort de sir George, pour qui elle avait travaillé pendant de nombreuses années, la peinait visiblement beaucoup.

— Tout est prêt, Daphné ? s'enquit Gina.

— Oui. Les extra ont l'air de connaître leur métier. Je crois que ça ira.

— Vous pensez qu'il y aura assez à boire et à manger ?

— Nous avons de quoi nourrir une armée ! affirma Daphné d'un air sombre.

— Je n'avais pas la moindre idée du nombre de personnes qui viendraient, expliqua Gina à Rose, si bien que j'ai dû prévoir large.

— Je peux faire quelque chose ? intervint Hazel.

— Si vous voulez bien m'aider à accueillir les invités, toutes les deux..., répondit Gina. Vous avez été si gentilles ! Je ne sais comment vous remercier.

Les gens commencèrent à arriver peu après, et le rez-de-chaussée de la grande demeure fut bientôt plein de monde. Un buffet froid avait été installé dans le vestibule, et les serveurs circulaient au milieu de la foule avec des plateaux chargés de verres.

Parmi les personnes présentes se trouvaient tous les chefs de service de *L'Observateur,* dont Daniel Bruneille, qui, après avoir salué Gina, s'approcha de Rose pour lui demander si elle avait eu des nouvelles de son père.

— Aucune, murmura la jeune femme, la gorge nouée.

— Il a forcément appris le décès de sir George par les journaux, maintenant, à moins qu'il ne soit dans une région vraiment perdue du globe, remarqua Daniel en fronçant les sourcils. J'étais sûr qu'il serait là, aujourd'hui.

— Moi aussi.

— Tu veux dire que, pour une fois, nous sommes d'accord sur quelque chose ? J'ai du mal à le croire !

— Et moi donc ! répliqua Rose. Mais je doute que cela se reproduise, alors inutile de t'exciter !

Daniel ne fit pas de commentaires, mais ses yeux noirs se fixèrent sur la silhouette menue de son interlocutrice, que moulait une petite robe noire très chic achetée à Paris quelques années plus tôt. La jeune femme ne la portait pas souvent, parce qu'elle la jugeait trop moulante, et le regard de Daniel, en cet instant, lui donnait raison.

Le rouge aux joues, Rose pivota sur ses talons et s'éloigna à grands pas. Non sans avoir eu le temps d'entendre Daniel émettre un petit rire narquois. Et voilà ! Il s'était une fois de plus amusé à ses dépens, songea-t-elle, furieuse. Quand donc apprendrait-elle à ne pas s'offrir aux sarcasmes de cet homme ?

A cet instant précis, un brusque silence s'abattit dans la pièce, et tous les visages se tournèrent vers la porte. Rose comprit immédiatement que Nick Caspian venait d'arriver. Il fallait vraiment être dénué de tout scrupule pour s'inviter ainsi dans la maison d'une personne dont on avait causé la mort ! Mais Nick n'en avait évidemment pas, et sans doute ne croyait-il pas non plus aux fantômes.

Le premier choc passé, Rose pensa à Gina et lui jeta un coup d'œil inquiet. Elle constata alors que les mains de son amie tremblaient. Pauvre Gina ! Comment ses nerfs déjà tendus à l'extrême allaient-ils supporter cette nouvelle épreuve ?

Les yeux de Rose se posèrent ensuite sur Nick, qui se dirigeait maintenant vers Gina, le dos droit, la tête haute, son corps mince et athlétique se déplaçant avec une grâce féline. Il semblait calme, mais quand il se fut rapproché, Rose remarqua des signes de nervosité sur son visage. Comme Gina, il était très pâle, et un petit tic agitait l'une de ses paupières. Non, Nick n'était pas aussi détendu qu'il s'efforçait de le paraître...

Et la suite justifia les appréhensions qu'il pouvait avoir, car Gina, au lieu de lui tendre la main et de lui adresser quelques mots aimables comme elle l'avait fait pour les autres invités, lui tourna le dos dès qu'il fut à sa hauteur et s'éloigna, le laissant planté là, interdit, sous le regard intéressé de toutes les personnes présentes.

2.

Quand tout le monde fut parti, Gina dit à Rose :

— Je ne veux pas rester seule. J'ai peur que Nick ne revienne.

— C'est malheureusement possible, observa Rose tout en songeant qu'elle n'aimerait pas être à la place de son amie si leurs craintes se confirmaient.

La colère qui avait brillé dans les yeux de Nick lorsque Gina lui avait tourné le dos n'annonçait en effet rien de bon, car il n'était pas du genre à essuyer un affront sans réagir.

— Si tu es libre ce soir, déclara Gina, ça t'ennuierait de dîner et de dormir ici ? Je te prêterai une chemise de nuit.

— Ça ne m'ennuie pas du tout, au contraire !

Les deux jeunes femmes passèrent donc la fin de l'après-midi à jouer aux cartes et à bavarder dans la grande maison silencieuse, avec pour fond sonore le bruissement des feuilles agitées par le vent et le doux murmure de la pluie.

Le dîner se composa de restes du buffet, que Daphné leur apporta en faisant remarquer d'un air lugubre :

— Nous allons manger cela pendant des jours et des jours ! Je savais bien que nous avions commandé trop de nourriture.

— Aucune importance... C'est délicieux ! s'exclama gaiement Rose, dotée d'un naturel optimiste.

Elle attaqua avec appétit son assiette de saumon froid et encouragea Gina à l'imiter, mais celle-ci n'avait visiblement pas faim et se contenta de grignoter quelques bouchées de chaque plat.

Sir George lui avait-il légué cette maison ? se demanda Rose en parcourant du regard l'élégante salle à manger. Si oui, Gina s'y sentirait très seule. Déciderait-elle de la garder ou de la vendre ?

Alors que, le repas terminé, elles prenaient toutes les deux le café dans le salon, la sonnette de l'entrée retentit. Gina sursauta et faillit renverser sa tasse.

— C'est lui ! murmura-t-elle, livide.

La violence de cette réaction surprit Rose. Il y avait quelque chose d'étrangement intense dans l'effet que produisait Nick sur Gina. Que s'était-il passé entre eux ?

Un bruit de voix s'éleva alors dans le vestibule — celle de Daphné, forte et bourrue, puis celle d'un homme, mais trop basse pour que Rose l'identifie.

— Non, ce n'est pas lui, chuchota Gina avant de pousser un soupir de soulagement.

Rose lui jeta un coup d'œil étonné. Gina avait vraiment l'ouïe fine... Ou bien était-elle capable de reconnaître la voix de Nick Caspian dans n'importe quelles circonstances ?

Quelques secondes plus tard, on frappa à la porte, et Daphné entra, l'air mécontent.

— M. Slade voudrait vous voir cinq minutes, madame Tyrrell, annonça-t-elle.

— M. Philip Slade ? lança Gina, les yeux écarquillés.

— Oui. Et je trouve qu'il a du culot de venir ici ! Il a une grosse part de responsabilité dans la mort de sir George... Dois-je lui dire de s'en aller ?

— Je me demande pourquoi il est là, murmura Rose, songeuse.

208

— Pour me présenter des excuses, peut-être ? suggéra Gina.

— C'est un peu tard..., grommela Daphné. Ses remords ne ramèneront pas sir George à la vie.

— A ta place, je le recevrais, Gina, déclara Rose sans s'occuper des commentaires de la gouvernante. Il n'a sans doute pas encore vendu ses actions à Nick, et il se peut que tu parviennes à le faire changer d'avis. Tu n'auras même pas à parler : pleure un peu, prends un air triste et suppliant...

— Oh ! non, s'écria Gina, horrifiée. Franchement, Rose, je suis incapable de jouer ce genre de comédie !

— Même si cela te permet d'empêcher Nick de régner en maître sur *L'Observateur* ?

Son amie ne répondant pas, Rose ajouta à l'adresse de Daphné :

— Veuillez introduire M. Slade, s'il vous plaît.

La gouvernante hésita, mais le regard sévère que lui lança alors Rose la convainquit d'obéir et, avec un haussement d'épaules mi-furieux, mi-résigné, elle quitta le salon. Une minute plus tard, elle revenait avec le visiteur, puis ressortait sans prononcer un mot.

Un silence gêné s'installa dans la pièce. Visiblement surpris par la présence de Rose, Philip Slade considérait les deux jeunes femmes d'un air embarrassé. Il finit par s'approcher de Gina et, très nerveux, bredouilla :

— Je... Excusez cette visite tardive, madame Tyrrell... La... la mort de sir George m'a bouleversé, et je ne saurais vous dire à quel point je regrette... J'aurais aimé aller à l'enterrement, mais ce matin encore, je m'interrogeais sur la conduite à tenir, et il m'a semblé préférable de ne pas vous rencontrer avant d'avoir pris une décision.

Gina scruta son visage pour voir s'il était sincère. Bien qu'âgé d'une vingtaine d'années, Philip Slade avait une allure d'adolescent, et Gina fut touchée par sa pâleur et sa mine contrite.

— Je me rends bien compte que vous me jugez en partie responsable de cette tragédie, poursuivit-il, mais je vous supplie de m'écouter.

— Entendu, déclara Gina. Asseyez-vous, monsieur Slade.

— Appelez-moi Philip, je vous en prie, murmura-t-il en s'installant dans un fauteuil à côté d'elle.

— Pouvons-nous vous offrir quelque chose à boire? lui demanda Rose.

— Oh! non... Ne vous dérangez pas pour moi...

— Ça ne me dérange pas du tout, observa Rose, qui se leva et se dirigea vers le bar. Alors? Cognac? Whisky? Porto?

— Un doigt de cognac, merci.

Passant derrière le jeune homme avant de lui apporter son verre, Rose essaya par une grimace de faire comprendre à son amie qu'elle devait être plus gentille avec Philip Slade. Il avait manifestement mauvaise conscience, et il fallait qu'elle joue là-dessus pour le convaincre de lui vendre ses actions.

Mais d'un mouvement de tête discret, Gina lui signifia que non — ce qui ne surprit pas Rose outre mesure : il n'était pas dans la nature de son amie de cacher ses véritables sentiments, aussi importants que soient les intérêts en jeu.

Rose contourna alors le fauteuil de Philip Slade et tendit le verre de cognac au jeune homme. Elle en profita pour l'étudier attentivement. Quel genre d'homme était-ce? Mince, presque frêle, il avait un visage lisse et des cheveux bruns qui lui tombaient sans cesse sur l'œil, et qu'il relevait d'un geste un peu trop étudié, de l'avis de Rose. Elle ne raffolait pas de ces jeunes gens charmants mais immatures, et celui-ci avait des yeux bleus très clairs et très brillants, signe de vanité, si elle en croyait son expérience. De plus, la bouche de Philip Slade déno-

210

tait une certaine faiblesse de caractère... Mais Gina remarquerait-elle tout cela ? Rose se savait plus dure que son amie quand il s'agissait de juger les gens : Gina avait le cœur trop tendre pour penser du mal des autres.

Apparemment inconscient de l'examen dont il était l'objet, Philip but une gorgée de cognac, puis adressa à Gina un sourire de petit garçon suppliant qui donna à Rose envie de le gifler.

— Je ne me doutais pas des conséquences qu'aurait ma décision de vendre mes parts à Caspian, voyez-vous, déclara-t-il ensuite. J'étais au courant d'un accord entre sir George et lui par lequel Caspian International prenait une participation dans *L'Observateur,* mais j'ignorais que l'achat de mes actions ferait de Caspian l'actionnaire majoritaire de la société et s'opposait aux termes du marché conclu. Quand sir George s'est mis en colère, j'ai donc été stupéfait.

Il paraissait sincère, mais Rose se méfiait encore. Gina, elle, semblait convaincue.

— Si j'avais été informé de tout cela, je vous jure que je n'aurais pas accepté de vendre, insista-t-il.

— J'en suis certaine, dit Gina en lui souriant gentiment.

Et cette gentillesse n'avait bien sûr rien de feint. Rose avait conseillé cette attitude à son amie afin de ramener Philip Slade dans le camp des Tyrrell, mais l'ironie voulait que Gina y soit venue par pure bonté d'âme, et non par calcul. Les paroles de Philip Slade l'avaient vraiment émue, elle le croyait, et Rose devait bien admettre que son histoire sonnait juste. Une question se posait cependant : la transaction avait-elle déjà eu lieu ? Les parts de Philip Slade appartenaient-elles désormais à Caspian International ?

Mais pour l'instant, cet aspect du problème ne préoccupait visiblement que Rose. Philip Slade posa son verre sur une table basse et, rendant son sourire à Gina, il tendit la main vers elle.

— Je regrette sincèrement ce qui s'est passé, affirma-t-il.

— Je le sais, déclara doucement Gina en le laissant s'emparer de sa main. Et je suis persuadée que sir George le sait lui aussi, maintenant. Votre apparente trahison l'a profondément blessé, à cause des liens qui l'unissaient à votre père et à votre grand-père. Il avait confiance en eux et pensait également beaucoup de bien de vous, Philip. L'idée que vous avez agi en toute bonne foi le réconfortera.

Un mélange de surprise et de perplexité se peignit sur le visage de son interlocuteur. Et c'était compréhensible : Gina parlait de sir George comme s'il était encore en vie. Rose la fixa, impatiente de la voir demander à Philip Slade s'il avait déjà vendu ses actions à Nick ou s'il pouvait encore annuler la transaction, mais Gina ne songeait évidemment pas à ce genre de chose : elle souriait à son visiteur, ses grands yeux candides embués de larmes.

Et Philip paraissait hypnotisé. Il était vrai que Gina, dans son élégante robe noire, avec ses cheveux couleur de feuilles d'automne, son teint transparent et sa bouche rose aux lèvres pleines, avait de quoi séduire.

Agacée, Rose finit par demander elle-même :

— Le marché est-il conclu, monsieur Slade ? Nick Caspian a-t-il acheté vos parts ?

— Pardon ?

Arraché à sa contemplation, le jeune homme mit plusieurs secondes à rassembler ses esprits, puis il répondit lentement :

— Non, je n'ai pas revu Caspian depuis la réception. Il m'a téléphoné plusieurs fois, mais je voulais prendre le temps de réfléchir. Comme je vous l'ai dit tout à l'heure, Gina, je ne me suis pas rendu aux obsèques de sir George parce que je n'avais pas encore décidé de ce que j'allais faire. Je pense maintenant que je devrais garder mes actions.

— Vraiment? s'écria Gina, le visage illuminé. Oh! Philip...

— Je vais demander à mon avocat de se mettre en rapport avec Caspian et de lui expliquer que j'ai changé d'avis.

— Nick risque d'objecter que vous vous êtes engagé envers lui, intervint Rose. Vous avez accepté sa proposition, l'accord a été scellé par une poignée de main, et dans le monde de la finance, ce genre de promesse tacite équivaut à un contrat signé.

— C'était vrai autrefois, mais plus aujourd'hui, répliqua Philip en haussant les épaules.

— J'espère que vous avez raison, observa sèchement Rose. Mais Nick n'en sera pas moins furieux contre vous.

— Je n'ai pas peur de lui! s'exclama Philip.

Son air bravache, manifestement destiné à impressionner Gina, cachait cependant mal une certaine inquiétude, et ce fut avec un peu de précipitation que, après avoir fini son cognac, il se leva pour partir.

— Bien, il faut que je m'en aille... Excusez-moi d'être venu à une heure aussi tardive, Gina, mais j'étais en train de me promener au hasard des rues — marcher m'aide à réfléchir — quand j'ai pris ma décision. Je me suis alors aperçu que j'étais tout près de chez vous. Il y avait de la lumière et, cédant à une impulsion soudaine, j'ai sonné à votre porte.

— Vous avez bien fait, affirma Gina en se levant à son tour et en tendant la main à Philip. Ce que vous m'avez dit me permettra de mieux dormir cette nuit.

— J'en suis ravi! s'écria-t-il, les yeux rivés sur elle.

A cet instant, la sonnette de l'entrée retentit de nouveau, et Gina sursauta.

— C'est lui..., murmura-t-elle en serrant convulsive-ment la main de Philip.

— Qui ça, « lui »? demanda ce dernier.

La voix de Daphné s'éleva alors dans le vestibule.

— Mme Tyrrell ne peut recevoir personne ce soir... Hé! Où allez-vous comme ça? Revenez! Vous ne...

La porte du salon s'ouvrit à toute volée, et une haute silhouette s'encadra dans l'embrasure.

Un rapide regard circulaire suffit à Nick Caspian pour embrasser toute la scène : Rose assise dans son fauteuil, le verre de cognac vide sur la table basse, Gina et Philip debout au milieu de la pièce, main dans la main...

— Tiens, tiens..., susurra-t-il. Je ne m'attendais à vous trouver ici, Slade!

Ses prunelles gris acier se fixèrent ensuite sur les doigts entrelacés de Philip et de Gina, et cette dernière se dépêcha de se dégager. Philip, quant à lui, s'agita ner-veusement, mais essaya tout de même de tenir tête au nouvel arrivant.

— Bonsoir, Nick! Je suis venu annoncer à Gina que... Enfin, j'ai compris que j'avais commis une erreur en... en acceptant de vous céder mes actions, et je... je...

Il s'interrompit, rougit et pâlit tour à tour, puis fixa Gina, qui lui sourit gentiment, et cela donna au jeune homme le courage de terminer sa phrase :

— J'ai changé d'avis.

— Quoi? hurla Nick.

— Je... euh..., commença Philip.

— Il ne vous vendra pas ses parts, déclara Gina d'une voix glaciale.

Le regard dur de Nick se posa alors sur elle.

— Il ne peut pas se dédire, annonça-t-il. Nous avons scellé cet accord par une poignée de main.

— Int... intentez-moi un procès! bredouilla Philip.

— Vous ne pouvez pas l'obliger à vendre s'il ne le veut pas, observa Gina.

214

— C'est ce que nous verrons ! lança Nick. Je ne vous laisserai pas vous emparer de ces actions sans me battre, Gina. Elles vous donneraient une participation majoritaire, et vous ignorez tout de la façon dont on gère un journal. Vous nous ruineriez tous en quelques mois.

— Il n'a pas l'intention de me céder ses parts.

Fronçant les sourcils, Nick se tourna de nouveau vers Philip.

— Que diable comptez-vous en faire, alors ? lui demanda-t-il.

— Je... je les garde. Je me séparerai d'autres actions pour me procurer l'argent dont j'ai besoin, mais celles de *L'Observateur*, je les conserve, et je continuerai à siéger au conseil d'administration.

— J'aimerais bien savoir pourquoi vous avez changé d'avis, déclara Nick en considérant Philip d'un air pensif.

Puis, s'adressant à Gina, il s'enquit, les yeux brillants de colère :

— Que lui avez-vous promis s'il renonçait à vendre ? Quand je suis arrivé, il vous tenait la main...

— Vous voyez vraiment le mal partout ! répliqua Gina, méprisante.

— Non, je connais les hommes, c'est tout.

— Uniquement ceux qui vous ressemblent ! Quoi qu'il en soit, je n'ai rien promis à Philip. Il est revenu sur sa décision parce qu'il se sentait une part de responsabilité dans la mort de sir George. Vous n'avez peut-être ni scrupule ni conscience, mais Philip, lui, en a.

— Et pourquoi vous tenait-il la main, alors ?

— Nous nous disions au revoir. Il allait partir.

— Eh bien, qu'il parte ! s'écria Nick en ouvrant toute grande la porte.

— Je resterai aussi longtemps que Gina aura besoin de moi, rétorqua le jeune homme d'un ton de défi.

— C'est très gentil à vous, Philip, déclara Gina, mais

il est tard. D'ailleurs, M. Caspian s'en va lui aussi. Bonsoir, Philip, et merci de votre visite. Je vous suis très reconnaissante.

— Euh... bonsoir, Gina, balbutia Philip. Si... si vous désirez me joindre, mon numéro est dans l'annuaire.

Évitant de croiser le regard de Nick, il salua Rose de la tête et quitta la pièce d'un pas mal assuré. Nick, en revanche, ne paraissait pas décidé à bouger : solidement campé sur ses jambes, il considérait Gina avec une étrange fixité.

— Je vous prie de quitter cette maison, ordonna-t-elle sans lever les yeux vers lui. J'étais sérieuse, l'autre soir : je ne veux plus ni vous voir ni vous parler.

— Si Philip Slade ne me vend pas ses parts, observa sèchement Nick, vous et moi partageons le contrôle de *L'Observateur.* Comment ferons-nous pour travailler ensemble si vous refusez de me parler ?

Embarrassée, Gina rougit et se mordit la lèvre. Les conséquences de la décision de Philip commençaient seulement à lui apparaître.

— C'était ce que souhaitait sir George..., murmura Nick, l'air ironique.

En son for intérieur, Gina dut en convenir. Oui, sir George avait espéré et prévu qu'elle continue après lui à défendre contre Nick Caspian l'idée du journalisme que *L'Observateur* avait toujours incarnée.

— Je devrai sans doute siéger au conseil d'administration, finit-elle par déclarer, mais...

— Vous aurez également des fonctions à remplir au niveau de la direction du journal, coupa Nick. Sir George ne voulait pas que vous vous contentiez d'assister aux réunions du conseil, vous le savez très bien.

— Vous ne croyez tout de même pas que je vais travailler pour vous comme je travaillais pour lui ! s'exclama Gina, rouge de colère.

216

— Ce ne sera pas nécessaire. Je ne passerai désormais que très peu de temps à Londres. Je pars dès demain pour toute la semaine, après quoi je reviendrai quelques jours, mais ce sera pour repartir ensuite et ne plus remettre les pieds à *L'Observateur* pendant des semaines... Mais nous discuterons de votre avenir lundi prochain. Je vous verrai au bureau. Bonsoir !

Sur ces mots, Nick sortit à grands pas du salon, laissant Gina et Rose interdites.

— Cet homme est une véritable tornade ! s'écria Rose.

— Jamais je ne pourrai travailler avec lui, gémit Gina en s'écroulant dans le fauteuil le plus proche. Même s'il n'est pas très souvent à Londres, je ne tiendrai pas : cinq minutes en sa compagnie suffisent à m'épuiser nerveusement.

— Tu as en effet l'air exténuée. Allons nous coucher, Gina. Je suis fatiguée, moi aussi. J'ai du sommeil à rattraper.

Rose dormit très bien cette nuit-là, mais, en retrouvant Gina le lendemain matin dans la salle à manger, elle eut l'impression que son amie, elle, avait passé une nuit blanche : de grands cernes se dessinaient sous ses yeux et son visage était livide.

Vers 10 heures, Rose insista pour l'emmener se promener à Hyde Park. Il y avait des crocus mauves et jaunes sous les arbres, et les saules, près du lac, bourgeonnaient. Le printemps arrivait : on le sentait à cette douceur particulière de l'air qui, tous les ans à la même époque, mettait le cœur en fête.

Les deux jeunes femmes déjeunèrent dans un petit restaurant voisin du parc, où un pianiste jouait des airs de jazz, et Rose eut la satisfaction de constater que les effets conjugués de la marche, de la nourriture et de la musique avaient redonné des couleurs à Gina ; elle était aussi plus détendue, avait l'air moins triste et souriait même de temps en temps.

— Je suis obligée de te quitter, maintenant, lui dit Rose dans le taxi qui les ramenait à la maison des Tyrrell ; mais si tu veux que je revienne ce soir, ce sera très volontiers.

— Non, ça ira, maintenant. Merci de m'avoir tenu compagnie. Ta présence m'a beaucoup réconfortée.

Après avoir déposé son amie, Rose demanda au chauffeur de taxi de la conduire à son appartement. Elle s'était efforcée de se montrer gaie et enjouée afin de distraire Gina de son chagrin, mais dès qu'elle fut de nouveau seule, l'angoisse resurgit. A peine rentrée, elle écouta les messages sur son répondeur ; il n'y en avait aucun de son père. Elle composa le numéro de Montréal ; personne ne décrocha.

Reposant le combiné, la jeune femme se dirigea vers la fenêtre et contempla les rues de Londres qui s'étendaient à ses pieds. Elle habitait une vieille demeure édouardienne construite sur une hauteur et d'où l'on avait une vue superbe, mais la maison elle-même tombait lentement en ruine. Le propriétaire ne faisait rien pour la maintenir en état, si bien que les peintures extérieures s'écaillaient et que le bois pourrissait. A l'intérieur, les fenêtres fermaient mal, les papiers peints se décollaient, les planchers craquaient, et il y avait des souris. Rose préférait néanmoins vivre là que dans un immeuble moderne, certes chaud et confortable, mais totalement dépourvu de charme.

Pour l'instant, cependant, elle ne songeait ni à son appartement ni à la vue : mille questions sans réponse se bousculaient dans sa tête. Pourquoi son père n'appelait-il pas ? Où se trouvait-il en ce moment ? Et pourquoi était-il parti de façon si précipitée, sans prendre aucune de ses dispositions habituelles ?

Le téléphone sonna soudain, et la jeune femme se rua dessus.

218

— Allô?

— C'est moi, dit une voix grave qu'elle reconnut immédiatement. Tu as eu des nouvelles de ton père?

— Non, déclara Rose, le cœur battant. Et toi?

— Moi non plus, indiqua Daniel.

— Espèce d'idiot! Tu m'as causé un choc terrible! J'ai cru qu'il était arrivé quelque chose à mon père...

— Ton imagination te joue des tours, observa-t-il sèchement.

— Pourquoi me téléphones-tu, si, tu n'as rien de nouveau à m'apprendre?

— Je pensais que ton père était peut-être à Londres, parce que j'appelle chez toi depuis hier sans obtenir de réponse. Je me demandais ce qui se passait. D'abord, Desmond qui disparaît, et ensuite, toi... Où diable étais-tu cette nuit?

— Ça ne te regarde pas!

— J'espère que ce n'est pas quelqu'un du service, et surtout pas un homme marié... Je n'aime pas les complications au bureau.

Aussi faciles à réfuter que soient les allégations de Daniel, Rose décida de se taire. La façon dont il lui parlait l'exaspérait.

— Au revoir! lança-t-elle avant de raccrocher.

Elle s'attendait qu'il la rappelle, et se prépara mentalement à l'affronter de nouveau, mais il ne le fit pas et elle en fut soulagée. Depuis qu'ils travaillaient ensemble, Daniel ne cessait de lui donner des ordres, de la conseiller, de la critiquer, et elle le supportait très mal — en particulier quand il se mêlait de sa vie privée. Parce que là, il exagérait vraiment: il ne voulait pas d'elle, mais s'octroyait tout de même le droit de choisir les hommes avec qui elle pouvait sortir!

Leurs relations dataient de l'époque où Rose était encore adolescente. Elle vivait alors à Paris où, ayant quitté sa pension anglaise pour une école française, elle habitait avec son père. Daniel travaillait lui aussi à Paris, et il passait tout son temps libre avec eux. Elle était tout de suite tombée amoureuse de lui et avait eu la nette impression qu'il partageait ses sentiments : un sourire illuminait ses beaux yeux noirs dès qu'il l'apercevait, sa voix prenait des accents doux, presque tendres, quand il lui parlait... Tous les week-ends, il l'emmenait à la piscine, à la patinoire ou au cinéma, et plusieurs soirs par semaine, il venait jouer aux cartes, ou juste bavarder, avec Desmond et elle. Il ne lui avait jamais fait la cour, mais elle était convaincue que cela arriverait un jour. Résultat, elle vivait dans un état d'exaltation permanente.

— Finissant cependant par trouver l'attente trop longue, elle avait décidé d'agir. Un soir qu'il la raccompagnait après une séance de cinéma, elle lui avait passé les bras autour du cou et l'avait embrassé passionnément. Un, instant, Daniel l'avait serrée très fort contre lui et répondu avec ardeur à son baiser, mais il s'était ensuite écarté et, la fixant d'un air railleur, avait éclaté de rire en disant :

— Qu'est-ce que tu t'imagines, petite fille ? Il te faut encore beaucoup grandir avant de jouer à des jeux d'adultes !

Ce souvenir restait gravé dans la mémoire de Rose, et le rouge de la honte lui montait aux joues chaque fois qu'elle y pensait.

Ensuite, elle avait évité Daniel dans toute la mesure du possible, mais il continuait à venir chez Desmond, et le regard ironique qu'il posait désormais sur elle la blessait profondément. Heureusement, Desmond n'avait rien paru remarquer — elle n'aurait pas supporté que son père sache à quel point elle s'était rendue ridicule. Quelques semaines plus tard, Daniel avait changé de travail, quitté Paris, et ils ne s'étaient pas revus pendant plusieurs années. Durant ce laps de temps, Rose avait beaucoup changé : résolue à ne plus laisser personne lui infliger un tel chagrin et une telle humiliation, elle s'était endurcie. Dans ses relations avec les hommes, c'était elle, maintenant, qui fixait les règles. Et de toute façon, ses études l'absorbaient presque entièrement : souhaitant depuis toujours devenir grand reporter, elle avait dû apprendre de façon approfondie l'histoire, la géographie, la politique internationale, ainsi que plusieurs langues étrangères.

Ses années de vagabondage avec son père avaient décidé de sa vocation. Rose ne voulait pas d'un travail de bureau routinier. Elle aimait la nouveauté, l'inconnu, le mystère... C'était précisément ce qu'elle avait espéré trouver en entrant au service étranger de *L'Observateur* — sans savoir, à l'époque, que Daniel le dirigeait. Cette découverte lui avait causé un choc, mais le pire avait été de s'apercevoir, au fil des mois, qu'il la mettait systématiquement sur la touche, ne lui confiant de reportage que s'il n'avait personne d'autre sous la main et, même alors, veillant à l'envoyer uniquement dans des endroits sûrs, en Europe. Les missions dangereuses, les contrées lointaines, c'était toujours pour les reporters hommes. Rose discutait, récriminait, suppliait... En vain ! Impossible de faire changer Daniel d'avis une fois qu'il avait décidé quelque chose.

Ses rapports avec lui étaient donc orageux, et elle fut plutôt soulagée de ne pas beaucoup le voir au journal pendant les jours suivants.

En pénétrant dans la salle de rédaction le lundi matin, cependant, elle aperçut Daniel à travers les parois vitrées de son bureau, qu'il arpentait fiévreusement, le téléphone dans une main et une dépêche dans l'autre.

Résolue à l'ignorer, la jeune femme détourna les yeux, s'assit et commença à dépouiller son courrier. Un de ses collègues s'arrêta devant sa table tandis qu'elle étudiait une note de service.

— Alors, Rose, tu te plais ici ? Moi, je déteste déjà cet endroit. Le chauffage central marche trop fort et le système de ventilation m'assèche les sinus.

— Je te connais, Jimmy..., répliqua-t-elle avec un sourire. Tu n'es heureux que quand tu as un prétexte pour te plaindre !

— Pas du tout ! Mais peu importe... Ce que je venais te dire, c'est qu'il y a une réunion générale dans une demi-heure et que le patron va sûrement envoyer quelqu'un à Mexico pour couvrir cette conférence internationale.

— Edward y est déjà.

— Il est malade. Une hépatite, sans doute.

— Mon Dieu ! Sa femme prétend qu'il attrape tous les virus qui traînent, et elle a raison, apparemment... Elle voudrait qu'il demande sa mutation au service des affaires intérieures.

— Shirley est une hystérique ! Pourquoi crois-tu qu'Edward tient tant à rester avec nous ?

— Tu es méchant ! Elle adore son mari et s'inquiète pour lui, c'est tout.

Mais Rose ne pensait pas vraiment à Shirley : elle passait mentalement en revue la liste des journalistes qui n'étaient pas en reportage à l'étranger. Auquel d'entre eux Daniel confierait-il cette mission à Mexico ? Il n'y avait pas tellement de personnes disponibles...

— Tu es à jour pour tes vaccins ? lança-t-elle à Jimmy.

— Oui, répondit-il avec un sourire entendu. Et contrairement à toi, je connais Mexico.

— Tu te trompes, j'y suis déjà allée plusieurs fois, et je compte bien m'en prévaloir pour obtenir ce reportage.

Ce qu'elle fit lorsque le sujet fut abordé pendant la réunion, une demi-heure plus tard. Daniel ne parut cependant pas impressionné. Il la considéra d'un œil moqueur et répliqua :

222

— Tu n'étais qu'une gamine, alors !

— Lors de mon dernier séjour là-bas, j'avais dix-sept ans !

— Non, quinze.

Elle aurait voulu pouvoir le contredire, mais c'était impossible : Daniel n'oubliait jamais rien ; il gardait en mémoire le moindre détail, la plus petite information, pour les utiliser ensuite au moment opportun.

— C'était donc il n'y a pas si longtemps, ajouta-t-il.

Tout le monde rit, et Rose, bien que furieuse, se joignit à l'hilarité générale.

— Tu ne pars pas, reprit Daniel d'un ton ferme.

— Mais tu ne me confies jamais aucun reportage intéressant !

— C'est faux, et de toute façon, j'ai décidé d'envoyer Jimmy à Mexico. Ta place est réservée, Jimmy. Ton avion décolle à 14 heures. Va voir Hilary ; elle te remettra ton billet, de l'argent mexicain, et t'indiquera dans quel hôtel elle t'a loué une chambre.

Jimmy acquiesça et se leva.

— Tu auras plus de chance la prochaine fois, Rose ! déclara-t-il, sarcastique.

Ne voulant pas perdre la face devant ses collègues, celle-ci haussa les épaules.

— Dis bonjour à Edward de ma part, rétorqua-t-elle d'un ton faussement désinvolte, et tâche de ne pas attraper son hépatite !

Une fois Jimmy sorti, Daniel jeta un coup d'œil au bloc-notes qu'il tenait à la main.

— La Pologne, maintenant..., annonça-t-il. Il me faut quelqu'un là-bas. Tom, tu parles polonais, il me semble ?

— Oui, répondit l'intéressé. Quand dois-je partir ?

Son supérieur lui communiqua ses instructions, et Tom s'éclipsa tout de suite après. Daniel passa ensuite au reste de l'ordre du jour, les nouvelles de l'étranger qu'il jugeait utile de traiter dans le numéro du lendemain. Il avait assisté, en début de matinée, à la conférence quotidienne avec le nouveau rédacteur en chef, et avait obtenu le feu vert pour les articles qu'il prévoyait de publier.

L'Observateur avait des correspondants permanents dans de nombreux pays — les États-Unis, l'Inde, le Japon et les principales nations européennes, notamment. Quand plusieurs grandes affaires se déroulaient en même temps dans un pays donné, cependant, Daniel y envoyait un second reporter, et comme l'actualité internationale était en ce moment riche en événements importants, presque tous les reporters basés à Londres se trouvaient actuellement en mission. A part Rose, il n'en restait que deux, à qui Daniel confia la tâche routinière mais indispensable de lire les journaux étrangers, de faire un résumé de leur contenu et de sélectionner les informations qui valaient la peine d'être reprises dans *L'Observateur*.

Les deux hommes quittèrent la pièce pour aller se mettre au travail, ce qui laissa Rose et Daniel en tête à tête.

— Pourquoi suis-je toujours la dernière à partir en reportage ? s'écria alors la jeune femme, furieuse. Et ne me dis pas que c'est de la paranoïa, car je vois clair dans ton jeu : tu exerces une sorte de vengeance sur moi, parce que je suis la fille de Desmond et que sir George t'a obligé à m'engager dans ton service. A l'instant, par exemple... Je parle couramment espagnol, je connais bien Mexico pour y avoir passé plusieurs mois avec mon père il n'y a pas si longtemps... Alors, pourquoi ne m'as-tu choisie ?

— Parce que je t'envoie à Montréal.

224

3.

Ce même lundi matin, Gina fut tentée de rester chez elle afin de ne pas avoir à affronter Nick.

— Après tout, avait-elle expliqué à Hazel la veille au téléphone, je ne manque pas d'excuses. J'ai notamment à régler toutes les affaires personnelles de sir George, ce qui m'oblige à rencontrer ses avocats, à lire tout un tas de documents...

— Si tu veux que je t'aide pour ça, avait déclaré Hazel, n'hésite pas à me le demander !

— Tu es un amour, mais on a sûrement plus besoin de toi au bureau. Oh ! j'ai une de ces migraines...

— Ne viens pas, alors ! Je dirai à Nick que tu es souffrante. De toute façon, il repart dans quelques jours, et il te suffit donc pour l'éviter de ne pas te montrer à Barbary Wharf.

— Oui, sans doute, avait observé Gina.

Mais la voix de sa conscience lui avait alors murmuré que, si elle n'y allait pas, il n'y aurait personne pour empêcher Nick de procéder à des licenciements massifs. Il avait déjà commencé dans cette voie, avant le déménagement, en remplaçant Harry Dreaden et Joe Mackinlay, respectivement rédacteur en chef et directeur général, par des gens de son groupe. D'autres personnes avaient également été remerciées, et Gina soupçonnait Nick de ne pas en avoir fini avec les réductions d'effectifs et les mises à la retraite d'office. Sir George se serait battu contre ces mesures, et il avait laissé à la veuve de son petit-fils un double héritage : d'une part, l'argent, les actions et les immeubles mentionnés dans son testament — dont l'immense valeur, qu'elle ignorait jusque-là, l'effrayait —, et d'autre part, un devoir moral, celui de défendre le journal fondé par la famille Tyrrell et les gens qui y travaillaient.

Elle avait beaucoup aimé le vieil homme et savait ce qu'il aurait voulu qu'elle fasse. Aussi, après un petit silence, avait-elle soupiré et annoncé à Hazel :

— Non, finalement, j'irai demain au bureau. Sir George n'aurait pas apprécié que je fuie mes responsabilités. Je lui dois d'essayer par tous les moyens de sauver les emplois du personnel et d'empêcher Nick de changer radicalement *L'Observateur*.

Si bien que Gina, le lundi matin, finit par vaincre son appréhension et demanda à John, le chauffeur, de l'emmener au journal. La grosse limousine noire la déposa à Ratcliff Walk, au bord de la Tamise. Il pleuvait et les eaux du fleuve étaient grises, aujourd'hui, du même gris acier que les yeux de Nick Caspian — dont elles avaient aussi l'aspect sombre et menaçant.

La jeune femme gravit les marches qui menaient à l'entrée principale. Il était presque 9 heures, et une activité fébrile régnait déjà dans l'immeuble. Des gens allaient et venaient au milieu des palmiers en pots et des immenses fougères qui ornaient le hall. Plusieurs personnes reconnurent Gina et la saluèrent, le visage empreint de compassion ; une ou deux l'arrêtèrent pour lui présenter leurs condoléances, et elle les remercia gentiment.

L'étage de la direction était beaucoup plus calme que le rez-de-chaussée. Lorsque, sortant de l'ascenseur, la

226

jeune femme s'engagea dans le couloir, elle constata pourtant qu'un brusque silence accueillait son apparition. Gênée, elle hâta le pas et poussa avec soulagement la porte du bureau de Hazel, voisin de celui qu'aurait dû occuper sir George. Hazel s'y trouvait, élégante et soignée, comme toujours, en jupe gris foncé et pull-over noir.

Elle leva les yeux vers Gina et lui sourit.

— Comment va ta tête, ce matin ? lui demanda-t-elle. Plus de migraine ?

— Non. Et toi, comment vas-tu ?

— Très bien.

— Piet aussi ? questionna Gina d'un ton taquin.

— Oui, répondit Hazel en rougissant. En fait, nous nageons tous les deux dans le bonheur, et j'aimerais que tes soucis à toi prennent vite fin, eux aussi.

— Et moi donc ! s'écria Gina.

Elle jeta un coup d'œil en direction de la porte de communication avec la pièce attenante et, baissant la voix, déclara :

— En parlant de soucis, Nick est-il là ?

— Oui, et il a décrété qu'il voulait te voir dès ton arrivée.

— Eh bien, allons-y, alors ! marmonna Gina en se redressant. Souhaite-moi bonne chance !

— Bonne chance ! répéta docilement Hazel.

Appuyant sur le bouton de l'Interphone, elle annonça ensuite :

— Mme Tyrrell est ici, monsieur.

— Faites-la entrer ! ordonna Nick.

Pour la forme, Gina frappa à la porte avant de l'ouvrir, puis pénétra dans le bureau. Nick était assis derrière la grande table de sir George, comme elle l'autre jour, mais il émanait de lui une énergie et une autorité dont elle se savait totalement dépourvue. Vêtu d'un costume sombre et d'une chemise à fines rayures rouges, ses cheveux noirs brillant comme du jais, il fixait Gina avec attention.

— Asseyez-vous ! dit-il en montrant de la main un fauteuil placé en face de lui.

La jeune femme traversa la pièce d'un pas mal assuré, consciente du regard de Nick posé sur elle. Ces yeux froids qui détaillaient lentement ses cheveux roux relevés en chignon, son visage fin et sa silhouette, dont un tailleur bleu marine soulignait la minceur, la mettaient mal à l'aise et l'irritaient en même temps.

Quand elle fut assise, Nick expliqua en tambourinant sur le bureau du bout des doigts :

— Je pars à Rome à la fin de la matinée, et cet entretien devra donc être bref. Je présume, puisque vous êtes là, que vous acceptez de travailler avec moi.

Trop troublée pour répondre, Gina se contenta de hocher la tête, et Nick reprit :

— Sachez cependant que je n'admettrai aucun conflit ouvert. Je ne tolérerai plus de manifestation publique d'hostilité comme celle de l'autre jour, après l'enterrement. Je me suis tu, alors, parce que vous étiez manifestement bouleversée, mais si cela se reproduit, je réagirai, et il se peut que ma réaction vous déplaise.

— Je vous interdis de me menacer !

— Ce n'est pas une menace mais une promesse. Nous allons être obligés de travailler ensemble, et ce sera impossible sans un minimum de coopération de votre part.

— Je suis ici uniquement parce que sir George aurait souhaité me voir rester pour défendre les intérêts du personnel de *L'Observateur*, répliqua la jeune femme d'une voix plus ferme. Je collaborerai donc avec vous, mais j'entends que nos relations ne débordent pas le cadre strictement professionnel.

Nick la contempla pensivement, les lèvres serrées, puis il haussa les épaules.

228

— Entendu ! déclara-t-il. Maintenant, voici mes directives : vous travaillerez dans ce bureau chaque fois que je serai absent de Londres ; Sean Yates, le nouveau directeur général, s'occupera de la gestion quotidienne du journal ; Fabien Arnaud, le nouveau rédacteur en chef, est naturellement responsable de toutes les questions rédactionnelles. Tous les services fonctionneront pour l'instant comme ils l'ont fait jusqu'ici. Je maintiens Hazel Forbes à son poste de secrétaire de direction. Quant à vous, vous serez mes yeux et mes oreilles comme vous l'étiez pour sir George, ainsi que mon porte-parole si nécessaire.

— Je refuse d'être votre marionnette ! s'exclama Gina, rouge de colère, en tapant du poing sur la table.

— Vous vous mettrez en relation avec moi tous les jours, continua Nick sans se préoccuper de cette interruption. Vous rédigerez quotidiennement un rapport sur ce qui se passe ici, et vous me le transmettrez par fax, où que je sois. Je recevrai d'autres rapports, plus techniques, mais le vôtre devra me donner votre opinion personnelle sur la situation à *L'Observateur*.

— Je refuse également de jouer les espions !

— Ne dites pas de bêtises... Le rédacteur en chef considère-t-il comme de l'espionnage l'envoi quotidien d'un compte rendu justificatif de ce qu'il publie et ne publie pas ? Bien sûr que non ! Il sait que je dois garder le contact avec chacun de mes journaux, et que les lire ne me renseigne pas sur leur fonctionnement interne. Or j'ai absolument besoin de le connaître, et comme je ne peux pas être partout à la fois, il faut bien que je trouve un moyen de me tenir au courant.

— Pourquoi ce besoin d'être informé de tout ? demanda Gina.

Elle n'avait pas posé cette question pour le simple plaisir d'ergoter, mais par souci de comprendre Nick ; pourquoi cet homme qui possédait des dizaines de journaux se sentait-il obligé de les surveiller tous aussi étroitement ? Pourquoi cette obsession du détail ?

— Je me suis laissé surprendre par une grève, il y a des années, répondit-il avec une pointe d'impatience dans la voix. Elle a duré des mois, et cela a représenté un manque à gagner considérable. Elle était pourtant prévisible, et si j'avais suivi de près la situation dans ce journal, elle n'aurait pas éclaté. Cette fâcheuse expérience m'a appris à rester vigilant. Un conflit comme celui-là ne se reproduira pas, parce que je suis maintenant informé de tout ce qui se passe dans chacune des sociétés de mon groupe.

— Vous plaisantez ? s'écria Gina, interdite.

— Non.

— Mais... où trouvez-vous le temps de lire tous ces rapports ?

— Ma secrétaire particulière en fait un résumé, qu'elle me faxe tous les matins. Il faudra que vous rencontriez Renata... Elle est suisse germanophone et travaille au siège social du groupe, au Luxembourg, où elle gère les affaires courantes en mon absence, c'est-à-dire la plupart du temps. Presque tout mon courrier passe par elle ; quand je dois en prendre connaissance moi-même, elle me l'envoie par messagerie spéciale ou, si ce n'est pas confidentiel, par fax. Lorsqu'elle rédige les résumés, elle met un astérisque devant les points les plus importants, ce qui me permet d'aller directement à l'essentiel. Mais je suis de toute façon quelque peu insomniaque, si bien que je lis beaucoup la nuit.

Gina demeura pensive quelques instants. Voilà qui expliquait l'énorme quantité de travail qu'abattait Nick... Vu de l'extérieur, il paraissait doué de capacités surhumaines, et il respirait une énergie extraordinaire... Mais il dormait mal... La jeune femme savait déjà qu'il mangeait peu et buvait encore moins. Sir George l'avait un jour comparé à un robot, mais il n'en était pas un, alors combien de temps pourrait-il tenir à ce rythme ?

— Vous rêvez tout éveillée ? questionna Nick en haussant les sourcils d'un air sarcastique.

S'apercevant brusquement qu'elle le fixait depuis un bon moment, Gina rougit et détourna les yeux.

— Excusez-moi, marmonna-t-elle.

— Écoutez, Gina... C'est trop bête ! Ne serait-il pas possible de...

La sonnerie du téléphone l'interrompit et, jurant entre ses dents, il décrocha.

— Je croyais vous avoir dit de ne pas me déranger ! lança-t-il. Ah !... Bien, passez-la-moi !

Puis il regarda Gina et lui annonça :

— C'est Renata, et il faut que je prenne la communication car, si elle m'appelle, il s'agit forcément d'une affaire importante. Mais ce ne sera pas long : Renata va toujours droit au fait.

— Vous voulez que j'attende dehors ?

La jeune femme se leva, mais Nick, d'un geste péremptoire, lui enjoignit de se rasseoir.

— Non, restez où vous êtes !

Faisant pivoter son fauteuil d'un quart de tour, il commença alors à parler avec sa correspondante. Un sourire éclairait à présent son visage, et Gina se raidit. Quel genre de relation Nick entretenait-il avec Renata ? Un joli prénom, Renata... Celle qui le portait était-elle jolie, elle aussi ? Nick lui accordait visiblement sa confiance ; elle devait donc être intelligente. Depuis combien de temps travaillait-elle pour lui ? Étaient-ils amants, ou l'avaient-ils été ? Gina savait que Nick avait eu des liaisons avec de très belles femmes — Christa Nordström, par exemple —, mais jusqu'à maintenant, elle ne l'avait jamais imaginé avec ses compagnes. Et voilà que soudain son imagination se mettait à galoper, formant dans son esprit des images qui la torturaient...

231

Pour les chasser, Gina s'obligea à concentrer son attention sur ce qu'elle entendait de la conversation entre Renata et Nick. Ce dernier parlait en allemand, et Gina se rendit compte qu'elle comprenait presque tout; son allemand, appris à l'école, n'était finalement pas si loin...

— Oui, en effet, c'est urgent, dit Nick au bout d'un moment. Je m'en occuperai. Je verrai de toute façon Vincenti demain à Rome. A ce propos, il faut joindre Esteban et insister pour qu'il vienne à Rome. Débordé ou pas, j'exige qu'il y soit. Je me rendrai ensuite au Luxembourg, jeudi ou vendredi au plus tard. Au revoir, Renata !

Il raccrocha et resta quelques instants à fixer le téléphone d'un air absent, comme s'il avait oublié la présence de Gina. Ses doigts tambourinaient de nouveau sur la table — il faisait toujours cela quand il réfléchissait, avait déjà constaté la jeune femme.

S'arrachant enfin à ses pensées, Nick leva les yeux, se passa la main dans les cheveux et déclara avec une petite moue désabusée :

— Excusez-moi... Où en étions-nous ?

— Vous vouliez que je vous envoie tous les jours un rapport sur la situation au journal, répondit-elle calmement.

— C'est cela. Vous le faxerez au Luxembourg, et Renata me le transmettra.

— Après l'avoir encore abrégé...

— Pas exactement. Elle en intégrera l'essentiel dans son résumé quotidien, mais elle m'expédiera aussi votre fax, que je lirai si nécessaire. D'autre part, nous sommes déjà convenus que vous utiliseriez ce bureau en mon absence... Quand je serai là, en revanche, il vous faudra partager celui de Hazel. A moins que cela ne vous ennuie ?

— Pas du tout !

— Je sais que vous êtes amies, et j'étais donc sûr que

232

vous n'y verriez pas d'objection. D'ailleurs, le bureau de Hazel est grand, et on peut facilement y mettre une autre table. Ah ! j'allais oublier... Gardez une copie de chacun de vos rapports. Et si ce que vous avez à me dire est très confidentiel, envoyez-le au Luxembourg par messagerie spéciale.

— Dois-je rédiger un rapport même quand vous êtes à Londres ?

— Oui. Des informations en continu me donneront une meilleure idée de la façon dont fonctionne *L'Observateur,* et je pourrai y puiser des détails utiles pour l'avenir.

Quel usage Nick ferait-il de ces renseignements ? se demanda Gina, mal à l'aise. Lui fournirait-elle involontairement des armes ? Mais lesquelles ? Et qu'il utiliserait contre qui ?

— La rédaction de ce rapport ne me prendra pas toute la journée, se contenta-t-elle cependant d'observer. Quelles autres tâches suis-je censée effectuer ?

— Avec l'habitude, il ne vous faudra en effet pas plus d'une heure pour le rédiger, une heure et demie au maximum. Ce sera votre priorité en arrivant le matin au bureau. Ensuite, vous aurez largement de quoi vous occuper puisque vous me représenterez. Je vous nomme en outre vice-présidente du conseil d'administration.

— Vice-présidente ? répéta Gina, stupéfaite. Mais... qu'implique cette fonction ?

— Beaucoup de travail, comme vous ne tarderez pas à vous en apercevoir. Dans l'immédiat, cependant, votre rôle consiste à me remplacer dans ce bureau jusqu'à mon retour.

Sur ces mots, Nick repoussa son fauteuil, se leva et contourna la table, puis s'arrêta devant Gina qui, instinctivement, se leva elle aussi. Leurs deux corps se touchaient presque, à présent, et la jeune femme avait beau se dire qu'elle haïssait cet homme, le fait de se tenir si près de lui mettait tous ses sens en émoi. Elle détourna les yeux et inspira à fond pour tenter de recouvrer son sang-froid.

— Saviez-vous que Piet sortait avec Hazel Forbes? demanda soudain Nick.

En guise de réponse, Gina hocha la tête.

— Et ça ne vous ennuie pas? continua Nick.

— Je suis de toute façon trop occupée pour avoir un homme dans ma vie, répliqua-t-elle en se risquant à croiser le regard de son interlocuteur.

— Vraiment? observa celui-ci, une lueur étrange dans les yeux.

Le téléphone sonna de nouveau. Nick, qui allait visiblement ajouter quelque chose, ébaucha une grimace de mécontentement, mais décrocha tout de même, et la jeune femme en profita pour s'éclipser.

Quelques heures seulement après la réunion du matin avec Daniel, Rose était dans l'avion de Montréal et sirotait un jus d'orange tout en notant sur un carnet ce qu'elle devrait faire là-bas. Son voisin, lui, buvait un whisky comme s'il s'agissait d'eau minérale, et elle lui jeta un coup d'œil incrédule. Cet homme aurait une sacrée migraine le lendemain, et il l'imputerait sans doute au décalage horaire... L'expérience des voyages avait appris à Rose que, à condition de manger peu et de ne pas prendre de l'alcool dans l'avion, un vol même long ne perturbait en rien son organisme.

Se désintéressant de son voisin, elle regarda par le hublot. Un tapis de nuages blancs se déroulait sous l'appareil, effilés et duveteux comme de la barbe à papa. Quand ils avaient décollé de Londres, la pluie avait cessé, cédant la place à un temps calme et clair.

234

Rose fronça les sourcils. Quel temps faisait-il, là où se trouvait son père en ce moment ? Mais d'abord, pourquoi était-il parti ? S'ennuyait-il ? La vie sédentaire d'un écrivain enfermé entre quatre murs avait-elle fini par lui devenir insupportable ? Était-il malade ? Ou bien une affaire urgente l'avait-elle obligé à quitter précipitamment le Canada ?

En tout cas, il n'était toujours pas rentré, comme les Gaspard l'avaient confirmé quand elle leur avait téléphoné pour les avertir de son arrivée et de son intention de s'installer chez son père pendant son séjour à Montréal. Heureusement, la femme de ménage qui venait une fois par semaine nettoyer l'appartement en possédait la clé, et les Gaspard, qui la connaissaient, avaient promis à Rose de se procurer cette clé.

La tâche officielle de la jeune journaliste consistait à réunir de la documentation pour un article sur le tourisme à Montréal, destiné au service des numéros spéciaux. Ce service comptait publier un dossier sur le Canada en tant que destination de vacances ; son responsable avait déjà envoyé quelqu'un dans les provinces anglophones, mais avait demandé à Daniel de lui fournir un francophone pour le Québec.

— Merci d'avoir pensé à moi, avait déclaré Rose à Daniel une fois au courant de sa mission.

— Je t'aurais choisie même s'il n'y avait pas eu le problème de la disparition de ton père, avait-il répliqué en haussant les épaules. Tu connais la ville mieux que personne ici — moi mis à part.

Daniel était en effet né à Montréal, lui aussi, de parents français émigrés au Canada après la Seconde Guerre mondiale.

— N'empêche que tu me rends un fier service ! s'était écriée Rose.

— Ne t'inquiète pas : c'est une dette que je ne manquerai pas de te rappeler à l'occasion.

Le regard ironique qui avait accompagné ces paroles était manifestement destiné à irriter Rose : Daniel essayait toujours de la faire sortir de ses gonds. Aujourd'hui, cependant, elle était résolue à ne pas se disputer avec lui.

— Je n'en doute pas ! avait-elle donc rétorqué d'un ton désinvolte.

Le visage de son interlocuteur avait alors changé. Une lueur étrange s'était allumée dans ses yeux noirs, et la jeune femme, surprise et troublée, avait senti une onde de panique la submerger.

Le feu aux joues, le cœur battant, elle avait marmonné :

— Bon, il faut que j'aille préparer mes bagages.

Une expression dure s'était brusquement peinte sur les traits de Daniel, comme si elle venait de le gifler.

— Tu tenteras évidemment de retrouver ton père pendant ton séjour là-bas, avait-il néanmoins fait remarquer d'un ton calme, mais n'oublie pas pour autant la tâche dont on t'a chargée.

— Cela va sans dire !

Ce ne serait d'ailleurs pas une tâche difficile : Rose avait passé les premières années de son enfance à Montréal, ne quittant le Canada qu'après la mort de sa mère, une Québécoise. Elle n'avait jamais oublié cette ville et y était souvent retournée avec son père.

Desmond y avait même habité de nouveau plusieurs fois au cours de sa carrière. Il avait notamment travaillé au journal québécois *La Presse,* et c'était là qu'il avait rencontré Daniel, qui débutait alors dans le métier. Cela avait également donné à Rose l'occasion de faire la connaissance de nombreux journalistes montréalais, à qui elle comptait bien demander de l'aide pour réunir sa documentation. Dans ces conditions, l'aspect professionnel de son voyage serait vite réglé, et comme elle devait

236

rester trois jours à Montréal, il lui resterait du temps pour fouiller l'appartement de son père et interroger ses amis afin d'essayer de percer le mystère de sa disparition.

Ayant élaboré son plan de bataille, Rose abaissa son fauteuil et s'installa confortablement pour dormir avec le petit oreiller et la couverture fournis par la compagnie aérienne. Avant de fermer les yeux, cependant, elle mit sa montre à l'heure de Montréal dans l'espoir de tromper son horloge biologique — un truc que lui avait appris son père pour moins souffrir du décalage horaire.

Quand l'avion atterrit à l'aéroport de Mirabel, la jeune femme échappa à la longue attente des bagages, car elle n'avait emporté qu'un sac de voyage, et prit un taxi pour se rendre à Montréal. A son grand soulagement, elle constata qu'il ne neigeait pas, et que le temps était même étonnamment doux pour un mois de mars canadien.

Il avait dû pourtant faire froid récemment, à en juger par les champs de neige qui s'étendaient de chaque côté de l'autoroute. Ce spectacle et surtout les panneaux de signalisation en français donnèrent à Rose un sentiment de retour au pays.

Son enfance avait en effet été bercée par la langue et la culture françaises. Mais elle n'avait que six ans au moment de la mort de sa mère, et son père l'avait alors emmenée en Angleterre, où on lui offrait un poste à *L'Observateur*. Avec le recul, Rose avait compris que Desmond ne pouvait pas continuer à vivre à Montréal : le souvenir des jours heureux l'y poursuivait et exacerbait sa douleur. Sur le moment, cependant, cette expatriation avait causé à Rose un traumatisme presque aussi violent que la perte de sa mère.

Jamais elle n'oublierait son premier jour d'école en Angleterre. Perdue au milieu de tous ces gens qui parlaient une langue inconnue, elle s'était assise à une table et avait fondu en larmes. La mort lui semblait préférable à la peur et au chagrin qu'elle éprouvait en cet instant.

Les choses s'étaient ensuite améliorées, bien sûr : elle avait appris l'anglais et s'était fait des amies. Mais deux ans plus tard, un autre coup l'avait frappée : sir George Tyrrell avait proposé à Desmond un emploi de grand reporter. Cela signifiait que Rose devait partir en pension.

Elle en avait beaucoup voulu à sir George, sur le moment, le rendant responsable de cette séparation d'avec son père. Elle ignorait, alors, que celui-ci souhaitait depuis toujours devenir grand reporter, mais avait attendu que sa fille se soit suffisamment habituée à l'Angleterre pour y rester seule.

— Tu comprends, ma chérie, lui avait-il expliqué, je voyagerai tout le temps, sans jamais savoir où je serai le lendemain. Si je t'emmenais, je m'inquiéterais constamment pour toi, et cela nuirait à mon travail. Et toi, de ton côté, tu as besoin de sécurité et d'une bonne éducation. Je t'ai trouvé une excellente école, à la campagne ; tu y seras très bien.

— Je ne veux pas que tu t'en ailles, papa, avait dit Rose, les yeux remplis de larmes. Ou alors, je veux t'accompagner !

— C'est impossible, ma chérie. Et puis, tu oublies que tu viendras me rejoindre pendant les vacances...

Mais Rose ne l'écoutait plus. Elle sanglotait, désespérée, et Desmond s'était impatienté.

— Ça ne sert à rien de pleurer, avait-il fini par déclarer. C'est comme ça et pas autrement !

Ses premiers mois au pensionnat constituaient eux aussi l'un des pires souvenirs de Rose. Convaincue que son père l'avait abandonnée pour toujours, elle avait pleuré toutes les nuits dans son oreiller, et même les nombreuses lettres et cartes postales de Desmond ne l'avaient pas consolée. Ce n'était qu'à la fin du premier trimestre, quand on l'avait mise dans un avion pour l'Égypte et que son père était venu la chercher à l'aéro-

238

port du Caire, qu'elle avait commencé à reprendre goût à la vie.

A partir de ce moment-là, Rose avait passé toutes ses vacances avec son père — qui se débrouillait pour être alors dans une région du globe relativement sûre. Et elle avait découvert avec ravissement des contrées lointaines où tout était nouveau pour elle — les bruits, les odeurs, les paysages, les gens...

Ces voyages rendaient jalouses ses camarades de classe et lui donnaient un prestige qu'elle chérissait. Ils lui avaient également permis de se familiariser avec de nombreuses langues étrangères, ce qui lui avait beaucoup servi quand, stimulée par ces contacts avec d'autres cultures, elle avait décidé de suivre les traces de son père et de devenir grand reporter.

Aucune expérience n'était inutile, même les plus douloureuses, songea Rose au terme de cette évocation du passé : la mort de sa mère lui avait appris à surmonter ses chagrins, et ses années de solitude au pensionnat avaient trempé son caractère.

Le taxi avait maintenant quitté l'autoroute et roulait dans les rues étroites du vieux Montréal. La jeune femme regarda par la vitre et, apercevant les tours de Notre-Dame, sut immédiatement qu'ils étaient tout près du port et de la maison qu'habitait son père.

En effet, quelques minutes plus tard, elle se tenait sur le trottoir, les yeux levés vers le balcon en fer forgé qui longeait les fenêtres de l'appartement de son père. Contre toute logique, elle espérait voir l'une de ces fenêtres s'ouvrir et Desmond se pencher pour la héler. Mais rien ne se passa, bien sûr, et Rose, après avoir gravi en soupirant les marches qui menaient à la porte d'entrée, appuya sur la sonnette des Gaspard.

Mme Gaspard, une petite femme replète aux cheveux grisonnants, l'accueillit chaleureusement et insista pour lui offrir quelque chose à boire.

— Vous devez être fatiguée, après ce long voyage, observa-t-elle tout en préparant du café. Je suis désolée, mon mari n'est pas là ; il est allé rendre visite à son frère, à la Pointe-aux-Trembles.

Aussi volubile de vive voix qu'au téléphone, elle parlait si vite que Rose était obligée de se concentrer pour la comprendre.

— Vous avez faim ? demanda soudain Mme Gaspard. Vous voulez une omelette ? Ça ne prendra qu'une minute et, sans me vanter, je fais les omelettes comme personne !

— Mon père m'a souvent vanté vos talents de cuisinière, observa poliment Rose, mais je n'ai vraiment pas faim, merci... Vous rappelez-vous, madame, quand vous avez vu mon père pour la dernière fois ? Etes-vous certaine qu'il ne vous a donné aucune indication sur l'endroit où il allait ?

— Absolument certaine ! J'ignorais jusqu'à ses projets de voyage. Et c'est étrange car, quand il prévoit de s'absenter plusieurs jours, il me prévient toujours à l'avance.

Une expression inquiète se peignit sur le visage de Mme Gaspard, et ses yeux bruns s'assombrirent.

— Je ne sais même pas exactement quand il a quitté la maison, reprit-elle. Nous n'étions pas chez nous ce jour-là. Quand nous sommes rentrés, Gigi attendait sur notre paillasson, et j'ai dit à mon mari : « Elle meurt de faim. M. Amery a encore dû oublier de la nourrir. » Bref, je suis montée sonner à sa porte, mais il n'a pas répondu, et je n'ai pas entendu le bruit de la machine à écrire, alors j'ai donné à manger à la chatte et je n'y ai plus pensé. Mais le lendemain, elle est revenue, et là, j'ai compris que votre père était parti. Et vous ignorez où, vous aussi ? Mon Dieu ! Pourvu qu'il ne lui soit rien arrivé !

— Mais non, déclara Rose en posant sa tasse de café sur la table et en se levant. Je suis sûre que je trouverai chez lui l'explication de son absence. Merci beaucoup, madame.

La jeune femme monta ensuite au deuxième étage et entra dans l'appartement de son père, qui se composait d'une grande salle de séjour, de deux petites chambres à coucher et d'une minuscule cuisine. Des portes-fenêtres s'ouvraient sur le balcon, si bien que, par temps chaud, on pouvait prendre ses repas dehors.

Il régnait un ordre parfait dans toutes les pièces, signe que la femme de ménage avait bien travaillé depuis la disparition de Desmond — quand il était là, livres et papiers traînaient toujours partout.

Posant son sac de voyage par terre, Rose se mit tout de suite en quête d'un indice susceptible de lui apprendre où son père était allé, mais ce n'était pas une tâche facile car elle n'avait pas la moindre idée de ce qu'elle cherchait. Desmond n'avait pas laissé de mot, et la jeune femme ne connaissait pas suffisamment bien sa garde robe pour se rendre compte s'il avait emporté des vêtements. Il semblait cependant n'y avoir aucun trou dans la rangée de chemises, de pantalons, de vestes et de costumes alignés dans la penderie.

Rose finit par renoncer et décida d'adopter une autre tactique. Elle se prépara du café, puis s'assit derrière le bureau de Desmond avec le téléphone et le carnet d'adresses de son père, trouvé dans l'un des tiroirs de la table. En appelant les amis de Desmond, elle ferait d'une pierre deux coups : elle découvrirait si l'un d'entre eux savait où il était, et elle verrait en même temps ce qu'ils pouvaient lui apprendre sur le tourisme à Montréal.

Tout en buvant son café, la jeune femme parcourut du regard la page à laquelle le carnet s'était spontanément ouvert quand elle l'avait soulevé. Un rond brunâtre occupait le centre de la feuille de droite, et Rose y reconnut la marque laissée par une tasse de café placée là pour que le carnet ne se referme pas. C'était une des mauvaises habitudes de son père, qu'il avait contractée à force de travailler dans la précipitation, tenant le téléphone d'une main et écrivant de l'autre sur un calepin maintenu en place grâce à une tasse ou à un verre posé dessus.

Sur la feuille de gauche figurait une seule adresse — 7, rue des Arts, 1er étage gauche, Paris —, mais ni nom ni numéro de téléphone n'étaient mentionnés. Ayant vécu à Paris, Rose voyait très bien où se situait cette rue. Cela ne l'avançait cependant à rien, car aucun des amis français de son père qu'elle connaissait n'habitait là. En outre, il avait pu noter ces lignes des années plus tôt...

Sauf que le carnet s'était ouvert de lui-même à cet endroit, comme si la page avait supporté le poids de la tasse de café très récemment, et pendant assez longtemps...

Rose décida d'appeler les renseignements pour tenter d'obtenir le numéro de téléphone correspondant à cette adresse. Sa démarche avait peu de chance d'aboutir, mais cela valait tout de même la peine d'essayer.

— Comment voulez-vous que je trouve un numéro si je n'ai pas le nom de l'abonné ? lui lança la standardiste d'un ton bourru.

Déçue, la jeune femme reposa le combiné et réfléchit à un autre moyen de découvrir qui habitait à cette adresse. Et si elle appelait quelqu'un à Paris pour lui demander de consulter l'annuaire des rues — que l'employée des renseignements ne possédait manifestement pas ?

Rose se mit à feuilleter le carnet à la recherche d'un nom connu, mais la sonnerie du téléphone retentit alors, la faisant violemment sursauter.

Pendant quelques secondes, elle resta comme tétanisée, puis la conviction lui vint soudain, aussi absolue qu'irraisonnée, qu'elle allait entendre la voix de son père au bout du fil.

Elle décrocha et murmura :

— Papa ? C'est toi ?

— Non, c'est moi ! répondit la voix bien timbrée de
Daniel.

S'efforçant de cacher son désappointement, Rose
s'écria d'un ton sarcastique :

— Excuse-moi, mais je ne me suis pas encore mise au
travail ! Je viens d'arriver, alors laisse-moi au moins le
temps de m'installer !

— Je voulais juste savoir si tu avais des nouvelles de
Desmond, répliqua-t-il sèchement.

— Non. Et je n'ai découvert dans son appartement
aucun indice sur sa destination ou la raison de son départ.

La jeune femme n'avait pas envie d'admettre devant
Daniel à quel point elle était inquiète, mais elle ne pouvait empêcher sa voix de trembler.

— Alors pourquoi croyais-tu que c'était ton père qui
appelait ? demanda-t-il.

— Je l'ignore. J'étais en train de penser à lui, et puis
le téléphone a sonné... Cela ressemblait à de la télépathie.

— Le décalage horaire a l'air de te perturber ! Tu
devrais aller te coucher.

— Oui, je ne vais sans doute pas tarder à le faire.

Elle expliqua ensuite à Daniel l'histoire du carnet
d'adresses et sa tentative infructueuse auprès des renseignements.

245

— Desmond a pu noter cette adresse n'importe quand, observa Daniel quand elle eut terminé.

— Oui, mais...

— Ton intuition féminine te dit que tu tiens là une piste ?

— Tu me trouves idiote, hein ? Oh ! tu as sans doute raison. Il ne faut pas toujours se fier à son intuition.

— Je suis tout de même content de constater qu'il y a quelque chose de féminin en toi, susurra Daniel.

— Tu me fatigues, avec tes plaisanteries idiotes ! s'exclama Rose, furieuse. Tu ne peux donc pas oublier que je suis une femme, et me juger uniquement sur mes qualités intellectuelles et professionnelles ?

— Non, pas plus que je ne peux oublier que je suis un homme. Le sexe d'une personne influe sur chacune de ses pensées et de ses actions. Mais je n'ai pas l'intention de débattre de cela avec toi maintenant... Donne-moi cette adresse, et je vais essayer de trouver qui y habite.

— Je comptais appeler un des amis parisiens de mon père et lui demander de chercher dans l'annuaire des rues.

— Je m'en occuperai. Au fait, Caspian vient de renvoyer notre correspondant à Paris et n'a pas encore choisi son remplaçant.

— Il y a donc un poste à pourvoir là-bas ? questionna Rose, le cœur battant.

— Oui, mais inutile de t'exciter... Tu es bien trop jeune et trop inexpérimentée pour occuper ce genre d'emploi. D'ailleurs, j'ai vu la liste des candidats retenus par Caspian, et tu n'y figures pas.

— Évidemment ! Ignorant que ce poste était vacant, je n'ai pas eu la possibilité d'y postuler ! Depuis quand le sais-tu, toi ? Depuis plusieurs jours, sûrement... Pourquoi ne m'en as-tu pas parlé plus tôt ?

— Pour que tu ne perdes pas ton temps à bâtir des châteaux en Espagne... si je puis dire.

— Très drôle ! Tu m'as donc volontairement empêchée de poser ma candidature.

— Absolument pas ! Tu n'avais de toute façon pas la moindre chance d'être choisie.

La jeune femme imaginait Daniel en cet instant, avec ses yeux noirs brillant de malice, l'expression sarcastique de son visage...

— Tu me mets des bâtons dans les roues depuis mon arrivée à Londres ! cria-t-elle. Tu n'as jamais accepté ma présence dans ton service et tu n'arrêtes pas de me houspiller !

— Va te coucher, ordonna Daniel. Tu deviens hystérique. Par gentillesse, je mettrai cela sur le compte du décalage horaire, mais maintenant, j'en ai assez !

Sur ces mots, il raccrocha et Rose, encore tremblante de rage, reposa brutalement le combiné. Elle détestait Daniel Bruneille... Ce travail à Paris, c'était exactement ce dont elle rêvait, et elle remplissait toutes les conditions requises : une parfaite maîtrise de la langue du pays, une bonne compréhension de la politique française et plusieurs séjours antérieurs à Paris. Oui, elle était la candidate idéale pour ce poste, et Nick Caspian se serait certainement laissé convaincre de le lui donner.

Si seulement Daniel cessait de la rabaisser systématiquement... Pourquoi lui témoignait-il une telle hostilité ? Parce qu'elle était la fille de Desmond Amery ? Au début de sa carrière, il vouait un véritable culte à Desmond et l'enviait, elle, de l'avoir pour père, mais ce genre de jalousie puérile aurait dû disparaître avec l'âge !

Rose se rendit dans la salle de bains pour prendre une douche dans l'espoir de se calmer et de chasser Daniel de son esprit, mais sans beaucoup d'illusions : depuis qu'elle était adolescente, Daniel quittait rarement ses pensées, et si les sentiments qu'il lui inspirait étaient contradictoires — amour, haine, rancune —, ils avaient cependant tous la même intensité.

Et lui, qu'éprouvait-il à son égard ? Elle aurait bien voulu le savoir... Par moments, il paraissait la détester, mais à d'autres, il la fixait avec une lueur étrange dans le regard... Dès le début de leur collaboration forcée au journal, cependant, Daniel lui avait mené la vie dure, et Rose était convaincue qu'il cherchait à la décourager du métier qu'elle avait choisi. Mais pourquoi ?

« Oh ! à quoi bon te poser toutes ces questions ? songea-t-elle en sentant un début de migraine lui vriller les tempes. Ça ne t'avance à rien et, en plus, tu te fais du mal. Mieux vaut aller te coucher. »

Après avoir rapidement achevé sa toilette, elle gagna donc la chambre d'amis dont lui avait parlé son père. Cette pièce était décorée de façon simple mais élégante : murs jaune pâle, rideaux d'un ton un peu plus soutenu, meubles de chêne clair et plancher recouvert de tapis artisanaux à motifs indiens.

La fatigue du voyage permit heureusement à la jeune femme de s'endormir vite, mais elle se réveilla au milieu de la nuit, le corps fiévreux et palpitant, après un rêve où Daniel la tenait dans ses bras. Profondément troublée, elle alluma la lampe de chevet et, pour ne plus penser à Daniel, prit un des livres de son père — sur lequel elle finit par s'endormir et, cette fois, d'un sommeil sans rêves.

Le lendemain matin, cependant, Rose avait encore mal à la tête et se sentait sans énergie. Elle passa une série de coups de téléphone, fixa rendez-vous à plusieurs personnes susceptibles de lui fournir des informations pour son article et décida ensuite de sortir : le grand air la tirerait sans doute de sa léthargie.

Elle commença par louer une voiture, puis visita autant de lieux touristiques qu'on pouvait le faire en un après-midi : le musée des Beaux-Arts et le musée McCord, le mont Royal, avec ses arbres et ses lacs, le centre moderne

248

de la ville, dont le plan en damier rappelait celui de New York. Le contraste entre le neuf et l'ancien, les gratte-ciel et les maisons pittoresques du vieux Montréal, était fascinant en soi, songea Rose en longeant la rue Sainte-Catherine, bordée de beaux magasins, puis la rue Sherbrooke, sur laquelle donnaient des rues pleines de petites boutiques amusantes, de bars et de restaurants. Demain, elle laisserait sa voiture au parking et irait s'aventurer sous terre, dans le monde labyrinthique qui permettait aux Montréalais de subvenir à tous leurs besoins quotidiens sans avoir à mettre le nez dehors.

En attendant, Rose devait dîner avec un ami de son père, André Christophe; ce journaliste à la retraite était la première personne à qui elle avait téléphoné le matin, et quand elle lui avait demandé s'il savait où se trouvait Desmond, il s'était écrié, surpris :

— Non! Je ne l'ai pas vu depuis des semaines. Tu t'inquiètes pour lui?

— Oh! il est sûrement parti en voyage, avait-elle répondu d'un ton faussement désinvolte.

— Desmond a toujours eu la bougeotte! s'était exclamé André en riant. Ce n'est pas maintenant qu'il va changer... Mais j'aimerais que tu me racontes comment les choses se passent pour toi à Londres, Rose. Si nous dînions ensemble ce soir?

A 7 heures, ils se retrouvèrent donc dans le restaurant français où ils s'étaient donné rendez-vous.

— Ce n'est pas facile de choisir un restaurant dans cette ville, observa André quand ils furent installés à leur table. Il y en a des milliers, mais certains ferment tellement vite après avoir ouvert qu'il faut se dépêcher si on veut goûter leur cuisine.

Le temps avait voûté ses épaules et blanchi ses cheveux, constata Rose. Il avait également grossi, et la jeune femme eut l'impression qu'il s'ennuyait depuis son

249

départ à la retraite. Son épouse était morte et sa fille unique vivait à Lyon, où elle tenait un restaurant avec son mari cuisinier.

André et Rose avaient tant de choses à se dire qu'ils n'abordèrent le sujet du tourisme à Montréal qu'au moment du café. Mais André devint alors tout particulièrement prolixe, et la jeune femme, sortant un carnet, consigna ses nombreux conseils et suggestions.

Il était plus de minuit quand elle regagna l'appartement de son père, et elle passa encore une heure à taper ses notes. Elle s'apprêtait à se mettre enfin au lit lorsque le téléphone sonna. C'était encore Daniel, dont la voix grave la troubla et l'irrita en même temps.

— J'ai essayé de te joindre toute la soirée, déclara-t-il. Où étais-tu ?

— Je suis sortie dîner. Il faut bien que je mange, tout de même !

— Seule ?

— Non, avec quelqu'un.

— Un homme ?

— Oui, mais la façon dont j'occupe mon temps libre ne te regarde en rien, répliqua-t-elle, furieuse. Pourquoi appelles-tu ?

— J'ai reçu un coup de téléphone d'une personne que je connais à Paris et qui est allée à cette fameuse adresse...

— Une femme ? coupa Rose d'un ton aussi brusque que celui de son interlocuteur une minute plus tôt.

Il y eut un petit silence, à l'autre bout du fil, puis Daniel éclata de rire.

— Œil pour œil, dent pour dent, hein ? Oui, Rose, il s'agit d'une femme, Nicole Augustin, et elle travaille dans le journal de Caspian qui m'employait quand j'étais à Paris. Lorsque tu m'as donné cette adresse, je me suis souvenu que Nicole habitait tout près, et je lui ai

250

demandé de mener une petite enquête sur place, ce qu'elle a accepté.

Rose esquissa une moue désabusée. Daniel avait certainement dans chaque ville une femme prête à lui rendre n'importe quel service... Cette Nicole Augustin était-elle amoureuse de lui ? Rose l'imaginait d'ici : une Parisienne élégante, intelligente, spirituelle... Sans même la connaître, elle la détestait.

— Nicole y est donc allée, continua Daniel, inconscient de la tempête d'émotions qu'il avait provoquée. Elle a prétendu venir pour un sondage, elle a habilement interrogé la concierge, et tu ne devineras jamais ce qu'elle a découvert... L'appartement du premier étage gauche est loué à un certain Desmond Amery !

Oubliant d'un coup Nicole Augustin, Rose poussa un cri de surprise, et Daniel reprit :

— Mais attends la suite... C'est Desmond qui paie le loyer, mais depuis environ un an, l'appartement est occupé par une jeune femme d'une vingtaine d'années, qui vit seule bien qu'elle ait de temps en temps la visite d'un homme dont la description correspond en tout point à celle de ton père.

— Qu... quoi ? bredouilla Rose.

— Ça t'étonne, hein ? Cette jeune femme a affirmé aux autres locataires que Desmond était son père. Personne ne l'a crue, évidemment !

— Mais... qu'est-ce que je vais faire, maintenant ? S'il s'agit bien de mon père, et si cette fille est sa   Bref, Desmond ne m'a jamais parlé d'elle et veut manifestement me cacher son existence, si bien que...

— Si bien que, devant lui, tu feindras l'ignorance. Desmond reste toujours très discret sur sa vie privée et, s'il apprend que nous avons fourré notre nez dans ses affaires, il sera furieux.

— Tu as raison... Tout de même, je n'en reviens pas !

Je sais qu'il a eu des liaisons par le passé, mais tu dis que cette fille a une vingtaine d'années ? Papa pourrait être son grand-père !

— N'exagérons rien ! s'écria Daniel en riant. Son père, oui, mais pas son grand-père.

— Desmond a plus de soixante ans. Il est donc trois fois plus âgé qu'elle, répliqua Rose avec un mélange de dégoût et de tristesse.

— Bien ! observa Daniel d'un ton satisfait. Tu te rends enfin compte que ton père est un être humain et non le parangon de vertu que tu imaginais. Il est grand temps que tu t'en aperçoives, même si cette découverte est douloureuse pour toi.

— Ce qui te ravit, de toute évidence !

— Oui, mais uniquement parce que j'espère que cela te permettra de devenir adulte.

— Fiche-moi la paix ! s'exclama Rose avant de reposer brutalement le combiné.

Entre l'indignation et l'incrédulité que lui inspirait la nouvelle annoncée par Daniel, l'incrédulité commençait à l'emporter : Desmond entretenant une femme plus jeune que sa propre fille ? Impossible !

La sonnerie du téléphone retentit alors de nouveau, et Rose, sûre de savoir qui appelait, décida de l'ignorer. Au bout de dix coups, cependant, ce bruit strident l'exaspéra à tel point qu'elle se résigna à répondre.

C'était Daniel, comme elle l'avait deviné.

— Je ne tolère pas qu'on me raccroche au nez, et je ne te conseille pas de recommencer ! hurla-t-il.

Sur ces mots, il fit précisément ce qu'il venait de dire à Rose de ne pas faire : il lui raccrocha au nez.

La jeune femme alla se coucher tout de suite après, abattue et désemparée. Le petit appartement était silencieux. On entendait juste, dehors, un coup de klaxon épisodique, un crissement de pneus, le son d'une musique de jazz qui s'échappait d'un bar en sous-sol quand un client en poussait la porte. C'était là l'univers de son père, là qu'il passait maintenant la plus grande partie de l'année... Alors comment pouvait-il avoir en même temps une maîtresse à Paris ? Non, il y avait sûrement une autre explication. Le seul moyen d'en avoir le cœur net, cependant, c'était de l'interroger, et Rose se sentait incapable de lui avouer qu'elle avait fouillé son appartement et suivi sa trace jusqu'à Paris. Daniel avait raison : Desmond était un homme réservé, presque secret, qui supporterait très mal cette ingérence dans sa vie privée.

Désormais certaine de connaître l'endroit où se trouvait son père, Rose consacra les deux jours suivants à rédiger son article. Le soir de son départ, elle posa bien en vue sur la machine à écrire un billet demandant à Desmond de l'appeler dès qu'il reviendrait. Elle n'y mentionnait évidemment pas les résultats de l'enquête de Nicole Augustin à Paris, mais comme Mme Gaspard ne manquerait pas d'informer Desmond des coups de téléphone inquiets et du séjour de sa fille à Montréal, il lui paraîtrait plus normal de trouver un mot d'elle à son retour.

Heureusement que, grâce à Daniel, elle avait une raison autre que personnelle pour justifier ce voyage au Canada ! Raison qu'elle eut d'ailleurs bien soin de mentionner dans son billet afin de convaincre son père qu'elle était venue pour travailler.

Quand son avion atterrit à Londres, le vendredi matin, Rose eut la surprise de voir Daniel dans le hall d'arrivée.

— Qu'est-ce que tu fabriques ici ? lança-t-elle.

— Toujours aussi aimable !

— Excuse-moi, mais... tu ne devrais pas être au bureau, à cette heure de la matinée ?

— Non, car c'est aujourd'hui mon jour de repos et,

bêtement, j'ai pensé te faire plaisir en t'épargnant la peine de prendre un taxi.

Et voilà ! songea la jeune femme, dépitée. Il s'était encore une fois débrouillé pour la mettre dans son tort !

— Merci, déclara-t-elle d'une voix froide. C'est très gentil à toi.

— Mais c'est bien naturel..., susurra Daniel. Donne-moi ton sac de voyage, je vais le porter.

Un instant, Rose eut envie de refuser, mais le regard autoritaire que lui lança alors son compagnon la persuada d'obéir sans discuter.

Le trajet jusqu'à Londres fut silencieux. Daniel semblait plongé dans de sombres réflexions, et la jeune femme feignit de contempler le paysage. Il pleuvait quand l'avion s'était posé à l'aéroport de Heathrow, mais le ciel commençait à s'éclaircir et de grandes trouées d'un bleu délavé apparaissaient entre les nuages. La journée allait sans doute être belle, pour finir, se dit Rose distraitement.

Elle se risqua alors à jeter un coup d'œil en direction de Daniel. Celui-ci fixait la route, et elle en profita pour observer ce visage à la fois si familier et si particulier : l'arc des sourcils, les pommettes hautes, la mâchoire énergique, la bouche large et sensuelle... Les yeux de Rose se posèrent ensuite sur le corps élancé de Daniel, sur ses grandes mains qui manœuvraient avec une souple assurance le volant et le levier de vitesse... Comment ne pas se sentir troublée par un homme doué d'une telle séduction et d'une telle personnalité ?

Juste à ce moment-là, Daniel tourna la tête vers elle, et Rose se dépêcha de regarder par la vitre.

— Alors, tu as bien travaillé, à Montréal ? demanda-t-il.

— Oui, et j'ai même fini de rédiger mon article. J'aimerais cependant le relire avant de le remettre.

254

— Très bien. Il suffira que tu le rendes dans le courant de la semaine prochaine.

La maison de Rose apparut alors au détour de la rue, et Daniel se gara devant. Une fois descendu de voiture, il insista pour monter le sac de voyage de la jeune femme jusqu'à sa porte. Là, elle tourna la clé dans la serrure, puis tendit la main vers son sac.

— Eh bien, merci, Daniel...

Mais celui-ci poussa le battant et, sans y être invité, entra dans l'appartement.

— Tu ne peux pas trouver quelque chose de mieux que ce taudis? lança-t-il en posant le sac par terre et en commençant à déambuler dans la salle de séjour.

Mal à l'aise, Rose le vit examiner la décoration d'un œil critique, puis sortir plusieurs livres des étagères installées de chaque côté de la cheminée, soulever un cadre contenant une photographie de Desmond, se pencher sur une statuette africaine placée sur une table...

— Écoute, Daniel, finit-elle par dire, je ne voudrais pas paraître inhospitalière, mais je suis fatiguée et je rêve d'un bon bain chaud.

— Tu ne m'offres même pas un café?

La jeune femme se mordit la lèvre, hésitante. La présence de Daniel dans son appartement lui mettait les nerfs à vif.

Soudain, il se retourna et lui fit face, les yeux brillants.

— Tu n'es qu'une lâche, Rose!

— Je t'interdis de m'insulter! répliqua-t-elle, rouge de surprise et de colère. Et d'ailleurs, c'est faux!

— Oh, non! C'est l'exacte vérité! Et tu appartiens en plus à la pire catégorie des lâches : tu as peur de toi-même, peur d'admettre que tu es une femme et non la copie conforme d'un père que tu as jusqu'ici passé toute ta vie à essayer d'imiter.

De rouge, le visage de Rose devint livide. Daniel

l'observait attentivement, mais cette brusque transformation ne l'empêcha pas de continuer, avec une égale dureté dans la voix :

— Pour l'instant, tu n'es qu'à demi vivante, Rose. Tu étouffes un aspect essentiel de ta personnalité. Cela s'explique, j'imagine, par le fait que tu as perdu ta mère très tôt. Tu as pris ton père comme modèle, et je dois avouer que Desmond est un homme remarquable. Il était même une sorte de héros pour moi, au début de ma carrière, et pas seulement pour moi : pour beaucoup d'autres journalistes de ma génération. Mais la différence entre toi et moi, c'est que Desmond n'était pas mon père et que je suis un homme.

— Je me demandais quand tu aborderais ce sujet ! s'écria Rose en fusillant Daniel du regard. Tu es en train de me dire que, étant une femme, je ne peux être ni grand reporter ni correspondant à l'étranger, c'est bien ça ?

— Pas du tout ! Il y a des tas de femmes qui le sont et qui font très bien leur métier.

— Tu n'as pourtant jamais caché que tu ne voulais pas de moi dans ton service.

— De toi, non, mais cela ne signifie pas que je refuse systématiquement d'engager des femmes.

Piquée au vif, Rose tressaillit et garda le silence.

— Écoute-moi, reprit Daniel. Sir George t'a nommée dans mon service contre ma volonté. Je n'aime pas qu'on me force la main, mais je m'y serais finalement résigné si j'avais été convaincu de ta vocation et de ton talent de journaliste. Oh ! tu es compétente : tu écris bien, tu parles plusieurs langues et tu as un bon contact avec les gens. Malheureusement, tu n'as pas choisi ce métier pour les bonnes raisons : je crois que tu l'as choisi uniquement pour plaire à ton père.

— Mon père n'a rien à voir là-dedans, j'ai toujours désiré devenir grand reporter, marmonna-t-elle en s'efforçant de dissimuler la peine que Daniel lui avait infligée quelques instants plus tôt. Je le désire encore et, quoi que tu en dises, je suis sûre d'en avoir les capacités. Je suis prête à tout pour y arriver, parce que c'est ce genre de vie que je souhaite mener.

— Vraiment ? Cela te tente donc tant, de sauter constamment d'un avion dans un autre, de ne jamais savoir où tu coucheras le lendemain, de risquer de te faire tuer, ou molester, ou violer ? De ne pas avoir de véritable foyer, car aucun homme ne voudrait d'une femme sans cesse partie à l'autre bout du monde ? Quel genre de vie est-ce là ?

— Tu ne mentionnes que les mauvais côtés, mais il y en a aussi de bons : le défi permanent, l'aventure, des expériences toujours nouvelles et passionnantes... J'ai envie de bouger, de connaître d'autres cultures, de rencontrer des gens différents tous les jours... J'ai attrapé ce virus lors de mes voyages avec mon père, quand j'étais petite, ou bien alors, j'ai avec mon père plus de traits communs que tu ne le penses, mais le fait est là : j'ai ça dans le sang.

— Et l'amour ?

La jeune femme rougit, leva les yeux vers lui, puis se dépêcha de les baisser de nouveau.

— Je ne vois pas pourquoi je ne parviendrais pas un jour à concilier l'amour et ma carrière, observa-t-elle avec un rire forcé.

Un lourd silence suivit cette déclaration. Au bout d'un moment, Rose se risqua à jeter un coup d'œil à Daniel et constata qu'il la fixait intensément. Il ressemblait à un animal prêt à bondir.

— L'amour ? finit-il par grommeler entre ses dents. Le sexe, tu veux dire... Tu n'es tout de même pas bête à ce point !

Puis, avec une rapidité confondante, il s'élança vers

257

elle et lui passa un bras autour de la taille tandis son autre main se posait sur la nuque de la jeune femme.

— Qu'est-ce qui te prend? demanda-t-elle d'une voix tremblante en tentant de se dégager.

— Il est temps que quelqu'un t'explique certaines choses, marmonna-t-il. L'amour, ce n'est pas seulement le plaisir physique, Rose. C'est bien davantage.

— Je le sais!

— Ah, oui? Avec combien d'hommes as-tu couché?

— Je n'ai pas compté!

— Tant que ça? lança-t-il d'un air moqueur. Je n'en suis pas si sûr... Mais si tu as vraiment tant d'expérience, peut-être pourrais-tu m'en faire profiter?

Le cœur de la jeune femme battait si fort que la tête lui tournait. Elle essaya de parler, mais aucun son ne sortit de sa bouche.

— Tu as l'air inquiète, tout à coup..., reprit Daniel.

Le bras qui encerclait la taille de Rose se déplaça alors, et elle sentit la main de son compagnon caresser doucement ses hanches. Un gémissement s'échappa de la poitrine de Daniel et, soudain, d'un geste presque brutal, il se pencha et s'empara de la bouche de la jeune femme avec une telle fougue que celle-ci, les jambes molles, dut s'appuyer à lui pour ne pas tomber.

Daniel resserra son étreinte, puis, sans détacher ses lèvres de celles de Rose, la souleva dans ses bras et la porta jusqu'au canapé. Là, il l'allongea avant de s'étendre sur elle, et ce fut seulement alors qu'il leva la tête, cherchant sa respiration comme un nageur qui serait resté trop longtemps sous l'eau. Rose haletait, elle aussi, et il lui semblait que son cœur allait éclater.

Les yeux brillants, Daniel la considéra quelques secondes en silence avant de commencer à la déshabiller lentement, sans la quitter du regard. La jeune femme ne résista pas; elle ignorait pourquoi il agissait ainsi, mais

258

peu lui importait : cet instant, elle l'attendait depuis des années. Oui, elle voulait qu'il lui fasse l'amour, et un désir presque douloureux la souleva quand les mains de Daniel écartèrent les bords de son chemisier, puis se posèrent sur sa gorge palpitante.

Elle ferma les yeux et s'abandonna tout entière aux sensations exquises qui la submergeaient. Sa jupe ne tarda pas à glisser le long de ses hanches minces, puis ce fut sa combinaison qui passa par-dessus sa tête. Elle déboutonna alors la chemise de Daniel et se serra contre sa poitrine musclée.

Sans hâte, Daniel finit de lui enlever ses vêtements, se débarrassa prestement des siens, et ils furent enfin nus tous les deux. Rose tremblait d'impatience, mais Daniel, lui, ne paraissait nullement pressé, et ses lentes caresses mirent un comble à la passion de la jeune femme. Elle gémit et s'arc-bouta, son corps suppliant silencieusement que prenne fin cette attente insupportable.

— Tu me veux, Rose ? chuchota Daniel.

— Oui, oui...

Mais au lieu de la satisfaire, Daniel s'écarta brusquement, se leva et entreprit d'enfiler ses vêtements. La fièvre qui habitait Rose l'instant d'avant tomba d'un coup. Frappée de stupeur, elle balbutia :

— Que... qu'y a-t-il ?

— Rhabille-toi ! grommela Daniel sans la regarder.

Les mains tremblantes, elle obéit, puis demanda d'une voix entrecoupée :

— Pourquoi ? Pourquoi as-tu fait ça ?

— Pour te montrer la différence entre le sexe et l'amour. Ce qui nous animait, tout à l'heure, c'était le désir, un besoin purement physique, comme la faim ou la soif.

Rose écoutait, la tête baissée ; il lui semblait qu'une main de fer était en train de lui broyer le cœur.

— Et ce besoin, poursuivit Daniel du même ton dur, on peut l'assouvir n'importe où, n'importe quand et avec n'importe qui. Mais sache que, si tu choisis la vie nomade de grand reporter, tu devras te contenter de cela, c'est-à-dire d'aventures sans lendemain avec des partenaires de rencontre, car tu n'auras le temps d'apprendre à connaître et à aimer personne. Et cela signifie que tu ne seras jamais un femme à part entière : tu rateras la seule chose qui donne vraiment un sens à la vie.

La douleur et la colère étouffaient Rose au point de l'empêcher de parler. Ainsi, Daniel l'avait amenée à s'abandonner dans le seul but de lui prouver qu'il avait raison, qu'elle n'avait pas l'étoffe d'un grand reporter... Et, comble de cruauté, il l'avait fait avec un art consommé, en simulant une tendresse qui l'avait bouleversée...

Le silence se prolongea, pesant et tendu, puis Daniel se dirigea vers la porte. Avant de la franchir, cependant, il jeta un bref coup d'œil à la jeune femme et marmonna :

— Penses-y ! Tu n'as qu'une vie, ne la gâche pas !

Après quoi, il disparut, et Rose laissa enfin couler les larmes qu'elle retenait à grand-peine depuis un moment. Jamais de toute son existence elle ne s'était sentie aussi humiliée, aussi malheureuse. Et jamais elle ne pardonnerait à Daniel. Jamais !

Autant par obligation que pour tenter de se distraire de son chagrin, Rose passa le week-end à travailler sur son article. Le lundi matin, elle prit le bus pour se rendre au journal ; un soleil printanier brillait dans le ciel, il y avait des jonquilles et des jacinthes dans les parterres qui bordaient des allées du complexe, et des ouvriers imprimeurs avaient profité du beau temps pour venir s'asseoir sur les bancs installés autour de la fontaine. Barbary Wharf commençait enfin à devenir un endroit vivant. Il ne tarderait même pas y avoir des graffitis sur les murs ! songea la jeune femme, désabusée, en entrant dans le hall.

Cette ironie fataliste céda cependant la place à une nervosité grandissante quand Rose sortit de l'ascenseur et pénétra dans l'immense salle de rédaction. Heureusement, Daniel était en conférence dans son bureau avec quelques-uns de ses collaborateurs. La jeune femme surprit le regard rapide qu'il lui lança à travers la cloison vitrée, mais elle l'ignora et, s'asseyant à sa table, feignit de s'absorber dans son travail. Après avoir dépouillé son courrier et les différentes notes de service qui s'entassaient dans sa corbeille de correspondance, elle tapa son article sur l'ordinateur, et elle venait de le relire une dernière fois quand le responsable des numéros spéciaux l'appela. Il la félicita de sa célérité, puis lui dit d'envoyer le texte directement à son terminal. La jeune femme appuya sur les touches voulues et, satisfaite d'en avoir terminé avec cet article, eut envie de faire une petite pause. Son téléphone sonna alors de nouveau. C'était Gina, qui lui demanda sans préambule :

— Alors, ce voyage au Canada ?

— Intéressant mais fatigant, indiqua évasivement Rose. Et toi, comment vas-tu ?

— Bien.

La voix de Gina contredisait cependant cette affirmation : Rose y sentait un abattement égal au sien.

— Tu déjeunes où ? s'enquit-elle, n'ayant pas envie de manger seule ce jour-là.

— Hazel et moi avons réservé une table Chez Pierre, mais si tu veux venir, on nous ajoutera un couvert. Rendez-vous là-bas à 1 heure ?

— Entendu !

Quand elle entra dans le restaurant à l'heure convenue, Rose constata qu'il n'y avait pas une table de libre.

C'était un jour de semaine et, en outre, la qualité de la cuisine de Chez Pierre commençait à être connue à Barbary Wharf. Le maître d'hôtel la conduisit jusqu'à la table de Gina et de Hazel, qui l'accueillirent toutes les deux avec un sourire. Hazel avait les yeux brillants, mais Gina paraissait aussi pâle et triste qu'avant le départ de Rose au Canada ; elle ne s'était manifestement pas encore remise de la mort de sir George.

Une fois Rose assise, les trois jeunes femmes commandèrent des apéritifs, puis consultèrent le menu — Rose, quant à elle, choisit des coquilles Saint-Jacques suivies de canard à l'orange et d'une salade verte.

— Comment ça se passe, à votre étage ? s'enquit-elle lorsque le serveur fut parti.

Hazel et Gina échangèrent un regard désabusé.

— C'est la confusion la plus totale, répondit Hazel. Il y a des gens qui partent, d'autres qui arrivent... Cela crée une atmosphère étrange.

— A la rédaction aussi, des tas de visages familiers ont disparu, observa Rose.

Puis, incapable de taire plus longtemps son inquiétude pour Gina, elle lui déclara tout net :

— Tu n'as vraiment pas l'air bien, toi ! Tu devrais te reposer. Nick Caspian est donc aveugle, pour te laisser continuer à travailler alors que tu es visiblement épuisée ?

— Il n'est pas là, marmonna Gina, le visage sombre. Il avait des affaires à régler à Rome, puis au Luxembourg, et Dieu seul sait quand il rentrera.

— Écoute, tu viens de traverser des moments difficiles, et il est évident que tu as besoin de te changer les idées. Pourquoi ne prendrais-tu pas quelques semaines de vacances ?

— Je ne peux pas, du moins pas dans l'immédiat. Nick m'a chargée de le remplacer.

— Il a quoi ? s'écria Rose, les yeux écarquillés.

262

— Ton incrédulité n'est pas très flatteuse pour moi! répliqua Gina en riant.

— Ne te vexe pas, mais je n'en crois pas mes oreilles, en effet... Que veux-tu dire exactement quand tu parles de le remplacer?

— Je suis vice-présidente du conseil d'administration, expliqua Gina avec un sourire empreint d'une timide fierté.

Rose émit un petit sifflement, puis se tourna vers Hazel et lança :

— C'est une blague?

— Non, l'exacte vérité, annonça Hazel. Quand M. Caspian est absent, Gina occupe son bureau et gère les affaires du journal.

— Je ne suis partie que lundi dernier, remarqua Rose d'un ton sarcastique, mais j'ai l'impression qu'il s'est passé beaucoup de choses pendant cette semaine... Et toi, Hazel, qu'as-tu à m'annoncer? Ton mariage?

C'était juste une plaisanterie, mais à sa grande surprise, elle vit Hazel rougir comme une pivoine et s'agiter nerveusement sur sa chaise.

— Pas encore tout à fait! répondit Gina à la place de son amie, à qui elle sourit d'un air complice.

Les choses étaient donc sérieuses entre Hazel et Piet? songea Rose. Mais, avant qu'elle n'ait pu poser la question à haute voix, le serveur arriva avec les apéritifs.

La conversation porta ensuite sur d'autres sujets, dont le voyage de Rose à Montréal, et la jeune journaliste, se souvenant soudain de ce que lui avait dit Daniel à travers l'Atlantique, demanda à Gina :

— Tu savais que Nick Caspian avait renvoyé le correspondant de *L'Observateur* à Paris?

— Oui, je crois qu'il faisait partie de la dernière charrette. Nick a licencié plusieurs de nos correspondants et ne compte pas tous les remplacer. Il prétend que, à cause de ses autres journaux européens, nous n'aurons plus besoin d'autant de personnel au service étranger : Caspian International nous fournira directement la plupart des informations sur l'actualité internationale.

— Peut-être, mais d'après Daniel Bruneille, Nick va nommer un nouveau correspondant à Paris. L'une ou l'autre de vous deux a-t-elle vu un avis concernant ce poste sur les tableaux d'affichage du journal ?

— Non, déclarèrent Gina et Hazel à l'unisson.

— Je m'en doutais... Et vous savez ce que cela signifie ? Que Nick Caspian substitue des gens de son groupe aux employés de *L'Observateur*. Je vous parie qu'il nommera à Paris une personne appartenant à un autre de ses journaux.

— C'est ce que pense Daniel ? s'enquit Gina en fronçant les sourcils.

— Je l'ignore, grommela Rose. D'ailleurs, Daniel ne m'a avertie de cette vacance qu'une fois la liste des candidats établie.

— Sir George avait pour politique, quand il y avait un poste à pourvoir, de toujours le proposer au personnel de *L'Observateur* avant d'en publier l'annonce à l'extérieur, observa Gina. Je n'aime pas du tout les méthodes de Nick. Je me demande ce qu'il manigance.

— Mais je viens de te le dire ! s'écria Rose avec véhémence. Il licencie les employés de *L'Observateur* et les remplace par des gens à lui... Ça ne m'étonnerait pas que le nouveau correspondant à Paris soit un de ses journalistes français, peut-être quelqu'un qui travaille déjà là-bas. M. Caspian réduit ainsi ses coûts salariaux sur notre dos !

— Oui, je comprends, murmura Gina. Mais que puis-je faire pour l'en empêcher ?

— Pas grand-chose, je le crains... D'ailleurs, du point de vue de la rentabilité, c'est une mesure raisonnable. Les

264

coûts salariaux représentent l'une des plus grosses sources de dépenses d'un journal, et le moyen le plus facile de les alléger est de licencier du personnel. M. Caspian joue au jeu classique qui consiste à réaliser l'actif de l'entreprise qu'on vient de racheter. J'imagine qu'il va également vendre certains biens immobiliers de la société afin de récupérer une partie de l'énorme somme versée pour en prendre le contrôle.

— Mais il ne l'a pas, ce contrôle, objecta Gina. Je possède le même nombre d'actions que lui, et...

— Écoute, Gina, coupa Rose en considérant son amie avec un mélange d'ironie et de compassion. Sans vouloir t'offenser, tu n'es pas de taille à lutter contre Nick — et il le sait. Sur le papier, il partage peut-être le pouvoir avec toi, mais tu connais sa détermination et son manque de scrupule : une fois qu'il a décidé quelque chose, rien ne l'arrête... Ce poste à Paris, par exemple : tu ne pourras pas l'empêcher de le donner à l'un de ses journalistes français.

— Si ! s'exclama Gina. Il m'a confié la responsabilité de *L'Observateur* en son absence, nous avons un nombre égal de parts dans la société, et j'ai donc le droit de désigner un nouveau correspondant à Paris sans le consulter.

Jamais Rose n'aurait cru son amie capable d'une telle véhémence. Elle la fixa, stupéfaite, puis déclara d'une voix hésitante :

— Mais... tu ignores tout des qualifications requises pour ce genre d'emploi, et tu n'as même pas vu la liste des candidats... Comment feras-tu pour choisir ?

— J'ai déjà choisi, annonça Gina, prise d'une inspiration subite. C'est toi que je nomme à Paris.

5.

Nick Caspian revint à Londres le mercredi suivant, accompagné d'une nombreuse escorte — de hauts responsables de son groupe, selon Gib Collingwood, l'un des journalistes du service économique, qui les avait vus arriver.

— Ils ont une demi-douzaine de limousines pour les promener, annonça-t-il à un auditoire fasciné lors de la pause-café à la cantine. Il y a là des hommes en costume trois-pièces et des femmes ultrachic pour qui se casser un ongle doit constituer un grave accident du travail... Je crois que Caspian a amené le gratin de ses cadres.

— C'est une sorte de conférence? interrogea quelqu'un du service des sports.

— Plutôt un triomphe à la romaine! répliqua Gib en éclatant d'un rire cynique. Vous savez, le général victorieux traversant la ville sur un char, avec les soldats en uniforme d'apparat, la foule qui lance des fleurs, les prisonniers ennemis enchaînés et le butin porté sur des plateaux d'or... Londres n'est-il pas la dernière conquête de Caspian International?

Jamie Nash, le journaliste sportif, parut impressionné. Il aimait et pratiquait lui-même l'hyperbole et la métaphore : ses articles sur le tennis embarrassaient même les joueurs les plus habitués aux louanges.

267

— Tu penses qu'on va nous faire défiler dans les rues derrière eux? lança malicieusement Valérie Knight, une blonde et pulpeuse jeune femme qui travaillait à la rubrique mondaine.

— Demande à Hazel! suggéra Gib. La voilà justement!

Entendant son nom, Hazel s'arrêta et jeta un regard interrogateur aux reporters attablés. Valérie lui répéta alors les paroles de Gib, et Hazel, amusée, déclara que M. Caspian avait en effet amené une partie de son état-major à Londres pour une visite complète de Barbary Wharf.

— Comment sont-ils? s'enquit Jamie Nash, sachant que Hazel avait vu ces gens de près.

— Difficile à dire, répondit Hazel en s'asseyant à côté de lui. Ils sont très élégants, très polis, mais plutôt froids.

Les journalistes échangèrent des regards embarrassés: l'ensemble du personnel se sentait menacé par la vague de licenciements qu'avait déclenchée l'entrée de Nick Caspian au conseil d'administration de *L'Observateur*. Toutes sortes de rumeurs couraient depuis dans l'immeuble, dont certaines s'étaient révélées exactes, si bien que les employés se demandaient constamment s'ils ne seraient pas dans la prochaine charrette. Et l'arrivée des cadres supérieurs de Caspian International aggravait bien sûr ce sentiment d'insécurité.

— En voilà quelques-uns! chuchota soudain Gib.

Toutes les têtes se tournèrent vers la porte, où venaient de s'encadrer six hommes habillés de façon beaucoup trop chic pour être des reporters ou des imprimeurs. Immobiles et silencieux, ils examinèrent tour à tour les tables recouvertes de toile cirée rouge, les murs jaune pâle décorés de tableaux abstraits, la file qui attendait devant le comptoir du self-service et les visages curieux qui leur rendaient leur regard avec ce vague ressentiment que manifestent les animaux en cage envers les visiteurs d'un zoo.

— Le type très grand et très brun en costume gris clair me plaît bien, murmura Valérie, dont les yeux pervenche bordés de longs cils avaient inspecté chacun des nouveaux venus l'un après l'autre. Il a de la classe. Ce n'est pas comme certains hommes que je connais...

— Non, ce qu'il a, c'est de l'argent, observa sèchement Gib. Et avec de l'argent on peut presque tout acheter, y compris ce que tu appelles la classe... et aussi certaines femmes.

— Qui est-ce, Hazel ? interrogea Valérie.

— Je sais qu'il est espagnol, répondit Hazel, et qu'il se prénomme Esteban, parce que j'ai entendu M. Caspian parler avec lui ce matin, mais j'ai oublié son nom de famille.

— Esteban ? répéta Valérie. Un bien joli prénom ! Quel en est l'équivalent anglais ?

— Je n'en ai aucune idée, déclara Hazel.

— Tu n'as qu'à aller le lui demander ! lança Gib.

— Bonne idée ! répliqua Valérie en se levant et en se dirigeant vers le bel inconnu qui, les mains dans les poches, étudiait l'un des tableaux abstraits accrochés au mur.

— Il est sûrement marié ; il a plus de trente ans, et les Espagnols le sont généralement à cet âge, remarqua Gib d'un ton mordant qui surprit Hazel. En plus, étant presque tous catholiques, ils font des ribambelles d'enfants et sont contre le divorce.

— Peut-être que ça ne dérange pas Valérie ? dit Jamie Nash.

— Oh ! si, s'écria Gib. Elle a pour règle de ne jamais fréquenter des hommes mariés, même s'ils sont séparés de leur femme et en instance de divorce.

Hazel le fixa avec curiosité. Les dossiers personnels de

presque tous les employés de *L'Observateur* lui étaient passés entre les mains, à l'occasion d'une demande de mutation ou d'un entretien avec sir George, autrefois, et maintenant avec Nick Caspian. Elle savait donc que Gilbey Ralph Collingwood était précisément marié, séparé de sa femme et en instance de divorce. Alors, avait-il proposé à Valérie de sortir avec lui et s'était-il vu opposer un refus ? Hazel avait senti, à l'instant, que leurs rapports étaient teintés d'hostilité et de rancœur.

Pourtant, ils étaient tous les deux très séduisants. Valérie avait de magnifiques cheveux blonds et une silhouette qui attirait le regard des hommes. Quant à Gib, c'était un grand sportif, qui pratiquait le rugby, la course à pied et la natation. Souple et musclé, avec d'épais cheveux châtain foncé et des yeux noisette, il n'était pas vraiment beau, mais ses traits virils et sa carrure d'athlète lui valaient beaucoup de succès féminins.

Inconscient de l'examen auquel le soumettait Hazel, Gib observait Valérie, dont une jupe noire retenue par une large ceinture de cuir et un chemisier de soie blanche presque transparent moulaient les formes appétissantes.

— Non mais vous la voyez flirter avec ce type ! s'exclama-t-il soudain d'un ton furieux.

— Il n'a pas l'air contre, observa Hazel en considérant Esteban qui, les yeux plongés dans ceux de Valérie, souriait de toutes ses dents.

Ce grand Méditerranéen aux cheveux de jais et cette petite blonde au teint de lis offraient un contraste saisissant. Ils formaient aussi un très beau couple, songea Hazel, admirative.

— Évidemment qu'il n'est pas contre ! grommela Gib. Il est en voyage d'affaires, loin de sa famille, et une ravissante jeune femme lui fait des avances... Pourquoi ne profiterait-il pas de l'occasion ?

— Tu remontes avec moi ? lui demanda alors un de ses collègues, assis à la même table.

270

L'heure tournait, en effet, et les journalistes économiques avaient toujours beaucoup de travail. Leur rubrique connaissant un succès grandissant, on lui accordait désormais plus de place dans le journal et un budget de plus en plus important. Il était vrai que ce service devait disposer d'équipements très sophistiqués pour se tenir au courant de l'évolution des cotations boursières du monde entier, et qu'il employait un personnel très qualifié et donc très bien payé.

Le devoir l'appelant, Gib se leva, mais visiblement à contrecœur et non sans avoir lancé à Valérie et à Esteban un dernier regard chargé d'animosité.

A peine était-il parti que Valérie revint.

— Stephen, annonça-t-elle en prenant sur la table son bloc-notes et son dictaphone.

Ils la fixèrent tous d'un air interrogateur.

— Esteban est l'équivalent espagnol du prénom anglais Stephen, expliqua-t-elle. Maintenant, il faut que j'aille interviewer Christa Nordström. J'espère que son anglais est aussi bon qu'on le dit.

— Elle est suédoise, il me semble, fit remarquer quelqu'un.

— Oui, déclara Jamie Nash, et on l'a beaucoup vue avec notre nouveau patron. Je ne sais pas si c'est sérieux entre eux, mais fais attention à ne pas la contrarier, sinon elle pourrait bien se plaindre à Caspian.

— Ne t'inquiète pas, je suis au courant de leur liaison, affirma Valérie. J'ai sur Christa Nordström une pile de coupures de presse de cinquante centimètres d'épaisseur. Nick Caspian n'est pas le seul homme dont elle ait été la maîtresse et je ne suis pas sûre qu'elle sorte encore avec lui, mais je surveillerai mes paroles. Il paraît qu'elle n'est pas commode.

Valérie quitta ensuite la cantine, et Hazel la suivit. Les deux jeunes femmes se séparèrent cependant devant les ascenseurs : Valérie descendait au parking souterrain, tandis que Hazel remontait à l'étage de la direction. L'atmosphère, là-haut, avait été assez calme pendant l'absence de Nick Caspian, mais depuis son retour, c'était l'effervescence. Et comme un fait exprès, Hazel n'était pas plus tôt rentrée dans son bureau qu'elle entendit des éclats de voix s'élever de la pièce attenante.

— Vous n'aviez pas le droit de nommer quelqu'un sans me consulter ! hurlait Nick Caspian.

— Et vous, m'avez-vous consultée avant de renvoyer notre correspondant à Paris, sans parler des nombreuses autres personnes que vous avez licenciées ? rétorqua Gina. M'avez-vous demandé mon avis avant de leur substituer des gens de votre groupe ? Je suis maintenant vice-présidente du conseil d'administration... Serait-ce un titre purement honorifique ?

— Bien sûr que non ! Mais cessez de crier ! J'ai horreur des gens qui crient.

— Parce que vous ne criez pas, vous ? Et n'essayez pas de détourner la conversation... Sir George m'a légué ses parts de la société pour être sûr que, après sa mort, un membre de la famille Tyrrell aurait son mot à dire dans la gestion de *L'Observateur*. Nous possédons le même nombre d'actions, vous et moi, ce qui devrait impliquer un partage égal du pouvoir. Vous m'avez d'ailleurs affirmé que c'était le cas, que je devais vous remplacer en votre absence, mais il s'avère à présent que j'étais juste censée rédiger des rapports pour vous et jouer les potiches le reste du temps !

— Vous étiez là pour régler les affaires courantes. Les nominations ne sont pas de votre ressort.

— Et pourquoi cela ?

— Parce qu'il existe une commission de recrutement pour s'en charger.

— Ce n'est pas cette commisson qui choisit les correspondants à l'étranger.

272

— Si. Dans ce genre de cas, elle s'adjoint les services de membres importants de la rédaction. Daniel Bruneille en fera partie, notamment, et j'ai prié Fabien Arnaud d'y siéger, car il a travaillé trois ans à Paris. Un rédacteur en chef n'a généralement pas le temps de participer à ce type de réunion, mais cela permettra à Fabien de mieux connaître certains des cadres du journal, et il pourra en outre leur donner de précieux conseils. Contrairement à vous, Gina, tous ces gens sont qualifiés pour sélectionner un correspondant à l'étranger.

— Et vous, naturellement, vous l'êtes aussi !

— Ce n'est pas moi mais la commission qui prendra la décision.

— En se fondant sur une liste de candidats que vous avez vous-même établie !

Les traits de Nick se durcirent, et ce fut d'une voix furieuse qu'il lança :

— Arrêtez, Gina !

— Niez-le donc, si vous le pouvez ! Prouvez-moi que vous n'avez pas déjà choisi le nouveau correspondant de *L'Observateur* à Paris... Quelqu'un de votre groupe, bien sûr, qui travaille là-bas pour un de vos autres journaux...

— Qui vous a dit ça, hein ? Rose Amery ? Vous ne voyez donc pas qu'elle avait des arrière-pensées en vous racontant cette histoire à dormir debout ? Elle voulait ce poste et savait qu'elle ne l'obtiendrait pas par la voie normale à cause de son manque d'expérience, si bien qu'elle a joué les victimes pour vous convaincre de le lui donner. Eh bien, ça ne marchera pas ! Vous n'aviez pas qualité pour procéder à cette nomination, et ce poste ira à la personne désignée par la commission de recrutement.

— Vous vous méprenez... Rose ne m'a rien demandé ; j'ai agi de ma propre initiative. D'ailleurs, cette décision de licenciement n'est pas la première que vous ayez prise sans me consulter. J'ai assisté à la conférence de rédaction, avant-hier, et il y avait là une bonne proportion de visages nouveaux, des gens de Caspian International, de toute évidence. Vous êtes en train de renvoyer un par un les employés engagés par les Tyrrell et de les remplacer par du personnel de votre groupe.

— J'aime travailler avec des gens que je connais et en qui j'ai confiance, déclara Nick sans récuser les accusations de la jeune femme. Cela vous étonne ?

— Non. Sir George l'avait prévu et m'avait informée de ses craintes, mais j'ai été assez stupide, alors, pour penser que vous aviez quelques principes. Je me rends compte maintenant que je me trompais, mais n'allez surtout pas vous imaginer que je vous laisserai faire : j'exige désormais d'être informée de tout ce qui se passe dans cette entreprise. Si vous refusez de coopérer, je convoquerai les administrateurs, et nous verrons alors s'ils approuvent votre politique.

Un sourire ironique se dessina sur les lèvres de Nick.

— Vous croyez vraiment qu'ils prendront au sérieux les propos d'une jeune femme qui n'a aucune expérience des affaires, qui ne sait pas de quoi elle parle et serait incapable de se débrouiller si je n'étais pas là ?

— Oh ! certains d'entre eux souriront bien sûr avec condescendance, me tapoteront la main et me diront d'aller jouer ailleurs, mais d'autres m'écouteront, et notamment Philip Slade.

En entendant ce nom, Nick tressaillit, puis fixa Gina d'un air glacial. Celle-ci soutint bravement son regard et poursuivit d'un ton de défi :

— Oui, Philip Slade ! Il votera comme moi, et cela me donnera la majorité au conseil d'administration. Je ne peux pas perdre !

La jeune femme vit son interlocuteur pâlir de colère. Malgré son calme apparent, elle avait les nerfs à vif et contenait à grand-peine le tremblement de ses mains.

274

Nick était toujours intimidant, mais là, il lui inspirait carrément de la peur.

— Rose Amery n'est pas la personne qu'il faut pour ce poste, finit-il par observer avec un effort évident pour garder son sang-froid. Puisque vous doutez de ma bonne foi dans cette affaire, cependant, je vous propose de siéger à la commission de recrutement. Vous serez ainsi en mesure de contrôler la procédure de sélection.

— J'exige que le nom de Rose figure sur la liste des candidats.

— Fort bien ! Mais quand vous interviewerez les autres postulants, vous serez bien forcée de reconnaître que Mlle Amery n'a pas assez d'expérience pour occuper un poste aussi important. Maintenant, excusez-moi, mais j'ai un rendez-vous, et...

— Encore une chose ! Je ne veux pas que vous exerciez de représailles contre Rose parce que vous la soupçonnez d'avoir cherché à m'influencer.

— Bien sûr que non ! Je sais que vous êtes des amies d'enfance, et il est donc normal que vous discutiez ensemble de vos problèmes. Je vous conseille cependant, Gina, d'éviter désormais de parler d'affaires confidentielles avec des employés du journal.

— Je ne commets jamais d'indiscrétion ! protesta la jeune femme.

— Admettons... Mais n'oubliez pas mon avertissement et, à propos de représailles, je vous prierai de ne pas vous montrer hostile envers les gens que j'ai nommés. Quoi que vous en pensiez, je les ai choisis sur le seul critère de leur valeur. Fabien Arnaud, par exemple, est le meilleur rédacteur en chef avec qui j'aie eu l'occasion de collaborer. C'est en outre un Européen convaincu, ce que je juge essentiel pour l'avenir de *L'Observateur*. Fabien a travaillé dans tous les pays d'Europe et il parle couramment plusieurs langues. Il est très intelligent, très cultivé et d'une extrême courtoisie. Alors, ne lui battez pas froid sous prétexte que vous me détestez.

— Je ne suis tout de même pas puérile à ce point !

Haussant les sourcils d'un air sarcastique, Nick rétorqua :

— Si, vous l'êtes parfois, Gina... En fait, j'ai l'impression que vous ne vous connaissez pas vous-même. Vous vous êtes mariée trop jeune et votre mari est mort trop tôt, vous laissant seule avec un vieillard qui vous traitait comme une enfant. Je crois que le temps s'est arrêté pour vous et que, au fond, vous n'êtes encore qu'une adolescente.

La jeune femme rougit jusqu'aux oreilles et, fusillant Nick du regard, elle s'écria :

— Ça vous arrange, hein, de me faire passer pour une petite sotte qui ne comprend rien aux affaires et à la façon dont on dirige un journal ?

— Le problème n'est pas de savoir si ça m'arrange ou non. Le problème, c'est que c'est vrai.

— Absolument pas ! J'ai travaillé pour sir George pendant cinq ans, et cela m'a permis d'apprendre beaucoup plus de choses que vous ne voulez bien l'admettre. La situation serait tellement plus simple pour vous si je n'existais pas, si vous pouviez régner en maître sur *L'Observateur,* sans personne pour s'opposer à vous... Mais vous ne le pouvez pas, faute d'une participation majoritaire, alors cessez de m'insulter et tenez-moi informée de toutes vos décisions, sinon...

— Sinon ?

— Je tenterai de persuader Philip Slade de me vendre ses actions.

— Il refusera, annonça calmement Nick en se levant. Désolé de vous décevoir, mais Slade est bien trop content d'être courtisé par les deux camps.

— A votre place, je n'en serais pas aussi sûr, remarqua Gina, moqueuse, avant de se lever à son tour.

Le visage de Nick se durcit, et une lueur de colère brilla dans ses yeux gris acier.

— Expliquez-vous ! ordonna-t-il d'une voix dure.

La jeune femme haussa les épaules sans répondre.

— Slade vous courtise lui aussi, c'est cela ? lança Nick. Et vous l'encouragez, bien sûr, dans l'espoir qu'il vous cédera ses actions... Mon Dieu ! Les femmes ne s'embarrassent vraiment pas de scrupules !

— Vous pouvez parler ! s'écria Gina, indignée. Et de toute façon, je n'ai rien fait dont j'aie à rougir.

— Ah, non ? Alors que vous vous moquez éperdument de Philip Slade, que vous le manipulez ? Et s'il vous vend ses parts ? Continuerez-vous de le fréquenter ? Jusqu'où iriez-vous pour mettre la main sur ces actions ? Jusqu'au mariage ?

— Et pourquoi pas ? s'exclama Gina, hors d'elle. J'étais bien prête à vous épouser... avant que vous ne trahissiez sir George et que vous ne causiez sa mort.

Nick se raidit et, dans le silence qui succéda à cette accusation, la jeune femme l'entendit haleter. Effrayée, elle se précipita vers la porte, mais Nick fut plus rapide : il y arriva le premier et lui barra le passage. Gina s'immobilisa, le cœur battant, les yeux baissés afin de ne pas croiser le regard furieux qu'elle sentait fixé sur son visage.

— Vous mentez ! finit par marmonner Nick d'une voix altérée par l'émotion. Vous et moi, cela n'avait rien à voir avec les affaires de *L'Observateur*. C'était quelque chose d'une tout autre nature. Vous voulez que je vous le prouve ?

Mais Gina avait épuisé ses réserves de courage. Un début de panique l'envahit, et elle resta pétrifiée, comme une proie consciente du danger, mais hypnotisée par son prédateur au point de perdre toute capacité de réaction.

— Je vais vous le prouver, reprit Nick.

Sa main se posa alors dans le cou de la jeune femme, et son pouce s'enfonça dans la peau tendre de la gorge offerte. Le souffle coupé, Gina entrouvrit les lèvres et, risquant un coup d'œil vers Nick, constata que sa bouche était à quelques centimètres seulement de la sienne. Il allait l'embrasser, c'était évident, et elle savait qu'il ne fallait pas le laisser faire sous peine de perdre son honneur et sa dignité — deux choses auxquelles elle tenait plus qu'à la vie.

Un tumulte d'émotions l'agitait, et elle tremblait si fort que ses jambes menaçaient de se dérober, mais pour fortifier sa volonté, elle s'obligea à penser à sir George. Une profonde affection les avait liés l'un à l'autre, et elle avait envers lui un devoir de loyauté qui impliquait le rejet de Nick Caspian et de tout ce qu'il incarnait. Nick avait rompu ses engagements envers sir George afin de prendre le contrôle de *L'Observateur*. C'était un homme prêt à tout pour obtenir ce qu'il voulait, et il l'obtenait généralement. Mais elle, il ne l'aurait pas...

Puisant dans ses dernières forces, Gina rejeta la tête en arrière et planta ses yeux dans ceux de Nick.

— Je suis forcée de travailler avec vous pour que la famille Tyrrell continue d'être représentée au conseil d'administration, déclara-t-elle d'un ton posé, mais je n'ai pas oublié le mal que vous avez fait à sir George, et je ne vous le pardonnerai jamais.

Nick demeura un instant immobile, les joues rouges et la respiration précipitée, puis il lâcha la jeune femme et s'écarta de la porte. Gina sortit alors aussi calmement que le lui permettaient ses nerfs tendus à se rompre. Elle entendit la porte claquer derrière elle, et elle s'écroula sur le siège le plus proche.

— Tu ne vas pas t'évanouir? s'écria Hazel en se levant d'un bond.

Vive comme l'éclair, elle alla chercher un verre d'eau

278

et le porta aux lèvres de son amie, qui en but quelques gorgées.

— Merci, dit ensuite Gina avec un pauvre sourire. Je ne sais pas ce que j'ai...

— Je le sais, moi, répliqua Hazel avec un mélange d'ironie et de compassion.

Pour tenter de cacher son embarras, Gina prit le verre des mains de Hazel et le vida.

— Rose a raison, continua Hazel en considérant le visage pâle et les yeux cernés de Gina. Tu devrais quitter Londres pendant quelque temps. Tu as besoin de changer d'air.

— Peut-être plus tard, mais pour le moment, j'ai trop à faire. Je siégerai notamment à la commission de recrutement qui choisira notre nouveau correspondant à Paris. Tu m'avais prévenue que Nick refuserait de nommer Rose à ce poste, et tu ne te trompais pas : il m'a dit que les choses devaient suivre la procédure normale.

— La commission ne se réunit que la semaine prochaine, observa Hazel. Tu pourrais partir trois ou quatre jours.

— C'est vrai, j'y réfléchirai. Un week-end à la campagne me tente assez, mais pas plus : il faut que je sois rentrée pour ces entretiens avec les candidats... encore que je n'aie aucune idée des questions qu'il faudra leur poser !

— Ne t'inquiète pas ! Ils auront tous joint un curriculum vitae à leur lettre de candidature, et je crois même que j'ai quelque part une copie de ces dossiers. Je vais te les passer, tu les liras, et tu sauras ainsi quoi leur demander.

— Tu es géniale ! s'exclama Gina.

— Je suis contente que quelqu'un s'en rende enfin compte ! répliqua Hazel en riant. Mais c'est tout de même dommage pour Rose : ce poste à Paris lui aurait parfaitement convenu.

— Eh bien, j'ai à ce sujet une bonne nouvelle : j'ai obtenu de Nick qu'elle figure sur la liste des candidats. Ce n'est pas gagné d'avance, mais c'est déjà quelque chose.

— Formidable ! Je suis sûre qu'elle t'en sera très reconnaissante. Cela lui donnera au moins la possibilité de faire valoir ses mérites.

Tout en parlant, Hazel s'était dirigée vers l'un des hauts classeurs métalliques alignés contre les murs du bureau, et une minute plus tard, elle en sortait une pile de chemises qu'elle apporta triomphalement à Gina en annonçant :

— Voilà les dossiers des autres candidats.

— Tous des hommes, j'imagine ?

— Non, je crois qu'il y a une femme. Attends que je vérifie... Oui, une certaine Nicole Augustin. Et ça ne m'étonnerait pas que ce soit elle qu'on choisisse, car elle est française, habite déjà Paris et travaille pour...

— Caspian International ! coupa Gina d'un ton amer. Pauvre Rose... Elle n'a aucune chance, hein ?

Le téléphone sonna alors et Hazel, après avoir remis les dossiers à son amie, décrocha.

— Le bureau de M. Caspian... Ah ! c'est toi, Piet ? Où es-tu ?

Une expression mélancolique se peignit sur ses traits pendant qu'elle écoutait la réponse.

— Tu es allé chez tes parents depuis ton retour aux Pays-Bas ? demanda-t-elle ensuite. Moi aussi, je suis impatiente de les rencontrer... J'espère que je leur plairai.

Par discrétion, Gina se plongea dans les documents que Hazel lui avait donnés et essaya de ne pas écouter ce que son amie disait. Elle ne put cependant s'empêcher de songer que Piet et Hazel ne se verraient plus beaucoup, à présent : le jeune architecte, qui avait supervisé la fin du chantier de Barbary Wharf, se trouvait maintenant près

280

d'Utrecht, où il cherchait pour le compte de Caspian International un site susceptible d'accueillir une grosse imprimerie. Comme Nick, Piet se déplaçait constamment d'un pays à l'autre.

Comme Nick..., se répéta Gina avec un brusque pincement au cœur. Si Nick et elle s'étaient mariés, ces fréquentes séparations l'auraient rendue terriblement malheureuse, et elle se sentait pleine de compassion pour Hazel.

— Combien de temps penses-tu rester aux Pays-Bas? questionna alors cette dernière, toujours au téléphone. Ah, bon!... Mais oui, je comprends! Ce sont les exigences de ton métier, et moi aussi, j'ai beaucoup de travail... Oui, chéri, tu me manques...

Gina se leva, traversa la pièce et posa les dossiers sur le classeur d'où son amie les avait sortis.

— Oh! oui, Piet, j'en serais ravie! s'exclama soudain Hazel, le visage radieux. Le week-end prochain? Ça doit être possible. Je te le confirmerai demain... Nick? Oui, il est là. Je te mets en communication avec lui.

Se penchant pour appuyer sur le bouton de l'Interphone, elle annonça alors :

— M. Van Leyden au téléphone, monsieur.

— Passez-le-moi! ordonna Nick.

Le son de cette voix fit courir un frisson le long du dos de Gina, mais elle oublia d'un coup ses soucis en voyant la joie qui illuminait la figure de son amie. Les joues roses, les yeux brillants, Hazel avait l'air tout excitée.

— Je vais aux Pays-Bas ce week-end pour voir Piet et rencontrer sa famille! s'écria-t-elle.

— Dis donc, ça devient sérieux! observa Gina en souriant.

Elle se réjouissait sincèrement du bonheur de Hazel, mais ne pouvait se défendre d'éprouver un point d'envie. Si seulement...

Non, il ne fallait pas se laisser aller à ce genre de pensée... A quoi bon regretter que l'ambition de Nick ait détruit toute possibilité de relations amoureuses entre eux ? Contrairement à elle, Hazel avait eu la chance de s'éprendre d'un homme doux et facile à vivre. Malheureusement, on ne choisissait pas ces choses-là...

6.

Il faisait si beau, le lendemain, que Gina et Rose décidèrent de déjeuner en plein air. Elles se rendirent donc au snack-bar de la place, qui vendait tout un choix de plats à emporter, pour y acheter des sandwichs.

Cet établissement appartenait à la famille Torelli, qui en possédait un autre du même type près du Pont de Londres, non loin de là, et avait vu dans l'ouverture de Barbary Wharf une occasion de développer son affaire. La gestion en restait cependant familiale, et c'était aujourd'hui la vieille Mme Torelli qui se tenait derrière le comptoir.

A près de soixante-dix ans, c'était une femme encore vive et alerte, qui avait gardé toute la faconde et l'exubérance de ses origines italiennes. Les visages de Gina et de Rose lui étaient déjà familiers, et elle accueillit les deux jeunes femmes avec un sourire chaleureux.

— Qu'est-ce que je vous sers aujourd'hui, mes colombes ? Je vous conseille la minestrone... C'est moi qui l'ai faite, et je peux vous garantir qu'elle est fameuse !

En entendant qu'elles voulaient seulement des sandwichs, Mme Torelli secoua la tête en signe de désapprobation, mais les leur prépara néanmoins avec célérité.

Leurs sacs en papier à la main, Rose et Gina traversèrent la place, sortirent du complexe et allèrent s'asseoir

283

sur un banc du parc nouvellement aménagé au bord du fleuve.

— Tu savais, observa Gina en mordant dans son sandwich, qu'aux

xviiie et

xixe siècles il existait une rue, parallèle à la Tamise, qui s'appelait Ratcliff Highway ? Elle grouillait de prostituées et de brigands qui enivraient les marins pour les détrousser et les tuaient même parfois.

— Qui t'a dit ça ? demanda Rose en contemplant le spectacle paisible qui les entourait — le ciel printanier, les jonquilles et les tulipes aux couleurs vives des parterres, les péniches qui remontaient paresseusement le fleuve...

— Je l'ai lu quelque part, répondit Gina.

— J'imagine qu'à cette époque, il y avait aussi des dizaines de navires à quai dans le port de Londres et des milliers de marins qui descendaient à terre les poches remplies d'argent.

— Oui, et là, les vautours les attendaient, fit remarquer Gina avec une pointe d'amertume. C'étaient les ancêtres des Nick Caspian d'aujourd'hui.

— Je trouve que tu deviens très acerbe, déclara Rose en lui jetant un coup d'œil amusé. Toi qui étais autrefois si douce et si gentille...

Gina esquissa un sourire, puis ses traits reprirent leur expression d'abattement habituel, et Rose fronça les sourcils.

— Tu as très mauvaise mine, Gina. Tu as vraiment besoin de...

— De repos, oui, je suis au courant ! On ne cesse de me le répéter ! Les gens ne pourraient pas se mêler de leurs affaires ?

284

— Bon, bon, calme-toi! s'écria Rose, surprise par cette explosion de colère. Mais qu'as-tu donc? Ça ne te ressemble pas, de refuser d'écouter les conseils de tes amis.

Un peu honteuse de sa réaction, Gina considéra en silence les eaux étincelantes de la Tamise, les immeubles qui se dressaient sur la rive opposée, les tours, les dômes et les flèches qui donnaient à Londres un caractère si particulier... Ce superbe panorama, elle le voyait cependant comme à travers un filtre : sa tristesse teintait tout de sombres couleurs.

— Excuse-moi, Rose, finit-elle par murmurer. Tu as raison, et je partirais pour le week-end si je savais où aller. Mais je n'ai aucun parent à qui rendre visite et le bord de la mer ne me tente pas en cette saison. J'irais bien à la campagne, mais où?

— Et Paris, ça te plairait? questionna Rose.

— Paris? Juste pour un week-end?

— Eh bien, si nous prenons l'avion vendredi...

— Nous?

— La solitude ne te vaut rien, si tu veux mon avis.

— Tu parles sérieusement? interrogea Gina. Ce serait bien sûr beaucoup plus agréable pour moi d'avoir de la compagnie, mais ne te sens surtout pas obligée de...

— J'adore Paris, coupa Rose, et tu as besoin d'un guide. De plus, ce voyage me permettra de mener une petite enquête pour mon propre compte.

— Sur Nicole Augustin?

— Entre autres, répondit Rose avec un sourire désabusé.

Gina lui avait annoncé qu'elle ne pourrait pas tenir sa promesse de la nommer correspondante à Paris. Elle s'était beaucoup excusée, mais à son grand soulagement, Rose n'avait manifesté ni surprise ni rancœur, comme si elle s'attendait que Nick Caspian annule cette nomination dès son retour.

Ensuite, Rose avait demandé qui d'autre figurait sur la liste des candidats, et Gina le lui avait dit. Nick l'accuserait sûrement d'indiscrétion, mais elle devait bien cela à Rose... L'exclamation de colère qu'avait poussée cette dernière en entendant le nom de Nicole Augustin avait beaucoup étonné Gina, mais Rose lui avait alors expliqué que cette journaliste était une amie de Daniel.

— Il aura donc décidé de la soutenir avant même que les entretiens ne commencent, avait observé Gina.

— Eh oui! s'était écriée Rose. Mais il ne manquera pas de penser la même chose de toi à mon sujet, si bien que, d'une certaine façon, cela rétablit l'équilibre.

La conversation s'était arrêtée là, et Gina avait un peu oublié Nicole Augustin, mais maintenant, elle s'interrogeait sur les raisons qu'avait eues Nick de mettre cette Française sur la liste des candidats, et, tournant la tête vers Rose, elle s'enquit :

— Elle est jolie?

— Je ne l'ai jamais vue, mais c'est probable, sinon Daniel ne s'intéresserait pas à elle.

Le ton désinvolte de Rose ne trompa pas Gina, qui connaissait assez bien son amie pour ne pas sentir que quelque chose la tracassait. Mais quoi?

Sachant qu'elle n'obtiendrait pas de réponse en posant des questions directes, elle décida de biaiser.

— Sur qui d'autre veux-tu enquêter à Paris?

— C'est personnel, répliqua vivement Rose.

Puis elle jeta un rapide coup d'œil à Gina, hésita, et reprit :

— Oh! tu fais pratiquement partie de la famille, après toutes ces années... Mais si je te le dis, jure-moi de garder le secret!

— Je te le jure.

— Eh bien, tu te souviens qu'au moment de la mort de sir George, je n'arrivais pas à joindre mon père?

— Oui, je m'en souviens.

— Pendant mon séjour à Montréal, je me suis installée dans son appartement, et j'y ai cherché des indices qui me révéleraient sa destination ou la raison de son départ. Je n'ai rien trouvé, tout paraissait parfaitement normal, et puis je suis tombée sur une adresse à Paris que je ne connaissais pas.

— Une adresse? répéta Gina, perplexe.

— Je ne me serais évidemment pas permis de fouiller dans les affaires de mon père si je n'avais pas été aussi inquiète : il ne disparaît jamais comme ça sans prévenir. Bref, il n'y avait ni nom ni numéro de téléphone joints à cette adresse, et je n'ai donc pas pu découvrir qui y habitait. Daniel, que j'ai eu au bout du fil deux minutes après, m'a alors proposé d'y envoyer une de ses relations parisiennes. Il s'agissait de Nicole Augustin, mais ça, je ne l'ai appris que plus tard; je n'avais jamais entendu parler d'elle, à ce moment-là. Il s'est ensuite avéré que c'était une vieille amie de Daniel et que...

— Juste une amie? questionna Gina en riant.

— Ou bien une de ses anciennes maîtresses, grommela Rose. Quoi qu'il en soit, elle s'est renseignée auprès de la concierge de l'immeuble, et Daniel m'a rappelée pour m'annoncer que l'appartement était loué au nom de Desmond et occupé par une femme.

Gina en resta muette de stupeur.

— Une jeune femme, précisa Rose d'une voix dure. Plus jeune que moi, même.

— C'est impossible! s'exclama Gina. Je ne vois pas ton père succombant aux charmes d'une nymphette!

— J'ai eu exactement la même réaction que toi, mais Daniel m'a taxée de naïveté. D'après lui, tous les hommes vieillissants seraient attirés par les très jeunes filles; les séduire serait pour eux une façon de nier leur âge, de se rassurer, en quelque sorte.

— Admettons... Cela dit, que comptes-tu faire ? Aller rendre visite à ton père ?

— Bien sûr que non ! Je tiens absolument à lui cacher que je sais la vérité. S'il avait voulu que je sois au courant de l'existence de sa maîtresse, il m'en aurait informée, non ?

— Oui, sans doute... Mais quel est ton plan, alors ?

— Eh bien, j'ai pensé que nous pourrions nous promener du côté de cette rue vers l'heure du déjeuner tous les jours où nous serons à Paris. Où qu'il se trouve, mon père a l'habitude de chercher un bon restaurant proche de l'endroit où il habite, et ensuite, il y prend tous ses repas. Si nous le rencontrons « par hasard », je lui expliquerai que je suis à Paris pour te tenir compagnie, et cela le laissera libre de me parler ou non de cette fille. Tout ce que je désire, en fait, c'est m'assurer qu'il va bien et n'a de problème d'aucune sorte.

— Entendu, alors ! déclara Gina en souriant à son amie. Nous partons vendredi ?

— Il y a avion en milieu de matinée. Nous le prendrons et nous reviendrons le lundi suivant, si cela te convient.

— Parfaitement !

Les deux jeunes femmes regagnèrent ensuite le complexe. Au moment où elles passaient devant Chez Pierre, plusieurs hommes en sortirent et saluèrent poliment Gina. Il s'agissait de membres du service économique du journal, et ils entrèrent avec Gina et Rose dans le hall de l'immeuble.

Alors qu'ils montaient tous dans l'ascenseur, Valérie Knight les rejoignit, très élégante dans un tailleur de laine bleu marine gansé de blanc.

— Tu as déjeuné Chez Pierre ? lui demanda Rose tandis que l'ascenseur démarrait.

Ses magnifiques prunelles pervenche étudiant l'un

après l'autre les hommes debout dans la cabine, Valérie hocha la tête.

— Oui, avec Esteban Sebastian.

— Qui ? questionna Rose, d'autant plus intriguée qu'elle avait vu Gina écarquiller les yeux en entendant ce nom.

— Esteban Sebastian, répéta Valérie. C'est le directeur du marketing du journal que possède Caspian International en Espagne, et il est venu de Rome avec Nick Caspian. Je lui ai suggéré de se faire muter à Londres et, pour l'appâter, je vais lui donner ce soir un aperçu de la vie nocturne de la capitale.

Gib Collingwood, qui se trouvait là lui aussi, se pencha soudain et déclara avec un sourire railleur :

— Tu crois qu'il amènera sa femme et ses enfants à Londres, s'il y est nommé ?

— Il n'est pas marié ! rétorqua Valérie, triomphante.

— Évidemment, il n'allait pas s'en vanter devant toi ! s'exclama Gib.

— Mais il n'est là que depuis hier..., observa Gina. Voilà un homme qui ne perd pas de temps !

— Ce n'est pas lui mais elle qui ne perd pas de temps, marmonna Gib.

L'ascenseur venait d'arriver à l'étage de la rédaction, et pendant que les journalistes sortaient, Gina demanda à Rose :

— Je réserve nos billets pour l'avion de demain, alors ?

Cette remarque eut l'air d'intéresser Valérie, qui demanda :

— Où allez-vous, toutes les deux ?

— A Paris, répondirent-elles en chœur.

— Ah ! Paris au printemps... Je peux vous accompagner ?

— Comment cela ? Tu abandonnerais Esteban ? lança Gib d'un ton moqueur.

— Non, tu as raison, susurra Valérie en lui adressant un sourire sucré. Je préfère ne pas le perdre de vue. J'irai à Paris une autre fois.

— Tu as une idée pour l'hôtel, Rose ? s'enquit Gina.

— Je m'en occuperai. Tu veux un endroit cher ou bon marché ?

— Quelque chose de confortable, mais pas un palace !

Les portes de l'ascenseur se refermèrent à ce moment-là, et Gina se retrouva seule dans la cabine. Elle éprouvait une certaine appréhension à l'idée de regagner les bureaux de la direction : sachant que Hazel, partie faire des courses, n'y serait pas, elle craignait en effet d'y rencontrer Nick et se sentait trop fatiguée pour l'affronter de nouveau.

Pendant ce temps-là, dans la salle de rédaction, Rose venait de s'asseoir à sa table lorsque Daniel fondit sur elle, l'air furieux.

— Tu es encore en retard ! cria-t-il. Tu as une heure pour déjeuner, pas deux ! Où étais-tu ? Et ne me raconte pas que tu as été prise dans les embouteillages... C'est une excuse qui a trop servi !

— Ce n'était pas mon intention, répliqua sèchement la jeune femme. Je suis juste allée pique-niquer avec Gina Tyrrell dans le parc.

— N'essaie pas de m'impressionner avec tes hautes relations ! Le fait de déjeuner en compagnie de Mme Tyrrell ne te donne pas le droit de revenir une heure en retard.

— Pas une heure. Dix minutes !

— C'est dix minutes de trop ! J'exige à l'avenir que tu te présentes au travail à l'heure.

— Pour ce que j'ai à faire..., marmonna Rose en montrant la pile d'articles de la presse étrangère qu'on l'avait chargée de traduire. Je ne suis pas devenue journaliste pour passer mon temps derrière un bureau à traduire les textes des autres ! Tu ne me confies jamais aucune tâche intéressante. S'il y a un reportage à l'étranger, tu ne m'y envoies que si tu n'as personne d'autre sous la main.

— Et ça recommence ! s'exclama Daniel, exaspéré. Tu ne comprends donc pas que, étant la moins ancienne et la moins expérimentée des reporters de ce service, il est normal que je te préfère des gens qui sont là depuis plus longtemps et qui connaissent bien leur métier ?

— Si je manque d'expérience, c'est parce que tu ne me permets pas d'en acquérir !

Il y eut une seconde de silence, puis Daniel susurra, une lueur sarcastique dans les yeux :

— Cela dépend du type d'expérience que tu demandes...

— Tu es vraiment obsédé ! lança Rose, d'autant plus furieuse qu'elle n'avait pu s'empêcher de rougir.

— C'est toi qui as l'esprit mal tourné... Maintenant, au boulot !

Sur ces mots, Daniel pivota et s'éloigna à grands pas, laissant Rose tremblante de rage et d'humiliation. Mais tous les journalistes témoins de l'altercation la regardaient en souriant d'un air moqueur, et elle s'obligea à se ressaisir : il n'était pas question de leur montrer à quel point ces perpétuelles disputes avec Daniel l'affectaient.

Et pour leur prouver aussi qu'elle n'était pas du genre à obéir docilement aux ordres de qui que ce soit, la jeune femme quitta sa table et se dirigea vers les étagères à livres qui recouvraient les murs de l'immense salle. Il y avait là des ouvrages de référence sur tous les sujets possibles et imaginables, et Rose était sûre d'y trouver les guides de Paris les plus récents.

Elle ne tarda pas en effet à découvrir ce qu'elle cherchait et, sortant un volume des rayonnages, le feuilleta et nota le nom, l'adresse et le numéro de téléphone de plusieurs hôtels.

La voix de Daniel s'éleva alors derrière elle :

— Qu'est-ce que tu fabriques, maintenant ?

Ne l'ayant pas entendu s'approcher, Rose sursauta violemment.

— Je vérifiais juste quelque chose, répondit-elle d'une voix mal assurée en remettant le livre à sa place.

— Quoi ?

— Ça ne concerne pas le travail.

— Montre-moi ce bout de papier !

— Quel bout de papier ? demanda-t-elle d'un air innocent.

— Celui que tu tiens.

D'un geste vif, elle enfouit les mains dans les poches de son jean, puis fixa son interlocuteur en silence.

— Pourquoi faut-il toujours que nous nous battions ? observa Daniel d'un ton las.

Puis il tendit brusquement les bras, ses doigts se refermèrent sur les poignets de la jeune femme et, tirant d'un coup sec, il lui sortit de force les mains des poches. Le papier avait disparu.

— Bien ! grommela-t-il. Tu me le donnes, ou je le prends moi-même ?

— Si tu me touches, je porte plainte pour harcèlement sexuel !

Ignorant cette menace, Daniel plongea une main dans chacune des poches de Rose et retira de celle de gauche la feuille qu'elle y avait cachée.

— Tu peux porter plainte si ça te chante, lança-t-il, sachant parfaitement qu'elle ne le ferait pas.

Il défroissa alors le morceau de papier et, les sourcils froncés, lut les informations notées par Rose.

— Des hôtels parisiens ? déclara-t-il ensuite. Tu projettes un voyage à Paris ?

— Mêle-toi de tes affaires !

— Tu n'as tout de même pas l'intention d'aller voir Desmond ? Non... Tu ne serais pas bête à ce point !

292

Certaine qu'il insisterait jusqu'à obtenir une réponse satisfaisante, Rose expliqua :

— Gina va passer le week-end à Paris, et je ne veux pas qu'elle y aille seule. Nous nous sommes réparti le travail : les réservations d'avion pour elle, le choix de l'hôtel pour moi. Et je ne compte évidemment pas me rendre à cet appartement : mon père ne doit pas apprendre que j'ai fouillé dans sa vie privée. Mon seul but est d'accompagner une amie qui a besoin de changer d'air.

— Bonne idée, observa Daniel d'une voix douce qui éveilla immédiatement la méfiance de son interlocutrice. Parmi les hôtels de ta liste, je te conseille le Phénix, près des Tuileries. Il n'a pas de restaurant, mais il est confortable et bon marché.

— Je le connais. J'y suis déjà descendue.

— Oui, avec ton père, bien sûr... Et le Phénix n'est pas loin de la rue des Arts, hein ? Bien, maintenant, mets-toi au travail. Je veux ces traductions à 5 heures au plus tard.

Cette fois, la jeune femme obtempéra. Elle passa l'après-midi sagement assise à sa table et attendit d'être rentrée chez elle pour appeler l'hôtel Phénix et y réserver deux chambres. On lui annonça alors qu'il ne restait plus qu'une petite suite au dernier étage.

— Mais elle comporte deux chambres à coucher et une salle de bains récemment refaite, précisa l'employée. Et on y a une vue magnifique sur Paris.

— Il y a un ascenseur ? demanda Rose, hésitante.

— Oui, madame.

Rose décida finalement de louer la suite et téléphona après à Gina pour lui dire qu'elle passerait la chercher en taxi deux heures avant le départ du vol.

Le vendredi, la circulation dans Londres et sa banlieue était cependant spécialement difficile, si bien que les deux jeunes femmes n'attrapèrent leur avion que d'extrême justesse.

— J'ai bien cru qu'on allait le manquer ! s'écria Gina en bouclant sa ceinture de sécurité.

Mais Rose ne l'écoutait pas : elle fixait d'un air incrédule la nuque d'un homme assis quelques rangées devant elles. Non, c'était impossible... Son imagination devait lui jouer des tours...

— Où va-t-on dîner ce soir ? poursuivit Gina, les yeux brillants d'excitation. Je te laisse choisir ; moi, je ne connais pas Paris.

L'appareil commença à rouler sur la piste et, comme son amie gardait toujours le silence, Gina lui jeta un coup d'œil étonné.

— Est-ce que tu aurais peur en avion ?

— Peur ? répéta Rose en détournant enfin les yeux du passager qu'elle observait. Non, pas du tout. J'ai trop souvent pris l'avion pour avoir peur... Mais pourquoi me demandes-tu ça ?

Au lieu de répondre, Gina considéra les mains de son amie, et celle-ci s'aperçut alors qu'elle serrait si fort les accoudoirs de son fauteuil que ses jointures étaient blanches.

— Ce n'est pas l'avion qui me rend nerveuse, mais Daniel Bruneille..., dit enfin Rose. Il est là, trois rangées devant nous.

Interdite, Gina regarda dans la direction indiquée et poussa un petit cri de surprise.

— Oui, ça lui ressemble en effet, admit-elle. Quelle coïncidence !

— Une coïncidence ? Tu parles... Il savait que nous serions dans cet avion, il a certainement compris pourquoi j'entreprenais ce voyage à Paris et, comme il adore se mêler des affaires des autres, il a décidé de nous suivre. J'aurais dû m'en douter... En fait, j'ai flairé quelque chose, hier, mais je me suis dit que je me faisais des idées... Quand j'y pense ! Il m'a même recommandé de prendre des chambres au Phénix, le meilleur hôtel de ceux qui figuraient sur ma liste, d'après lui... Je suis vraiment stupide de l'avoir écouté. Il ne donne jamais rien sans arrière-pensée, même pas un conseil ! Et maintenant, connaissant notre adresse à Paris, il peut nous surveiller.

— Tu crois qu'il va aller voir ton père et l'avertir de ta présence à Paris ? demanda Gina, mal à l'aise.

— Je l'ignore, mais avec Daniel, tout est possible ! D'ailleurs, à bien y réfléchir, pour quelle autre raison irait-il à Paris en même temps que nous ?

— Oui, c'est vrai...

Posant de nouveau les yeux sur la nuque de Daniel, Rose remâcha sa colère en silence. Elle s'était bien méfiée, la veille, trouvant suspects la voix douce de Daniel et son empressement à la conseiller, mais sans pour autant déceler ses intentions.

— S'il ose venir nous parler, finit-elle par déclarer à Gina, je te jure que je vais le recevoir !

Daniel ne bougea cependant pas de sa place. Il devinait sûrement l'accueil que lui réservait Rose et préférait l'éviter pour l'instant.

Le vol ne dura qu'une heure, mais une fois descendus de l'avion, les passagers durent faire la queue au contrôle des papiers.

— Je ne vois pas Daniel, murmura Gina à Rose, qui le cherchait elle aussi des yeux.

— Il est sans doute déjà de l'autre côté, répondit-elle. Il est habitué à voyager et se sera débrouillé pour passer avant tout le monde. Nous allons le retrouver dans la salle de retrait des bagages, et il nous proposera alors, l'air innocent, de prendre un taxi avec nous. Mais s'il s'imagine que j'accepterai, il ne me connaît pas !

Quand elles arrivèrent devant les tapis roulants, cependant, Daniel n'y était pas, et il n'y avait pas trace de lui non plus à la station de taxis.

— Peut-être qu'il te connaît, finalement, remarqua Gina en riant, et qu'il a jugé inutile de t'offrir de partager un taxi !

Mais son amie n'était pas d'humeur à apprécier la plaisanterie, et elle garda un visage renfrogné tout au long du trajet jusqu'à Paris. Alors que la voiture quittait le périphérique pour s'engager dans les rues encombrées de la capitale, cependant, Rose sortit soudain de son mutisme et s'exclama :

— Mais quelle idiote je suis !

— Pardon ? demanda Gina en sursautant.

— Oui, c'est évident, et j'aurais dû y penser plus tôt... Il sera à l'hôtel Phénix.

— Qui ça ? Ton père ?

— Mais non ! Daniel...

Et quand, un quart d'heure plus tard, les deux jeunes femmes entrèrent dans le hall de leur hôtel, la première personne qu'elles aperçurent fut en effet Daniel, en train de monter dans un ascenseur dont les portes se refermèrent juste après.

— Je te l'avais bien dit ! observa Rose avec une sombre satisfaction.

Une fois les formalités remplies, un chasseur les accompagna jusqu'à leur suite, et elles se précipitèrent sur le balcon pour admirer la vue qu'on avait vantée à Rose — et qui se limitait en réalité à un petit bout de la rue de Rivoli et du jardin des Tuileries.

— Ne te penche pas trop ! conseilla Rose à Gina. Cette balustrade ne me paraît pas très solide... Bon, si nous défaisions nos bagages, maintenant, avant de prendre un bon bain chaud ?

— Je préférerais sortir me promener, déclara Gina en regardant la rue d'un air rêveur.

— Non ! décréta Rose d'un ton qui n'admettait pas de réplique. D'abord les bagages, et ensuite, au moins une douche ! Tu verras, tu te sentiras beaucoup mieux après. Voyager fatigue toujours plus qu'on ne le croit.

Comme les deux jeunes femmes n'avaient emporté qu'une valise chacune, il ne leur fallut pas longtemps pour déballer leurs affaires et les ranger. Ayant fini avant son amie, Rose se doucha la première, puis commença à s'habiller pendant que Gina lui succédait dans la salle de bains.

Quelqu'un frappa à la porte au moment où Rose, encore en combinaison, mettait ses bas. Elle se raidit et cria :

— Qu'est-ce que c'est ?

— Du Champagne, avec les compliments de la direction, répondit en français une voix assourdie par l'épaisseur de la porte.

Rose enfila rapidement son déshabillé de dentelle noire et alla ouvrir. Le serveur tenait un plateau d'argent chargé d'une bouteille et de coupes qui lui cachaient le visage, et la jeune femme s'effaça pour le laisser entrer. Ce fut alors seulement qu'elle aperçut ses traits. Il ne s'agissait pas d'un employé de l'hôtel, mais de Daniel.

— Toi ! s'exclama-t-elle, furieuse. Tu peux me dire pourquoi tu nous as suivies jusqu'à Paris ?

— Oui, pour t'empêcher de faire une bêtise, répliqua Daniel. Comme d'habitude.

Tout en parlant, il avait posé le plateau sur une table et entrepris de déboucher la bouteille.

— J'ai apporté trois coupes, ajouta-t-il. Où est Gina Tyrrell ?

— Sous la douche.

Le bouchon de Champagne sauta avec un petit bruit sec. Daniel, d'une main experte, remplit deux verres, puis en tendit un à Rose.

— Non, merci, lança cette dernière bien qu'elle ait conscience de se conduire là de façon un peu puérile.

— A cheval donné on ne regarde pas la bride, susurra Daniel, une lueur malicieuse dans le regard. Et à Champagne donné non plus !

Il émanait en cet instant de lui un charme tellement irrésistible que Rose prit la coupe presque malgré elle. Un sourire de triomphe naquit sur les lèvres de Daniel, mais, soudain, son expression changea : ses yeux venaient de se poser sur le corps mince de la jeune femme, à peine dissimulé par le déshabillé léger.

— Très sexy ! dit Daniel d'une voix rauque.

Le feu aux joues, le cœur battant, Rose recula instinctivement d'un pas.

— Tais-toi ! marmonna-t-elle. Gina est à côté, et...

— Tu devrais toujours t'habiller comme ça, chuchota-t-il.

— Ça pourrait poser des problèmes au bureau ! s'écria-t-elle avec un rire forcé.

— Oui, en effet... Je serais incapable de travailler ; je n'arriverais pas à détacher les yeux de toi.

Inquiète de la fixité du regard de son interlocuteur, la jeune femme recula encore de quelques pas, mais Daniel la suivit.

— Arrête ! Si... si Gina sort de la salle de bains..., bredouilla-t-elle.

— Mais non, elle est encore sous la douche. J'entends l'eau couler.

Daniel tendit alors la main vers les longs rubans du déshabillé dans l'intention évidente de les dénouer, et Rose, acculée contre la fenêtre, dut se réfugier sur le balcon pour lui échapper.

— Cesse donc de t'enfuir ! murmura-t-il en s'avançant, ses prunelles noires brillant de désir.

La violence des émotions qui submergeaient la jeune femme lui faisait tourner la tête. Elle avait encore son verre à la main, et elle se dépêcha de le porter à ses lèvres dans l'espoir de tenir Daniel à distance.

Mais celui-ci continua de se rapprocher, et un sourire moqueur se dessina sur sa bouche sensuelle.

— Tu sais que, là où tu es, le contre-jour rend ton peignoir encore plus transparent?

— Regarde ailleurs, alors! Et bois ton Champagne! C'est toi qui l'as apporté, non?

— Je ne m'attendais pas à te trouver dans cette tenue... Tremblante, Rose baissa les yeux, ce qui l'empêcha de voir à temps Daniel allonger le bras et lui encercler la taille. Elle détourna la tête afin de ne pas être embrassée... et croisa le regard stupéfait de son père, assis à la terrasse d'un café, de l'autre côté de la rue.

La jeune femme poussa un cri de stupeur.

— Papa! C'est papa, là, en bas...

— Allons, bon! Tu as des hallucinations, maintenant? grommela Daniel.

L'expression de Rose dut cependant l'alerter, car il se pencha à son tour. Desmond venait de se lever; il était en train de payer son addition et s'apprêtait visiblement à partir.

— Oui, tu as raison, admit Daniel. C'est bien lui.

Ce n'était cependant plus son père que Rose considérait d'un air incrédule, mais la personne qui l'accompagnait. Une très jeune femme, petite et menue, avec de longs cheveux châtains et des traits fins. Elle portait une robe bleue à jupe ample et des chaussures blanches qui lui donnaient l'apparence d'une collégienne.

Tous les préjugés que Rose pouvait avoir sur les femmes capables de se faire entretenir par un homme assez vieux pour être leur grand-père disparurent d'un coup, car le visage qu'elle fixait respirait une candeur et même une noblesse authentiques.

Desmond commençait cependant à s'éloigner avec sa compagne. Il ne leva pas la tête vers le balcon, mais Rose était certaine qu'il les avait vus, Daniel et elle. Avant que les deux silhouettes ne tournent dans la rue de Rivoli, la mystérieuse jeune femme prit la main de Desmond, dont les doigts se refermèrent avec tendresse sur les siens.

Ce fut alors seulement que Rose crut vraiment à la possibilité d'une liaison entre son père et une femme aussi jeune.

— Oh! papa..., murmura-t-elle, désemparée. Jamais je n'aurais imaginé cela de toi!

7.

Les larmes aux yeux, Rose quitta en hâte le balcon, enleva son peignoir et passa rapidement le reste de ses vêtements tandis que Daniel l'observait d'un air sombre.

— Que comptes-tu faire ? finit-il par demander.

— Courir après lui.

— Tu as l'intention de lui dire que tu l'as suivi jusqu'à Paris ? Tu plaisantes ou quoi ?

— Non ! répliqua-t-elle, tremblante de honte et de colère. Ce que je vais lui dire, c'est pourquoi nous étions sur ce balcon, à l'instant... Tu as vu son expression ? Je ne veux pas qu'il pense que toi et moi... que nous... Enfin, tu me comprends !

— Non, je ne te comprends pas ! En quoi le fait que nous soyons amants regarde-t-il ton père ?

— Mais nous ne le sommes pas !

— Même si nous l'étions, cela ne regarderait pas Desmond. Il n'a pas plus le droit de se mêler de ta vie privée que toi de la sienne. Tu es adulte, et lui aussi. Alors pourquoi ne pas le laisser tranquille avec tes histoires ? S'il avait souhaité te parler, il aurait attendu que tu descendes.

La jeune femme savait que Daniel avait raison, mais au lieu de la calmer, cette certitude augmenta encore sa fureur.

— Et toi, lança-t-elle, pourquoi ne suis-tu pas ton propre conseil et ne me laisses-tu pas tranquille ?

Ce fut ce moment que choisit Gina pour surgir de la salle de bains, vêtue d'un simple peignoir et les cheveux mouillés. La présence de Daniel ne sembla pas la surprendre ; Rose en déduisit qu'elle avait entendu une partie au moins de la conversation et discrètement attendu jusqu'à maintenant pour apparaître.

Le coup d'œil inquiet que lui jeta son amie ne suffit pas à détourner Rose de son projet : ayant à présent fini de s'habiller, elle se précipita vers la porte. Daniel expliquerait la situation à Gina s'il en avait envie — bien qu'elle en doutât : à sa manière, Daniel était aussi secret que Desmond.

Une fois dans le couloir, Rose prit l'ascenseur et descendit au rez-de-chaussée, puis sortit de l'hôtel. Elle remonta la rue en courant, tourna à droite et se retrouva dans la rue de Rivoli, dont les trottoirs étaient encombrés, comme d'habitude. Rose s'arrêta pour mieux inspecter les alentours, mais elle eut beau regarder de tous les côtés, elle ne vit ni son père ni la jeune fille qui l'accompagnait. Que faire, à présent ? Explorer les rues environnantes ? Mais Desmond avait pu entrer dans un restaurant du quartier ou regagner son appartement. Sachant maintenant sa fille à Paris, peut-être allait-il s'ingénier à l'éviter...

Découragée, Rose retourna à l'hôtel et constata avec soulagement, en poussant la porte de la suite, que Daniel était parti. Gina, quant à elle, avait troqué son peignoir contre un élégant tailleur de lin blanc ; une fine chaîne d'or ornait son cou.

— Une vraie Parisienne ! s'écria Rose, admirative.

— Est-ce un compliment ? répliqua Gina en riant.

— Quelle question !

Recouvrant brusquement son sérieux, Gina demanda alors :

— Tu as retrouvé ton père ?

— Non, il avait trop d'avance... Daniel t'a mise au courant ?

— Oui, il m'a expliqué que vous étiez tous les deux sur le balcon et que vous avez soudain aperçu Desmond dans la rue.

Rose scruta le visage de son amie à la recherche d'un signe quelconque d'ironie ou de curiosité, mais elle n'en vit aucun : Gina avait certainement surpris depuis la salle de bains tout ou une partie de ce qui s'était passé dans la pièce voisine, mais elle n'avait pas l'intention de faire de commentaires, et Rose apprécia ce tact.

— Daniel m'a aussi chargée de te dire qu'il dînait ce soir avec quelqu'un, ajouta calmement Gina.

— Nicole Augustin, bien sûr ! lança Rose, furieuse.

— Je ne sais pas, il n'a pas précisé... Tu crois qu'il compte rendre visite à ton père ?

— Ça m'étonnerait... Oh ! et puis oublions Daniel. Nous sommes à Paris, la soirée commence à peine... Amusons-nous ! Lundi, il faudra regagner la lugubre Angleterre et sa morne capitale.

— Comment ça, morne ? Londres est la ville que je préfère !

— Ah, bon ? Moi, je n'ai pas de ville favorite, déclara Rose en ouvrant la porte de la suite. Je me plais partout. Quand je suis arrivée à Montréal, l'autre jour, je m'y suis tout de suite sentie chez moi. C'est normal, remarque, j'y suis née... Mais après, quand je suis rentrée à Londres, je m'y suis aussi sentie chez moi.

L'ascenseur arriva à ce moment-là, et Gina attendit d'être à l'intérieur de la cabine pour observer :

— Tu as passé de nombreuses années en Angleterre, n'est-ce pas ?

— Oui, mais maintenant que je suis à Paris, j'ai de nouveau une impression de retour au pays. Sans doute parce que j'y ai fait de fréquents séjours et qu'une partie des ancêtres de ma mère y vivaient autrefois... J'ai même encore de la famille en France. Mon père en a retrouvé la trace dans un village près d'Auxerre ; la généalogie l'a toujours intéressé.

Les deux jeunes femmes sortirent ensuite de l'hôtel et se dirigèrent vers l'avenue de l'Opéra. C'était l'heure de sortie des bureaux et, comme il faisait beau, les terrasses des cafés étaient pleines, les trottoirs grouillant de monde. Ce spectacle enchanta Gina, qui n'avait pas assez de ses deux yeux pour tout regarder. L'architecture de l'Opéra la fascina, mais son amie insista ensuite pour se rendre au Quartier latin, et elles prirent un taxi qui les déposa place Saint-Michel. Rose emmena alors Gina au jardin du Luxembourg, puis elles redescendirent jusqu'à la Seine par l'Odéon et la rue Dauphine avant de flâner près d'une heure sur les quais. Cette longue promenade les épuisa et elles commençaient aussi à avoir faim, si bien que Rose décida de s'arrêter pour dîner dans une brasserie qu'elle connaissait non loin de là.

Il y avait bien longtemps que Gina n'avait pas passé de moments aussi agréables. Et dire qu'elle se trouvait à une heure d'avion seulement de Londres ! Elle mangea avec appétit une excellente choucroute arrosée de bière, mais les effets conjugués de la fatigue et de l'alcool finirent par avoir raison de son excitation, et, dans le taxi qui les ramenait à leur hôtel, elle ne put réprimer un bâillement.

— Tu es fourbue, hein ? lui lança Rose, amusée.

Gina opina de la tête en riant, et Rose la considéra d'un air satisfait. Ce changement de cadre était exactement ce dont son amie avait besoin ; cela lui permettait d'oublier la mort de sir George, Nick Caspian et les problèmes de *L'Observateur*. Paris avait dissipé ses soucis comme un coup de vent chasse les nuages.

Le reste du trajet se passa en silence. Le taxi les déposa

d'ailleurs peu après devant le Phénix, et Gina entra dans le hall pendant que Rose payait le chauffeur. Les deux jeunes femmes se retrouvèrent une minute plus tard à la réception, y demandèrent la clé de leur suite, et elles se dirigeaient vers l'ascenseur lorsque Rose entendit deux voix familières s'élever d'un petit bar qui donnait sur le hall. Un rapide coup d'œil à l'intérieur lui révéla qu'elle ne s'était pas trompée, et, posant la main sur l'épaule de son amie, elle lui déclara d'une voix un peu rauque :

— Monte et couche-toi sans m'attendre. Je viens de voir mon père et Daniel attablés dans le bar. Il faut que j'aille leur parler.

Un mélange de surprise et d'inquiétude se peignit sur le visage de Gina, qui hocha cependant la tête en signe d'assentiment. L'ascenseur arriva alors, et Rose s'éloigna, s'efforçant de paraître calme malgré l'angoisse qui lui nouait l'estomac.

Qu'allait-elle dire à son père ? Et si elle avait mal regardé, tout à l'heure ? Elle n'avait aperçu que Desmond et Daniel, mais peut-être cette fille était-elle avec eux... Quelle attitude adopter, dans ce cas ?

Avant de pénétrer dans le bar, Rose s'arrêta une seconde sur le seuil et poussa un soupir de soulagement : les deux hommes étaient seuls à leur table. Il n'y avait même qu'eux dans la salle. Desmond était assis dos à la porte, mais Daniel, qui lui faisait face, leva tout de suite la tête et fixa intensément la jeune femme. Celle-ci eut l'étrange impression qu'il lisait jusqu'au fond de son âme et, à la fois irritée et troublée, elle baissa les yeux. Daniel se pencha alors pour murmurer quelque chose à son voisin, qui se leva et se tourna vers Rose.

— Bonsoir, papa ! lança-t-elle, feignant la désinvolture.

— Bonsoir, Rose, répondit-il sur le même ton. Tu as l'air en forme.

La jeune femme s'avança, et son père lui posa un rapide baiser sur chaque joue.

— Toi aussi, tu semblés en pleine forme, observa-t-elle. Tu parais vingt ans de moins que ton âge !

Pour, être empreinte d'une certaine ironie, cette remarque n'en était pas moins vraie : Desmond avait toujours fait plus jeune que son âge.

De taille moyenne, sec et nerveux, il avait les mêmes yeux bleus que sa fille et les mêmes cheveux bruns — même si les siens étaient parsemés de gris, maintenant. Les années avaient aussi creusé le tour de ses yeux et de sa bouche de rides d'expression, mais elles n'avaient en rien affaibli sa personnalité : il se dégageait encore de lui une impression de force et un magnétisme extraordinaires.

Il avait toujours plu aux femmes. Rose savait qu'il avait eu des liaisons après son veuvage — toutes brèves, cependant. Peut-être son existence vagabonde n'était-elle pas compatible avec des relations amoureuses durables ?

Il n'en restait pas moins qu'il devait se sentir bien seul, à présent qu'il avait abandonné son métier de grand reporter pour se fixer à Montréal. La jeune femme éprouva pour lui un brusque élan de compassion. C'était la première fois qu'elle envisageait la situation du point de vue de son père.

— Assieds-toi, Rose, déclara Daniel en lui prenant la main et en l'obligeant à s'installer à côté de lui sur la banquette. Que veux-tu boire ?

— Une crème de menthe.

— Garçon ! Une crème de menthe et deux autres cognacs ! cria Daniel au barman debout derrière le comptoir.

— Tu es sortie dîner ? demanda Desmond. Où es-tu allée ?

— A la brasserie du Quartier latin où tu m'emmenais souvent, autrefois.

Un serveur apporta les boissons commandées, puis la conversation reprit sur le même ton poli mais réservé, comme s'ils étaient des étrangers incapables de trouver autre chose à se dire que des banalités. Rose éprouvait un malaise grandissant. Elle avait toujours été proche de son père, et il lui semblait à présent qu'un fossé infranchissable les séparait. Au bord des larmes, elle fixait obstinément son verre afin d'essayer de cacher sa tristesse.

— Nous avons discuté, Daniel et moi, annonça soudain Desmond.

Le pouls de la jeune femme s'accéléra, mais elle garda le silence.

— Oui, le hasard a voulu que nous dînions dans le même restaurant, précisa Daniel. N'étant seuls ni l'un ni l'autre, cependant, nous ne pouvions pas aborder certains sujets, si bien que nous avons décidé de nous retrouver ici.

C'était Nicole Augustin qui accompagnait Daniel! songea Rose avec un pincement de jalousie.

Comme pour faire écho à ses pensées, son père fit remarquer d'un ton narquois :

— J'ai été un peu surpris de voir Daniel avec une autre femme après t'avoir aperçue en sa compagnie cet après-midi seulement.

Les joues de Rose s'empourprèrent au rappel de cette scène sur le balcon.

— Daniel ne t'a donc pas expliqué que nous étions venus à Paris chacun de notre côté ? s'enquit-elle d'un ton sec.

— Si, je le lui ai expliqué, susurra Daniel, une lueur moqueuse dans les yeux.

— J'espère ! lança-t-elle.

— Daniel estime que je dois te parler d'Irena, intervint Desmond.

La jeune femme se raidit en entendant ce nom, que son

307

père avait prononcé avec une intonation étrangère. Cette fille n'était donc pas anglaise... Serait-elle française ? Rose commençait à regretter son voyage à Paris ; elle n'était plus sûre de vouloir apprendre la vérité et faillit supplier son père de se taire. Il n'avait pas de comptes à lui rendre, après tout : c'était sa vie, comme lui avait fait observer Daniel, et Rose désirait seulement qu'il soit heureux.

— J'ai tout raconté à Daniel, poursuivit cependant Desmond d'une voix posée, mais je ne savais pas trop si je devais te mettre au courant. Bien que tu ne sois plus une enfant, je craignais ta réaction. J'ai donc demandé son avis à Daniel, qui te connaît mieux que personne.

— Et j'ai conseillé à Desmond de tout te dire, indiqua Daniel, imperturbable.

— Il vaut mieux que je retrace l'histoire depuis le début, déclara Desmond, les yeux fixés sur son verre de cognac. La mort de ta mère m'a porté un coup terrible, Rose. Je ne pouvais pas rester à Montréal, où tout me la rappelait, et j'ai donc accepté un poste à *L'Observateur*. Tu avais à peine six ans, mais je suis certain que tu n'as pas oublié ces premiers mois à Londres. Ils ont été durs pour toi aussi, et je ne t'ai pas été d'un grand réconfort. Je m'en veux, à présent. Au lieu de t'aider à supporter cette épreuve, je me suis apitoyé sur mon sort. Je me suis mis à boire et à travailler comme un fou pour m'empêcher de penser. Je n'étais jamais à la maison et, l'été qui a suivi notre installation en Angleterre, j'ai engagé une étudiante pour te garder pendant que j'étais au bureau.

Rose n'y comprenait rien. Pourquoi son père remontait-il ainsi dans le passé ? Quel rapport y avait-il entre ces événements lointains et le fait qu'il ait une maîtresse de quarante ans sa cadette ?

— Tu te souviens d'elle ? demanda Desmond.

— De qui ? murmura-t-elle, désorientée,

— De ta baby-sitter. C'était une jeune Espagnole qui préparait une licence à l'université de Londres. Elle avait pris cet emploi pour gagner l'argent nécessaire au financement de sa dernière année d'étude.

En fouillant dans sa mémoire, Rose réussit à retrouver une image — celle d'un visage aux yeux noirs, à la peau dorée, encadré de cheveux de jais.

— Grazia ! s'écria-t-elle.

Par quel miracle ce nom lui était-il revenu ? Le choc psychologique causé par cette rentrée scolaire dans un pays dont elle connaissait à peine la langue avait jusqu'ici oblitéré toute réminiscence de ce premier été à Londres.

— Exactement, dit Desmond. Tu te souviens donc d'elle ?

— Maintenant que tu m'en parles, oui. Mais elle n'est pas restée longtemps, il me semble...

— Non, elle est partie au mois de septembre et n'a finalement pas terminé ses études. Elle est rentrée en Espagne, où elle s'est mariée peu après.

Desmond marqua une petite pause, comme s'il hésitait, puis il annonça :

— Grazia est la mère d'Irena.

Il avait prononcé ces mots d'un ton si dégagé que Rose ne saisit pas tout de suite. La maîtresse de Desmond était la fille d'une baby-sitter qui avait travaillé pour lui vingt ans plus tôt ? Et alors ? Là n'était pas le problème...

— Et je suis le père d'Irena, ajouta Desmond. Cette déclaration fit à Rose l'effet d'un coup de poing dans l'estomac : elle pâlit et fixa son père, bouche bée.

— Je ne savais pas que Grazia était enceinte, reprit Desmond, visiblement mal à l'aise. Elle me l'a caché, et je ne l'ai découvert que récemment. Je donnais une conférence à Paris, et Irena, qui suit des cours de langues à la Sorbonne, l'a appris. Elle est venue m'écouter, et après, pendant la séance de dédicace, je l'ai vue qui m'observait attentivement... Il y avait chez elle quelque chose de si... de si familier...

Rose sentait les yeux de Daniel rivés sur son visage et lui en voulait d'épier ainsi ses réactions. Elle avait envie de lui crier d'arrêter de la regarder, de ne plus essayer de lire dans sa pensée et dans sa cour. Il ne pouvait donc pas la laisser tranquille ?

— En fait, continua Desmond, si j'ai reconnu Irena, ce n'est pas parce qu'elle ressemblait à sa mère, mais à la mienne. La même ossature fine, la même bouche, les mêmes sourcils...

— Sa grand-mère paternelle était morte avant la naissance de Rose, mais la jeune femme en avait vu des photographies et, comparant mentalement Irena à ces vieux clichés sépia, elle dut admettre que Desmond avait raison.

— Irena était dans la file des gens qui attendaient leur dédicace, mais quand son tour est arrivé, au lieu de me tendre un de mes livres pour que je le signe, elle a posé sans un mot une photo devant moi. Cela m'a étonné, bien sûr. J'ai jeté un coup d'œil à la photo, et je me suis alors aperçu qu'elle avait été prise dans le jardin de notre maison de Londres, pendant ce premier été en Angleterre : tu y étais, sur ton tricycle, avec Grazia et moi. La lumière s'est alors faite dans mon esprit, et Irena m'a ensuite raconté toute l'histoire.

— Écoute, papa, murmura Rose, tu crois vraiment- Comment peux-tu être certain que... Enfin, tu n'as aucune preuve, après toutes ces années... Et si Grazia attendait un enfant de toi, pourquoi est-elle rentrée en Espagne pour se marier avec un autre homme ?

— Au moment de son départ, elle ne se savait pas enceinte, et ce mariage était prévu depuis longtemps. Tu t'imagines bien que, moi aussi, je me suis posé ces questions ; je ne suis pas né de la dernière pluie, et mon métier m'a appris à flairer le mensonge comme un renard flaire les poules. D'ailleurs, dès que tu rencontreras Irena, tu comprendras pourquoi je l'ai crue... Mais tu as l'air bouleversé, Rose... Tu veux que j'arrête ?

— Non, continue.

Comme son père l'avait deviné, mille pensées et émotions contradictoires l'agitaient pourtant, et elle gardait une conscience aiguë du regard de Daniel posé sur elle. Il s'était adossé à la banquette, ses longues jambes nonchalamment allongées devant lui et un bras posé sur le haut du siège, juste derrière les épaules de Rose. Celle-ci fut un instant tentée de laisser aller sa tête contre ce bras protecteur, mais elle s'obligea au contraire à se tenir très droite : Daniel serait bien trop content de la voir flancher, et il n'était pas question de lui donner cette satisfaction.

— Grazia n'a travaillé que trois mois chez nous, poursuivit Desmond. C'était une jeune fille douce et timide élevée dans un couvent, qui n'avait aucune expérience des hommes, et ce qui s'est passé est entièrement ma faute. J'étais très malheureux, alors, très seul, et Grazia l'a senti. Elle devait aussi m'idéaliser, parce que j'étais un journaliste célèbre... Bref, elle a essayé de me consoler, et cela s'est terminé au lit.

— Elle t'aimait sûrement, observa Rose, soudain remplie de compassion pour cette femme dont elle se souvenait pourtant à peine.

— Possible. Ce qui est certain, en revanche, c'est que j'ai été son premier amant... Mais moi, je n'étais pas amoureux d'elle, je me suis contenté de prendre ce qu'elle m'offrait, et dont j'avais besoin, à l'époque, sans même me rendre compte de sa générosité. Je n'ai aucune excuse : je ne me suis préoccupé ni de ses sentiments ni du mal que je pouvais lui faire. Et Grazia, comprenant la situation, est repartie en Espagne au bout de quelques semaines. Elle a renoncé à finir ses études, et c'est une autre conséquence de mon égoïsme : j'ai anéanti ses espoirs de réussite professionnelle. De plus, elle a dû être terrifiée en s'apercevant de sa grossesse, car la société espagnole d'il y a vingt ans rejetait impitoyablement les filles mères. Grazia a alors décidé de revenir en Angleterre pour y accoucher, mais il lui fallait d'abord rompre avec son fiancé, et, détestant le mensonge, elle lui a tout avoué.

— Quel cran ! s'exclama Rose, admirative.

— Oui, Grazia a beaucoup de caractère... Il est évident que je l'aurais aidée si j'avais été au courant, mais elle se refusait à me demander quoi que ce soit. Quand son fiancé a appris la vérité, cependant, au lieu de se mettre en colère, il l'a suppliée de rester et de l'épouser malgré tout. Il était blessé, bien sûr, mais il l'aimait passionnément et lui a promis d'élever cet enfant comme le sien.

L'histoire de Grazia captivait tellement Rose qu'elle en oubliait presque le rôle peu reluisant qu'y avait joué son père.

— Qu'a-t-elle fait ? questionna-t-elle.

— Elle a accepté, évidemment ! répondit Desmond en haussant les épaules. D'après Irena, Grazia a été si touchée par la bonté de son fiancé que leur union a été très heureuse. C'était un brave homme, un paysan un peu fruste qui passait ses journées dans les champs et ne possédait ni l'intelligence ni la culture de Grazia, mais il était sincèrement épris d'elle et a été un bon père pour Irena. Bien que Grazia et lui aient eu ensuite deux fils, Irena n'a jamais eu le sentiment qu'il les lui préférait, et ne s'est donc jamais doutée qu'elle n'était pas sa fille. Grazia ne lui a appris la vérité qu'après la mort de son mari, un peu avant je ne rencontre Irena à Paris, et cela a été un choc terrible pour elle.

— Pourquoi Grazia l'a-t-elle mise au courant ? demanda Rose, les sourcils froncés.

— Grazia s'y sentait moralement obligée, semble-t-il.

312

Irena a toujours montré plus d'aptitudes intellectuelles que ses demi-frères qui, comme leur père, s'intéressent uniquement à la terre et aux animaux. Et quand elle a projeté d'aller faire des études de langues à la Sorbonne, Grazia a jugé qu'elle devait connaître le secret de ses origines, parce que cela pouvait l'aider à mieux se comprendre elle-même et à ne pas se limiter dans ses ambitions. Irena a d'abord mal réagi : elle s'est violemment disputée avec sa mère, l'accusant tantôt d'immoralité, tantôt de mensonge. Cette affaire l'a beaucoup perturbée, et ne sachant finalement que croire, elle a profité de cette conférence que je donnais à Paris pour venir voir de quoi j'avais l'air. Sa première intention était de m'observer de loin, mais elle a eu tout de suite le sentiment de me reconnaître, comme moi je l'ai reconnue un peu plus tard, et ses doutes ont commencé à se dissiper. Les photos de ma mère que je lui ai ensuite montrées ont achevé de la convaincre : impossible de ne pas se rendre compte de la ressemblance, malgré la différence de vêtements et de coiffure.

— Moi, je n'ai jamais eu l'impression de ressembler à grand-mère, déclara Rose.

— Si, tu lui ressembles un peu, et à Irena aussi. Ou plutôt, c'est elle qui te ressemble, puisque tu es la plus âgée de mes filles.

Il fallut cette remarque pour que Rose prenne conscience de ce qu'impliquait l'histoire racontée par son père : elle avait une sœur. Enfin, une demi-sœur, se dit-elle aussitôt. Mais cette précision ne diminua en rien sa joie et son excitation.

— Grazia vit toujours en Espagne ? demanda-t-elle.

— Oui, répondit Desmond. C'est elle qui dirige l'exploitation, à présent, avec l'aide de ses fils, qui ont tous les deux abandonné leurs études dès la fin de la scolarité obligatoire. La vie est dure pour eux, ils n'ont pas beaucoup d'argent, si bien qu'Irena, quand je l'ai connue, habitait une chambre de bonne miteuse et devait travailler pour assurer sa subsistance. J'ai réussi à la persuader de s'installer dans un appartement que j'ai loué, et d'accepter un peu d'argent tous les mois, mais cela m'a pris des semaines... Ce n'est pas l'intérêt qui l'a poussée à venir me trouver, et cela aussi, tu le croiras, Rose, quand tu la verras.

— Tu lui as parlé de moi ?

— Bien sûr ! Elle a vu des tas de photos de toi et meurt d'envie de te rencontrer.

— Mais pourquoi as-tu attendu aussi longtemps pour me-révéler tout cela ?

— Je craignais que tu ne me méprises, avoua Desmond, l'air penaud. Parce que je me méprise moi-même... Je n'aurais jamais dû coucher avec Grazia, jamais dû la laisser retourner en Espagne pour se marier avec un homme dont je savais qu'elle ne voulait plus. Mais à l'époque, j'ai été soulagé de la voir partir. Je n'étais pas prêt à m'engager dans une relation sérieuse ; je ne pensais qu'à moi.

— Personne n'est parfait..., observa Rose d'une voix douce. Mais peux-tu m'expliquer, maintenant, pourquoi tu as quitté Montréal sans avertir personne ?

— Eh bien, une amie d'Irena m'a téléphoné pour m'annoncer que ma fille avait eu un accident de voiture et qu'elle était à l'hôpital, dans le coma.

— Elle avait pourtant l'air d'aller très bien, aujourd'hui !

— Oui, elle est à présent complètement remise, mais sur le coup, cela paraissait grave, si bien que j'ai immédiatement appelé l'aéroport et réservé une place dans le premier avion pour Paris. J'étais si anxieux que je n'ai pas songé à prévenir quelqu'un et à prendre mes dispositions habituelles. J'ai juste fourré quelques affaires dans

314

un sac et je suis parti. Il s'est heureusement avéré qu'il s'agissait seulement d'une légère commotion cérébrale : le temps que j'arrive, Irena était sortie du coma. Elle a ensuite souffert de maux de tête, mais ils ont peu à peu disparu, et elle a quitté l'hôpital il y a deux jours.

— Et moi qui croyais qu'on t'avait enlevé, ou que tu avais été frappé d'amnésie !

— Ça t'apprendra à avoir trop d'imagination ! fit remarquer Daniel.

Furieuse, Rose se tourna vers lui et lui lança :

— Parce que tu n'étais pas inquiet, toi ?

— Non, juste intrigué... Rappelle-toi, je n'arrêtais pas de te répéter que Desmond était un grand garçon et qu'il pouvait se débrouiller seul.

— Désolé de t'avoir effrayée, Rose, intervint Desmond. J'aurais dû te téléphoner pour t'expliquer, mais j'ignorais tout de ton séjour à Montréal et je n'avais aucune raison de penser que tu te tourmenterais à mon sujet. J'appellerai les Gaspard demain pour m'excuser aussi auprès d'eux.

— Oui, ta disparition les tracassait beaucoup, déclara la jeune femme. Maintenant, dis-moi, quand vais-je rencontrer Irena ?

— Tu le souhaites sincèrement ? demanda Desmond en souriant, l'air infiniment soulagé.

— Bien sûr ! Elle m'a plu dès que je l'ai vue, et sachant à présent que c'est ma demi-sœur, j'ai d'autant plus envie de la connaître.

— Eh bien, si nous déjeunions ensemble demain ? Tu veux te joindre à nous, Daniel ?

— Comme je fais presque partie de la famille, ce sera avec grand plaisir, répondit celui-ci en fixant Rose d'un air langoureux.

Que signifiaient ce regard et cette remarque ? songea Rose, perplexe. Mais elle se garda bien de poser la question.

Rose et Gina passèrent la matinée du lendemain à courir les magasins et se séparèrent un peu avant midi. Gina avait décidé de visiter seule la tour Eiffel et le tombeau de Napoléon pendant que son amie déjeunait avec Desmond et Daniel. Rose l'avait informée de ce rendez-vous, mais ne lui avait pas raconté toute l'histoire : son père n'avait certainement pas envie qu'une affaire aussi personnelle s'ébruite. Elle s'était donc contentée d'expliquer à Gina :

— Je me suis laissé emporter par mon imagination. Cette jeune femme n'est pas la maîtresse de papa mais la fille d'un de ses amis, mort l'an dernier, et qu'il essaie de remplacer, financièrement au moins.

— Ah ! je suis bien soulagée ! s'était écriée Gina. Tu admires tant ton père... Tu l'as toujours placé sur un piédestal, et l'idée qu'il en était tombé m'attristait pour toi.

Dans le taxi qui la ramenait à l'hôtel, Rose repensa à cette remarque. Plaçait-elle vraiment son père sur un piédestal ? Non, elle l'aimait, voilà tout... Pourtant, Daniel lui avait dit un jour quelque chose du même genre. Cela l'avait seulement irritée, alors, mais le fait que Gina soit du même avis était inquiétant, car on ne pouvait pas la soupçonner, elle, de malveillance.

Une fois parvenue à destination, Rose monta dans sa suite, mit l'élégante robe noire et l'amusant petit chapeau à voilette qu'elle venait d'acheter, puis descendit au bar, où ils devaient tous se retrouver avant d'aller déjeuner. Daniel y était, encore seul, et il haussa les sourcils en voyant entrer la jeune femme.

— Tu fais très française, observa-t-il quand elle se fut installée à côté de lui.

— Dans ta bouche, c'est sûrement un compliment, répliqua Rose.

— Tu ne peux pas essayer d'être aimable au moins une fois de temps en temps ? demanda Daniel.

Mais il souriait, et ses yeux exprimaient une douceur inhabituelle.

— D'ailleurs, ajouta-t-il, je suis sincère : cette tenue te va à ravir. Et le serveur est de mon avis, à en juger par la façon dont il te regarde...

— Les Français regardent toutes les femmes de cette façon, même les plus laides et les plus vieilles !

— Oh ! bon, puisque tu as décidé d'être désagréable, parlons d'autre chose, s'exclama Daniel avec un geste d'impatience. Tiens, justement... Nicole Augustin a pensé que cela vous intéresserait de visiter les locaux de *L'International,* Gina et toi. C'est le journal du groupe Caspian où elle travaille, et elle nous propose de l'y rejoindre demain.

Rose ne pouvait pas refuser — et n'en avait de toute façon pas envie —, mais elle aurait préféré que cette offre vienne de quelqu'un d'autre que de Nicole Augustin.

— Je suis sûre que Gina en serait enchantée, déclara-t-elle donc d'un ton glacial.

— Parfait ! Disons demain après le déjeuner ?

— D'accord.

Du coin de l'œil, Rose vit alors son père pénétrer dans le bar avec sa compagne de la veille. Daniel se leva, et les deux nouveaux arrivants s'approchèrent.

— Nous sommes en retard ? s'enquit Desmond.

Il y eut un petit moment de flottement, pendant lequel personne ne souffla mot, puis Desmond reprit :

— Rose, je te présente Irena.

Les deux jeunes femmes se serrèrent la main ; celle d'Irena tremblait un peu. De près, l'Espagnole parut à Rose encore plus jeune que l'après-midi précédent, depuis le balcon. Plus pâle, aussi. Elle était sûrement de constitution délicate. Sans être vraiment jolie, elle avait les traits fins, de beaux cheveux châtains et un corps gracile d'adolescente. Mais ce qui frappait le plus chez elle, c'étaient ses yeux, gris, immenses, d'une douceur angélique.

En croisant le regard de sa demi-sœur, cependant, Rose y lut aussi de la frayeur. Emue et attendrie, elle se pencha alors et, sans lâcher la main d'Irena, l'embrassa sur les deux joues en murmurant :

— Bonjour, petite sœur !

Un sourire illumina le visage de Desmond, tandis que les yeux d'Irena se remplissaient de larmes. Daniel, quant à lui, resta impassible, mais sa voix était étrangement rauque lorsque, rompant le silence qui avait suivi le geste de Rose, il s'écria :

— Bon ! Nous pouvons peut-être aller déjeuner, maintenant ? Toutes ces émotions m'ont donné faim !

8.

Le lendemain après-midi, Daniel emmena Gina et Rose dans le quartier de la Défense, où se situaient les locaux de *L'International*. Gina contempla par la vitre du taxi les tours de verre et de béton qui se dressaient autour d'eux et s'exclama, stupéfaite :

— Nous sommes encore à Paris ?

— Mais oui ! répliqua Rose en riant. C'est le Paris du futur... Quand je viens ici, je pense toujours à ce film des années 20, *Metropolis*. Je trouve cet endroit très beau, dans le genre inhumain et glacé.

— Et c'est ici que Nick Caspian a installé son journal ? observa Gina avec un petit sourire. Il n'aurait pu mieux choisir...

— Voulez-vous dire par là que notre propriétaire est inhumain et glacé ? demanda Daniel en haussant les sourcils.

La conversation risquant de s'engager sur un terrain glissant, et Rose se dépêcha de la détourner :

— L'immeuble du journal est encore loin ? demanda-t-elle.

— Non, nous sommes presque arrivés, annonça Daniel.

Le taxi s'arrêta en effet une minute plus tard et, après avoir payé le chauffeur, ils descendirent tous les trois du véhicule. Il n'y avait pas beaucoup de monde aux alentours, juste quelques touristes qui écoutaient les explications de leur guide sur l'architecture moderne. Ils frissonnaient et battaient la semelle, car la journée était belle mais fraîche, avec un vent âpre qui balayait les rues et les places.

— Entrons ! Je suis gelée, déclara Rose d'une voix dont l'irritation provenait cependant moins du froid que de la perspective de rencontrer Nicole Augustin.

Mais pénétrer dans l'immeuble n'était pas une mince affaire. Daniel dut d'abord présenter un laissez-passer qu'on lui avait fourni avant son départ de Londres et qui portait la signature de Nick Caspian en personne. Ensuite, il fallut que Gina, Rose et lui prouvent leur identité, après quoi le gardien de service les fit encore patienter le temps de joindre Nicole Augustin et de lui demander confirmation de leur rendez-vous.

Enfin, ils purent monter dans l'ascenseur, qui franchit trente étages en un éclair et les déposa en douceur devant les locaux de *L'International*. Nicole Augustin les attendait dans le couloir. Elle salua Daniel le premier, avec un sourire et un baiser sur chaque joue.

Rose était sûre qu'elle détesterait immédiatement cette femme.. Elle se l'était imaginée sous les traits d'une Parisienne jeune et élégante... et ce fut exactement ce qu'elle vit en sortant de l'ascenseur. Les cheveux bruns, les yeux mordorés, mince et gracieuse, Nicole Augustin portait des vêtements sobres mais chic — une tunique de laine rouge et un fuseau noir. Ce qui frappa le plus Rose, ce fut néanmoins sa taille : Nicole Augustin mesurait quinze bons centimètres de plus qu'elle, et la jeune Québécoise se sentit écrasée, éclipsée même.

Et, comme un fait exprès, Daniel choisit de commencer les présentations par Gina. C'était assez normal, mais Rose, dans l'état d'esprit où elle se trouvait, en fut agacée.

320

— Enchantée, madame Tyrrell, dit Nicole dans un anglais parfait en lui tendant la main. Permettez-moi avant toute chose de vous offrir mes condoléances pour la mort de sir George. Je ne le connaissais pas personnellement, mais c'était un homme très respecté dans la profession, et *L'Observateur* jouit d'une excellente réputation en France. J'espère que cela ne changera pas.

— Je l'espère aussi, répliqua Gina, et je compte m'y employer.

— Vous savez que je figure sur la liste des candidats sélectionnés pour le poste de correspondant de *L'Observateur* à Paris ? demanda Nicole.

— Oui, je siégerai même à la commission qui procédera à cette nomination.

— Je l'ignorais, affirma Nicole avec une petite moue contrite, et je vous jure que mon éloge de sir George et de *L'Observateur* n'avait pas pour but me faire bien voir. Il était sincère.

— Merci, murmura Gina.

Cette Nicole Augustin était vraiment très habile ! songea Rose, cynique.

Au moment où cette idée lui traversait l'esprit, elle croisa le regard de Daniel, qui l'observait avec attention, et pour une fois, elle ne tenta pas de lui cacher ses sentiments. Tant mieux s'il se rendait compte de l'antipathie que lui inspirait cette Française !

— Et voici Rose Amery, annonça alors Daniel.

— Enchantée, mademoiselle, déclara Nicole en se tournant vers Rose et en la considérant d'un air froid.

Elle avait parlé en français, et sûrement de façon délibérée, pensa Rose, pour bien montrer qu'elle connaissait la nationalité de son interlocutrice et savait même sans doute beaucoup d'autres choses sur elle — y compris le fait qu'elle briguait ce poste de correspondant à Paris. L'expression de Nicole, vaguement méprisante, semblait cependant indiquer que la Française ne considérait pas Rose comme une rivale bien dangereuse.

— Votre père était ici avant-hier, indiqua Nicole. Il a écrit pour nous un article sur la situation politique actuelle au Québec. Nous sommes très contents de lui, et il se peut que nous fassions de nouveau appel à ses services.

Le visage de Rose se crispa. Desmond était l'un des journalistes les plus renommés de son époque... Comment Nicole Augustin osait-elle parler de lui sur ce ton condescendant ?

S'apercevant soudain que Daniel s'agitait nerveusement, à côté d'elle, Rose se demanda ce qu'il pensait de l'attitude de sa belle amie.

— Si nous commencions la visite, Nicole ? dit-il comme pour empêcher Rose d'exprimer sa colère. Nous ne voudrions pas abuser de ton temps.

— D'accord, allons-y ! s'écria la Française en passant familièrement un bras autour des épaules de Daniel.

D'autant plus furieuse que celui-ci la regardait d'un air railleur, Rose se dirigea à grands pas vers l'entrée des bureaux, mais Nicole l'apostropha :

— Attendez ! Vous ne pouvez pas vous promener ici toute seule !

Bouillant de rage mais forcée d'obéir, Rose s'arrêta, et quand ses compagnons l'eurent rejointe, la visite commença.

Une visite passionnante, avec un guide dont même Rose dut admettre la qualité. La jeune Québécoise serait volontiers restée là tout l'après-midi. Elle regrettait seulement d'avoir Nicole Augustin comme mentor et sentait que la Française éprouvait pour elle la même antipathie.

Comme le complexe de Barbary Wharf, ces locaux étaient ultramodernes et équipés d'un matériel sophistiqué, qui permettait visiblement à l'entreprise de fonctionner avec des effectifs très réduits par rapport à des journaux moins soucieux d'utiliser les techniques de pointe.

Barbary Wharf, en revanche, avait été conçu comme un immeuble de dimensions relativement modestes, et Gina s'en félicita lorsque, jetant un coup d'œil dans la rue, trente étages plus bas, elle ressentit un brusque vertige. Le siège de *L'Observateur* possédait un caractère bien moins impersonnel, et cela grâce à la prévoyance de sir George et à son respect des valeurs humaines. Le cœur de Gina se serra en pensant au vieil homme qu'elle avait tant aimé et qui lui manquait toujours cruellement. Il lui faudrait beaucoup de temps pour s'habituer à l'idée qu'il ne reviendrait jamais. Elle avait constamment l'impression, à Londres, qu'il était dans une pièce voisine, ou parti déjeuner, ou rentré chez lui, dans cette grande demeure qui résonnait maintenant des échos du passé...

Et la jeune femme n'avait pas envie d'y retourner, pas envie de se retrouver seule de nouveau.

Quand elle reprit son travail, le mardi matin, Gina se sentait pourtant mieux physiquement et moralement. Son absence n'avait duré que quatre jours, mais le temps ne s'écoulait pas au même rythme dans un endroit inconnu, au milieu de visages étrangers : les journées semblaient plus longues, et des choses que, chez soi, on jugeait essentielles perdaient soudain toute importance.

En outre, ce sentiment survivait au voyage lui-même : pendant quelques jours, elle avait presque oublié ses soucis — le chagrin que lui avait causé la mort de sir George, ses griefs contre Nick, ses doutes sur sa capacité à résoudre les problèmes qui l'assaillaient au journal. Et elle avait rapporté dans ses bagages un peu de cette délicieuse impression d'insouciance et de liberté éprouvée à Paris.

Ce fut donc d'un pas guilleret que la jeune femme franchit le seuil du bureau qu'elle partageait avec Hazel. Celle-ci, debout devant le tiroir ouvert d'un des classeurs métalliques, leva la tête et, apercevant son amie, s'écria gaiement :

— Ah ! te voilà de retour... Alors, cette petite escapade ? Tu t'es bien amusée ? On le dirait, en tout cas : tu as l'air nettement plus en forme qu'avant ton départ. Mais... je ne connaissais pas ce tailleur... Il est ravissant !

— Chanel, indiqua Gina en tournant sur elle-même pour mettre en valeur la coupe de l'élégant ensemble noir acheté à Paris.

Se juchant ensuite sur le rebord du bureau de son amie, elle entreprit de raconter son voyage par le menu. Hazel l'écouta sans cesser de ranger ses dossiers, mais au bout d'un moment, Gina s'exclama :

— Oh ! excuse-moi... Je suis là à parler de moi, sans penser que, pour toi aussi, ce week-end était important. Tu es allée aux Pays-Bas ? Tu as rendu visite aux parents de Piet ? Ils t'ont plu ?

Hazel se dirigea vers son fauteuil, s'assit et, les joues un peu rouges, finit par répondre d'une voix légèrement hésitante :

— Oui, ils m'ont plu, et je crois que je leur ai plu, mais tu sais comment ça se passe quand on rencontre quelqu'un pour la première fois : on essaie de faire bonne impression, sans pouvoir être sûr de l'effet qu'on produit... Et les parents de Piet sont plutôt du genre réservé. Cela dit, ils ont été très aimables. Non, c'est avec Lilli que j'ai eu des problèmes.

— Lilli ? répéta Gina en scrutant avec inquiétude le visage de son amie.

— La sœur de Piet. Elle et son mari, Harris, sont venus de Middelburg exprès pour me voir. Ils ont deux enfants adorables, Karel, un garçon de sept ans, et Karen,

324

une adorable petite fille de cinq ans qui a les mêmes cheveux blonds, les mêmes yeux bleus et le même sourire que Piet. Lilli, en revanche, est brune et ne ressemble pas du tout à Piet. Mais peu importe... Ce qui m'a surprise, c'est la façon dont elle m'a parlé, d'un ton froid, presque sec. J'ai eu l'impression que je ne lui plaisais pas, qu'elle ne me jugeait pas digne d'épouser son frère.

— Elle est sûrement un peu jalouse, comme le sont souvent les sœurs de leurs frères, affirma Gina. Et puis, la famille de Piet doit être très fière de lui : il gagne beaucoup d'argent, voyage dans le monde entier, travaille pour une grande multinationale... Il est normal que sa sœur ne juge aucune femme digne de l'épouser !

— Sans doute..., murmura Hazel.

Elle se passa ensuite la main dans les cheveux, d'un mouvement un peu ostentatoire qui attira l'attention de son amie. Il fallut quelques secondes à Gina pour comprendre la raison de ce geste, mais sa bouche s'ouvrit alors toute grande et ses yeux s'écarquillèrent.

— Hazel ! Mais... c'est une bague de fiançailles !

— Je me demandais quand tu la remarquerais, s'écria Hazel avec un petit rire gêné. Cela fait des heures que j'agite la main sous ton nez, et je commençais à penser que tu avais besoin de lunettes...

— Désolée ! Je n'ai jamais été très observatrice. Montre-la-moi !

Docilement, Hazel tendit sa main gauche, dont l'annulaire s'ornait d'un gros diamant serti dans un chaton d'or finement ciselé. Ayant hérité les bijoux des Tyrrell, Gina s'y connaissait un peu en pierres précieuses, et elle vit tout de suite que celle-ci avait beaucoup de valeur. La famille de Piet n'approuvait peut-être pas entièrement son choix, mais Piet, lui, prenait ses relations avec Hazel très au sérieux !

— Quand Piet a choisi cette bague-là, déclara Hazel,

je n'arrivais pas à le croire. Il ne m'avait pas dit qu'il avait l'intention d'en acheter une. Nous nous promenions dans Amsterdam, et puis nous sommes arrivés devant la vitrine de ce joaillier... Comment s'appelle-t-il, déjà ? Ah ! oui, Bonebakker... Piet m'a expliqué que c'était la bijouterie la plus ancienne et la plus renommée de la ville, et il a ensuite ajouté d'un ton désinvolte : « Si nous entrions pour jeter un coup d'œil ? » Et je te jure, même à ce moment-là, je n'ai rien soupçonné... Un vendeur s'est alors approché de nous et, avant que j'aie pu comprendre ce qui se passait, j'étais en train d'essayer des bagues. Je ne savais pas laquelle choisir — elles étaient toutes magnifiques —, mais je n'aurais certainement pas pris celle-ci : je me doutais qu'elle valait très cher, même si personne n'a mentionné aucun prix. Tu connais ce genre de magasin... Parler d'argent y est considéré comme de la dernière inconvenance.

— Si je connais ce genre de magasin ? s'exclama Gina en riant. Paris en est plein !

— Oui, il paraît... Et je suis sûre que ce tailleur t'a coûté les yeux de la tête.

— En effet, mais je ne te préciserai pas combien. J'essaie de l'oublier !

— Tu n'es pas du genre à dépenser sans compter, hein ? Moi non plus... J'adore acheter des vêtements, mais je cherche toujours le meilleur rapport qualité-prix ; on m'a appris, quand j'étais petite, à faire très attention avec l'argent. J'ai donc laissé Piet décider. Après tout, c'était lui qui payait, et en plus, je n'avais aucune idée de la somme qu'il pouvait mettre dans cet achat. Je me demandais même s'il était sérieux, mais impossible de lui poser la question devant l'employé, qui me regardait d'un air méprisant, comme si ma présence déparait le magasin... Toujours est-il qu'en voyant Piet choisir ce solitaire, j'ai failli m'évanouir. Le vendeur, quant à lui, a presque souri

326

— mais il s'est évidemment retenu, parce que toute réaction aurait été à ses yeux une grave faute professionnelle. Il a juste laissé entendre que Piet avait très bon goût et serait le bienvenu si l'envie lui prenait de revenir.

— Avoue qu'il avait raison, au sujet du goût de Piet ! s'exclama Gina en riant.

— Oui, j'adore cette bague et, depuis que Piet me l'a passée au doigt, je n'arrête pas de la regarder et de me pincer pour être sûre que je ne rêve pas !

— Je sais que vous serez très heureux, tous les deux, déclara Gina en se penchant pour embrasser son amie sur la joue. Vous formez un couple merveilleux.

— Merci, Gina.

— Vous avez fixé la date du mariage ?

— Non, je n'ai même pas encore mis ma famille au courant. De toute façon, ce ne sera certainement pas avant l'automne, et peut-être même pas avant le printemps prochain. Il nous faut d'abord prendre des décisions importantes, et notamment déterminer l'endroit où nous nous installerons alors que Piet se déplace sans cesse et que je travaille à Londres. En fait, il songe à quitter Caspian International et à se fixer aux Pays-Bas pour y créer un cabinet d'architectes ; moi, je m'occuperais de toute la partie secrétariat. Mais ce n'est encore qu'un projet...

— Ça me semble une excellente idée, affirma Gina.

Elle avait prononcé ces mots d'un ton calme, et pourtant, la perspective de voir s'en aller Hazel la consternait. Depuis quelque temps, son univers paraissait s'écrouler morceau par morceau : sir George était mort et, maintenant, il y avait des chances pour que Hazel parte...

Malgré ses efforts pour la cacher, sa détresse devait se lire sur son visage, car Hazel fit remarquer :

— Rassure-toi, je ne pense pas que ce plan se concrétise avant un bon moment. En attendant, pas un mot à Nick Caspian, hein ? Piet ne lui a encore rien dit. Je crois qu'il a peur d'aborder le sujet. Tu peux en revanche parier des fiançailles à qui tu veux.

— Quelles fiançailles ? demanda soudain une voix depuis la porte du bureau attenant.

Hazel se retourna vivement et rougit en voyant Nick Caspian, qui venait sûrement d'arriver car il portait un attaché-case dans une main et son pardessus dans l'autre. Gina, quant à elle, eut l'impression que son cœur s'arrêtait de battre. Pour l'instant, Nick fixait Hazel, si bien qu'elle pouvait l'observer à loisir sans risquer de croiser son regard. Et elle constata que l'éloignement n'avait pas rompu la chaîne qui l'attachait à lui : la seule présence de Nick mettait tous ses sens en émoi. Oui, impossible de nier l'empire qu'il exerçait sur elle... La résolution de la jeune femme n'avait cependant pas faibli depuis leur dernière rencontre : elle était déterminée à gagner le bras de fer qui les opposait. Nick était obstiné ? Eh bien, elle le battrait sur son propre terrain. Il lui avait appris plus de choses qu'il ne s'en rendait compte lui-même.

— Je... je ne vous avais pas entendu entrer, monsieur Caspian, finit par balbutier Hazel. Excusez-moi !

— Ce n'est pas grave... Mais vous parliez de fiançailles... Dois-je en conclure que Piet et vous allez vous marier ?

Souriante, Hazel hocha la tête et tendit la main gauche vers Nick pour qu'il admire sa bague.

— C'est vous qui l'avez choisie ? s'enquit-il après avoir examiné la pierre précieuse avec attention. Vous vous y connaissez en diamants... Ce solitaire est remarquablement taillé et il a un éclat extraordinaire. C'est un bijou de grand prix, et j'espère que vous avez pensé à l'assurer.

— Euh... non, mais vous avez raison, je vais téléphoner tout de suite à ma compagnie.

— Vérifiez d'abord si Piet ne s'en est pas déjà occupé.

Ça ne m'étonnerait pas, en fait, car il a beaucoup de sens pratique — entre autres qualités. C'est vraiment quelqu'un de très bien, et je vous souhaite beaucoup de bonheur à tous les deux. A quand la noce?

— Nous n'avons pas encore fixé de date.

— Ah, bon! Rappelez-vous cependant que j'aurai besoin de savoir à l'avance ce que vous comptez faire après votre mariage. Continuerez-vous à travailler ici, ou bien partirez-vous? Si je dois vous remplacer, ce que je regretterais, il me faudra du temps pour trouver une secrétaire de votre valeur. Votre poste requiert des aptitudes et des compétences que peu de personnes réunissent.

C'était très flatteur, et Hazel rougit de fierté, mais Gina soupçonnait Nick d'avoir surpris la fin de leur conversation et entendu Hazel dire que Piet et elle projetaient de quitter Caspian International pour fonder leur propre entreprise. Et l'idée de perdre deux de ses collaborateurs les plus précieux ne l'enchantait sûrement pas. D'autant que Piet était pour lui un ami de longue date.

— Je vous donnerai bien sûr un préavis si je décide de m'en aller, affirma Hazel.

La tête penchée sur le côté, Nick posa sur elle un regard perçant, puis déclara:

— Son métier oblige Piet à beaucoup se déplacer — tout comme moi. C'est un côté de notre travail qui nous ennuie parfois, mais il est en même temps passionnant de voir constamment des endroits et des gens nouveaux, et cela nous manquerait si nous devions y renoncer.

Gina le fixait intensément. Pas de doute, il avait écouté la fin de leur conversation et avertissait maintenant Hazel qu'elle commettrait une erreur en encourageant Piet à démissionner. A en juger par son expression troublée, Hazel avait d'ailleurs saisi le sens caché des paroles de son patron — et probablement deviné elle aussi qu'il avait surpris ses confidences.

— Piet et moi sommes un peu comme des marins, poursuivit Nick, impassible. Nous ne restons jamais nulle part assez longtemps pour nous y enraciner, et peu de femmes sont capables de supporter ce genre de situation. Les hommes comme nous ne sont pas faits pour la vie de famille... n'est-ce pas, Gina ?

Cette brusque apostrophe arracha aux deux jeunes femmes le même sursaut de surprise. Hazel considéra Nick d'un œil curieux avant de détourner discrètement la tête, et Gina dut fournir un gros effort de volonté pour répondre d'une voix posée :

— Je n'ai pas d'opinion sur la question.

— En fait, seules des femmes très exceptionnelles peuvent nous comprendre, conclut Nick.

Un lourd silence suivit cette affirmation péremptoire, et Hazel, pour détendre l'atmosphère, finit par annoncer :

— Piet et moi n'avons pas encore pris de décision définitive. Et de toute façon, nous ne nous marierons pas avant un certain temps.

Elle se garda bien de mentionner leur projet de monter un cabinet d'architectes, et ses yeux gris supplièrent Gina de se taire elle aussi. Cette dernière hocha la tête en signe d'assentiment, et Hazel sourit, soulagée.

— Vous n'oublierez pas de m'inviter à votre mariage, hein ? dit alors Nick en pivotant. Maintenant, madame Tyrrell, puis-je vous parler une minute en particulier ?

Les deux jeunes femmes échangèrent un regard derrière son dos. Hazel esquissa une moue désabusée, et Gina se força à lui sourire avant de suivre Nick dans la pièce voisine.

Après avoir jeté son attaché-case et son pardessus dans un fauteuil, Nick se retourna et, le visage impassible, examina Gina de la tête aux pieds.

— Paris vous a réussi, dit-il au terme de son inspection.

330

— En effet. J'avais besoin de me changer les idées.

— Qu'avez-vous fait, Rosé et vous ? Du tourisme ?
Percevant une intonation méprisante dans la voix de son
interlocuteur, Gina déclara d'un ton empreint de défi :

— Du tourisme, oui. Et j'y ai pris beaucoup de plaisir.

— Bien.

Mais il semblait penser à autre chose : ses yeux durs
détaillaient de nouveau la mince silhouette immobile au
milieu de la pièce, et une brusque lueur s'y alluma quand
ils se posèrent sur le décolleté plongeant de l'élégant tailleur noir de Gina.

— Cette tenue n'est-elle pas un peu trop sexy pour
porter au bureau ? demanda-t-il d'une voix basse, étrangement voilée.

— Vous ne l'aimez pas ? rétorqua la jeune femme,
dont le pouls s'accéléra soudain.

Il y eut un silence, puis Nick murmura :

Ne me provoquez pas, Gina ! A moins que vous ne
soyez prête à en assumer les conséquences.

Pour se donner une contenance, Gina alla s'asseoir
dans le fauteuil placé face à la grande table de travail,
croisa les jambes et tira sa jupe sur les genoux. Bien
qu'elle gardât les yeux obstinément baissés, elle avait une
conscience aiguë du regard de Nick rivé sur elle.

— Qu'avez-vous pensé de la Défense ? s'enquit-il
brusquement.

— Comment savez-vous..., commença-t-elle, interdite.
La réponse lui vint alors à l'esprit, et elle ne termina pas
sa phrase. C'était évidemment Nicole Augustin qui avait
renseigné Nick !

— *L'International* m'appartient, figurez-vous !
observa ironiquement ce dernier.

— Et Nicole Augustin, elle vous appartient aussi ?

— On me tient informé de tout ce qui se passe dans
chacune de mes sociétés, je vous l'ai déjà expliqué.

— En effet, admit Gina.

L'idée que Nick soit au courant de cette visite ne l'avait pas effleurée jusqu'ici. Il était pourtant évident que Nicole Augustin ne pouvait prendre l'initiative d'introduire des gens dans les locaux du journal : il lui fallait en demander la permission au plus haut niveau. De plus, la société de gardiennage qui assurait la sécurité de l'immeuble devait avoir appelé Nick pour obtenir confirmation de l'identité des visiteurs.

Le système de surveillance des employés mis en place par Nick fonctionnait donc même quand ils étaient en vacances... Gina frissonna. Il venait de déconseiller à Hazel de pousser Piet à quitter Caspian International, et Gina elle-même avait le sentiment désagréable que Nick ne l'aurait pas laissée partir si elle en avait émis le désir au lieu de rester pour partager avec lui la direction de *L'Observateur*. Il aimait régner en maître sur les gens comme sur les choses et paraissait considérer comme sa propriété tous ceux qui travaillaient pour lui. Jusqu'où cette soif de domination allait-elle ?

— La Défense m'a beaucoup impressionnée, bien sûr, reprit-elle finalement, mais ce type d'architecture futuriste ne me plaît pas. Il ne semble pas fait pour des êtres humains mais pour des robots.

— C'est absurde ! Si les hommes avaient toujours raisonné ainsi, nous en serions encore à l'âge des cavernes ! On ne peut pas se contenter du présent : il faut sans cesse avancer, évoluer, progresser. L'architecture moderne correspond aux besoins de la société contemporaine, sa structure est adaptée à sa fonction...

— Ne vous fatiguez pas, Piet m'a déjà expliqué tout cela, mais je déteste quand même ces tours gigantesques et ces énormes immeubles de bureaux.

— Le problème des Anglais, c'est qu'ils sont englués dans le passé. Vous ne comprenez donc pas, Gina, que cette attitude est à la fois stupide et malsaine ?

— Serait-ce une allusion personnelle ? demanda-t-elle froidement.

— Peut-être.

— Eh bien, sachez que je ne suis pas engluée dans le passé, mais que je ne l'oublie pas pour autant. Il est à l'origine du présent, et on doit en tenir compte.

— Admettons... Mais les morts ne reviennent pas, Gina. Et vous, vous êtes vivante, alors profitez-en au lieu de vous enfermer dans cette grande maison vide avec le souvenir de votre mari ! Vous dites qu'il faut tenir compte du passé... Je dirais plutôt, moi, qu'il faut vivre pour l'avenir.

— N'essayez pas de mêler mon mari à la discussion ! s'exclama-t-elle, furieuse. Si nous sommes ennemis, vous et moi, c'est à cause de ce que vous avez fait. James n'a rien à voir là-dedans.

— Oh ! si... Tous vos actes ont au contraire un rapport direct avec votre défunt mari. Par fidélité à sa mémoire, vous avez continué à habiter sa maison et vous vous êtes entièrement consacrée à son grand-père et à l'entreprise familiale, ne laissant aucun homme vous approcher. Et quand j'ai voulu forcer la porte de la tour d'ivoire qui vous protège du monde extérieur, vous vous êtes affolée.

— C'est faux ! cria Gina en se levant d'un bond. Et je ne vous écouterai pas plus longtemps rejeter sur moi la responsabilité de ce qui est arrivé ! C'est vous qui, emporté par votre désir de prendre le contrôle de *L'Observateur,* avez tenté d'acheter les parts de Philip Slade ! Il n'est guère étonnant que vous désiriez tant rompre avec le passé et vivre dans le présent... Cela vous permet d'oublier le forfait que vous avez commis.

Au terme de cette diatribe, la jeune femme se dirigea vers la porte, mais Nick la rattrapa en deux enjambées et, la saisissant par les épaules, l'obligea à se retourner.

— Lâchez-moi ! hurla Gina en se débattant.

Mais ses efforts pour se libérer furent vains : Nick était beaucoup plus fort qu'elle. Les traits crispés, les joues rouges, il approcha alors son visage du sien et grommela entre ses dents :

— Je ne vous lâcherai pas avant que vous n'ayez bien compris ceci : j'ai proposé à Philip Slade de me céder ses actions pour deux raisons aussi honnêtes l'une que l'autre. D'une part, parce que je savais qu'il avait un besoin urgent d'argent-et songeait de toute façon à s'en séparer — ce qui aurait posé des problèmes s'il avait vendu à n'importe qui ; et d'autre part, parce que vous m'aviez accusé de vous avoir demandée en mariage dans le seul but de m'emparer de vos actions. Bêtement, j'ai pensé que si je détenais déjà une participation majoritaire dans *L'Observateur,* vous ne me soupçonneriez plus d'agir par calcul en vous proposant de m'épouser.

— Vous espérez vraiment que je vais vous croire ? lança Gina, folle de rage. Je suis depuis longtemps convaincue que je ne peux vous faire aucune confiance, alors inutile de me débiter des mensonges ! Et maintenant, lâchez-moi ! Le seul fait que vous me touchiez me dégoûte.

Le visage de Nick pâlit, puis rougit de nouveau.

— Eh bien, tant pis pour vous ! marmonna-t-il.

Puis, malgré la résistance farouche de la jeune femme, il l'attira contre lui et s'empara avidement de sa bouche.

Un violent tremblement secoua les épaules de Gina. Elle avait du mal à se tenir debout, tout d'un coup, et sa lucidité diminuait de seconde en seconde. Son corps et son esprit la trahissaient toujours quand elle était dans les bras de cet homme... Il lui semblait alors que rien n'importait plus que leur passion réciproque. Son cœur se mettait à battre au même rythme que le sien ; Nick lui communiquait son ardeur, la transportait dans un monde de sensations pures, où seule comptait la satisfaction d'un désir trop longtemps contenu.

Titubante, elle gémit et passa les bras autour de la taille de son compagnon. L'étreinte de Nick se resserra, mais ses lèvres se firent soudain plus douces et, au bout de quelques secondes, il leva la tête.

— Gina... Oh! Gina..., murmura-t-il. Cessons de nous battre! Repartons de zéro!

9.

Brusquement ramenée à la réalité, Gina se sentit écartelée : elle brûlait de dire oui, de tout oublier sauf la force de son amour, mais Nick l'avait déjà trahie une fois, et il pouvait très bien recommencer.

— Gina..., chuchota-t-il.

Un sourire mi-enjôleur, mi-triomphant flottait sur ses lèvres ; il interprétait de toute évidence le silence de la jeune femme comme un accord. Malheureusement pour lui, sa présomption eut pour effet de renforcer encore la méfiance de Gina, dont la tête résonna alors de l'écho d'autres voix — celles de sir George et de Rose la mettant en garde contre Nick.

Et ils avaient raison : il ne fallait pas accorder sa confiance à cet homme. C'était un opportuniste, un être dur et ambitieux qui s'était déjà servi d'elle et n'hésiterait pas à le faire de nouveau si cela l'arrangeait.

— Non, déclara-t-elle d'un ton ferme.

Toute expression de triomphe quitta instantanément le visage de son interlocuteur, où se lut à la place un mélange de surprise et de colère.

— Si ! marmonna-t-il en se penchant vers Gina.

Mais celle-ci, d'un geste vif, se dégagea de l'étreinte de Nick, courut vers la porte et l'ouvrit avant qu'il n'ait eu le temps de la rattraper. Hazel, en train de ranger des documents dans un classeur, se retourna en entendant ce bruit, et Nick, qui tendait déjà la main pour empoigner Gina, s'arrêta net : il ne pouvait pas user de contrainte envers elle devant un témoin.

— J'avais encore des choses à vous dire, madame Tyrrell, observa-t-il.

— J'ai un autre rendez-vous, monsieur Caspian, répliqua la jeune femme sans tourner la tête.

Puis, pour empêcher Nick de discuter, elle traversa rapidement le bureau, sortit dans le couloir et se précipita dans l'ascenseur qui, par chance, attendait à l'étage de la direction. Elle appuya sur le bouton du rez-de-chaussée et les portes se refermèrent aussitôt. Soulagée, Gina s'appuya contre la paroi de la cabine, mais elle s'aperçut alors que son corps était agité de violents frissons... Combien de temps ses nerfs supporteraient-ils la tension que leur imposaient ces affrontements avec Nick ?

Une fois en bas, la jeune femme longea le hall dallé de marbre d'un pas mal assuré et se retrouva sur la place étincelante de lumière. Le soleil jouait sur l'eau du bassin, dont la construction de brique et de pierre était égayée par des parterres de jonquilles, de narcisses et de tulipes. Ce tableau printanier laissa cependant Gina indifférente. Ne sachant trop où aller, elle s'immobilisa près de la fontaine, regarda autour d'elle, puis se dirigea vers le snack-bar des Torelli, s'assit à une table et commanda un café.

Il lui fallut près d'un quart d'heure pour recouvrer son sang-froid, mais quand la vieille Mme Torelli vint débarrasser la table, Gina réussit à lui sourire d'un air presque normal.

— Vous avez passé un bon week-end ? lui demanda la brave femme. On m'a dit que vous étiez à Paris. Moi, je n'y ai jamais mis les pieds... Pendant les vacances, je vais toujours en Italie pour rendre visite à tous les parents que j'ai là-bas. Ce n'est pas que je les aime — je les déteste même pour la plupart —, mais la famille, c'est la famille...

— Vos fils vous accompagnent ? s'enquit Gina. Personne au journal n'ignorait en effet que Mme Torelli avait plusieurs fils : elle en parlait constamment. L'un d'eux travaillait avec sa mère à Bar-bary Wharf, tandis que les autres s'occupaient du snack-bar du Pont de Londres.

— Tous mes fils venaient avec moi, autrefois, répondit Mme Torelli avec un soupir appuyé, et Tony le fait encore, avec Angela et les enfants, mais Roberto... Sa femme exige d'aller en Floride, ou à Tenerife, sous prétexte qu'il y a là-bas de belles plages. Comme s'il n'y en avait pas aussi en Italie ! En plus, il paraît que le climat est horrible, en Floride, tellement chaud et humide qu'on est couvert de sueur rien qu'à traverser la rue... Et puis l'Italie, c'est là que Roberto a ses racines... Des oncles, des tantes, des cousins... Tandis qu'en Floride, il ne connaît personne.

Gina, qui avait un peu perdu le fil du discours de Mme Torelli, garda le silence, mais la patronne du snack-bar était trop prise par son sujet pour s'en offusquer.

— Voilà ce que c'est que d'épouser une fille comme Sandra ! continua-t-elle. Elle est incapable de tenir une maison et ne peut pas avoir d'enfants. Roberto prétend qu'elle n'en veut pas tout de suite, mais ils sont maintenant mariés depuis cinq ans... Nous ne savons rien d'elle, de toute façon, nous n'avons même pas rencontré sa famille et, si ça se trouve, elle n'en a pas.

— Sandra est italienne ? demanda Gina, se sentant obligée de montrer un minimum d'intérêt pour les problèmes de Mme Torelli avec sa bru.

— Non, anglaise, répliqua la vieille femme d'un ton méprisant. De Londres. Mais vous, votre prénom est Gina, il me semble ? Vous avez du sang italien ?

— Oui, par ma mère. Ses parents, originaires de Milan, ont émigré en Angleterre juste avant sa naissance. Je ne connais pas du tout l'Italie, mais il faudra que j'y aille un jour.

— Vous adorerez ce pays, affirma Mme Torelli.

Un client entra alors dans le snack-bar, forçant la patronne à regagner le comptoir, et Gina rassembla son courage : il était temps de retourner au journal.

A son grand soulagement, Nick était parti quand elle réintégra son bureau, ce qui lui permit de se plonger dans les dossiers des candidats au poste de correspondant de *L'Observateur* à Paris. Elle ne tarda pas à s'apercevoir que Nicole Augustin était la personne de loin la plus qualifiée pour cet emploi. Agée d'une trentaine d'années — bien qu'elle en paraisse moins —, la Française avait travaillé à Washington, Londres et Bonn avant de revenir à Paris, où Caspian International lui proposait une place.

Pauvre Rose ! songea tristement Gina. Elle aurait du mal à l'emporter face à une concurrente aussi sérieuse. Il lui faudrait sans doute attendre pour voir sa carrière démarrer vraiment, et la patience n'était pas son fort... Peut-être même allait-elle quitter *L'Observateur* dans l'espoir de trouver ailleurs les moyens de réaliser ses ambitions, et Gina ne pourrait pas le lui reprocher, bien que cette perspective la désole. Mais quand le chemin était barré, il valait parfois mieux ne pas s'obstiner et changer de direction de façon à atteindre plus vite sa destination.

Si elle ne s'était pas senti investie d'un devoir moral envers la famille Tyrrell, Gina serait elle-même partie, loin de Londres et surtout de Nick, avec qui il devenait de plus en plus dur de travailler tout en le tenant à distance. Les choses auraient déjà été difficiles si Nick ne l'avait pas poursuivie de ses assiduités, mais comme il profitait de toutes les occasions pour l'importuner...

340

Après lui avoir dit que jamais elle ne lui pardonnerait son rôle dans la mort de sir George, elle avait naïvement cru que Nick aurait la décence de la laisser tranquille. Même s'il refusait de l'admettre devant les autres, il devait avoir mauvaise conscience... Eh bien, elle s'était trompée : Nick n'éprouvait visiblement ni regrets ni remords. Pis, il semblait considérer l'hostilité déclarée de Gina comme un défi, un bras de fer dont il entendait bien sortir vainqueur !

Les voix de Nick et de Fabien Arnaud parlant derrière la porte du couloir interrompit la jeune femme dans ses réflexions. Elle se raidit et surprit le coup d'œil inquiet que lui lançait Hazel. Pour cacher son désarroi, Gina tendit le bras vers le téléphone et composa un numéro d'une main un peu tremblante.

Juste au moment où Nick et Fabien pénétraient dans la pièce, quelqu'un décrocha, à l'autre bout du fil.

— Allô !

— Philip ? demanda la jeune femme, les yeux fixés sur le combiné. C'est Gina.

— Gina ! s'écria Philip Slade d'un ton chaleureux. Comment allez-vous ? Et ce voyage à Paris ? Vous vous êtes amusée ?

— Beaucoup ! J'étais même tentée de prolonger mon séjour.

— Oui, je comprends cela ! Quand je suis à Paris, j'ai du mal à en partir, moi aussi. C'est ma ville préférée... Nous devrions nous voir pour comparer nos souvenirs.

— Excellente idée, déclara Gina tandis que Nick passait devant elle et entrait dans le bureau voisin, suivi de Fabien.

Ce fut alors seulement qu'elle annonça à Philip :

— Je vous appelais au sujet de la réunion du conseil d'administration. Elle est à 15 heures, et je pensais que nous pourrions déjeuner ensemble avant.

— Très volontiers ! s'exclama Philip, un peu surpris mais manifestement ravi de cette proposition.

Quand la jeune femme eut raccroché, Hazel lui lança ironiquement :

— Tu cherches les complications !

Gina ne répondit pas. Elle avait téléphoné à Philip Slade sous l'effet de la panique qui l'avait saisie en entendant la voix de Nick, mais depuis son retour de Paris, elle se disait qu'il lui fallait agir au lieu de subir les événements. Sir George déjeunait souvent avec l'un ou l'autre des administrateurs de *L'Observateur,* et cela semblait à Gina une bonne idée de l'imiter, d'autant qu'elle avait envie de mieux connaître Philip Slade. Il jouait un rôle capital dans le plan d'action qu'elle avait élaboré pour contrer Nick, et il était donc essentiel qu'ils deviennent amis.

Concernant sa vie privée, la jeune femme avait également pris des décisions importantes. La maison de Mayfair était trop grande pour elle seule ; elle allait la vendre et acheter un appartement du côté de Regent's Park, ou bien dans le voisinage de Barbary Wharf. Cela signifiait bien sûr qu'il faudrait se séparer de Daphné et de John. Elle avait certes les moyens de les garder, mais comment arriver à les occuper tous les deux à plein temps ? Non, elle engagerait une femme de ménage, se préparerait ses repas ou mangerait au restaurant, et conduirait elle-même la voiture pour se rendre au travail.

Daphné et John étaient d'ailleurs proches de l'âge de la retraite, et sir George leur avait légué de l'argent. Oh ! pas une fortune, mais suffisamment pour leur permettre de vivre dans l'aisance jusqu'à la fin de leurs jours. Elle discuterait de tout cela avec eux très bientôt, et ils comprendraient ; c'étaient des gens raisonnables.

Le téléphone sonna à ce moment-là et Hazel décrocha. Elle écouta une minute en silence, les sourcils froncés, puis déclara :

342

— Oui, *signor* Dionisio, je vous passe M. Caspian. Une fois Nick en ligne, elle reposa le combiné, et Gina lui demanda :

— Qui était-ce ?

— Quelqu'un des bureaux de Rome, répondit Hazel en haussant les épaules. Il a déjà appelé plusieurs fois depuis hier. C'est la panique, là-bas, à cause d'une histoire de procès, mais je ne sais pas exactement de quoi il s'agit.

Gina, qui était en train de parcourir la première page de *L'Observateur* du jour, fronça soudain les sourcils.

— Je serais surprise que Mackay ne nous poursuive pas lui aussi en justice... Cet article sur lui est carrément diffamatoire !

— A moins que les informations qu'il contient soient exactes, répliqua Hazel. Et l'auteur jure qu'elles le sont

— Et si ce n'est pas le cas ?

— Eh bien, Mackay nous intentera un procès en diffamation.

— Espérons que notre journaliste ne s'est pas trompé, alors, sinon cela nous coûtera cher en dommages et intérêts ! Mais cet article se fonde uniquement sur des rumeurs et des allégations, et il n'aurait de toute façon pas fallu le faire paraître. C'était un des grands principes de sir George : « dans le doute, abstiens-toi ! »

— Je crains que les journaux du groupe Caspian ne se soucient ni de prudence ni de courtoisie, fit remarquer Hazel d'un ton désabusé. Et c'est la raison même de leur succès. Tout ce qu'ils pensent pouvoir publier sans trop de risques, ils le publient — et la plupart du temps, les gens incriminés ne se donnent pas la peine d'engager des poursuites.

Une seconde lecture de l'article finit de convaincre Gina de la légèreté des accusations portées dedans.

— Je crois que je vais soulever le problème à la réunion du conseil d'administration, observa-t-elle, soucieuse.

— Ça ne servira à rien, rétorqua Hazel. Nick Caspian a un compte à régler avec Lew Mackay. Je ne connais pas les détails du litige, mais il paraît que cet article a beaucoup plu à notre cher patron, et qu'il a mis deux autres journalistes sur le coup.

— Oh! non..., s'exclama Gina.

La sonnerie du téléphone retentit alors de nouveau et Hazel répondit.

— Le bureau de M. Caspian..., commença-t-elle.

Un flot de vociférations l'interrompit. Au bout d'un moment, son correspondant s'arrêta pour reprendre haleine, et elle en profita pour déclarer :

— Ne quittez pas, monsieur Mackay. Je vais voir si M. Caspian est là.

Posant la main sur le combiné, elle adressa une grimace amusée à Gina, attendit quelques secondes, puis susurra :

— Désolée, monsieur Mackay... M. Caspian est en conférence.. Désirez-vous laisser un message ?

— Oui! Dites-lui que, s'il refuse de me parler, c'est à mes avocats qu'il aura affaire! hurla Mackay avant de raccrocher.

— De quoi discutions-nous, à l'instant? demanda Hazel en riant.

— Pourquoi n'as-tu pas passé la communication à Nick? questionna Gina, interdite.

— Ordre de M. Caspian !

— Mais Mackay a visiblement l'intention de nous intenter un procès! s'exclama Gina en se levant.

Elle se dirigea vers la porte du bureau attenant et frappa sans douceur.

— Qu'est-ce que c'est? cria Nick d'un ton hargneux. Quand il était de cette humeur, il effrayait la jeune

344

femme, mais, la colère l'emportant sur la peur, elle ouvrit la porte et fusilla Nick du regard.

— J'estime utile de vous informer que M. Mackay vient d'appeler et qu'il a l'air décidé à engager des poursuites contre le journal.

— Eh bien, qu'il le fasse! grommela Nick. Ce sera tout, madame Tyrrell? Parce que Fabien et moi sommes en train de débattre de choses beaucoup plus importantes que Lew Mackay...

Gina s'apprêtait à répliquer vertement, mais se retint en voyant la lueur menaçante qui brillait dans les yeux de son interlocuteur. Elle referma donc doucement la porte et alla se rasseoir à sa table. Trop énervée pour se remettre au travail, cependant, elle se leva de nouveau au bout de quelques instants et dit à Hazel :

— J'espère que Lew Mackay le saignera à blanc! Maintenant, je vais déjeuner, et je ne sais pas quand je rentrerai.

— Prends ton temps! lui conseilla Hazel en souriant. De fait, Gina ne regagna son bureau que plusieurs heures plus tard... pour apprendre que Nick avait quitté Londres.

— Il est parti à Rome, expliqua Hazel, et on ne le reverra peut-être pas ici avant des semaines.

Nick n'était en tout cas pas revenu le jour où la commission de recrutement se réunit pour désigner le nouveau correspondant de *L'Observateur* à Paris. C'était du moins sa tâche initiale, car Gina découvrit alors que Nick avait en fait procédé unilatéralement à cette nomination. Il demandait à la commission de ratifier sa décision, mais étant donné la personne sélectionnée, il était évident que personne n'élèverait d'objection.

Tout cela, la jeune femme l'ignorait néanmoins en arrivant à la réunion. Fabien Arnaud attendit que tous les membres de la commission soient là, puis leur annonça qu'un candidat de dernière minute s'était présenté.

— Un candidat exceptionnel, précisa-t-il. L'avoir comme correspondant à Paris rehausserait tellement le prestige de *L'Observateur* que je me range à l'avis de M. Caspian : nous ne pourrions mieux choisir.

Cette nouvelle mit Gina en rage : après avoir juré ses grands dieux qu'il n'interviendrait pas dans la politique rédactionnelle du journal, voilà qu'il désignait un correspondant sans consulter personne !

Un regard circulaire autour de la table permit à la jeune femme de constater que plusieurs membres de la commission partageaient son indignation. Daniel Bruneille n'en faisait cependant pas partie : il griffonnait distraitement sur un carnet posé devant lui, et son absence de réaction éveilla les soupçons de Gina : il devait déjà être au courant de la décision de Nick et, pour afficher un tel calme, il l'approuvait.

Nick avait-il donné le poste à Nicole Augustin ? Non, il ne pouvait pas s'agir de la Française... Elle avait toujours figuré sur la liste, et Fabien avait dit *un* candidat. Mais de qui s'agissait-il, alors ?

— M. Caspian nous laisse naturellement libres d'accepter ou de refuser son choix, poursuivit Fabien, mais je suis sûr que vous l'accepterez quand vous connaîtrez le nom de ce candidat... Desmond Amery !

Un murmure s'éleva dans l'assistance, exprimant un mélange de surprise, d'intérêt et de satisfaction. Gina, quant à elle, ne put retenir un haut-le-corps : l'idée que le père de Rose briguerait ce poste ne lui était jamais venue à l'esprit. Il l'avait occupé pendant des années avant de prendre sa retraite, et sir George le lui avait ensuite proposé de nouveau plusieurs fois, mais sans succès... Alors pourquoi Desmond s'y portait-il aujourd'hui candidat ?

— Sa fille est-elle au courant ? demanda la jeune femme.

— Non, pas encore, répondit Daniel en levant vivement la tête.

— M. Amery — que nous n'avons pas jugé utile de convoquer — a résolu d'attendre notre décision pour parler à sa fille, expliqua Fabien. Il craignait que le fait de se savoir en concurrence avec lui ne la perturbe pendant son entretien.

— Évidemment que ça l'aurait perturbée ! grommela Gina, pleine de pitié pour son amie.

— Permettez-moi cependant de vous rappeler que le nom de Rose Amery a lui aussi été inclus tardivement sur la liste, observa Fabien.

Son ton était affable, mais Gina n'en comprit pas moins le message : Nick avait dit à Fabien qu'elle avait insisté pour voir figurer Rose au nombre des candidats. Et le mal que causerait à Rose la nomination de son père serait sa faute à elle, Gina !

Accablée, la jeune femme n'écouta que d'une oreille le panégyrique de Desmond que fit ensuite Fabien. Eloge d'ailleurs inutile, car il était évident que les autres membres de la commission, même si l'intervention de Nick Caspian dans le recrutement d'un journaliste leur déplaisait, se réjouissaient du retour de Desmond Amery au journal.

Les entretiens avec les autres candidats eurent tout-de-même lieu, et on les informa qu'ils recevraient très bientôt une réponse par courrier. En sortant de la réunion, pourtant, Gina se demanda si elle ne devait pas passer outre aux instructions de Fabien et mettre tout de suite Rose au courant de la décision de la commission. Elle résolut finalement d'attendre le lendemain, mais l'inquiétude et le remords l'empêchèrent de dormir une bonne partie de la nuit.

Pendant ce temps-là, Rose, elle, s'amusait beaucoup : Felicia, l'une des secrétaires de rédaction de *L'Observateur,* donnait une petite fête, et la soirée, animée par un groupe de rock dans lequel jouait le frère de Felicia, fut très joyeuse.

Quand Rose regagna son appartement, aux petites heures du matin, elle trouva un message de son père sur le répondeur : Desmond était à Londres, dans un hôtel du centre, et l'invitait à déjeuner le lendemain.

Il y avait également plusieurs messages de Daniel, aussi brusques et laconiques les uns que les autres. Dans le dernier, il menaçait de venir se pendre à la sonnette de Rose si elle ne le rappelait pas... L'avait-il fait ? pensa la jeune femme en se glissant entre ses draps. Dans ce cas, il s'était cassé le nez... Mais qu'avait-il donc de si urgent à lui « dire ? »

Juste avant de s'endormir, l'idée qu'elle avait finalement été choisie pour le poste de Paris lui traversa l'esprit. Elle y crut même un instant, mais un instant seulement, car elle savait au fond que c'était impossible : les autres candidats, dont l'identité lui était maintenant connue, avaient beaucoup plus d'expérience qu'elle, et c'étaient tous des gens de valeur.

Peut-être la prochaine fois ? songea-t-elle, déjà à demi assoupie.

Heureusement, étant donné l'heure à laquelle elle s'était couchée, Rose n'avait pas besoin de se lever tôt le lendemain : les employés de *L'Observateur* bénéficiaient d'horaires flexibles qui leur permettaient de venir travailler quand bon leur semblait — à condition, bien sûr, de respecter le nombre d'heures requis. Rose n'avait donc pas mis son réveil à sonner, et il était plus de 10 heures quand elle se réveilla. Après une douche revigorante, elle s'habilla, but une tasse de café, puis alla faire des courses avant de rejoindre son père dans le restaurant où ils devaient déjeuner ensemble.

Desmond lui annonça la nouvelle pendant qu'ils prenaient l'apéritif et, devant l'expression stupéfaite de sa fille, s'empressa de préciser :

— Je n'aurais évidemment pas posé ma candidature si tu avais eu la moindre chance d'être nommée !

— Mais je n'en avais aucune, répliqua Rose avec un sourire désabusé. Dès que j'ai vu les autres postulants, je me suis rendu compte de la vanité de mes prétentions.

— Ce n'est que partie remise, affirma Desmond. Fabien Arnaud m'a téléphoné ce matin, et il semble que tu l'aies très favorablement impressionné. Je sais d'autre part que Nick Caspian pense beaucoup de bien de toi... Ne t'inquiète pas, ton heure viendra !

— Je me demande pourquoi tu ne parles pas de l'opinion qu'a Daniel Bruneille de moi...

Au lieu de répondre, son père la fixa en souriant, et la jeune femme rougit.

— Mais je la connais, son opinion ! continua-t-elle. Il est persuadé que j'ai choisi le métier de journaliste uniquement pour te plaire, et sans doute même que j'utilise ta réputation pour favoriser ma carrière.

— Vous ne vous êtes jamais compris, Daniel et toi, fit remarquer Desmond, l'air amusé.

— Et ça ne risque pas de changer ! grommela Rose. Puis, comme le regard scrutateur de son père l'embarrassait, elle changea de sujet :

— Tu ne m'as pas encore dit pourquoi tu avais décidé de reprendre du service... Tu n'as pas de problèmes d'argent, au moins ?

— Non, aucun, mais la vie de retraité commençait à me peser, j'adore Paris et, bien sûr, il y a Irena. Ses études à la Sorbonne ne se termineront que dans un an, et je veux passer cette année avec elle. Jamais je n'aurais songé à briguer ce poste de correspondant, cependant, si Nick Caspian ne m'avait pas appelé pour me le proposer.

— Ah ! c'est donc lui qui en a eu l'idée ! J'aurais dû m'en douter !

— Ce Caspian est très malin, déclara Desmond en souriant. Aucun des autres candidats ne lui agréait vraiment, et je crois que ça l'arrange de mettre sur ce poste une personne qui n'y restera pas longtemps. Je suis pour lui une sorte d'intérimaire : quand j'arrêterai, il me remplacera par quelqu'un de beaucoup plus jeune. Tu as donc un an, Rose, pour faire tes preuves... Et pourquoi ne t'installerais-tu pas à Paris pendant cette année ? Cela te permettrait de mieux connaître Irena. Tu pourrais aussi me servir de collaboratrice et apprendre sur le tas le métier de correspondant à l'étranger.

— Tu parles sérieusement ? s'enquit-elle, les yeux écarquillés.

— Très sérieusement ! Mais ne me donne pas tout de suite ta réponse. Prends le temps de réfléchir.

Et Rose suivit ce conseil : revenue à son appartement après le déjeuner, elle passa le reste de la journée à penser à la proposition de son père, pesant soigneusement le pour et le contre. Ils n'avaient pas évoqué ensemble les aspects pratiques et financiers de cet arrangement, mais son salaire et le nombre d'heures de travail inquiétaient moins la jeune femme que le partage des responsabilités. Elle savait en effet que son père voudrait couvrir lui-même les événements les plus intéressants — c'était humain ! Il n'avait pas précisé en quoi consisterait exactement la mission de sa fille, mais elle soupçonnait qu'il lui confierait uniquement des tâches subalternes : recherche de documentation, secrétariat et autres. Ce serait Desmond qui écrirait et signerait les articles. Elle, elle resterait dans l'ombre... C'était le côté négatif des choses.

Mais il y avait un côté positif : cette expérience lui servirait d'apprentissage. Et un apprentissage plus utile que celui de ses débuts à *L'Observateur* car, au bout de cette année, elle serait bien placée pour succéder à son père. Mais cet espoir se réaliserait-il vraiment ? Et si le poste était confié à Nicole Augustin ou à quelqu'un comme elle ?

Dans un tout autre domaine, la possibilité de lier des

liens étroits avec sa demi-sœur constituait un argument de poids en faveur de cette installation à Paris. Pendant un an, Desmond, Irena et elle formeraient une famille... C'était tentant !

Rose s'arracha à ses réflexions vers 6 heures afin de se préparer pour le dîner. Desmond l'avait invitée Chez Pierre en compagnie de plusieurs autres personnes, dont il n'avait pas précisé le nom faute de savoir à ce moment-là si elles seraient libres. Il avait juste mentionné celui de Fabien Arnaud qui, lui, avait promis de venir. Rose se réjouissait d'avoir favorablement impressionné le rédacteur en chef de *L'Observateur* et, décidée à le renforcer dans cette opinion, elle mit sa tenue la plus élégante — un ravissant chemisier de soie rouge foncé et une jupe de velours noir.

Craignant les embouteillages de fin de journée, la jeune femme partit tôt de chez elle, mais il n'y avait pas trop de circulation ce soir-là et son taxi la déposa à Barbary Wharf bien avant l'heure fixée pour le dîner. Elle était énervée et, pour essayer de se détendre, descendit dans le parc aménagé au bord du fleuve. Des pigeons l'entourèrent immédiatement, quémandant de la nourriture qu'elle n'avait pas. Rose tapa dans ses mains, et les oiseaux s'envolèrent dans un grand battement d'ailes. Si seulement elle pouvait faire disparaître ses soucis aussi facilement ! songea la jeune femme. Si seulement elle arrivait à prendre une décision !

Des pas retentirent soudain dans l'allée, et Rose, inquiète, se retourna vivement. C'était Daniel.

— Pourquoi ne m'as-tu pas rappelé ? demanda-t-il de but en blanc.

— J'ai oublié ! Et de toute façon, je savais ce que tu voulais me dire : que le poste de correspondant avait été attribué à mon père... Il me l'a annoncé lui-même ; nous avons déjeuné ensemble ce matin.

— Tu es sûrement déçue, observa Daniel d'un ton radouci, et j'en suis désolé, mais tu dois bien admettre que nous n'avions pas le choix : Desmond dépassait tous ses concurrents de la tête et des épaules.

— Inutile de me vanter ses mérites ! s'écria Rose, furieuse. Je les connais aussi bien que toi ! Mais pourquoi la commission n'a-t-elle pas annulé les entretiens ? Pourquoi cette humiliante mascarade, alors que vous aviez déjà décidé d'entériner le choix de Nick Caspian ? C'était une perte de temps pour vous comme pour nous.

— Tu ne crois pas que le plus humiliant, pour les autres candidats, aurait été de ne pas passer d'entretien, d'être venus pour rien ? Et ce n'était pas une mascarade : cela a donné à chacun de vous l'occasion de montrer sa valeur, d'impressionner les membres de la commission — et certains y ont réussi. A mon avis, la prochaine fois qu'il y aura un poste de ce genre à pourvoir, c'est une des personnes interviewées hier qui l'obtiendra.

— Nicole Augustin, par exemple ?

— Même si elle n'a pas été nommée, le fait d'avoir posé sa candidature à cet emploi lui aura été bénéfique : Nick Caspian a décidé de la muter pour un an à *L'Observateur*.

Le cœur de Rose s'arrêta de battre. Nicole allait s'installer à Londres, travailler avec Daniel, le rencontrer tous les jours, au bureau et en dehors... Craignant que son compagnon ne lise sur son visage la jalousie qui la dévorait, Rose pivota et commença à se diriger vers la place. Prise d'une impulsion subite, elle s'arrêta cependant au bout de quelques mètres et lança par-dessus son épaule :

— Ce sera un échange standard, alors, parce que moi, je m'en vais !

La nouvelle que venait de lui annoncer Daniel avait en effet mis fin à ses hésitations : elle irait à Paris, évitant ainsi de voir Daniel et Nicole ensemble, d'être obligée de mentir et de faire comme si cela lui était indifférent.

352

Au bord des larmes mais finalement soulagée d'avoir tranché, Rose s'apprêtait à repartir lorsque Daniel la saisit par le bras et la força à se retourner.

— Comment ça, tu t'en vas ? cria-t-il. De quoi parles-tu ?

— Papa m'a proposé de passer un an à Paris avec lui, répondit la jeune femme d'une voix mal assurée. '

— C'est hors de question !

— Tu n'as pas d'ordres à me donner, et c'est d'ailleurs en partie pour échapper à ta tyrannie que j'ai pris cette décision.

— Même si tu allais au bout du monde, Rose, je te retrouverais !

Quelque chose dans la voix de Daniel intrigua la jeune femme : sous les accents de colère perçait un autre sentiment, plus profond, plus complexe. Surprise, elle leva la tête, et la flamme qu'elle vit alors briller dans les prunelles noires de son interlocuteur acheva de la désorienter.

— Cela fait trop longtemps que je t'attends, murmura alors Daniel en lui posant doucement la main sur la joue. Cesse donc de fuir ! Le moment est venu pour toi d'admettre que tu m'appartiens depuis des années.

La jeune femme le fixa, les yeux écarquillés. Était-il sérieux, ou bien se moquait-il d'elle, comme d'habitude ?

L'expérience lui ayant appris à se méfier de lui, elle s'écria d'un ton amer :

— La seule chose que je retienne de toutes ces années, ce sont tes critiques et tes sarcasmes continuels !

— J'avais envie de toi, mais tu étais trop jeune, et c'est le seul moyen que j'avais de te tenir à distance.

— Et les autres femmes avec qui tu es sorti ? Et Nicole Augustin ?

— Si j'avais été amoureux d'une de ces femmes, je l'aurais épousée, non ? C'est vrai que j'ai eu des aventures, mais toutes brèves et superficielles. J'attendais juste que tu grandisses et que tu renonces à essayer d'être la copie conforme de ton père.

— C'est pour m'empêcher de rejoindre papa à Paris que tu me dis tout cela ?

— Je ne veux pas que tu partes, reconnut Daniel d'une voix rauque.

Il semblait sincère, et la tension qui se lisait sur son visage confirmait cette impression, mais Rose avait un souvenir, trop cuisant des humiliations passées pour se fier aux apparences.

— Tu n'as jamais accepté ma présence dans ton service ! lança-t-elle. Tu penses que je me suis servie de la célébrité de Desmond pour obtenir cet emploi à *L'Observateur* !

— J'ai toujours été jaloux de l'amour que tu portes à ton père, admit Daniel. Et j'avais peur pour toi : le métier de grand reporter est très dangereux. Je ne supportais pas l'idée que tu coures des risques.

— C'est pourtant la vie que je souhaite mener ! déclara Rose d'un ton ferme.

Les paupières de Daniel se fermèrent soudain, et il se mit à trembler violemment, comme sous l'effet d'une émotion incontrôlable.

— Oui, mais toi, tu es toute ma vie, murmura-t-il. La jeune femme le considéra, hésitante, partagée entre son désir de le croire et sa crainte d'une nouvelle déception. Daniel rouvrit alors les yeux et, prenant le visage de la jeune femme dans ses mains, dit d'une voix à la fois douce et grave :

— Pars, Rose, si tu le veux vraiment ! J'ai eu moi-même suffisamment envie de voyager pour ne pas comprendre ton impatience... Mais que vais-je devenir sans toi ? Je t'aime. J'ai besoin de toi.

Pâle de saisissement, Rose ne parvint pas à articuler un

mot, et Daniel, qui guettait anxieusement sa réaction, s'écria avec colère :

— Tu ne vois donc pas que nous sommes faits l'un pour l'autre ? Qu'il en a toujours été et en sera toujours ainsi ? Tu ne le sens pas ?

Si, elle le sentait et n'avait jamais cessé de le sentir, même au milieu de leurs disputes les plus violentes.

— Je ne suis heureux qu'en ta compagnie, poursuivit-il. A l'époque où tu allais encore au lycée, je savais déjà que tu étais la femme de ma vie, et moi l'homme de ta vie.

Une vague de joie inonda le cœur de Rose, car elle ne doutait plus, à présent, de la sincérité de son interlocuteur.

— Oh ! Daniel..., chuchota-t-elle en se haussant sur la pointe des pieds pour lui passer les bras autour du cou. Daniel... Je t'aime !

Penchant la tête, il l'embrassa, tendrement au début, puis avec une fougue grandissante à laquelle Rose répondit sans réserve. Leur passion trop longtemps contenue s'exprimait maintenant avec une telle force qu'ils oublièrent le monde extérieur, et il fallut le cri aigu d'une mouette, au-dessus d'eux, pour les ramener à la réalité. Ils s'écartèrent un peu l'un de l'autre et se regardèrent avec émerveillement.

— Cela fait tant d'années que j'attends ce moment..., murmura Daniel.

— Mais pourquoi avoir attendu ? Pourquoi ne pas m'avoir dit tout cela bien avant ?

— Il fallait d'abord que tu deviennes adulte, Rose, et cela t'a pris beaucoup de temps. Ton admiration pour ton père et ton désir de l'imiter t'obsédaient au point d'étouffer ta personnalité.

— Je veux tout de même continuer ma carrière de journaliste, Daniel. J'ai axé toute ma vie là-dessus.

— Oui, je sais, niais je persiste à penser que ta motivation première a été de suivre les traces de Desmond et que tu ne t'es jamais demandé si tu n'avais pas d'autres talents à exploiter.

Les yeux de Daniel se posèrent soudain sur les lèvres de la jeune femme, et il marqua une petite pause avant de reprendre d'une voix entrecoupée :

— Allons chez moi, Rose...

— C'est impossible, je dois dîner avec Desmond! objecta-t-elle malgré l'envie qui la brûlait d'accepter.

— Moi aussi, je devais dîner avec lui, répliqua Daniel, mais il a invité une demi-douzaine de personnes et n'a donc pas besoin de nous. Il suffit de lui laisser un message Chez Pierre et, en nous dépêchant, nous serons partis avant que les autres n'arrivent.

Les événements lui donnèrent tort, cependant : alors que les deux jeunes gens traversaient rapidement la place, main dans la main, ils se heurtèrent à Desmond, qui considéra un instant leurs doigts entrelacés, puis leva la tête, l'air amusé.

Rose rougit. Daniel, lui, annonça sans broncher :

— Désolé, Desmond, mais nous ne dînerons pas avec toi, finalement.

— Aucune importance! s'exclama gaiement Desmond.

— Et Rose ne te rejoindra pas non plus à Paris, déclara Daniel d'un ton ferme.

Une heure plus tôt, la jeune femme lui aurait dit avec indignation de cesser de décider pour elle, mais au lieu de cela, elle adressa à son père un sourire embarrassé et murmura :

— Excuse-moi, papa, et merci de ta proposition. J'espère je vous verrai souvent, Irena et toi, puisque nous n'aurons que la Manche à traverser pour nous rencontrer, mais je reste à Londres avec Daniel.

Une lueur de triomphe s'alluma dans les yeux de Daniel, tandis que Desmond émettait un petit rire.

— D'accord, Rose ! Et maintenant, filez, tous les deux, avec ma bénédiction ! Il vous a fallu du temps pour vous trouver, mais j'ai toujours su que vous le feriez un jour.

Daniel lui adressa un sourire. N'avait-il pas la preuve, une fois de plus, que rien ne prenait jamais Desmond Amery au dépourvu ?

Cet ouvrage a été publié en langue anglaise
sous le titre :
THE CLOSE FOR COMFORT (BARBARY WHARF 3)

Traduction française de
BÉNÉDICTE DUCHET-FILHOL

Ce roman a déjà été publié dans la collection
AZUR N°1567
sous le titre :
UN COMBAT INCERTAIN
en octobre 1995

CHARLOTTE LAMB

Orageuse tentation

éditions Harlequin

PERSONNAGES PRINCIPAUX

IRENA OLIVERO : fille naturelle de Desmond Amery et demi-sœur de Rose Amery. Résolue à réussir dans la vie, elle a quitté son Espagne natale pour suivre des études de langues à Paris et a été engagée pour quelques mois comme traductrice à *L'Observateur*.

ESTEBAN SEBASTIAN : beau et fier Espagnol qui dirige le service du marketing de *L'Observateur*.

GINA TYRRELL : jeune veuve du petit-fils adoré de sir George, James. Après la mort de sir George, elle devient copropriétaire avec Nick Caspian de *L'Observateur*. Elle rend Nick responsable de cette mort et jure de la lui faire payer.

NICK CASPIAN : magnat de la presse européenne qui a décidé de prendre le contrôle de *L'Observateur*. Tenace et dur en affaires, il est prêt à tout pour atteindre son objectif.

ROSE AMERY : journaliste au service étranger. Ancienne camarade de classe de Gina, c'est une jeune femme très ambitieuse, qui entend faire carrière à *L'Observateur*. Daniel Bruneille tient une place de plus en plus importante dans sa vie.

DANIEL BRUNEILLE : directeur du service étranger de *L'Observateur*. Il est réputé pour sa rigueur et son exigence vis-à-vis de ses collaborateurs. Son tempérament fougueux et emporté le rend assez difficile à vivre, mais Rose paraît s'en accommoder.

1.

Desmond accompagna Irena à l'aéroport Charles-de-Gaulle. En voyageur expérimenté, il lui avait conseillé de mettre tous ses papiers importants dans une pochette de cuir dont il avait vérifié le contenu avant le départ pour Roissy. « Passeport, billet d'avion, chèques de voyage, argent liquide... », avait-il marmonné en cochant au fur et à mesure sur la liste qu'il lui avait demandé d'établir afin d'être sûre de ne rien oublier. Parfois, Irena avait vraiment l'impression qu'il la considérait comme une petite fille !

— Tu es bien pâle, observa soudain Desmond devant le comptoir d'enregistrement des bagages. Tu te sens nerveuse ?

— Un peu, avoua-t-elle, une lueur d'anxiété dans ses grands yeux gris. J'ai peur, une fois à Londres, de ne plus me rappeler un seul mot d'anglais et d'être incapable de me débrouiller.

— Ne t'inquiète pas ! Rose parle couramment le français, et elle t'attendra dans la salle des arrivées. Et ton anglais, même s'il t'abandonne sur le moment, te reviendra très vite.

— Tu es plus optimiste que moi, Desmond ! déclara-t-elle avec un sourire contraint.

Ayant appris quelques mois plus tôt seulement que

Desmond était son père, elle avait encore un peu de mal à le tutoyer, comme le faisait Rose. Cela ne l'empêchait pas d'éprouver pour lui une profonde affection, et elle savait ses sentiments partagés. Peut-être sa ressemblance avec la mère de Desmond y était-elle pour quelque chose ? Rose, sa demi-sœur, avait hérité les cheveux noirs et les yeux bleus de leur père, mais elle, Irena, était le portrait vivant de cette mère tant aimée dont Desmond lui avait montré des photographies : mêmes yeux candides, mêmes longs cheveux châtains, même sourire doux et timide.

Oui, Rose et elle étaient très différentes, et pas uniquement sur le plan physique : leurs brèves rencontres avaient permis à Irena de deviner que sa demi-sœur, bien que petite et menue comme elle, avait une robuste constitution et un tempérament énergique.

— Je suis sûr que tu te plairas beaucoup à Londres, affirma Desmond en caressant tendrement la joue de sa fille.

On annonça alors le vol d'Irena au micro, et la jeune femme sursauta.

— Mon Dieu ! Il faut que je me dépêche, sinon l'avion va partir sans moi !

— Calme-toi ! Ce n'est que le premier appel. Tu as tout ton temps, à condition de ne pas t'arrêter à la boutique hors taxes en allant à la porte d'embarquement.

Malgré ces paroles rassurantes, Irena pivota sur ses talons et commença à courir dans le hall, mais elle s'immobilisa soudain, rebroussa chemin et, se haussant sur la pointe des pieds, embrassa son père.

— Au revoir, Desmond ! Nous nous reverrons à ton retour du Viêt-nam. Mais fais attention, là-bas... Ne prends pas de risques !

— Je n'en ai pas l'intention, dit-il en souriant.

La jeune femme le considéra d'un air sceptique, car

Desmond Amery était connu comme l'un des grands reporters les plus téméraires de la profession. Craignant de manquer son avion, elle n'exprima cependant pas ses doutes et, après avoir de nouveau embrassé son père, elle se mêla à la foule des autres passagers.

Ce ne fut qu'une fois dans les airs que sa pensée revint à Desmond, et elle se sentit alors très seule. Ses yeux se remplirent de larmes : son père allait tellement lui manquer... S'il avait refusé ce reportage au Viêt-nam, destiné à une série d'articles sur les changements intervenus dans ce pays depuis la fin de la guerre, elle serait sans doute restée avec lui à Paris et aurait essayé de trouver un emploi en attendant la reprise des cours à la Sorbonne. Mais il avait accepté...

Rose était avec eux à ce moment-là, et elle avait demandé :

— Que vas-tu faire, Irena, si Desmond est absent tout l'été ? Retourner en Espagne ?

— J'irai juste y passer une quinzaine de jours pour voir ma mère et mes frères, avait-elle répondu, car il faut que je gagne un peu d'argent pendant ces vacances. Ce n'est pas le travail qui manque à la ferme, mais je ne peux pas demander à être payée : ma famille a déjà tellement de mal à joindre les deux bouts...

L'exploitation des Olivero était en effet très modeste. Les bâtiments se composaient d'une petite maison aux murs blanchis à la chaux et d'une grange bâtie sur un coteau qui dominait les quelques hectares de terre caillouteuse du domaine. Les Olivero cultivaient la vigne, mais pratiquaient surtout l'élevage, dont les produits servaient à leur propre consommation, le surplus étant vendu au marché. Ils avaient des poules, des porcs, des chèvres et un troupeau de moutons qui trouvaient tant bien que mal leur subsistance dans les collines brûlées par le chaud soleil d'Andalousie. Ils possédaient également des chevaux, animaux utiles l'hiver, quand la neige empêchait les voitures de circuler. Et les frères d'Irena aimaient de toute façon monter à cheval ; c'était leur seule distraction dans une vie où le travail prenait toute la place. Ramon, l'aîné, avait dix-huit ans, et Miguel seize. On aurait dit des jumeaux : ils étaient tous les deux très bruns, avec des cheveux noirs, des yeux de jais et un corps musclé. « Mes petits taureaux », les appelait fièrement Ambrosio, leur père, quand il les voyait se battre — ce qu'ils avaient passé leur enfance à faire.

Seule fille de la famille, Irena n'avait pourtant jamais eu l'impression d'être moins aimée que ses frères, et elle avait reçu un choc terrible quand, après la mort d'Ambrosio, sa mère, Grazia, lui avait révélé que cet homme n'était pas son vrai père.

A vingt ans, alors qu'elle suivait des cours dans une université londonienne, Grazia avait travaillé comme jeune fille au pair chez le célèbre journaliste Desmond Amery, qui venait de perdre sa femme et avait une petite fille de six ans, Rose. Elle était tombée amoureuse de lui et ils avaient eu une brève liaison, dont Irena représentait le fruit. Grazia ne s'était cependant aperçue de sa grossesse qu'après son retour en Espagne. Sachant que Desmond n'éprouvait pas pour elle de sentiments profonds, elle ne l'avait pas averti et s'était mariée avec l'homme auquel sa famille la destinait depuis toujours, un paysan andalou un peu fruste, mais bon et généreux. Ambrosio Olivero avait élevé Irena comme sa fille, et, en apprenant la vérité, celle-ci avait adressé de violents reproches à Grazia. Mais ce mouvement de révolte était maintenant passé : Desmond l'avait aidée à comprendre que personne n'était à blâmer dans cette affaire, que les gens pouvaient commettre dans leur jeunesse des erreurs et des imprudences... C'était la vie ! Et à présent, Irena parvenait à aimer Desmond sans avoir l'impression de trahir Ambrosio, qu'elle continuait de considérer comme son père.

Quant à Ramon et Miguel, peu importait bien sûr qu'ils soient seulement ses demi-frères : elle ne les en aimait pas moins, et il lui arrivait même souvent d'avoir mauvaise conscience en comparant son existence relativement facile à Paris et la vie de labeur qu'ils menaient avec leur mère en Espagne. Bien qu'elle se sentît proche de Desmond, l'univers des Olivero était encore le sien, et elle aurait voulu les aider financièrement.

Quand Rose lui avait parlé de venir travailler comme traductrice à *L'Observateur* pendant l'été, Irena avait donc sauté de joie : cela lui permettrait de subvenir à ses besoins pendant l'été et d'envoyer en plus de l'argent à sa famille.

Rose devait cependant tout d'abord obtenir l'accord de Daniel Bruneille qui, en tant que directeur du service étranger, serait le patron direct d'Irena, mais il n'avait pas émis d'objection, et tout s'était décidé en un temps record : le journal engageait Irena pour choisir et traduire les articles les plus intéressants de la presse espagnole, et elle habiterait chez sa demi-sœur, dans le grand appartement que Rose et Daniel partageaient. Ils n'étaient pas mariés, mais Irena avait la certitude qu'ils le feraient un jour.

S'arrachant à ses réflexions, la jeune femme observa par le hublot le patchwork que formait la campagne du Pas-de-Calais — le jaune des champs de blé, le vert des prairies, les rubans gris des routes... C'était un paysage si différent des terres arides de son Espagne natale ! Et puis, soudain, des milliers de reflets scintillants l'éblouirent : l'avion commençait à survoler la Manche.

Le vol ne durerait plus très longtemps, à présent, et Irena se leva pour aller aux toilettes retoucher son maquillage avant l'atterrissage.

Son siège se trouvait côté hublot, la place voisine était vide et le fauteuil côté couloir était occupé par un homme de haute taille et de type méditerranéen qui, depuis le décollage, n'avait pas regardé une seule fois en direction d'Irena. Il était plongé dans un dossier, et ses grandes jambes, allongées devant lui, barraient maintenant le chemin à la jeune femme. Elle attendit qu'il bouge, mais en vain.

— Excusez-moi, monsieur, finit-elle par dire en français.

Surpris, le passager sursauta. Le dossier qu'il tenait lui glissa des mains, et des dizaines de feuilles s'éparpillèrent dans toutes les directions. L'homme en rattrapa quelques-unes au vol, mais la plupart tombèrent, et Irena se baissa précipitamment pour les ramasser.

— Laissez ça ! grommela l'inconnu.

Il avait prononcé ces mots en espagnol, et la jeune femme leva la tête, interdite : elle parlait français presque sans accent, alors comment savait-il qu'elle était espagnole ?

Leurs regards se croisèrent et, interprétant sans doute l'expression perplexe de son interlocutrice comme de l'incompréhension, l'inconnu répéta sa phrase dans un français approximatif. Irena comprit alors la vérité : il n'avait pas deviné qu'elle était espagnole ; il l'était lui aussi !

Elle se redressa en silence et, tandis que le passager rassemblait ses papiers, elle l'observa plus attentivement. En fait, c'était elle qui aurait dû deviner sa nationalité, et pas seulement à cause de sa peau mate, de ses cheveux et de ses yeux noirs, mais aussi à cause de son expression grave, presque sombre. La plupart des Espagnols arboraient cet air digne et réservé — même ses frères, qui n'étaient pourtant pas encore tout à fait des hommes. C'était pour eux un signe extérieur de virilité.

366

Inconscient de l'examen auquel le soumettait Irena, le passager se releva finalement et quitta son siège pour la laisser sortir de la travée. Le rouge aux joues, la jeune femme murmura une excuse en français avant de s'éloigner à grands pas. Elle n'avait pas envie de lui dire qu'ils étaient compatriotes : il interpréterait sûrement cela comme une tentative pour engager la conversation et en concevrait du mépris pour elle.

Une fois dans les toilettes, Irena se brossa les cheveux, vérifia son maquillage, et elle regagnait sa place lorsque l'hôtesse annonça que l'avion allait atterrir à Heathrow quelques minutes plus tard. Toute l'angoisse ressentie avant le départ revint alors : sa timidité maladive rendait effrayante la perspective de se trouver dans un pays inconnu, au milieu de visages étrangers.

D'un autre côté, elle se réjouissait de revoir sa demi-sœur. Rose et elle n'avaient encore jamais été seules ensemble : il y avait toujours eu Desmond, ou Daniel, ou les deux, et la présence d'hommes empêchait les femmes de se parler aussi librement qu'en tête à tête. Peut-être ce séjour à Londres lui permettrait-il de faire vraiment connaissance avec Rose... Elle l'espérait, en tout cas.

Irena était toujours partagée entre la peur et l'excitation lorsque l'avion atterrit, puis roula jusqu'à l'aire de stationnement. Les passagers commencèrent alors à bouger, et la jeune femme se leva pour récupérer sa veste dans le compartiment placé au-dessus des rangées de fauteuils. Comme elle était petite, il lui fallut se dresser sur la pointe des pieds et, tandis qu'elle cherchait sa veste à tâtons, une voix teintée d'ironie dit en français, derrière elle :

— Je peux vous aider, mademoiselle ?

La main de son compatriote se tendit alors et saisit le vêtement sans difficulté.

— Merci, monsieur, murmura la jeune femme en se retournant.

Impassible, l'homme inclina la tête, puis ramassa ses affaires sur son siège et s'engagea dans l'allée. Irena le suivit. Elle vit l'hôtesse adresser un sourire éclatant au bel Espagnol et se demanda si celui-ci lui rendait son sourire. Mais lui arrivait-il jamais de sourire ?

Quoi qu'il en soit, il ne s'arrêta pas pour bavarder avec l'hôtesse et, comme ses longues jambes lui permettaient de marcher beaucoup plus vite qu'Irena, cette dernière l'avait perdu de vue quand elle se présenta au contrôle des passeports. Elle le retrouva cependant dans la salle de retrait des bagages, allant et venant devant les tapis roulants, l'œil sur sa montre.

La valise d'Irena parut presque tout de suite, et elle l'empoigna avant de se diriger vers la sortie surmontée du panneau « Rien à déclarer ». Une fois la porte franchie, elle parcourut du regard la foule des gens qui attendaient dans le hall des arrivées. C'était là qu'aurait dû être Rose. Mais elle n'y était pas...

Un début de panique gagna Irena. Pétrifiée, elle passa de nouveau en revue les visages qui lui faisaient face, et ne se rendit compte qu'elle barrait le chemin aux autres passagers qu'en entendant, dans son dos, un soupir suivi de ces mots, prononcés en français par une voix familière :

— Pourriez-vous vous pousser, mademoiselle, s'il vous plaît ? Je suis pressé.

— Oh ! Je... désolée, monsieur..., balbutia-t-elle en s'écartant vivement.

Son embarras céda cependant vite la place à un immense soulagement, car elle venait d'apercevoir Daniel Bruneille, qui jouait des coudes au milieu de la cohue.

— Ah ! vous voilà, s'écria-t-il en français quand il l'eut rejointe.

368

— Où est Rose ? s'enquit Irena dans la même langue en cherchant sa demi-sœur des yeux.

— Elle devait rentrer de Rome en fin de matinée, mais son avion a été retardé à cause d'ennuis de moteur, et elle m'a téléphoné pour me demander de voler à votre secours. Moi, je suis sûr que vous vous seriez très bien débrouillée toute seule, que vous auriez tranquillement pris un taxi, mais votre grande sœur s'inquiétait beaucoup pour vous !

Il termina sa phrase dans un éclat de rire, et Irena lui sourit avec un mélange d'admiration et de reconnaissance. Rose avait vraiment de la chance de connaître un homme comme Daniel ! Il était beau, intelligent et respirait une formidable vitalité. Sa causticité naturelle le rendait bien sûr un peu intimidant, mais Rose paraissait s'en accommoder... Sans doute parce qu'elle aussi avait cette tournure d'esprit incisive et sarcastique. Ils avaient tous les deux une forte personnalité et formaient un couple fascinant.

— C'est très gentil à vous de vous être déplacé, déclara timidement Irena. Cela m'a rassurée de voir un visage connu.

Puis, comme Daniel s'emparait de sa valise et commençait à la guider vers la sortie, elle demanda :

— Nous n'attendons pas Rose ?

— Non, je me suis renseigné au comptoir de la compagnie aérienne, et son avion n'arrivera pas avant plusieurs heures. Nous n'allons pas rester là à ne rien faire pendant tout ce temps... Et ne vous tracassez pas : Rose ne s'en offusquera pas. Elle regagnera l'appartement en taxi.

Daniel lui-même était venu à l'aéroport en taxi, et il se dirigea avec Irena vers la tête de station. Un seul client s'y trouvait — un homme dont la jeune femme reconnut immédiatement la haute silhouette aux hanches minces et aux larges épaules... Encore lui ! songea-t-elle avec un petit pincement au cœur.

— Si ça ne roule pas trop mal, annonça Daniel d'un ton enjoué, nous serons à Londres dans une heure. Mais s'il y a beaucoup de circulation, il faut compter au moins le double.

Un taxi arriva à ce moment-là, et l'homme, devant eux, s'avança pour le héler. Daniel sursauta alors et cria :

— Esteban !

L'interpellé tourna la tête, visiblement à contrecœur et sans marquer aucune surprise. Irena en déduisit qu'il avait déjà repéré Daniel, mais décidé de l'ignorer.

— Bonjour, dit-il d'une voix froide.

— Je n'avais pas vu que c'était vous, déclara Daniel.

— Ce n'est pas grave, répliqua Esteban. Vous aviez sûrement autre chose en tête...

Il accompagna cette dernière phrase d'un regard appuyé en direction d'Irena, et Daniel sourit.

— En effet... Irena, je vous présente Esteban Sebastian, le directeur marketing de *L'Observateur*... Esteban, voici Irena, qui va travailler au journal comme traductrice pendant l'été. Elle est espagnole, comme vous.

— Enchanté, mademoiselle, déclara Esteban en inclinant le buste.

Irena marmonna quelques mots incohérents, sans oser croiser son regard.

Pendant ce temps, le chauffeur de taxi avait mis la valise d'Esteban dans le coffre de la voiture, et il demanda d'un ton impatient en s'asseyant de nouveau au volant :

— Alors, c'est pour aujourd'hui ou pour demain ?

Avant de monter dans le véhicule, Esteban hésita une seconde, puis proposa avec un manque d'enthousiasme évident :

— Vous voulez que nous fassions le trajet ensemble ?

Cette perspective n'enchantait guère Irena. Heureusement, un autre taxi arriva alors, et Daniel, comme s'il lisait dans les pensées de la jeune femme, se dépêcha de répondre :

— Merci, Esteban, mais nous allons prendre le suivant. Nous n'avons pas encore eu vraiment le temps de parler.

— Oui, je comprends..., susurra l'Espagnol. Eh bien, à tout à l'heure, au bureau !

Son chauffeur démarra, et Irena poussa un soupir de soulagement. Elle s'installa à l'arrière du second taxi avec Daniel, et celui-ci remarqua, l'air perplexe :

— On dirait qu'Esteban ne vous plaît pas !

— Il... il n'a pas été très aimable avec moi, bredouilla-t-elle.

Son orgueil et sa timidité l'empêchèrent de raconter le stupide incident qui avait eu lieu dans l'avion. Esteban l'avait prise en grippe dès cet instant, elle le sentait intuitivement, mais ce genre de chose était difficile à expliquer, surtout à un homme logique et rationnel comme Daniel.

Ce dernier n'insista d'ailleurs pas. Changeant de sujet, il posa à Irena des questions sur sa vie d'étudiante à Paris, et le trajet jusqu'à Londres passa d'autant plus vite qu'il n'y avait pas trop de circulation ce jour-là : moins d'une heure plus tard, le taxi s'arrêtait devant l'immeuble où habitaient Rose et Daniel, un bâtiment neuf situé non loin de Barbary Wharf.

Leur appartement se trouvait au troisième étage et, en sortant de l'ascenseur, Daniel guida sa compagne le long d'un couloir, puis s'arrêta devant une porte, qu'il ouvrit avant de s'effacer pour laisser passer Irena.

— Venez ! déclara-t-il en entrant à son tour. Je vais vous montrer votre chambre.

La jeune femme le suivit jusqu'à une grande pièce lumineuse meublée simplement, dans un style moderne. Les murs étaient blancs, la moquette et les rideaux jaune doré, et une immense baie vitrée donnait directement sur les eaux étincelantes de la Tamise. Une penderie à portes coulissantes occupait tout un mur — quelque chose qu'Irena n'avait encore jamais vu. Il y avait même un poste de télévision installé sur une table basse et, près du lit, une petite bibliothèque remplie de livres.

— C'est magnifique ! s'exclama la jeune femme.

— Je suis content que cela vous plaise, dit Daniel en souriant. Maintenant, je vous laisse vous installer. Si vous avez besoin de moi, je serai dans la salle de séjour. Rose rentrera sans doute bientôt... Oh ! pendant que j'y pense... Nous dînerons ce soir tous les trois Chez Pierre, le restaurant français de Barbary Wharf. Et autre chose, Irena : nous avons jusqu'ici parlé en français, parce que c'est plus naturel pour nous, mais vous êtes venue à Londres pour améliorer votre anglais, et il vaudrait mieux, désormais, utiliser cette langue.

Cette observation, pourtant anodine et proférée avec beaucoup de gentillesse, suffit à embarrasser Irena, qui rougit et articula avec peine en anglais :

— Oui, vous avez raison.

— Parfait.

Daniel sortit de la pièce et la jeune femme se retrouva seule. Poussant un profond soupir, elle se dirigea vers la fenêtre et contempla la vue. La Tamise coulait paresseusement à ses pieds, et sur l'autre rive se profilaient les tours, les toits gris et les flèches qui formaient le paysage urbain de Londres. Irena avait peine à croire qu'elle était en Angleterre... Ce pays lui paraissait si étrange, si différent de son univers habituel... Paris lui manquait déjà. Jamais elle ne s'adapterait à la culture anglo-saxonne.

Au même moment, mais depuis l'immeuble de *L'Observateur,* Gina Tyrrell regardait elle aussi le soleil se refléter dans les eaux du fleuve tout en parlant à Hazel, assise devant son ordinateur.

— Oui, c'est une bonne idée de l'inviter au mariage. Cela fera plaisir à Rose, et je suis sûre que tu adoreras Irena. Elle est si douce et si timide !

— Tout le contraire de Rose, alors ! lança Hazel.

— En effet ! On a du mal à imaginer qu'elles sont demi-sœurs. Physiquement, Irena n'a d'ailleurs rien de commun avec son père. Sans doute ressemble-t-elle à sa mère...

— Elle veut aussi devenir journaliste ? demanda Hazel sans cesser de taper, avec une rapidité stupéfiante, sur les touches de son clavier.

— Je n'en sais rien, mais ça m'étonnerait. Elle est trop sensible pour ce métier, à mon avis, bien qu'elle soit douée pour les langues, comme Rose et Desmond... Mais ça l'amusera certainement d'aller à un mariage anglais, et c'est gentil de ta part d'avoir pensé à elle.

— Si je ne l'invitais pas, elle se sentirait exclue, puisque Rose et Daniel viennent.

— Ta robe de mariée est-elle terminée ?

— J'ai rendez-vous la semaine prochaine chez la couturière pour le dernier essayage.

Juste à ce moment-là, la porte du bureau voisin se referma bruyamment, et les deux jeunes femmes sursautèrent.

— Le revoilà ! s'exclama Gina.

Nick Caspian avait passé l'après-midi à conférer avec les représentants de l'un des plus grands syndicats d'imprimeurs et, à en juger par le claquement de cette porte, ces discussions l'avaient mis de mauvaise humeur. Mais rien de surprenant ni de nouveau à cela : Nick avait des problèmes avec la plupart des syndicats britanniques depuis son entrée au conseil d'administration de *L'Observateur.* En partie parce qu'il tentait d'aligner le nombre d'heures de travail et les salaires sur ceux de ses autres journaux européens, et en partie parce que, en Grande-Bretagne, les ouvriers étaient plus enclins qu'ailleurs à se méfier de leurs patrons et profitaient de la moindre occasion pour s'opposer à eux.

Craignant que Nick ne surgisse dans la pièce, Gina se dirigea en hâte vers sa table et commença à rassembler ses affaires. Cette table avait appartenu à sir George Tyrrell, le grand-père de son mari mort six ans plus tôt. Quand *L'Observateur* avait déménagé de Fleet Street à Barbary Wharf, ce meuble ancien de grande valeur avait été placé dans le bureau de sir George, mais une crise cardiaque avait foudroyé le vieil homme avant l'installation du journal dans ses nouveaux locaux, et Nick Caspian s'était alors installé dans le bureau directorial. Gina trouvait insupportable l'idée qu'il s'assoie derrière cette table, car elle le jugeait responsable du décès de sir George : si Nick n'avait pas essayé de prendre le contrôle de *L'Observateur,* le vieil homme serait peut-être encore en vie, et le fait que Nick utilise cette table était comme le symbole de sa mainmise sur l'entreprise, un douloureux rappel de la défaite et de la mort de sir George.

Lorsque Nick avait persuadé Gina de continuer à travailler au journal, pourtant, il avait fait transporter ce meuble dans le bureau qu'elle devait partager avec Hazel. Mais ce geste délicat avait plus inquiété que touché la jeune femme : il signifiait que Nick comprenait ce qu'elle ressentait, et cela l'ennuyait qu'il la connaisse aussi bien.

— Je m'en vais, annonça-t-elle à Hazel.

Elle évitait autant que possible de rencontrer Nick, ce qui était le plus souvent facile car il ne passait pas beaucoup de temps à Londres. La multinationale qu'il dirigeait possédait des journaux dans toutes les capitales européennes, et il se déplaçait sans cesse de l'une à l'autre, restant parfois absent des bureaux de *L'Observateur* pendant des semaines entières. Il était cependant à Londres depuis une quinzaine de jours, ce qui mettait les nerfs de Gina à rude épreuve. La présence de Nick l'obligeait à se tenir constamment sur la défensive, et aujourd'hui, elle était trop fatiguée, après une dure journée de travail, pour l'affronter — surtout s'il était de mauvaise humeur!

Mais elle ne fut, hélas, pas assez rapide : juste au moment où elle s'apprêtait à s'en aller, la porte de communication avec la pièce attenante s'ouvrit, et Nick parut sur le seuil. Ses yeux se posèrent immédiatement sur Gina, dont il considéra tour à tour les épais cheveux roux coiffés en chignon, la silhouette mince vêtue d'une élégante robe chemisier de soie ambre et les longues jambes fines. Il ne fit aucun commentaire, mais son silence même était lourd de sous-entendus, et la jeune femme se sentit rougir.

— Vous partez déjà? demanda-t-il d'un ton sarcastique.

— Il est presque 5 heures, et comme je sors ce soir, je veux avoir le temps de me préparer.

— C'est avec Philip Slade que vous sortez?

— Oui, murmura-t-elle.

Ne voulant pas croiser le regard de Nick, elle s'efforçait de garder les paupières à demi baissées, mais ne pouvait s'empêcher de lui jeter de rapides coups d'œil, comme pour comparer avec la réalité l'image qu'elle avait de lui et qui ne la quittait ni le jour ni la nuit.

Mais aucun changement ne s'était produit dans son

apparence depuis leur dernière rencontre, bien sûr, et le cœur de Gina se serra. Pourquoi fallait-il que Nick Caspian soit aussi séduisant ? Très grand et très mince, il dégageait une extraordinaire impression d'énergie et de virilité. La jeune femme ne connaissait pas son âge exact — entre trente-cinq et quarante ans, sans doute. En fait, elle ne savait presque rien de lui, pas même où il était né et avait grandi. D'autres journaux avaient essayé de fouiller dans son passé, mais sans grand résultat. Et Nick ne parlait jamais de lui-même ; quand un reporter commençait à lui poser des questions personnelles, il coupait court à l'interview. Gina se souvenait juste avoir lu quelque part que son père, Zachariah Caspian, était mort.

Seul le physique de Nick donnait des indications sur ses origines : avec son teint mat et ses cheveux noirs, il avait le type méditerranéen, même si ses yeux gris, étonnamment clairs et froids, révélaient une autre ascendance. Des yeux qui, en cet instant, étincelaient de colère...

— Avant que vous ne partiez, j'ai un mot à vous dire, déclara-t-il sèchement. Pouvez-vous venir dans mon bureau ?

Puis, s'adressant à Hazel, il ajouta :

— Ces lettres sont-elles prêtes à signer ?

— Oui, monsieur, répondit Hazel en lui tendant une chemise.

Nick la prit avant de pivoter sur ses talons. Les deux jeunes femmes échangèrent une moue désabusée, puis Gina gagna la pièce voisine, dont elle ferma la porte derrière elle.

Nick était déjà installé à sa table de travail, en train de parapher avec des mouvements souples et rapides les documents tapés par Hazel.

— Je suis pressée, observa Gina. Est-ce important ?

— Oui, affirma-t-il d'une voix dure sans lever la tête. Attendez une minute, je n'en ai pas pour longtemps, mais je veux que ces lettres partent au courrier dès ce soir.

Restant volontairement à bonne distance de lui, la jeune femme parcourut du regard l'élégant bureau lambrissé de chêne clair, que le soleil déclinant baignait d'une douce lumière. Elle remarqua alors que le portrait du père de sir George Tyrrell, précédemment accroché entre les deux fenêtres, avait été enlevé et remplacé par celui d'un homme si petit qu'on aurait dit un nain — à moins que cette impression ne soit simplement due à la façon dont il était assis, le dos voûté, la tête rentrée dans les épaules. Il avait la peau foncée, les yeux noirs, des cheveux gris clairsemés et coiffés en arrière.

— Mon père, annonça Nick.

Arrachée à sa contemplation, Gina jeta un bref coup d'œil à son interlocuteur qui, ayant fini de signer les lettres, l'avait surprise en train de fixer le tableau. Ainsi, il s'agissait de Zachariah Caspian... Eh bien, son fils ne lui ressemblait pas du tout !

— C'est le meilleur portrait qu'on ait jamais peint de lui, reprit Nick d'un ton neutre. Ma mère l'a gardé dans sa maison de San Francisco pendant des années, et je pensais que jamais elle ne s'en séparerait, mais elle vient juste de me l'envoyer.

— Votre mère vit en Amérique ? demanda la jeune femme, s'apercevant soudain qu'elle ignorait même jusqu'ici si Mme Caspian était encore en vie ou non.

— Oui, et cela m'amène précisément à ce dont je souhaitais vous parler, indiqua Nick en tapotant son bureau du bout des doigts, comme chaque fois qu'il était impatient ou en colère. J'envisage de m'implanter aux États-Unis, et j'ai décidé de me rendre sur la côte Ouest pour examiner la situation. J'emmènerai un groupe de cadres afin d'analyser le potentiel du marché, et je désire que vous fassiez partie de ce groupe.

— Vous voulez que je vous accompagne en Californie ? s'écria Gina, interdite. Mais je ne vous serai d'aucune utilité ! Je n'y connais rien en études de marché.

— Votre attitude me surprend ! Vous exigez de partager les responsabilités avec moi, d'être informée de tout ce qui se passe et de comprendre la raison de chacune des décisions qui sont prises... Croyez-vous que vous puissiez assurer correctement la codirection du journal si vous ne quittez jamais Londres, si vous ignorez tout des activités de Caspian International en dehors de la Grande-Bretagne ?

— Je n'ai rien à voir avec Caspian International, répliqua-t-elle. Je suis une Tyrrell.

— Vous avez épousé un Tyrrell, rectifia Nick d'une voix irritée. Ce n'est pas la même chose.

D'autant plus furieuse qu'il avait raison, la jeune femme le foudroya du regard. Et pourtant, d'une certaine façon, elle avait le sentiment d'être vraiment une Tyrrell. Sir George la considérait comme un membre de la famille, et c'était même pour cela qu'il lui avait légué ses actions — pour que, lui disparu, elle continue son œuvre.

— Je suis devenue une Tyrrell le jour de mon mariage avec James, rétorqua donc Gina, une lueur de défi dans les yeux.

D'un geste brusque, Nick repoussa alors son fauteuil et se leva. Le cœur de la jeune femme se mit à battre la chamade. Cet homme avait beau être son ennemi, elle avait beau le mépriser, le seul fait de se trouver à quelques mètres de lui provoquait en elle des réactions physiques incontrôlables.

— Je n'irai pas aux États-Unis, insista-t-elle en

s'efforçant de garder son sang-froid. Seul *L'Observateur* m'intéresse, alors n'essayez pas de me mêler à vos autres projets.

Sur ces mots, elle se tourna vers la porte, mais Nick s'avança et la saisit par le bras avant qu'elle n'ait eu le temps de sortir.

— Vous ne vous en tirerez pas comme ça, Gina !

Un frisson la parcourut. Nick lui faisait vraiment peur, maintenant, et ce fut d'une voix suraiguë qu'elle lui ordonna :

— Lâchez-moi ! Je ne supporte pas que vous me touchiez, il me semble vous l'avoir déjà dit !

— J'en suis arrivé à un point où je me moque de ce que vous ressentez, marmonna-t-il, les yeux fixés sur les lèvres entrouvertes de la jeune femme.

L'élan de désir qui la souleva alors l'aurait sans doute poussée à commettre une folie si le téléphone n'avait pas sonné juste à ce moment-là, lui arrachant un violent sursaut et la ramenant du même coup à la réalité.

Nick ne répondit pas tout de suite : il resta quelques secondes immobile, comme incapable de détacher son regard de la figure pâle de Gina. Il finit pourtant par la lâcher et, avec un soupir exaspéré, alla décrocher.

— Qu'est-ce que c'est ? lança-t-il d'un ton hargneux.

Il tournait le dos à la jeune femme, mais celle-ci le vit se raidir tandis qu'il écoutait son correspondant, et l'instinct de Gina l'avertit qu'il se passait quelque chose de grave. Au lieu de céder à la tentation de s'enfuir le plus loin possible de Nick, elle s'approcha donc de lui et constata alors qu'il avait le visage livide, figé dans une expression de stupeur et de consternation. On était visiblement en train de lui annoncer une mauvaise nouvelle, mais une nouvelle qui concernait ses affaires ou sa vie privée ? Encore que, avec Nick, il n'y eût pas vraiment de démarcation entre les deux...

— Vous êtes sûr qu'elle est dedans ? demanda-t-il soudain.

La réponse qu'on lui donna lui fit froncer les sourcils, puis il déclara :

— Oui, je comprends... Non, je le préviendrai moi-même. Vous, ne bougez pas d'où vous êtes et appelez-moi immédiatement si le moindre fait nouveau se produit.

Reposant le combiné, il leva les yeux vers Gina, mais resta un long moment silencieux, à se mordiller la lèvre inférieure comme s'il réfléchissait à ce qu'il devait dire et à la façon de le formuler.

— Qu'y a-t-il ? finit par questionner la jeune femme. Des ennuis ?

— C'est Rose.

— Rose ? Mais elle est revenue de Rome en fin de matinée... Elle voulait aller accueillir Irena à Heathrow, et...

— L'avion de Rome a été retardé à cause d'une alerte à la bombe. On a fouillé l'appareil pendant des heures, mais sans rien trouver, et l'avion a finalement décollé avec quatre heures de retard.

Gina se sentit pâlir, et un frisson d'horreur la parcourut à l'idée de ce qui avait pu se passer.

— Oh ! non... Non... Pas Rose ! balbutia-t-elle.

— Rassurez-vous, elle est vivante. Il ne s'agissait pas d'une bombe.

— De quoi s'agissait-il, alors ?

— Eh bien, le message téléphonique adressé aux autorités était en anglais, et la standardiste italienne a dû mal comprendre. En réalité, il n'annonçait pas la présence à bord d'une bombe mais de terroristes.

— Des terroristes ! répéta Gina, épouvantée.

— Ils ont détourné l'appareil et exigent que le pilote les emmène à Chypre. Le coup de téléphone que j'ai reçu provenait de Ben Winter, un de nos journalistes. Il est parti passer deux semaines de vacances à Chypre et venait juste d'atterrir à Nicosie, quand il a vu des policiers et des soldats se déployer dans l'aéroport et commencer à évacuer les gens. Ben a bien sûr refusé de s'en aller ; il a montré sa carte de presse, ce qui lui a permis d'obtenir des informations. Il semblerait que les terroristes soient au nombre de trois, mais personne ne paraît savoir qui ils sont exactement et ce qu'ils veulent. Quand Ben a appris qu'il s'agissait d'un vol Rome-Londres, il s'est souvenu, pour avoir entendu Daniel en parler devant lui, que Rose devait revenir aujourd'hui de Rome.

2.

Les genoux de Gina se dérobèrent. Elle s'écroula sur le siège le plus proche et coinça ses mains entre ses cuisses pour les empêcher de trembler.

— Mais... mais..., bredouilla-t-elle, si l'avion a été détourné il y a plusieurs heures, pourquoi la nouvelle n'a-t-elle pas été connue plus tôt ? Pourquoi les agences de presse ne l'ont-elles pas transmise aux médias ?

— D'après Ben, les autorités chypriotes font le black-out. Elles attendent d'avoir plus de précisions sur les exigences du commando pour diffuser un communiqué. Si Ben a été informé de cette affaire, c'est par hasard, parce qu'il se trouvait sur place. Et il a l'impression que les autorités pourraient bien refuser à l'avion l'autorisation d'atterrir.

— Mais dans ce cas, l'appareil aura-t-il assez de kérosène pour aller ailleurs ? Et si les terroristes s'énervent et... Oh ! mon Dieu, Rose...

— Ne vous laissez pas emporter par votre imagination, déclara Nick en regardant la jeune femme d'un air soucieux. Tant que nous n'en savons pas plus, tâchez de garder votre sang-froid.

Mais au lieu de calmer Gina, cette remarque l'exaspéra.

— C'est facile à dire pour vous ! s'écria-t-elle. Rose

n'est pas votre amie d'enfance! Vous ne vous sentez pas directement concerné.

— Je connais Rose depuis des années, répliqua sèchement Nick, et je suis moi aussi très inquiet pour elle, figurez-vous!

Sur ces mots, il lui tourna le dos et tendit la main vers le téléphone en grommelant :

— Il faut que j'appelle Daniel pour le mettre au courant. Cela va lui donner un rude choc, mais son métier l'a heureusement habitué à faire face à des situations dramatiques.

Bien qu'elle ne soit qu'en partie d'accord avec Nick, la jeune femme garda le silence. Les pensées tourbillonnaient dans sa tête. La nouvelle de ce détournement allait en effet porter un coup terrible à Daniel... Ayant été grand reporter pendant des années, il avait certes affronté des dangers et assisté à des tragédies, mais cela, c'était du passé. Il avait complètement changé depuis que Rose et lui vivaient ensemble. Le bonheur l'avait transformé, le rendant plus chaleureux, plus sensible, plus humain. S'il arrivait quelque chose à Rose, jamais il ne s'en remettrait.

Pendant ce temps, Nick parlait au téléphone, d'un ton sec qui alerta soudain Gina. Ce n'était tout de même pas à Daniel qu'il s'adressait ainsi ?

— Où ?... Ah! Je vois... Non, je vais l'appeler chez lui. Raccrochant d'un geste brusque, il jeta un coup d'œil à la jeune femme et expliqua :

— Rose a téléphoné à Daniel pour lui dire qu'elle ne pourrait pas accueillir Irena à l'aéroport parce que le vol Rome-Londres était retardé. Daniel a donc quitté le journal pour Heathrow il y a plusieurs heures. Il doit être rentré chez lui, maintenant. J'ai son numéro personnel quelque part, mais peut-être le connaissez-vous par cœur? Cela gagnerait du temps...

Gina lui fournit le numéro, et il finissait de le composer quand l'un des autres téléphones placés sur le bureau sonna. Nick décrocha tout en attendant que quelqu'un réponde dans l'appartement de Daniel.

— Allô!... Ah! c'est vous, Fabien... Oui, je suis au courant. Ben m'a prévenu avant de passer l'information au service-étranger. Je me charge d'avertir Daniel; je suis justement en train de l'appeler... Oui, Ben peut couvrir l'affaire pour l'instant. Ce ne serait cependant pas correct de lui demander de travailler pendant ses vacances. Daniel voudra aller à Chypre, bien sûr, mais il est impliqué trop directement dans cette histoire pour en assurer le reportage. Un autre journaliste l'accompagnera. Je mettrai mon jet à leur disposition, ce sera plus commode car l'aéroport de Nicosie est sûrement fermé, et il leur faudra atterrir dans un autre endroit de l'île... Non, je n'ai pas de préférence. Choisissez vous-même un reporter. Je vous rappellerai dès que j'aurai joint Daniel. A plus tard!

Mais le téléphone, chez Daniel, sonnait toujours dans le vide, et Nick finit par raccrocher.

— Où diable peut-il être? marmonna-t-il.

— Et s'il avait appris la nouvelle et était en route pour le journal? suggéra Gina.

— Connaissant Daniel, c'est pour l'aéroport qu'il serait en route, afin de sauter dans le premier avion à destination de Chypre... De toute façon, il est impossible qu'il soit au courant. Alors où est-il?

— Sans doute fait-il visiter Londres à Irena, déclara la jeune femme en soupirant.

Au même moment, Rose était elle aussi en train de penser à Daniel, et si fort qu'un gémissement d'angoisse faillit lui échapper. Le reverrait-elle jamais? Elle avait perdu tant de temps à se disputer avec lui, à se comporter comme une enfant... Et maintenant qu'ils s'étaient enfin trouvés, voilà qu'un hasard malheureux menaçait de détruire leur bonheur tout neuf...

A cette douleur morale s'ajoutait une souffrance physique de plus en plus difficile à supporter, car Rose, comme les autres passagers de l'avion détourné, avait reçu l'ordre de rester absolument immobile dans son siège, les mains jointes derrière la tête. Ainsi, les deux terroristes qui se tenaient à l'avant de l'appareil, armés de pistolets et de grenades, pouvaient mieux surveiller leurs otages. Comment avaient-ils réussi à introduire ces armes à bord ? se demandait Rose. A Rome, les employés de la compagnie aérienne avaient expliqué le décollage différé de l'avion par des ennuis de moteur, mais il était maintenant évident que les autorités avaient reçu un avertissement et procédé à une fouille minutieuse de l'appareil. Ces hommes y étaient donc montés déjà équipés de leur arsenal... Mais comment ces armes avaient-elles échappé au contrôle de sécurité ?

Les pleurs étouffés de sa voisine, une femme d'âge mûr, interrompirent Rose dans ses réflexions. Elle aurait voulu pouvoir la réconforter en lui parlant ou en lui passant un bras autour des épaules, mais les pirates de l'air leur avaient interdit d'ouvrir la bouche et de bouger sous peine d'être tués d'une balle en pleine tête, et Rose savait qu'ils n'hésiteraient pas à mettre cette menace à exécution. Les trois terroristes — le troisième se trouvait dans la cabine de pilotage — étaient terriblement nerveux, et le moindre geste, la moindre parole intempestive d'un de leurs otages risquait de déclencher un massacre. Il régnait dans l'avion un atmosphère d'extrême tension, surtout depuis que l'appareil avait percé la couche de nuages et tournait en rond au-dessus d'une île au relief accidenté.

Était-ce leur destination ? Mystère... Le commando n'avait en effet rien dit aux passagers, si ce n'est qu'il serait dangereux pour eux de désobéir aux ordres. Et personne n'avait osé poser de questions, car l'homme qui avait fait cette annonce tenait en même temps son pistolet pointé sur la tête d'un petit garçon. Terrifié, l'enfant s'était mis à pleurer et avait enfoui son visage dans la jupe de sa mère qui, livide, paraissait sur le point de s'évanouir.

— Bon, je crois que vous avez compris, avait alors déclaré le terroriste avec un sourire cruel.

Il ne se trompait pas. Depuis cet instant, les otages observaient le silence et l'immobilité le plus complets.

Du coin de l'œil, sans tourner la tête, Rose examinait cependant l'île qu'ils survolaient. Des collines de roche grise, des vallées verdoyantes, une côte découpée... Était-ce une île grecque ? Ou bien un endroit plus proche de l'Italie — la Sardaigne, peut-être, ou la Sicile ? Mais non, le vol avait duré trop longtemps... Ce paysage semblait pourtant familier à la jeune femme. Et, soudain, la mémoire lui revint : Chypre... Ils étaient en train d'essayer d'atterrir à Chypre.

A cet instant précis, l'avion vira brusquement sur l'aile et commença à descendre. Les terroristes se raidirent, échangèrent quelques mots à voix basse, puis celui qui avait menacé l'enfant cria :

— Tout le monde à l'arrière ! Allongez-vous par terre et gardez les mains sur la tête ! Je veux voir toutes les mains sur les têtes, sinon je tire !

Les passagers se frayèrent tant bien que mal un chemin vers l'arrière de l'appareil et se couchèrent à plat ventre. Rose suivit le mouvement en s'efforçant de maîtriser sa peur. Elle allait sans doute mourir, mais au moins, ce serait une mort rapide. Elle n'aurait pas le temps de souffrir.

Encore un virage sur l'aile, très incliné, celui-là, comme si l'avion se précipitait à la rencontre du sol...

Plusieurs femmes hurlèrent. Un homme marmonnait des prières. Rose resta parfaitement immobile et s'obligea à se concentrer pour graver dans son esprit le moindre détail des événements. C'était ce que Desmond, ou Daniel, aurait fait à sa place. Elle tenait là le scoop de sa vie... si elle survivait à cette aventure ! Dans le cas contraire, eh bien... tant pis !

Après avoir rangé ses affaires et s'être un peu reposée, Irena rejoignit Daniel dans la salle de séjour pour attendre avec lui le retour de Rose. Ils prirent l'apéritif et bavardèrent un moment, mais leurs yeux ne cessaient de se poser sur la pendule de la cheminée.

— Je vais téléphoner à l'aéroport, finit par déclarer Daniel, visiblement nerveux.

Il lui fallut plusieurs minutes pour obtenir la communication avec le service compétent, et quand il raccrocha, au terme d'une brève conversation, son expression était sombre.

— L'employée m'a annoncé que le vol avait encore été retardé, expliqua-t-il, mais elle ignore pourquoi. Je lui ai demandé si l'avion avait décollé, et elle n'a même pas pu me répondre ! Elle m'a dit de rappeler dans une heure ou deux, qu'elle en saurait peut-être plus à ce moment-là.

— Pauvre Rose ! s'exclama Irena. Ce n'est pas amusant d'être bloquée dans un aéroport...

— Je ne comprends pas pourquoi on ne leur fournit pas un autre appareil, observa Daniel d'un ton irrité. Mais les compagnies aériennes se moquent bien des pertes de temps qu'elles infligent à leurs clients... Bon, inutile de rester là à attendre alors que nous n'avons aucune idée de l'heure à laquelle Rose arrivera ! Il fait beau dehors, le temps idéal pour une promenade au bord de l'eau. Allons à pied jusqu'à Barbary Wharf et, ensuite, nous dînerons Chez Pierre comme prévu.

388

Ils partirent cinq minutes plus tard et entraient juste dans l'ascenseur lorsqu'ils entendirent le téléphone sonner dans l'appartement. Daniel sortit en courant de la cabine, fouilla un long moment dans ses poches à la recherche de sa clé, finit par la trouver et se précipita vers le téléphone... qui s'arrêta de sonner à l'instant même où il l'atteignait. Irena, qui l'avait suivi, le vit froncer les sourcils et observa d'une voix douce :

— Peut-être vaut-il mieux que nous ne bougions pas, finalement. Si c'était Rose qui appelait, elle va sans doute essayer de vous joindre plus tard.

— Nous avons un répondeur, indiqua Daniel, et s'il marchait, je le brancherais pour que Rose laisse un message, mais il est tombé en panne hier et, naturellement, le réparateur n'est pas encore venu. Je tenterais bien de le remettre en état moi-même, mais j'ai peur de ne pas en être capable : c'est un appareil très sophistiqué, qui peut à peu près tout faire, y compris préparer le dîner... quand il fonctionne !

— *O tempora! o mores!* cita Irena avec un sourire ironique.

— Vous connaissez vos auteurs ! observa Daniel en lui jetant un coup d'œil amusé. Cela vous aidera pour les célèbres mots croisés de *L'Observateur*... Il en paraît une grille par jour, et ils sont réputés pour leur difficulté il faut avoir l'esprit tortueux pour trouver la solution des définitions. Nick Caspian, lui, en vient évidemment à bout le temps de prendre son petit déjeuner... Et il ne reste jamais longtemps à table !

— Oui, c'est un homme impressionnant ! Mais fascinant, aussi. On le dit amoureux de Christa Nordström. Est-ce vrai ?

— Je n'en sais rien, répondit Daniel en haussant les épaules. Nick n'est pas du genre à raconter ses affaires de cœur, et je ne suis pas intime avec Christa Nordström...

Maintenant, si nous sortions ? Ce serait dommage de rester enfermés par une si belle soirée. Je rappellerai l'aéroport en rentrant.

Ils quittèrent donc de nouveau l'appartement et flânèrent un long moment dans le parc qui bordait la Tamise, au pied de Barbary Wharf. La température était douce, les derniers rayons du soleil jouaient sur les eaux du fleuve tandis que, dans les immeubles de bureaux, les fenêtres s'illuminaient une à une. Des bandes d'étourneaux voletaient dans le ciel en piaillant, puis s'abattaient soudain sur un arbre où ils allaient passer la nuit et dont le feuillage bruissait ensuite de petits battements d'ailes, de bruits confus semblables à ceux que fait un bébé avant de s'endormir. Au loin, les silhouettes massives de la cathédrale Saint-Paul et de Big Ben se découpaient sur le ciel sombre, et Daniel les montra à Irena, en les situant dans l'histoire architecturale de Londres.

L'heure tournant, ils finirent cependant par se diriger vers la place de Barbary Wharf, éclairée le soir par des lampadaires de style victorien qui projetaient une belle lumière dorée.

L'entrée du restaurant Chez Pierre s'ornait d'un élégant auvent à rayures vert et or, et Irena vit par la baie vitrée qui occupait presque toute la façade une grande salle déjà plus qu'à demi remplie de clients qui dînaient à la lueur des chandelles.

— J'ai réservé pour trois personnes, dit Daniel au serveur qui les accueillit, mais nous ne serons finalement que deux.

— Pas de problème, monsieur Bruneille... Je vous ai mis à votre place préférée, tout au fond.

Tandis qu'ils traversaient la pièce, Irena remarqua que les gens les regardaient. Daniel salua plusieurs personnes de la tête et adressa quelques mots à deux ou trois autres, dont une ravissante jeune femme blonde assise au bar et qui fixa Irena d'un air étonné. Celle-ci eut l'impression que l'inconnue avait envie de poser des questions, mais Daniel ne lui en laissa pas le temps : il prit le bras d'Irena et l'entraîna rapidement vers leur table.

Valérie Knight les suivit des yeux en haussant les sourcils. Que faisait donc Daniel Bruneille en galante compagnie alors qu'il vivait maintenant avec Rose Amery ? Ah ! les hommes... Impossible de se fier à eux ! Daniel semblait pourtant très amoureux de Rose... Mais sans doute n'avait-il pas pu résister aux charmes de cette jeune personne qui, sans être vraiment belle, avait beaucoup de classe et, en outre, ne devait pas avoir plus de vingt ans ! Et Daniel en avait dans les trente-cinq, peut-être même plus, car c'était le type d'homme qui paraîtrait toujours plus jeune que son âge. Mais de là à sortir avec quelqu'un qui pourrait presque être sa fille... Pauvre Rose ! Était-elle au courant ?

On était vendredi, et Valérie, qui avait eu une semaine chargée et s'était couchée très tard plusieurs soirs de suite, se sentait épuisée. Deux journalistes de son service, la rubrique mondaine, venaient de partir, et la charge de travail de ceux qui restaient avait augmenté d'autant. C'était la même chose dans tous les services. Depuis six mois, le journal subissait de profondes transformations : il appartenait désormais au groupe Caspian, et Nick Caspian procédait à des réductions de personnel. L'atmosphère était même si tendue que beaucoup de vieux employés de *L'Observateur* préféraient prendre leur retraite ou changer d'entreprise.

Tout cela était très déroutant, songea Valérie en buvant à petites gorgées le kir qu'elle avait commandé pour tromper son ennui. Esteban, avec qui elle devait dîner, tardait en effet.

— Quel chagrin noies-tu ainsi dans l'alcool ? demanda soudain une voix moqueuse, derrière elle.

— Arrête ! s'écria-t-elle, sachant sans même avoir besoin de se retourner qu'il s'agissait de Gilbey Collingwood.

— Arrête quoi ? répliqua Gib d'un ton faussement innocent.

— De me harceler.

Nullement découragé par cet accueil hostile, Gib s'accouda au comptoir du bar et examina sa voisine de la tête aux pieds. Valérie portait ce soir-là une robe de soie sauvage noire à décolleté profond très provocante — c'était même la raison pour laquelle elle l'avait achetée —, mais la lueur qui brillait dans les yeux noisette de Gib la rendait malgré tout nerveuse.

— Et cesse de me fixer ! ajouta-t-elle donc.

— Si tu ne voulais pas attirer l'attention des hommes, tu n'aurais pas mis cette robe, riposta Gib.

— Je n'aime pas cette façon que tu as de me déshabiller du regard.

— Je suis à ta disposition pour le faire autrement que du regard...

— Tu peux toujours courir ! lança-t-elle.

Valérie était furieuse, à présent, et, s'il n'y avait pas eu Esteban, elle serait partie.

— Tu attends quelqu'un ? s'enquit Gib.

— Va-t'en !

Puis, changeant de tactique, elle feignit l'indifférence et s'absorba dans la contemplation de son verre. Gib n'était cependant pas quelqu'un de facile à ignorer. Avec son mètre quatre-vingt-dix et sa large carrure, il avait une présence physique qui remplissait l'espace autour de lui et forçait l'attention. C'était un grand sportif qui, en plus de jouer au rugby et au squash tous les week-ends, pratiquait régulièrement la natation, la course à pied et la musculation. Valérie ne pouvait pas nier qu'elle le trouvait extrêmement séduisant. Dommage qu'il soit marié !

392

Car elle avait pour règle absolue de ne jamais sortir avec un homme marié. A dix-huit ans, elle était tombée amoureuse d'un prétendu célibataire et, quand elle avait découvert la vérité, son chagrin avait été immense. Cette douloureuse expérience ne se reproduirait jamais, s'était-elle alors juré. Et au fil des ans, sa détermination s'était encore renforcée, car elle avait vu plusieurs de ses amies engagées dans des liaisons avec des hommes mariés, perdre des mois, voire des années de leur vie à espérer qu'ils divorceraient un jour, avant de comprendre finalement qu'ils ne le feraient jamais. Elle n'avait donc pas l'intention de céder aux avances de Gib. Il le savait d'ailleurs très bien, alors pourquoi ne la laissait-il pas tranquille ?

Mais au lieu de cela, Gib s'assit sur le tabouret voisin. Valérie s'écarta vivement et dit d'un ton glacial :

— Ça t'ennuierait d'aller t'installer ailleurs ? J'attends quelqu'un, et je ne voudrais pas qu'il se méprenne sur nos relations.

Pour toute réponse, il lui adressa un sourire narquois. L'un des journalistes du service économique, où Gib travaillait comme analyste financier, passa à ce moment-là près du bar et s'arrêta pour saluer les deux jeunes gens.

— Tu vas à cette soirée, demain ? demanda-t-il à Gib.

— Bien sûr ! Tu y seras, j'imagine ? A demain, alors !

Quand son collègue fut parti, Gib regarda Valérie du coin de l'œil, puis s'enquit :

— Tu y vas aussi ?

— Sans doute, grommela-t-elle.

— Tu veux que je passe te chercher chez toi ?

— Non, merci.

— Quelqu'un d'autre t'emmène ?

— Peut-être.

— Esteban ?

Elle se contenta de hausser les épaules.

— C'est avec lui que tu dînes ce soir ? reprit Gib.

La gorge étrangement sèche, Valérie but une gorgée de kir avant de hocher la tête. Gib Collingwood avait un effet désastreux sur ses nerfs.

Il y eut un silence, puis Gib annonça soudain :

— D'après mon avocat, mon divorce devrait passer en jugement d'un jour à l'autre.

— Tu me dis ça depuis des mois, observa sèchement Valérie.

— Oui, mais il paraît que les tribunaux croulent sous les dossiers de demande de divorce, et il faut donc être patient.

Se tournant alors vers Valérie, il la regarda bien en face et ajouta, l'air grave :

— Ma femme vit avec un autre homme, dont elle attend un enfant, et je te jure qu'elle a autant envie que moi de divorcer.

— Vraiment ? lança-t-elle, ironique.

— Écoute, j'aimerais pouvoir te prouver que c'est la vérité et te donner l'adresse de ma femme pour que tu ailles lui parler, mais elle habite à l'autre bout du monde.

— Ben voyons !

Gib jugea alors sans doute qu'il ne parviendrait pas à la convaincre, car il changea brusquement de sujet :

— J'assistais le mois dernier à un séminaire organisé par CI...

— Organisé par qui ? coupa Valérie.

— Caspian International.

— Mais bien sûr ! Que je suis bête..., s'exclama-t-elle en riant. Je n'arrive pas à me mettre dans la tête que le journal fait maintenant partie du groupe Caspian. Je continue à raisonner comme s'il appartenait toujours aux Tyrrell.

— Mieux vaut pour toi oublier les Tyrrell, et vite, car leur empreinte sur *L'Observateur* s'estompe un peu plus tous les jours, remplacée par celle de Nick Caspian.

394

— Tu n'exagères pas un peu ?

— Non. J'ai beaucoup vu Nick Caspian pendant ce séminaire au Luxembourg, et je t'assure qu'il est redoutable... Mais pour en revenir à ce que je disais, j'ai rencontré là-bas un comptable qui travaille au journal de Madrid et qui connaît très bien Esteban Sebastian. Il a même été invité à son mariage.

Une bouffée de colère s'empara de Valérie.

— C'est un mensonge ! Esteban n'est pas marié ! Je suis allée dans son appartement et, si une femme y habitait, je m'en serais rendu compte.

— Elle ne vit peut-être pas à Londres avec lui, mais il est bel et bien marié.

— Je ne te crois pas.

— Pose-lui la question, alors !

Sur ces mots, Gib se leva et s'éloigna à grands pas. Valérie le suivit des yeux et, malgré sa fureur, ne put s'empêcher de remarquer que plusieurs clientes du restaurant se retournaient sur lui, considérant d'un air admiratif sa démarche souple et le corps d'athlète qui se devinait sous son élégant costume sombre. Il plaisait aux femmes, aucun doute là-dessus, et Valérie elle-même dut de nouveau admettre que, s'il n'était pas marié...

Eh bien, il l'était ! songea-t-elle, amère. Et comment osait-il mentir ainsi à propos d'Esteban ? Cela faisait des semaines qu'il lui envoyait des piques au sujet de ses relations avec le bel Espagnol, mais de là à inventer cette histoire de mariage... Car c'était une invention, elle le savait pour avoir demandé en riant à Esteban, lors de leur première rencontre : « J'imagine que vous avez une femme en Espagne ? » Elle prenait ce genre de précaution avec tous les hommes auxquels elle s'intéressait. Mais Esteban avait secoué la tête et répondu, avec cette expression grave qui assombrissait souvent son visage hâlé : « Non, personne ne m'attend nulle part. »

Il y avait eu dans sa voix un accent de tristesse d'une telle sincérité qu'il n'était pas venu à l'idée de Valérie de mettre la parole d'Esteban en doute. Et maintenant qu'ils se connaissaient mieux, elle avait la certitude qu'il lui avait dit la vérité. Esteban possédait un sens de l'honneur profondément ancré qui excluait le mensonge, surtout sur un sujet aussi important.

Non qu'Esteban lui eût beaucoup parlé de lui-même... C'était un homme réservé, et même secret, qui ne fournissait jamais spontanément d'informations sur son passé. Et quand Valérie lui posait des questions, il réfléchissait longuement avant de répondre. Elle ignorait en fait presque tout de lui, mais n'en était pas moins convaincue de sa droiture et de son intégrité.

La jeune femme en était là de ses réflexions lorsque la porte du restaurant s'ouvrit. Esteban entra, le visage plus sombre que jamais.

— Excusez mon retard, déclara-t-il de sa voix grave et bien timbrée quand il fut arrivé à la hauteur de Valérie. J'ai été retenu au journal par cette horrible nouvelle à propos de Rose.

— Quelle horrible nouvelle ? demanda-t-elle, interdite.

— Vous n'êtes pas au courant ? Je suis désolé, Rose est peut-être une de vos amies... Toujours est-il que l'avion qu'elle avait pris pour revenir de Rome a été détourné par des terroristes.

— Mais c'est épouvantable ! Et Rose ? Elle va bien ? Je veux dire, elle n'est pas... Enfin, on a de ses nouvelles ?

— Pas encore.

— La pauvre ! s'écria Valérie en frissonnant. Moi, je ne pourrais jamais être grand reporter, je n'ai pas les nerfs assez solides... A-t-on prévenu son père ?

Et soudain, elle se souvint de Daniel, en train de dîner dans ce même restaurant, revit son visage calme et souriant au moment où il s'était arrêté pour la saluer...

— Daniel ne le sait pas encore, dit-elle à voix haute.

— Nous n'arrivons pas à le joindre, observa Esteban d'un ton irrité.

— Il est ici. A sa table habituelle, au fond de la salle.

Esteban tourna la tête dans la direction indiquée, jura entre ses dents et se leva.

— Excusez-moi une minute, Valérie. Je vais lui parler.

Puis, comme la jeune femme se levait elle aussi, il ajouta sèchement :

— Non, vous, vous restez là !

Cette injonction laissa Valérie sans voix. Quelle autorité ! songea-t-elle, mi-agacée, mi-amusée, en le regardant s'éloigner d'un pas décidé. Voilà quelqu'un qui était habitué à donner des ordres ! Du fait de ses origines sociales ? Ou bien tous les Espagnols avaient-ils une propension au machisme ?

Daniel et Irena, eux, n'avaient pas vu le grand homme brun qui se dirigeait vers eux : ils étaient trop absorbés par leur conversation. Daniel racontait à la jeune femme une anecdote amusante sur Desmond, et Irena riait, ravie d'en apprendre plus sur un père qu'elle connaissait à peine. Avec ses immenses yeux gris brillants de gaieté, ses longs cheveux lisses et ses traits délicats, elle respirait à la fois la jeunesse et un charme mystérieux, d'une extrême féminité. Ce fut du moins ce que pensa Esteban en s'approchant, et l'impression que lui fit sa compatriote d'être éperdument amoureuse de Daniel provoqua en lui une colère inexplicable. Il s'arrêta près de leur table, et Daniel leva la tête, surpris, puis s'écria avec un sourire amical :

— Oh ! bonsoir, Esteban... Décidément, nous ne cessons de nous croiser, aujourd'hui !

— J'ai une mauvaise nouvelle pour vous, déclara l'Espagnol, le visage dur. Nick Caspian voulait vous l'annoncer lui-même, mais on vous cherche en vain depuis des heures.

— Une mauvaise nouvelle ? répéta Daniel en fixant anxieusement son interlocuteur.

Inquiète elle aussi, Irena posa la main sur celle de Daniel dans un geste instinctif de compassion, et Esteban fronça immédiatement les sourcils.

— Pendant que vous prenez du bon temps avec votre dernière conquête, lança-t-il d'un ton méprisant, Rose est retenue à Chypre dans un avion détourné par des terroristes.

Les traits de Daniel se crispèrent, et Irena le considéra, perplexe. Elle n'avait pas compris ce que disait Esteban, soit parce qu'elle était troublée, soit parce qu'il parlait anglais avec un accent espagnol trop prononcé. Quel homme étrange ! Pourquoi les regardait-il ainsi, comme s'ils avaient fait quelque chose de mal ?

— Que se passe-t-il ? murmura-t-elle à Daniel.

Mais celui-ci ne parut pas l'entendre. Blême, le front couvert de sueur, il demanda à Esteban d'une voix entrecoupée :

— Qui sont ces terroristes ? Et pourquoi cet avion est-il à Chypre alors qu'il venait de Rome ? Il y a des victimes ? Rose est vivante ?

Ayant saisi quelques mots au vol, Irena sentit une affreuse angoisse lui étreindre le cœur, et elle s'exclama :

— Qu'est-il arrivé à ma sœur, Daniel ?

Esteban tourna vivement la tête vers elle et scruta son visage à la recherche d'une quelconque ressemblance avec Rose mais, n'en trouvant pas, il déclara d'une voix incrédule :

— Vous êtes la sœur de Rose ?

Avant que la jeune femme ait pu prononcer un mot, cependant, Daniel repoussa brutalement sa chaise et se leva en criant :

— Répondez-moi, nom de Dieu ! Rose est vivante ?

Tous les clients du restaurant les écoutaient, à présent,

et ils chuchotaient entre eux, l'air bouleversé, parce qu'ils travaillaient presque tous à *L'Observateur* et connaissaient Rose Amery.

— Nous ne le savons pas, déclara Esteban, les yeux toujours fixés sur Irena.

Daniel pivota alors sur ses talons et se rua vers la porte.

— Je dois partir, annonça-t-il en passant au maître d'hôtel. Envoyez l'addition à mon bureau.

— Très bien, monsieur Bruneille.

Dans son désarroi, il avait oublié Irena, mais celle-ci courut derrière lui et le rattrapa au moment où il sortait sur la place.

— Où allez-vous ? lança-t-elle en le saisissant par le bras. Qu'est-il arrivé à Rose ? Expliquez-moi ce qui se passe, je vous en prie !

— L'avion de Rose a été détourné sur Chypre par des terroristes.

— Oh ! non...

— Écoutez, Irena, il faut que je vous quitte. Je file à l'aéroport pour prendre le premier avion en partance pour Chypre. Je veux être sur place, le plus près possible de Rose, vous comprenez ? Au cas où...

— Oui, elle aura besoin de vous quand ils la relâcheront, observa doucement Irena.

— Je suis désolé de vous abandonner ainsi, mais je vais téléphoner à Gina Tyrrell et lui demander de s'occuper de vous. Vous vous souvenez d'elle ? Vous l'avez rencontrée à Paris... Voilà la clé de l'appartement. Restez-y en attendant que Gina vous appelle.

Au moment où Daniel commençait à s'éloigner, Nick Caspian et Gina sortirent de l'immeuble de *L'Observateur* et le hélèrent. Il s'immobilisa, et quand elle l'eut rejoint, Gina se jeta à son cou.

— Oh ! Daniel, c'est affreux..., murmura-t-elle, les larmes aux yeux. Vous êtes au courant, n'est-ce pas ?

Esteban vient de téléphoner de Chez Pierre pour nous annoncer qu'on vous avait enfin trouvé.

— Vous avez eu d'autres nouvelles ? interrogea Daniel.

— Oui, répondit Nick d'une voix hésitante, et elles ne sont malheureusement pas très bonnes.

— Dites-moi la vérité ! Je préfère savoir.

— Eh bien, les terroristes ont lancé un ultimatum, annonça Nick en soupirant. Ou bien on satisfait à leurs exigences d'ici à demain midi, ou bien ils commencent à tuer leurs otages à raison d'un par heure.

3.

— Il vaut mieux qu'Irena s'installe chez moi, vous ne croyez pas, Daniel ? demanda Gina d'une voix douce. Les agences de presse ont diffusé la nouvelle, à présent, et des journalistes pourraient venir chez vous... Ce serait très désagréable pour Irena d'être harcelée par les médias !

— Oui, vous avez raison, admit distraitement Daniel, qui avait visiblement du mal à fixer sa pensée sur autre chose que sur le sort de Rose. Merci de votre proposition, Gina.

— J'ai pris des dispositions pour que mon jet vous emmène à Chypre, Daniel, intervint alors Nick. Montons dans mon bureau pour régler avec Fabien les détails du voyage.

Avant qu'il ne parte, Irena serra les mains de Daniel dans les siennes et chercha quelque chose de réconfortant à lui dire, mais elle était si bouleversée que les mots lui manquèrent. Et ce fut Daniel qui, pour finir, entreprit de la rassurer.

— Tout ira bien, Irena. Ne vous inquiétez pas pour Rose : elle a la tête sur les épaules et s'est déjà trouvée dans des situations dangereuses. Et Gina s'occupera de vous ; elle habite dans le même immeuble que nous.

— Il vaut mieux nous en aller, à présent, Irena, déclara Gina en s'avançant et en passant un bras autour des épaules de la jeune Espagnole. Daniel et Nick ont beaucoup de choses à faire.

Irena se laissa docilement guider jusqu'au parking souterrain, et Gina la ramena en voiture jusqu'à leur immeuble. Une fois arrivées, les deux jeunes femmes s'arrêtèrent chez Daniel le temps qu'Irena prenne quelques affaires, puis elles se rendirent à l'appartement de Gina, situé au dernier étage.

Dans l'ascenseur, Gina expliqua à sa compagne que l'accès à cet étage était sévèrement contrôlé : il fallait une clé spéciale pour y monter, que ce soit par l'ascenseur ou par l'escalier.

— Ainsi, personne ne peut venir à l'improviste, observa-t-elle. Les visiteurs doivent utiliser l'Interphone, en bas, et si j'accepte de les recevoir, le gardien les accompagne jusqu'à ma porte.

Il n'y avait que deux appartements au dernier étage, précisa-t-elle ensuite en introduisant Irena chez elle. L'autre appartenait au promoteur qui avait construit l'immeuble, mais il vivait aux îles Caïmans la plus grande partie de l'année.

— Je ne l'ai même jamais vu ! souligna Gina. Maintenant, venez, je vais vous montrer les lieux. Ici, c'est la salle de séjour.

— Elle est ravissante ! remarqua Irena avec un sourire contraint.

Ce compliment était sincère, pourtant : la décoration de la pièce témoignait d'un goût raffiné, mélange d'élégance et de discrète opulence. La jeune Espagnole devait cependant se forcer pour s'y intéresser. Elle fixa le poste de télévision installé contre un des murs et se sentit partagée entre le désir de l'allumer pour avoir les dernières nouvelles et la peur de ce qu'elle risquait d'apprendre.

— Ce n'est pas moi qui ai choisi les meubles, déclara Gina sans paraître s'apercevoir de la détresse d'Irena. Je

402

les ai hérités du grand-père de mon mari, et j'ai préféré les conserver plutôt que d'en acheter d'autres : ils donnent à cet appartement une atmosphère moins impersonnelle.

— Le grand-père de votre mari ? répéta Irena, se rappelant ce que Desmond lui avait dit. C'était bien sir George...

— Tyrrell, oui. Sir George Tyrrell. Dommage que vous ne l'ayez pas connu... C'était un homme remarquable, et je l'aimais beaucoup.

Irena s'obligea à détourner les yeux de la télévision et, regardant autour d'elle, elle songea soudain que l'appartement de Desmond à Paris aurait facilement logé dans cette unique pièce.

— Vous vivez seule ici ? demanda-t-elle.

— Oui, je sais, répondit Gina en souriant tristement, c'est bien trop grand pour une seule personne, mais si vous aviez vu la maison où j'habitais avant ! Sir George me l'avait aussi léguée, et cela m'a fendu le cœur de la vendre, parce qu'il y tenait beaucoup, mais elle était immense et je ne pouvais pas la garder.

— Vous faites le ménage vous-même ? s'enquit Irena.

La salle de séjour était en effet impeccable : pas un grain de poussière sur les meubles, tous des pièces anciennes et visiblement de valeur — canapé et fauteuils xviiie recouverts de brocart, tables et commodes bien cirées, collections de porcelaines et de verreries, tableaux et miroirs à encadrement doré... Quelqu'un travaillait manifestement très dur pour maintenir la pièce dans cet état d'ordre et de propreté parfaits !

— Non, j'ai une femme de ménage qui vient cinq matins par semaine, expliqua Gina, mais, comme je vis seule, l'appartement ne se salit pas beaucoup, et elle a le temps de le briquer du sol au plafond... Allons dans votre chambre, maintenant.

Les yeux d'Irena se fixèrent de nouveau sur la télévision, et elle ouvrit la bouche pour protester. Gina se dirigeait cependant déjà vers la porte, si bien que la jeune Espagnole soupira et suivit son hôtesse jusqu'à une chambre à coucher peinte en rose et crème.

Là encore, elle marmonna un compliment, mais toute son attention était concentrée sur le petit poste de télévision posé sur une table, en face du lit.

— Installez-vous pendant que je prépare une tisane, déclara Gina en souriant. Je crois que vous devriez vous coucher tôt ; vous avez eu une journée fatigante.

Sur ces mots, elle quitta la pièce, et la porte était à peine refermée qu'Irena se précipita vers la télévision, l'alluma et zappa jusqu'à trouver une chaîne qui diffusait des informations. Elle resta alors immobile, mordillant l'ongle de son pouce, le regard rivé sur l'écran, où l'on voyait un avion filmé de si loin qu'on aurait dit un modèle réduit... Il ne s'agissait pourtant pas d'un jeu, mais d'une affaire où la vie de nombreuses personnes était menacée.

Après avoir écouté un moment les commentaires du présentateur, Irena comprit qu'aucun fait vraiment nouveau ne s'était produit. L'appareil avait atterri à Nicosie, la police chypriote discutait avec les terroristes par l'intermédiaire de la radio de bord, mais il ne se passait rien. Aucun otage n'avait cependant été tué et, pour Irena, c'était tout ce qui comptait. Elle poussa un soupir de soulagement et, laissant la télévision allumée, déballa ses affaires avec des gestes d'automate.

Gina était pleine de bonnes intentions, songea-t-elle en posant sa chemise de nuit sur le lit, mais comment arriver à dormir alors que Rose était en danger de mort ? L'ironie du sort voulait qu'elle se soit découvert une demi-sœur au

404

bout de vingt ans, pour se trouver presque aussitôt face à la perspective de la perdre, et de façon horrible !

La gorge nouée, Irena alla écarter les rideaux et regarda distraitement la vue qu'offrait Londres la nuit. Les lumières des immeubles qui se découpaient à l'horizon et les reflets qui animaient les eaux de la Tamise conféraient un air de fête à la capitale anglaise, et la jeune Espagnole, torturée par l'angoisse, en conçut de l'irritation, du ressentiment, même.

Elle aurait aimé être en Espagne, dans la petite ferme familiale, en train de contempler par la fenêtre de sa chambre la nuit andalouse, profonde et silencieuse, que seul éclairait le scintillement des étoiles dans le ciel barré par la ligne noire des montagnes. Pour la première fois depuis des mois, Irena avait le mal du pays. Elle ferma les yeux et se transporta par la pensée dans sa maison natale.

Il régnait un tel calme, là-bas... Et même les bruits nocturnes y avaient une note familière et rassurante. Le chant des cigales, le miaulement épisodique d'un chat dans la grange ; le bruissement du vent dans les oliviers...

La ferme des Olivero était située à l'intérieur des terres, loin du littoral andalou avec ses hôtels et ses jardins tropicaux, ses résidences pour touristes, ses restaurants et ses discothèques. Cela, c'était une Espagne qu'Irena ne connaissait pas. Elle avait grandi dans un autre univers, beaucoup plus ancien et traditionnel, sur une terre encore imprégnée du sang versé pendant la guerre civile, dont les habitants avaient souffert de la faim, où les hivers étaient rudes et les étés torrides. La vie était difficile, dans ces collines arides qui ne jouissaient pas encore de tous les avantages de la civilisation moderne : il n'y avait ni système de ramassage des ordures ni tout-à-l'égout et, le vent renversant parfois les lignes à haute tension, même pas d'électricité pendant des jours et jours. Les paysans de cette contrée vivaient à bien des égards comme leurs ancêtres, mais cela n'empêchait pas Irena d'aimer sa région natale et d'en avoir la nostalgie.

Londres lui faisait peur. Tout, ici, lui paraissait étrange et hostile. Si seulement Desmond était là... Ils pourraient se réconforter mutuellement... Mais il se trouvait dans l'avion qui l'emmenait au Viêt-nam et ne savait même pas ce qui était arrivé à Rose ; il ne l'apprendrait qu'au terme de son voyage. Une vague de pitié submergea la jeune femme : la nouvelle du détournement allait causer un choc terrible à Desmond...

A une certaine époque, Irena avait éprouvé de la rancune à son égard, mais c'était avant de le connaître car, dès qu'elle l'avait vu, un élan instinctif l'avait poussée vers lui et, maintenant, elle l'aimait profondément. Il s'était passé à peu près la même chose pour ses sentiments envers Rose : sa première réaction en apprenant l'existence de cette demi-sœur avait été de la jalousie, parce que Desmond avait élevé Rose et en parlait souvent. Le père et la fille semblaient très proches, et Irena s'était senti exclue de la petite cellule familiale qu'ils formaient. Mais ensuite, elle avait rencontré Rose et avait été touchée au-delà de toute expression par la chaleur et la spontanéité de son accueil.

Ce séjour à Londres aurait dû leur fournir l'occasion de devenir plus intimes, et à l'idée que cet espoir ne se réaliserait peut-être jamais, Irena ne put réprimer un sanglot.

— La tisane est prête, annonça soudain Gina depuis le seuil de la pièce.

La jeune Espagnole, qui n'avait pas entendu la porte s'ouvrir, essuya hâtivement ses larmes du revers de la main avant de se retourner.

— Je viens, murmura-t-elle.

— Si vous tenez à regarder la télévision, observa Gina

406

avec un petit soupir, autant le faire avec moi dans la salle de séjour. Je doute malheureusement qu'il y ait d'autres nouvelles avant demain matin.

A Chypre, l'avion avait atterri et roulé jusqu'au milieu de la piste avant de s'arrêter. La nuit était tombée, à présent, mais de puissantes lampes à arc baignaient l'aéroport d'une lumière blanche, sinistre.

Rose examinait les alentours du coin de l'œil. Des véhicules de la police et de l'armée étaient garés à distance respectable, des hommes observaient à la jumelle l'appareil détourné, les canons de fusils et de pistolets-mitrailleurs brillaient à la lueur des projecteurs. De temps à autre, une ombre traversait comme une flèche un espace de terrain découvert, puis disparaissait de nouveau. Un homme vêtu d'une chemise blanche et d'un pantalon foncé resta un moment immobile, bien en vue, à étudier l'avion à travers une paire de jumelles. Il était grand, mince, avec des cheveux noirs... Ç'aurait pu être Daniel... Les yeux de Rose se remplirent de larmes, qu'elle se dépêcha de refouler en battant des paupières. Il ne fallait pas se laisser aller.

Une femme, devant elle, berçait une fillette en pleurs et murmurait des paroles apaisantes. Le plus jeune des deux terroristes lui ordonna de faire taire l'enfant et, les traits crispés par la peur, elle posa la main sur la bouche de la petite fille et la supplia à voix basse, en italien, de garder le silence. L'enfant renifla, puis enfouit son visage dans l'épaule de sa mère.

A cet instant précis, le troisième terroriste sortit du poste de pilotage et se mit à parler avec ses deux acolytes dans ce qui sembla à Rose être de l'arabe. Elle n'avait malheureusement que de vagues notions de cette langue.

— Sortez vos passeports ! cria soudain l'homme qui

venait d'apparaître, et qui était visiblement le chef du commando.

Il y eut un remue-ménage général parmi les otages, tout à la fois soulagés de pouvoir bouger et alarmés par cet ordre dont ils ne comprenaient pas la raison. Rose avait rangé son passeport dans son sac à main ; elle le trouva rapidement et le tint serré entre ses doigts. Des gouttes de sueur lui coulaient le long des tempes et du dos, collant ses cheveux et son chemisier à sa peau.

Le chef des terroristes pointa alors l'index vers un adolescent vêtu d'un jean et d'un T-shirt.

— Toi ! Ramasse les passeports et apporte-les-moi !

Sous l'œil attentif des trois pirates de l'air, le jeune garçon commença à descendre l'allée centrale. Rose lui jeta un regard de compassion en lui donnant son passeport : il avait à peine quinze ans et voyageait apparemment seul ; on devinait à son visage hâlé qu'il rentrait chez lui après des vacances en Italie. Ses parents devaient être fous d'inquiétude !

Tout comme Daniel..., songea la jeune femme — avant de se ressaisir. Il ne fallait pas penser à Daniel ; cela aurait pour seul effet de la faire pleurer. Elle ne pouvait pourtant pas s'en empêcher. L'idée affreuse qu'elle ne le reverrait peut-être jamais ne cessait de la torturer. Jamais... Quel mot terrifiant !

Une fois sa tâche accomplie, l'adolescent tendit les passeports au chef du commando, qui repartit avec dans le poste de pilotage. Au même moment, des hurlements de sirènes et des crissements de pneus s'élevèrent dehors. Les passagers s'agitèrent et se mirent à chuchoter entre eux.

— Silence ! Interdiction de bouger et de parler ! crièrent aussitôt les deux terroristes qui gardaient les otages.

Ils marchèrent ensuite jusqu'aux hublots, et l'un d'eux

lança un coup d'œil à l'extérieur tandis que l'autre continuait de surveiller les passagers, une arme pointée sur eux. Le silence était cependant retombé sur l'aéroport, et personne ne devait s'approcher de l'avion, car Rose vit le visage des deux pirates de l'air se détendre. Elle remarqua néanmoins qu'ils tremblaient. « Ils ont aussi peur que nous, se dit-elle, et autant de chances de mourir dans les prochaines heures... » Le plus jeune des deux ne semblait pas avoir plus de dix-huit ans ; il avait la peau lisse et des traits d'une beauté presque féminine. Son compagnon était un homme émacié, à la figure grêlée, dont les petits yeux noirs brillaient d'un éclat inquiétant. Il paraissait très nerveux, un rien risquait de lui faire perdre son sang-froid... Ce n'était cependant pas lui qui effrayait le plus Rose, mais le chef du commando : celui-là était capable de tout, cela se devinait à la haine froide qui luisait dans son regard.

Les minutes passèrent, puis les heures, et les paupières de Rose finirent par se fermer. Elle sombra dans un sommeil agité et rêva qu'elle se trouvait dans un avion détourné par des terroristes. Un homme aux yeux remplis de haine braquait un pistolet sur elle... Son pouls s'affola, son front se couvrit de sueur, et elle cria...

Un violent tressaillement la réveilla. Elle ouvrit les yeux et se rendit compte immédiatement que son cauchemar reflétait la réalité... Le cœur encore battant, la jeune femme regarda autour d'elle. Un certain nombre de passagers dormaient, recroquevillés dans leurs fauteuils. Sa voisine émergea soudain du sommeil, et Rose comprit à son expression hébétée, puis terrifiée, qu'elles avaient fait toutes les deux le même rêve et éprouvé le même choc en constatant qu'il ne s'agissait pas seulement d'un rêve...

Se sentant ankylosée, Rose bougea dans son siège et retint à grand-peine un cri de douleur : elle avait mal partout, après être demeurée des heures dans la même position, surtout avec la chaleur qui régnait à l'intérieur de l'avion. Un coup d'œil dehors lui permit de constater que le jour allait bientôt se lever. Cela signifiait que, dans peu de temps, le soleil commencerait à darder ses rayons sur le fuselage de l'appareil et transformerait la carlingue en une véritable fournaise. La température avait un peu baissé pendant la nuit, tout en restant élevée, mais à midi, ce serait insupportable !

Rose mourait d'ailleurs de soif. Elle avait les lèvres desséchées, un mauvais goût dans la bouche et mal à la tête. Quelques-uns des enfants gémissaient dans leur sommeil ; ils devaient avoir soif et peur, eux aussi, et il leur était sûrement plus pénible qu'aux adultes de garder l'immobilité pendant aussi longtemps.

A l'extérieur, la nuit cédait lentement la place au jour. Les premières lueurs de l'aube incendiaient le ciel et, devant ce spectacle magnifique, les yeux de Rose se remplirent de larmes. Cela l'étonna : c'était certes très beau, mais pourquoi pleurer ? Elle semblait réagir à tout de façon beaucoup plus intense qu'avant... On disait que le fait d'être confronté à une mort prochaine cristallisait les émotions. Eh bien, c'était vrai, songea-t-elle en ébauchant un sourire désabusé.

Au même moment, son regard croisa celui du chef des terroristes, et son sourire s'effaça d'un coup.

Irena resta devant la télévision jusqu'à la fin des programmes, puis Gina lui conseilla d'aller se coucher.

— A quoi bon veiller ? Je suis certaine qu'il ne se passera rien cette nuit. Ces détournements d'avions donnent souvent lieu à de très longues négociations, et Daniel nous appellera de toute façon de Chypre si le moindre fait nouveau se produit.

Trop épuisée pour discuter, la jeune Espagnole regagna

sa chambre d'un pas chancelant et s'écroula sur son lit. Mais là, malgré la fatigue, il lui fallut beaucoup de temps pour s'endormir, et, quand elle y parvint enfin, ce fut pour faire des cauchemars dont elle se réveilla plusieurs fois en sursaut. Ce ne fut qu'aux petites heures du matin qu'elle sombra dans un sommeil profond et sans rêves.

Quand Irena rouvrit les yeux, la pièce était baignée de lumière et il y régnait déjà une chaude température. La jeune femme avait inconsciemment repoussé drap et couverture, et, un instant, elle se crut dans la chambre de sa maison, en Espagne... Un sourire joyeux lui monta aux lèvres, et puis la mémoire lui revint...

Rose! pensa-t-elle, la gorge nouée. Mais d'abord, quelle heure était-il? Elle consulta sa montre: 11 h 20! Pourquoi Gina l'avait-elle laissée dormir aussi tard? Il avait pu arriver n'importe quoi à Rose, pendant ce temps...

Anxieuse, elle sauta à bas du lit et, juste à ce moment là, quelqu'un frappa à la porte.

— Qui est là? cria-t-elle.

Dans son affolement, elle avait parlé en espagnol, et il y eut un petit silence, puis la voix de Gina s'éleva, un peu hésitante:

— Irena? Je peux entrer?

— Oui, dit Irena, en anglais cette fois. Il y a du nouveau?

— Non, répondit Gina en paraissant sur le seuil, habillée mais les traits tirés. Personne n'a été tué et les terroristes négocient avec les autorités. Ils ont demandé de l'eau, de la nourriture et des médicaments.

La jeune Espagnole poussa un soupir de soulagement.

— Tenez, ajouta Gina, je vous ai apporté du café...

— Vous êtes debout depuis longtemps?

— Environ une heure.

— Vous auriez dû me réveiller!

411

— Non, vous aviez besoin de dormir. La journée d'hier a été épuisante, vous ne vous êtes couchée qu'à 3 heures du matin, et j'ai pensé qu'il valait mieux vous laisser vous reposer.

— Vous avez raison, Gina, excusez-moi... Mon inquiétude pour Rose me rend irritable.

— Ce n'est pas grave. Et je vous aurais évidemment prévenue s'il s'était produit un événement important. Mais vous vous sentez mieux, ce matin, n'est-ce pas ? Bien... Buvez votre café, prenez une douche et venez ensuite me rejoindre dans la cuisine pour déjeuner.

— Je n'ai pas faim.

— Il faut manger au moins un peu, répliqua Gina d'un ton ferme, sinon vous tomberez malade. En outre, cela nous occupera ; les prochaines informations télévisées ne sont qu'à 13 heures.

— Vous êtes toujours aussi autoritaire ? s'enquit Irena avec un petit sourire sans joie.

— C'est pour votre bien, mon enfant ! observa Gina en riant.

Regagnant ensuite la cuisine, elle commença à préparer un repas léger — du saumon fumé qu'elle servirait avec des œufs brouillés, et une salade de légumes et de fruits mélangés. Au bout d'un moment, elle entendit la douche couler dans la salle de bains ; Irena ne tarderait pas à paraître.

Le téléphone sonna alors et elle courut répondre, mais ce n'était que Philip Slade, qui appelait pour l'inviter à déjeuner.

— Ç'aurait été volontiers, déclara-t-elle, mais la sœur de Rose est chez moi, et je ne peux pas la laisser seule.

— Quel âge a-t-elle donc ?

— Une vingtaine d'années. Le sort de Rose bloquée à Chypre dans cet avion détourné l'inquiète cependant beaucoup, et c'est bien compréhensible.

412

— Quelle barbe ! s'exclama Philip d'un ton boudeur. Je vais devoir manger seul, et j'ai horreur de ça.

— Pourquoi ne pas venir déjeuner avec nous ? proposa Gina, mi-amusée, mi-agacée, parce qu'elle trouvait l'attitude de Philip assez puérile.

— Non, ça me couperait l'appétit de voir la petite sœur de Rose pleurer dans son assiette !

Alors que Gina raccrochait, Irena surgit sur le seuil, les cheveux encore mouillés.

— C'était Daniel ? demanda-t-elle.

— Non, un de mes amis... Si nous déjeunions, maintenant ? Il est presque midi, et je meurs de faim !

Bien que l'angoisse lui donnât une sensation de boule sur l'estomac, Irena s'assit, et le repas qu'avait préparé Gina était si appétissant qu'elle y fit honneur. Les deux jeunes femmes se rendirent ensuite dans la salle de séjour pour y prendre le café en regardant le journal télévisé.

Il ne s'était apparemment rien passé de particulier depuis le matin, si ce n'est qu'on avait fourni aux terroristes l'eau potable, la nourriture et les médicaments demandés.

À la fin des informations, elles zappèrent de chaîne en chaîne, mais toutes donnaient les mêmes nouvelles, si bien que Gina finit par éteindre le poste.

— Combien de temps cela va-t-il encore durer ? murmura Irena en soupirant.

— Peut-être plusieurs jours. Il faut s'armer de patience.

— Je le sais, mais c'est difficile... Si seulement Daniel téléphonait !

— Je suis sûr qu'il va bientôt le faire. Il doit être à Chypre, maintenant.

Et en effet, le jet de Nick avait alors déjà atterri sur un

petit aérodrome privé situé à trois quarts d'heure de route de Nicosie. Une limousine louée par Hazel depuis Londres y attendait Daniel, et le chauffeur roula ensuite si vite qu'il lui fallut à peine trente minutes pour se rendre à l'aéroport.

Quand Daniel aperçut la piste au milieu de laquelle était arrêté l'appareil détourné, il fut moins impressionné par l'avion lui-même que par le nombre de véhicules garés aux alentours : ambulances, voitures de pompiers et de police, camions et jeeps de l'armée...

Des policiers l'entourèrent dès qu'il fut descendu de la limousine et le fouillèrent minutieusement, après quoi ils examinèrent son passeport et ses autres papiers d'identité. Un militaire s'approcha alors de lui et le tira à l'écart. C'était un officier supérieur d'une cinquantaine d'années, hâlé et musclé, avec des yeux noirs au regard froid et perçant.

— On nous a annoncé votre arrivée, monsieur Bruneille, grommela-t-il.

Daniel devina que Nick Caspian avait fait jouer ses relations, et, s'il n'avait pas été aussi inquiet, la situation l'aurait amusé : cet officier n'avait manifestement aucune envie d'être poli avec lui, mais il avait reçu des ordres d'en haut.

— Croyez bien que je le regrette, continua ce dernier d'un ton qui démentait ses paroles, mais je ne peux pas vous laisser vous mêler de cette affaire. Vous allez devoir rejoindre les autres membres de la presse dans le bâtiment de l'aéroport. Si vous n'étiez pas journaliste, je vous interdirais même de rester, car nous ne voulons pas avoir les familles des otages dans les jambes. Ceci est une opération militaire, nous menons des négociations délicates, et nous n'avons pas le temps de nous occuper des états d'âme des civils.

— Dites-moi au moins ce qui se passe ! s'écria Daniel.

414

— On vous mettra au courant dans l'aéroport, rétorqua sèchement l'officier en pivotant sur ses talons.

— Écoutez..., commença Daniel.

Mais un soldat le saisit alors par le bras et l'entraîna vers une jeep.

— Lâchez-moi ! s'exclama Daniel, outré.

Au lieu d'obéir, le soldat le poussa dans la jeep, s'installa au volant et démarra.

— Que s'est-il passé jusqu'ici ? lui demanda Daniel avec un sourire affable.

Ce changement de tactique n'eut pas le résultat escompté. Le soldat se contenta de jeter un coup d'œil indifférent à son passager et de déclarer :

— Pas comprendre anglais.

Que ce soit vrai ou non, Daniel dut se satisfaire de cette réponse, et, après quelques minutes de trajet, son chauffeur le guida jusqu'à la salle où on avait rassemblé les journalistes. Ben Winter, le reporter du service étranger de *L'Observateur* qui avait annoncé la nouvelle du détournement à Nick, se précipita au-devant de Daniel.

— Je savais que vous viendriez, annonça-t-il, mais je ne vous attendais pas aussi tôt !

— Nick Caspian a mis son jet à ma disposition.

— Moi, j'ai voyagé en classe économique avec ma femme et mes enfants, observa Ben avec une moue désabusée, et j'ai trouvé le temps long, croyez-moi ! Mais peu importe... J'imagine que vous allez me remplacer ?

— C'est à vous d'en décider, puisque vous êtes théoriquement en vacances. Nick Caspian voulait qu'un autre journaliste m'accompagne, mais je lui ai dit que je m'arrangerais avec vous.

— Eh bien, c'est une affaire sensationnelle, et j'ai été le premier dessus... J'aimerais bien que mon nom apparaisse en tête des articles, pour une fois.

— Ça ne vous est encore jamais arrivé ?

— Pas depuis que je travaille à *L'Observateur,* en tout cas... Je n'y suis que pigiste.

— Écoutez, j'appellerai Fabien tout à l'heure, je lui en parlerai, et je suis sûr qu'il sera d'accord pour que vous signiez les articles. En fait, nous pourrions les cosigner, et ne vous inquiétez pas, je ne vous ferai pas d'ombre : la gloire est bien le dernier de mes soucis en ce moment !

Daniel marqua une petite pause, puis questionna d'une voix anxieuse :

— Il y a du nouveau depuis ce matin ?

— Pas grand-chose, répondit Ben. L'heure de l'ultimatum lancé par les terroristes est passée et ils n'ont tué personne. Ils ont demandé de l'eau, de la nourriture et des médicaments, et les autorités ont accepté de les leur fournir.

— Elles ont eu raison, remarqua Daniel en s'efforçant de maîtriser le tremblement de sa voix. Ce genre de geste crée un climat de confiance et permet à tout le monde de souffler un peu. C'est la procédure normale.

— Vous avez sûrement déjà couvert des détournements ?

— Oui, et je sais que, dans ce type d'affaire, les autorités s'efforcent de faire parler les preneurs d'otages afin de mieux les connaître, de comprendre leur psychologie et de trouver leurs points faibles. D'après ce que vous me dites, ceux-là semblent moins imprévisibles qu'on n'aurait pu le craindre au départ. Maintenant, racontez-moi tout depuis le début.

416

4.

Tout au long de l'après-midi, Gina et Irena télépho-nèrent régulièrement à la rédaction de *L'Observateur,* mais sans rien apprendre de nouveau. Les autorités chy-priotes observaient un silence presque complet vis-à-vis des médias. Cette attitude, affirmaient-elles, était dictée par une situation explosive et le souci d'empêcher les ter-roristes d'obtenir des informations par la radio de bord. Elles voulaient rester maîtresses du jeu.

La télévision diffusait malgré tout des images de l'aéroport de Nicosie, ce qui permettait d'avoir une idée de l'atmosphère qui y régnait. « Il fait plus de quarante degrés à l'ombre, dit à un moment l'envoyé spécial de l'une des grandes chaînes nationales, et l'intérieur de cet avion doit être une véritable étuve. »

Daniel appela peu après.

— Je n'ai malheureusement aucune nouvelle de Rose, annonça-t-il à Irena. Mais une rumeur commence à se répandre ici, selon laquelle les négociations pour la libé-ration des femmes et des enfants avancent. Cela peut encore durer des heures, cependant. Je vous préviendrai s'il se produit la moindre chose de ce côté-là. En atten-dant, tâchez de ne pas trop vous tourmenter... Desmond s'est manifesté ?

— Non. Il n'est sûrement pas encore au courant.

— Ou bien il ignore que Rose est dans l'avion, remarqua Daniel.

A peine Irena avait-elle raccroché que le téléphone sonna de nouveau. C'était Nick Caspian, cette fois, qui demanda à parler à Gina.

— Daniel vous a appelée ? Il vient de nous envoyer un article. Il travaille en collaboration avec le jeune journaliste qui se trouvait hier par hasard sur l'aéroport de Nicosie. J'ai eu Daniel au bout du fil, et il était assez calme, mais ce n'est sans doute qu'une apparence. Il doit être sur les nerfs, même si la situation paraît plutôt moins dangereuse qu'elle ne le semblait au départ.

— Comment pouvez-vous l'affirmer ? répliqua la jeune femme. Personne ne sait ce qui se passe dans cet avion.

— Pourquoi vous en prenez-vous à moi ? grommela Nick. Je ne suis pour rien dans ce qui arrive à Rose !

— Je n'ai pas dit que vous y étiez pour quelque chose !

Mais Gina se rendait bien compte qu'elle en voulait en effet inconsciemment à Nick — et que cette attitude était tout à fait injustifiée. Elle n'avait cependant aucune envie de l'admettre devant lui, et le fait qu'il ait deviné ses sentiments augmentait encore sa rancœur : cela l'agaçait qu'il lise ainsi dans ses pensées, qu'il les comprenne même parfois avant elle. C'était comme s'il la connaissait mieux qu'elle ne se connaissait elle-même...

— Comment va Irena ? demanda Nick d'un ton brusque.

— C'est dur pour elle, mais Irena est comme Rose : quand il y a des problèmes, elle fait front.

— Vous aussi, apparemment.

— Les femmes ont une plus grande capacité d'endurance que les hommes, parce que l'histoire leur a donné l'habitude du malheur.

— Épargnez-moi vos discours féministes, par pitié !

418

Cette remarque irrita tellement Gina qu'elle dut compter jusqu'à dix avant d'être capable d'articuler avec un semblant de calme :

— Vous aviez autre chose à me dire, monsieur Caspian ?

— Allez au diable !

Sur ces mots, il raccrocha, et Gina resta quelques secondes à fixer le téléphone, les sourcils levés. Nick avait quelquefois des réactions surprenantes.

Par le hublot, Rose regardait le crépuscule assombrir peu à peu le ciel de Chypre. La journée avait été épuisante, physiquement et moralement. La jeune femme se sentait ankylosée et poisseuse, et une affreuse migraine lui vrillait les tempes. Que se passait-il dans le poste de pilotage ? pensa-t-elle. Tous les autres passagers se posaient visiblement la même question : ils avaient les yeux rivés sur l'avant de l'appareil, où le plus jeune membre du commando montait la garde. Ils savaient que les négociations avaient continué après la fourniture d'eau, de nourriture et de médicaments par les autorités, mais ils ignoraient la nature exacte des exigences des terroristes.

Quelques rangées de fauteuils devant Rose, une des hôtesses de l'air berçait un enfant, un petit garçon dont la mère s'était endormie, la tête sur l'épaule de son mari.

Où était Daniel ? songea la jeune journaliste en contemplant la piste, où les projecteurs s'étaient rallumés. Se trouvait-il quelque part dans l'aéroport, à attendre le dénouement de l'affaire ? Et Desmond ? Était-il là, lui aussi ? Ils devaient tous les deux être terriblement inquiets, mais sans doute supportaient-ils mieux cette épreuve que les familles des autres otages. Du fait de leur métier, et également parce qu'ils connaissaient sa force de caractère.

Un murmure s'éleva soudain dans la carlingue et Rose, tournant la tête, vit le chef du commando sortir du poste de pilotage, une pile de passeports dans une main, son pistolet dans l'autre.

— Bon, écoutez-moi bien ! déclara-t-il d'une voix forte. Nous avons eu de longs pourparlers avec les autorités, et certaines de nos exigences ont été satisfaites : les médias du monde entier sont en train de diffuser un communiqué expliquant nos objectifs, et de la nourriture va être distribuée dans les camps de réfugiés. En échange, nous avons décidé de libérer les femmes et les enfants.

Cette annonce déclencha une vive émotion parmi les passagers, qui s'agitèrent dans leur siège et se mirent à chuchoter entre eux.

— Silence ! cria le terroriste. Et attendez pour bouger que je vous en donne l'autorisation !

Il échangea ensuite quelques phrases rapides en arabe avec ses compagnons, puis s'adressa de nouveau aux otages :

— Dès que le toboggan d'évacuation sera déployé, j'appellerai les gens un par un. Les personnes concernées viendront alors à l'avant, sortiront par le toboggan et s'éloigneront rapidement, sans se retourner. Faites exactement ce que je vous dis ! A la moindre incartade, nous tuerons ceux qui seront encore dans l'avion. Je vous conseille donc de suivre mes instructions à la lettre !

Irena et Gina étaient en train de regarder un vieux film en noir et blanc, ce soir-là, lorsque le programme fut interrompu par un flash spécial.

— Il s'est passé quelque chose ! s'écria Irena, affolée.

En silence, Gina lui prit la main et la garda serrée dans les siennes pendant tout le communiqué. Quand le journaliste eut fini de parler, Irena fondit en larmes et Gina l'enlaça.

— Ne pleurez pas, murmura-t-elle d'une voix étranglée par l'émotion. C'est terminé... Rose est sauvée ! Elle sera très bientôt de retour.

— Je n'arrive pas à le croire !

— Mais si ! Vous avez entendu : les femmes et les enfants ont été relâchés. Rose doit être avec Daniel, à l'heure qu'il est. C'est merveilleux, non ?

— Merveilleux, répéta Irena, mi-riant, mi-pleurant.

Lorsque sa compagne se fut un peu calmée, Gina alla préparer une tisane, qu'elle apporta ensuite dans la salle de séjour. Espérant qu'Irena parviendrait à s'endormir, elle éteignit toutes les lumières à l'exception d'une petite lampe à abat-jour rose posée sur la table basse, devant la cheminée.

— Quand nous aurons bu ça, nous irons nous coucher, dit-elle avec un bâillement en se blottissant dans un coin du canapé.

Irena vida sa tasse tout en regardant la télévision, le son coupé. Au film succédèrent une émission de variétés, puis un dessin animé de Tom et Jerry qui la fit rire aux larmes. Ce genre de programme ne l'amusait pas autant, d'habitude, mais le soulagement qu'elle éprouvait exagérait ses réactions.

Voulant voir si Gina riait elle aussi, la jeune Espagnole jeta un coup d'œil dans sa direction et constata qu'elle s'était endormie, la tête contre le bras du canapé. Sa tasse, qu'elle tenait encore à la main, penchait dangereusement, et Irena se leva pour la lui prendre. Gina ne se réveilla même pas, et la jeune Espagnole regagnait son fauteuil sur la pointe des pieds lorsqu'un petit coup de sonnette retentit à la porte d'entrée.

Surprise, Irena alla coller son œil contre le judas. C'était Nick Caspian. Craignant qu'il ne sonne de nouveau, elle enleva rapidement la chaîne de sûreté et ouvrit la porte. Ce fut alors seulement qu'elle aperçut Esteban

Sebastian, qui se tenait un peu en retrait. Une onde de panique la submergea, et elle se dépêcha de tourner les yeux vers Nick qui, pour intimidant qu'il soit, lui faisait malgré tout moins peur.

— Comment ça va, Irena? lui demanda-t-il doucement.

— Beaucoup mieux depuis que je sais que Rose est saine et sauve! murmura-t-elle.

— Vous avez appris ça par la télévision? questionna Nick en échangeant un regard avec Esteban.

— Oui, répondit-elle, radieuse. Mais je vous en prie, ne parlez pas trop fort! Gina dort dans la salle de séjour. Il ne faut pas la réveiller; elle est très fatiguée. Venez dans la cuisine!

Elle commença à s'éloigner et entendit les deux hommes chuchoter entre eux mais, quand elle se retourna, ils se turent immédiatement et la suivirent. En passant devant la porte ouverte de la salle de séjour, Nick s'arrêta et resta un moment à fixer Gina, pelotonnée comme un enfant sur le canapé, ses beaux cheveux roux luisant à la clarté rose de la lampe. Il lui fallut un gros effort de volonté pour s'arracher à sa contemplation, mais il rejoignit finalement Irena et Esteban dans la cuisine.

— Puis-je vous offrir quelque chose à boire? s'enquit la jeune Espagnole. Du thé ou du café?

— Du café, s'il vous plaît, déclara Nick en s'asseyant sur une chaise. Excusez cette visite tardive, Irena, mais nous avons vu de la lumière et nous nous sommes dit que vous aimeriez peut-être lire l'édition spéciale de *L'Observateur*.

Posant son attaché-case sur la table, il en sortit alors un exemplaire du journal, dont la première page montrait une photographie un peu floue de l'avion détourné et, inséré dedans, un petit cliché de Rose. Avec ses cheveux courts et son visage mince, elle paraissait étonnamment jeune.

Irena prit le journal et considéra avec un sourire ému la photo de sa demi-sœur.

— C'est très aimable à vous d'avoir pensé à nous l'apporter, observa-t-elle.

— Cette affaire nous tient beaucoup à cœur, affirma Nick. Rose est une des nôtres, et beaucoup de gens sont restés à Barbary Wharf bien au-delà de l'heure normale afin de permettre la parution de ce numéro.

— Est-ce vous qui avez écrit l'article ? demanda Irena à Esteban.

— Oh ! non, s'écria Nick en riant. Esteban n'est pas journaliste mais directeur du marketing... Il m'a accompagné jusqu'ici parce que, après avoir dîné ensemble, nous sommes retournés à *L'Observateur* attendre que le journal sorte des presses. Ensuite, j'ai invité Esteban à venir boire un café et un pousse-café chez moi.

— Un pousse-café ? répéta Irena, perplexe.

Les deux hommes éclatèrent de rire, et Esteban lui traduisit le mot en espagnol avec un sourire dont la gentillesse surprit la jeune femme. Il avait été si désagréable, la veille, au restaurant... Déjà désorientée par son premier contact avec l'Angleterre, elle avait trouvé l'hostilité d'Esteban d'autant plus perturbante, mais il était différent, ce soir, moins froid, moins sombre, plus humain.

Le café qu'elle avait mis à passer étant maintenant prêt, Irena le servit, puis l'une des phrases de Nick lui revint à l'esprit, et elle demanda :

— Vous habitez dans cet immeuble, monsieur Caspian ? Mais comment avez-vous pu monter jusqu'ici ? Gina m'a expliqué qu'il fallait une clé spéciale. Et le seul autre appartement de l'étage appartient à quelqu'un qui réside aux îles Caïmans...

— Je le lui ai racheté, annonça Nick avec une lueur de triomphe dans les yeux. Je vis ici, à présent.

— Gina le sait ? demanda Irena en le regardant d'un air étonné.

— Non, pas encore. Je viens juste de m'installer.

Cela ferait-il plaisir à Gina d'avoir Nick pour voisin ? songea la jeune Espagnole — qui se contenta cependant d'observer :

— Elle devrait être dans son lit. Je m'en veux de l'avoir obligée à rester debout aussi longtemps alors que nous avons déjà veillé hier presque toute la nuit, mais je n'ai pas eu le courage de la réveiller pour lui dire d'aller se coucher.

— Je vais la porter jusqu'à sa chambre, déclara Nick en lançant un coup d'œil appuyé à Esteban et en se levant.

— Oh ! je ne crois pas..., commença Irena.

Mais il avait déjà franchi la porte, et la jeune femme, résignée, s'apprêtait à le suivre lorsque Esteban l'interpella d'une voix grave :

— Attendez, Irena ! Il faut que je vous parle.

Envahie par un sombre pressentiment, elle se retourna et s'écria :

— Qu'y a-t-il ? C'est Rose, n'est-ce pas ?

— Oui, les terroristes ne l'ont pas libérée. Son passeport leur a appris qu'elle était journaliste et, pensant qu'elle pourrait leur être utile, ils l'ont gardée.

— Oh ! non..., murmura-t-elle, secouée par un violent frisson.

Esteban s'approcha et lui passa un bras autour des épaules.

— Une chose est certaine, au moins, remarqua-t-il d'un ton rassurant : ils ne lui feront pas de mal. Ils veulent manifestement qu'elle écrive un article qui leur sera favorable, et ils la traiteront donc bien. D'ailleurs, connaissant Rose, je suis certain qu'elle préfère ne pas quitter l'avion. Si le danger et les émotions fortes

424

l'effrayaient, elle n'aurait pas choisi de devenir grand reporter. C'est la fille de son père, après tout, et Desmond, dans la même situation, aurait souhaité demeurer au cœur de l'action.

Immobile et silencieuse, la jeune femme se força à réfléchir et dut admettre qu'Esteban avait raison.

— Je suis cependant désolé d'être porteur d'une nouvelle qui doit beaucoup vous affecter, reprit celui-ci en lui caressant les cheveux.

Ce geste de réconfort réchauffa le cœur de la jeune femme. Si seulement elle pouvait se blottir dans les bras d'Esteban, comme une enfant cherchant refuge auprès d'un adulte... Mais elle n'était plus une enfant, si bien qu'elle rassembla son courage et dit d'un ton posé :

— Merci de m'avoir prévenue avant tant de délicatesse. Je suis contente de ne pas l'avoir appris par la télévision. Ç'aurait été un choc terrible !

— Vous avez beaucoup de cran, murmura-t-il.

Cessant de lui caresser les cheveux, il lui prit la main et y déposa un baiser. Irena en conçut un tel étonnement qu'elle resta pétrifiée et fixa Esteban en silence, ses grands yeux gris écarquillés.

Il fixa intensément le petit visage levé vers lui, puis continua d'une voix un peu rauque :

— Je vous ai traitée très durement hier, au restaurant, et je m'en excuse. J'ai mal interprété la situation. J'aime beaucoup Rose, et j'ai cru que Daniel la trompait avec vous. Cela m'a mis en colère, mais je suis impardonnable d'avoir imaginé cela... Votre jeunesse et votre innocence auraient dû tout de suite me faire comprendre mon erreur.

— Je ne suis plus une petite fille ! protesta-t-elle avec véhémence.

— Bien sûr que non, pardonnez-moi... Et j'espère que vous n'aurez plus à l'avenir d'autre raison de vous plaindre de moi.

Pendant ce temps, dans la salle de séjour, Nick se tenait près du canapé où Gina dormait. Elle s'agitait dans son sommeil. Sans doute rêvait-elle, songea Nick en contemplant son visage délicat. Il aurait tant aimé savoir ce qui se passait derrière ces paupières closes ! Gina constituait pour lui un mystère qu'il aurait tout donné pour élucider. Elle portait ce soir un déshabillé de batiste et une chemise de nuit assortie sous lesquels transparaissait sa peau satinée, et Nick ne pouvait détacher les yeux des petits seins ronds aux aréoles plus foncées qui gonflaient le tissu léger. Elle était si belle, ainsi abandonnée, qu'une vague de désir le submergea. Incapable d'y résister, il s'agenouilla et embrassa doucement l'un des pieds nus de Gina, puis sa cheville. La jeune femme ne se réveilla pas et Nick, se redressant, la souleva dans ses bras. Il sortit de la salle de séjour, remonta le couloir, mais s'arrêta soudain. Où était la chambre de Gina ? Il aperçut alors par l'entrebâillement d'une porte une penderie ouverte dans laquelle il reconnut plusieurs robes appartenant à Gina. C'était là.

Il entra et posa la jeune femme sur le lit. Au contact des draps frais, elle émit un léger soupir, ses paupières battirent et ses grands yeux verts se posèrent sur le visage de Nick, encore penché sur elle. Ils restèrent un moment à se regarder, puis Nick poussa un gémissement étouffé, inclina la tête et s'empara de la bouche de Gina.

Alanguie et somnolente, celle-ci sortait à peine d'un rêve merveilleux où Nick la tenait serrée contre lui et, croyant être encore en train de rêver, elle répondit à son baiser. Dans la journée, elle parvenait à maîtriser sa passion, mais quand elle dormait, sa raison la quittait, balayée par l'amour et le désir.

— Gina... Oh ! Gina..., murmura Nick en s'allongeant près d'elle sur le lit et en l'embrassant avec une ardeur grandissante.

426

Le son de sa voix rompit d'un coup l'illusion, et la jeune femme ouvrit les yeux. Ce n'était pas un rêve mais la réalité ! constata-t-elle, rouge de confusion et de colère. Nick se trouvait dans sa chambre, sur son lit... Mais comment était-ce possible ? Elle se rappelait avoir regardé la télévision avec Irena, puis avoir senti le sommeil la gagner et s'être endormie sur le canapé de la salle de séjour, alors comment était-elle arrivée jusqu'ici, et d'où sortait Nick ?

Inconscient du changement d'humeur de Gina, grisé par le parfum et le contact de ce corps palpitant, Nick se mit à couvrir la jeune femme de lentes caresses, et un frémissement de plaisir la parcourut. Elle eut un instant envie de s'abandonner à cette sensation exquise, mais non... c'était trop dangereux ! Et il fallait arrêter Nick tout de suite, pendant qu'elle avait encore le courage de résister à la tentation...

Gina se raidit et, avant que Nick n'ait eu le temps de comprendre ce qui se passait, elle le repoussa violemment et l'envoya rouler par terre.

Dans la cuisine, Esteban se tut brusquement et haussa les sourcils.

— Vous avez entendu ce bruit ? demanda-t-il.

— Oui, nous devrions peut-être aller voir, déclara Irena en se levant.

Pendant ce temps, dans la chambre, Nick s'était redressé et considérait Gina d'un air furieux.

— Pourquoi avez-vous fait cela ? lança-t-il.

— Sortez de cette pièce !

— Mais qu'est-ce qui vous prend ? Il y a une minute, vous étiez...

— Endormie ! Je dormais et vous, espèce de goujat, vous en avez profité ! Eh bien, je suis réveillée, maintenant, alors partez !

— Vous avez pourtant répondu à mon baiser...

— Certainement pas ! Je préférerais embrasser un serpent !

— C'est pour cela que vous fréquentez Philip Slade ? observa Nick, sarcastique.

Puis, comme Gina gardait un silence hautain, il se mit à marcher nerveusement de long en large. Il avait été si près de réussir, si sûr de l'avoir enfin conquise... Fou de frustration, il la foudroya du regard. C'était la femme la plus obstinée, la plus exaspérante...

Une brusque douleur au dos lui arracha une grimace, et il marmonna :

— Ce n'était en tout cas pas la peine d'être aussi brutale ! Je serai couvert de bleus, demain.

— Bien fait pour vous !

La porte de la chambre, que Nick avait laissée entre-bâillée, s'ouvrit alors toute grande, et Irena parut sur le seuil.

— Que... que s'est-il passé ? bredouilla-t-elle. Nous avons entendu un bruit...

— Oui, j'ai renversé la lampe, expliqua Nick d'un ton dégagé. Dieu merci, elle ne s'est pas cassée, mais j'ai malheureusement réveillé Gina.

— Oh ! Quel dommage ! s'écria Irena en fixant son hôtesse avec inquiétude. Et vous avez l'air si fatiguée, presque fiévreuse... Le moment est mal choisi, Gina, mais il faut que vous sachiez... M. Caspian et M. Sebastian sont venus nous annoncer une mauvaise nouvelle : Rose n'a pas été relâchée, elle est encore dans l'avion.

Au même moment, Rose était elle aussi réveillée. Recroquevillée dans un fauteuil à l'avant de l'appareil, elle était gardée par le plus jeune des terroristes — le deuxième somnolait non loin de là, tandis que le chef du commando se trouvait dans le poste de pilotage. Les passagers, derrière eux, dormaient tous. C'était leur deuxième nuit à bord et ils commençaient à s'adapter à la situation ; la libération des femmes et des enfants avait en outre un peu diminué la tension qui régnait dans l'avion.

Rose, cependant, se sentait trop nerveuse pour s'abandonner au sommeil. Elle souffrait trop, aussi... Quand les pirates de l'air avaient découvert qu'elle était reporter, ils l'avaient forcée à venir s'installer dans ce siège, où il leur était plus facile de la surveiller. Puis, pendant une demi-heure, ils l'avaient interrogée, et sur un ton si agressif qu'elle avait craint pour sa vie. Pour qui travaillait-elle ? Était-elle journaliste politique ? Que faisait-elle dans cet avion ?... Rose avait répondu aussi calmement que possible, mais des filets de sueur lui coulaient le long du dos... Ils allaient la tuer, ce n'était qu'une question de minutes...

Leur colère et leur méfiance avaient pourtant fini par tomber, et le chef des terroristes s'était alors lancé dans un long discours qu'il avait obligé la jeune femme à noter par écrit, et qui exprimait leurs exigences, leurs accusations et leurs convictions politiques, le tout dans un style pompeux et alambiqué. Rose avait essayé de rester impassible, mais quelque chose dans son attitude devait montrer qu'elle n'était pas impressionnée par cette diatribe, car le chef du commando avait soudain poussé un rugissement de fureur et l'avait frappée au visage avec son pistolet. La douleur avait été si violente que Rose s'était évanouie.

Quand elle avait repris connaissance, les trois hommes discutaient entre eux un peu plus loin. Le chef des terroristes était ensuite retourné dans le poste de pilotage, et le plus âgé des deux autres avait autorisé une des hôtesses à venir soigner Rose. La teinture d'iode l'avait brûlée, et l'hôtesse lui avait demandé gentiment :

— Ça ne pique pas trop ?

— Un peu, mais je n'en mourrai pas.

— Pas de messes basses ! était intervenu le plus jeune des terroristes. Vous, l'hôtesse, regagnez votre place, maintenant !

Plusieurs heures s'étaient écoulées depuis, mais la blessure de Rose l'élançait encore. Du coin de l'œil, elle regarda son reflet dans la vitre noire du hublot : elle avait la pommette enflée et contusionnée, des marques de teinture d'iode en travers de la joue... « Je ne suis pas belle à voir ! se dit-elle, ironique. Heureusement que Daniel n'est pas là... »

Mais elle n'aurait pas dû penser à Daniel. C'était une erreur... Cela lui faisait monter les larmes aux yeux et affaiblissait son courage. Non, il ne fallait pas penser à Daniel...

Fermant les paupières, elle songea à son père — où était-il en ce moment ? —, puis à Irena, seule à Londres et sûrement folle d'inquiétude. La vie était décidément bizarre... Un hasard pouvait détruire en une seconde les plans les mieux préparés. Ce détournement d'avion ressemblait à un accident de voiture : des gens qui partent pour un voyage banal, et puis, soudain...

La jeune femme en était là de ses réflexions lorsqu'un bruit de verre brisé s'éleva du poste de pilotage. Elle rouvrit les yeux et, presque au même moment, le chef du commando sortit du cockpit en courant et en hurlant des ordres. Le plus jeune des terroristes se retourna vivement et jeta autour de lui un regard affolé, tandis que le troisième se levait d'un bond et commençait à tirer à l'aveuglette.

Tant de choses se produisirent en même temps que Rose ne parvint pas à tout analyser. Des grenades furent lancées depuis le poste de pilotage, et une fumée âcre remplit la cabine. Quelqu'un, quelque part, cria : « Couchez-vous ! Couchez-vous ! Tout le monde à plat

430

ventre ! » puis des soldats en tenue camouflée, le visage et les mains noircis au charbon, surgirent à l'avant de l'appareil. Une fusillade générale éclata aussitôt.

Trop surprise et intéressée par ce qui se passait pour songer à s'allonger par terre, Rose ne se rendit compte du danger qu'en voyant le chef des terroristes se tourner vers elle et la viser avec son pistolet. Elle ouvrit la bouche pour hurler quand le premier coup partit, mais le choc de l'impact la réduisit au silence, tandis que la deuxième et la troisième balle la faisaient vaciller, puis tomber sur le sol comme une poupée désarticulée.

5.

Irena dormit d'un sommeil agité, entrecoupé de rêves étranges et effrayants. La nuit lui parut interminable et, quand elle se réveilla, il lui fallut quelques instants pour reconnaître l'endroit où elle se trouvait. Dehors, les oiseaux chantaient, et le soleil qui filtrait par les rideaux baignait la pièce d'une lumière dorée. Puis la mémoire lui revint, et les événements des quarante-huit heures précédentes défilèrent dans son esprit. Était-il possible que tout cela se soit produit en si peu de temps ? Il lui semblait qu'il s'était écoulé des semaines depuis son départ de Paris.

Elle pensa à Rose, toujours prisonnière dans cet avion, et un frisson la parcourut. Jamais elle ne serait capable de supporter ce genre d'épreuve.

Un bruit s'éleva soudain dans l'appartement, ramenant la jeune femme à la réalité, et elle comprit alors ce qui l'avait réveillée : quelqu'un sonnait à la porte d'entrée, et pas pour la première fois à en juger par la façon insistante et prolongée dont cette personne appuyait sur le bouton... Irena consulta sa montre ; il n'était que 7 h 30. Qui pouvait bien venir voir Gina à une heure aussi matinale ?

Un profond sentiment de panique la submergea brusquement. Rose ! Il était arrivé quelque chose à Rose !

C'était la seule explication... La jeune femme bondit de son lit, enfila en hâte son peignoir et se précipita dans le couloir.

Gina sortit de sa chambre au moment où Irena passait devant. Elle portait elle aussi un peignoir et son visage était livide. Elles échangèrent un regard anxieux puis, sans parler, se dirigèrent ensemble vers la porte d'entrée. Gina l'ouvrit. Esteban se tenait sur le seuil, pâle et les traits tirés. Il était évident, à son expression, qu'il apportait une mauvaise nouvelle.

— Que... qu'est-il arrivé ? bredouilla Irena.

— Il vaut mieux que vous vous asseyiez d'abord, dit-il.

— Elle est morte ! murmura Irena.

— Non, je vous jure que non ! s'exclama Esteban en lui passant un bras autour de la taille.

Il la guida ensuite jusqu'à la salle de séjour, l'obligea à s'installer dans un fauteuil, puis s'agenouilla devant elle et serra ses mains glacées dans les siennes.

— Calmez-vous, Irena, je vous en prie ! Rose n'est pas morte, je vous le répète, mais...

Hésitant, Esteban leva les yeux vers Gina, qui s'était assise sur le canapé, et, après une petite pause, expliqua :

— Voilà : l'armée a décidé de prendre l'avion d'assaut pendant la nuit, au moment où il y avait de fortes chances pour que les pirates relâchent leur vigilance.

— Oh ! non..., cria Irena. Pourquoi faire courir de tels risques aux otages ? Pourquoi ne pas continuer à négocier avec les terroristes, attendre qu'ils finissent par céder ?

— Je n'en sais rien. Il est très difficile de dire quelle tactique est la bonne dans ce genre de situation, et nous ne connaissons pas tous les faits. Quoi qu'il en soit, un commando de forces spéciales a donné l'assaut et, dans la fusillade qui a suivi, Rose a été blessée.

— Grièvement? demanda la jeune Espagnole en blêmissant. Il faut que j'aille là-bas tout de suite! Je veux être avec elle!

— Non, Irena, c'est impossible, déclara Esteban d'une voix douce. Nick s'occupe de tout. Daniel l'a appelé chez lui juste après l'attaque de l'avion, et Nick s'est immédiatement rendu à son bureau. Il va prendre les dispositions nécessaires pour rapatrier Rose en Angleterre dès qu'elle sera transportable. Elle n'a pas encore été opérée; on la transfuse d'abord, car elle a perdu beaucoup de sang.

— Mon Dieu! murmura Irena.

— Daniel nous téléphonera dès qu'il y aura du nouveau, observa Esteban en l'observant d'un air soucieux. Nick lui a proposé de vous envoyer à Chypre, mais Daniel a refusé. Il règne là-bas une confusion indescriptible, et votre présence serait plus gênante qu'utile.

— Je suis la sœur de Rose, tout de même!

— Je comprends que vous vous tourmentiez, Irena, mais il vaut mieux obéir à Daniel. Étant sur place, il sait mieux que personne ce qu'il convient ou non de faire.

— Je n'ai pas d'ordres à recevoir de vous! s'écria la jeune Espagnole, furieuse. Vous n'avez pas à vous mêler de ça, de toute façon! Ce ne sont pas vos affaires! Alors, laissez-moi tranquille et partez!

Esteban se redressa lentement, le visage sombre.

— Nick m'avait chargé de vous annoncer la nouvelle afin que vous ne l'appreniez pas par la télévision, dit-il d'une voix glaciale. Maintenant que j'ai rempli ma mission, je vais le rejoindre au journal. Quant à vous, vous devriez retourner au lit et y rester. Je suis sûr que Mme Tyrrell connaît un médecin qui vous prescrira un sédatif.

— Il n'est pas question que je me recouche ! grommela Irena en le fixant d'un air hostile.

— C'est à vous de décider... Je vous ai donné un conseil, mais vous n'êtes pas obligée de le suivre.

Esteban pivota sur ses talons et quitta la pièce. La porte d'entrée se referma en claquant quelques secondes plus tard, et Irena fondit en larmes.

— Pourquoi vous êtes-vous fâchée contre lui ? murmura Gina. Ce genre de nouvelle n'est pas facile à annoncer, et il s'est acquitté de sa tâche avec beaucoup de tact.

— Il faut que j'aille là-bas, Gina ! Je ne supporte pas d'être si loin de Rose alors qu'elle est blessée et risque de...

Un brusque sanglot l'empêcha de terminer sa phrase.

— Oui, je comprends ce que vous ressentez, dit Gina en soupirant, mais je pense que Daniel a raison : il a déjà trop de soucis sans avoir en plus à s'occuper de vous. Et si Nick a décidé de rapatrier Rose, ne vous inquiétez pas : il le fera dès que ce sera possible.

— Je refuse de me recoucher, en tout cas, et encore plus de me droguer... Je veux savoir ce qui se passe.

— Je suis de votre avis, déclara Gina d'un ton apaisant. Le mieux serait même de ne pas rester inactive : travailler vous aidera à oublier vos problèmes. Venez donc à *L'Observateur* avec moi ; nous y recevrons d'ailleurs les nouvelles en provenance de Chypre bien plus rapidement qu'à la télévision... Prenez une douche, habillez-vous et, pendant ce temps, je préparerai le petit déjeuner.

— Je n'ai pas faim !

— Mais pourquoi êtes-vous aussi entêtée ? demanda Gina en considérant son interlocutrice avec un mélange de perplexité et d'ironie. Ce doit être de famille, remarquez... Rose est têtue comme une mule, elle aussi !

436

Cette observation arracha un sourire à Irena, qui se résigna ensuite à obéir à Gina. Elle se doucha, puis mit une robe d'été à rayures bleues et blanches, et elle était en train de brosser ses longs cheveux châtains devant la télévision allumée de sa chambre lorsque le journal du matin commença. L'affaire du détournement d'avion était à la une de l'actualité, et les images qui apparurent sur l'écran glacèrent le sang d'Irena : l'appareil immobile d'où s'échappaient des volutes de fumée ; la piste grouillante de soldats armés jusqu'aux dents ; les ambulances et les voitures de pompiers, au pied de l'avion ; les corps des terroristes, recouverts d'un drap, que l'on emportait... Ils avaient apparemment tous été tués. La jeune femme frémit d'horreur.

« Les passagers blessés ont été transportés à l'hôpital le plus proche, annonça le présentateur. Les familles peuvent se renseigner en appelant le numéro suivant... »

Elle fouilla dans son sac à main à la recherche d'un crayon et nota le numéro tout en sachant qu'elle obtiendrait des informations beaucoup plus détaillées par le service étranger de L'Observateur. Quand le journal fut terminé, elle éteignit la télévision et se rendit dans la cuisine. Gina, qui l'y attendait, lui lança un regard scrutateur. La robe d'Irena était jolie, songea-t-elle, mais elle faisait ressortir sa pâleur et les cernes qui soulignaient ses grands yeux gris. Il fallait qu'elle mange, mais Gina décida ne pas l'y forcer : Irena avait besoin d'être rassurée, pas brutalisée. Elle lui versa donc une tasse de café, y ajouta du lait et du sucre, et eut la satisfaction de voir Irena avaler au moins cela.

Le petit déjeuner et le début du trajet jusqu'à Barbary Wharf se passèrent en silence, chacune des deux jeunes femmes étant plongée dans ses pensées, mais une idée traversa soudain l'esprit de Gina, et elle la formula à voix haute :

437

— Je me demande comment Nick et Esteban ont pu accéder à mon étage... Personne n'est censé monter chez moi sans mon autorisation. Nick aurait-il soudoyé le gardien ? Il faudra que je mène ma petite enquête.

— Nick ne vous l'a pas dit ? observa Irena, surprise. Il a acheté l'appartement voisin du vôtre.

— *Quoi ?* s'écria Gina.

Il lui fallut quelques secondes pour saisir toutes les implications de cette nouvelle inattendue. La première, et la plus évidente, étant que Nick avait envahi le dernier territoire où elle se sentait protégée de lui. Avec les mesures strictes qui réglementaient l'accès à son étage, et un voisin constamment absent de Londres, elle avait eu jusque-là l'assurance de jouir d'une tranquillité absolue une fois refermée la porte de son appartement. Mais plus maintenant... Nick serait là tous les jours, à quelques mètres d'elle...

Un terrible sentiment d'impuissance l'envahit. Elle avait tendance à oublier ce trait de son caractère : il ne s'avouait jamais vaincu et ne reculait devant rien pour obtenir ce qu'il voulait. Ne l'avait-il pas prouvé en rompant la promesse faite à sir George et en essayant de prendre le contrôle de *L'Observateur* derrière son dos ? Oui, Nick était totalement dénué de scrupule, et il ne supportait pas qu'on lui résiste. Or il voulait Gina Tyrrell, et Gina Tyrrell lui résistait...

A une certaine époque, elle avait soupçonné Nick de feindre seulement de la trouver attirante, mais elle savait à présent que ce n'était pas vrai. Oh ! il ne l'aimait pas, bien sûr — sans doute était-il incapable d'aimer quelqu'un d'autre que lui-même —, mais il la désirait assurément : elle avait senti, la veille, la frustration qui le dévorait après avoir essuyé cette rebuffade...

Mais avec ce souvenir revint à la mémoire de Gina celui des moments qui avaient précédé, l'ardeur du baiser qu'ils avaient échangé, et un frisson la parcourut, car elle était toujours amoureuse de Nick, dont les constantes assiduités représentaient une tentation permanente.

Elle avait essayé de l'oublier en sortant avec Philip Slade... En vain. Philip était un jeune homme séduisant, mais terriblement égoïste et immature, un véritable enfant gâté. Si elle continuait à le fréquenter, c'était d'une part parce qu'il ne cessait de l'inviter, et d'autre part parce qu'elle avait juré de faire payer à Nick la mort de sir George et espérait le contrarier un peu en se montrant au bras d'un autre homme. De ce côté-là, le succès était total, et Philip n'étant pas amoureux d'elle, il ne risquait pas d'être blessé par ce petit jeu.

Les deux jeunes femmes venaient cependant d'arriver à Barbary Wharf et Gina dut s'arracher à ses réflexions, d'autant que le chef de la sécurité de l'immeuble les arrêta à la porte pour leur demander leurs laissez-passer.

— Je suis désolé, madame Tyrrell, dit-il à Gina, mais nous avons eu une alerte à la bombe il y a une heure, et nous sommes sur les dents. C'est sans doute un canular, mais on n'est jamais trop prudent, surtout après ce qui s'est produit à Chypre.

— Bien sûr, monsieur Brown, répliqua-t-elle en souriant. Vous devez prendre des précautions, c'est votre rôle.

Les yeux du chef de la sécurité se fixèrent alors sur Irena, et il observa, intrigué :

— Je ne vous ai encore jamais vue ici, mademoiselle, si je ne me trompe ?

— C'est Irena Olivero, la demi-sœur de Rose Amery, indiqua Gina.

— Ravi de faire votre connaissance, mademoiselle, déclara M. Brown. J'ai été très peiné en apprenant que Mlle Amery avait été blessée. J'espère que nous aurons bientôt de bonnes nouvelles d'elle.

— Merci, murmura Irena.

Avant de quitter l'appartement avec Gina, elle avait appelé le numéro donné à la télévision, mais on lui avait seulement annoncé que Rose était bien soignée et devait prochainement subir une intervention chirurgicale. Irena avait posé beaucoup de questions, sans obtenir de réponse. On n'avait même pas voulu lui dire combien de balles avait reçues Rose et où elle avait été touchée.

— Un toussotement de M. Brown ramena Irena à la réalité.

— Excusez-moi, mademoiselle, mais il faut que je contrôle votre laissez-passer. Simple formalité, bien sûr...

— Je n'ai qu'un passeport et une carte de la Sorbonne, annonça Irena en lançant un coup d'œil affolé à Gina.

— La Sorbonne ? répéta le chef de la sécurité sans comprendre.

— Mlle Olivero est étudiante à Paris, intervint Gina. Mais ne vous inquiétez pas, monsieur Brown, je me porte garante d'elle.

— Eh bien... C'est que... Je ne sais pas si...

— Demandez à M. Caspian de descendre, si vous préférez, susurra Gina. Il la connaît.

— Non, ce ne sera pas nécessaire ! s'écria immédiatement le brave homme.

Gina avait prévu cette réaction : du haut en bas de l'échelle, tous les gens qui travaillaient à Barbary Wharf avaient une peur bleue de Nick Caspian. Et pour cause : dès son entrée au conseil d'administration de *L'Observateur,* il avait procédé à d'importantes réductions de personnel, et ceux qui restaient auraient fait à peu près n'importe quoi pour lui plaire de peur de perdre eux aussi leur emploi. Gina songea alors tristement qu'elle était sans doute la seule personne du journal prête à

440

s'opposer à lui. Mais elle, bien sûr, ne risquait pas d'être renvoyée...

— Vous veillerez tout de même à ce que Mlle Olivero se procure un laissez-passer dès aujourd'hui, n'est-ce pas, madame Tyrrell ? ajouta le chef de la sécurité.

— Je vous le promets, monsieur Brown, répondit Gina en franchissant le seuil.

Le hall de l'immeuble grouillait d'animation, et Irena observa avec étonnement le flot incessant des gens qui montaient dans les ascenseurs et en sortaient. Son attention fut ensuite attirée par de grandes portes de verre maintenues ouvertes, au fond du hall, et au-delà desquelles on apercevait des parterres de fleurs et une grande esplanade inondée de soleil.

— Vous reconnaissez cette place ? lui demanda Gina, qui avait suivi son regard. C'est là que vous avez dîné le soir de votre arrivée à Londres.

— Oui, avec Daniel..., murmura Irena.

En réalité, elle ne gardait de cette soirée qu'un souvenir confus. Il s'était passé tant de choses depuis... Seule lui restait l'image de prunelles noires la fixant avec une expression d'intense mépris.

Esteban !... C'était un prénom qui lui avait toujours plu. Elle le trouvait romantique, et il allait bien à cet homme, si séduisant malgré son air sombre et la colère qu'elle sentait couver en lui.

Cette attitude hostile l'avait surprise, jusqu'à ce qu'il profère ces stupides accusations, mais même maintenant, elle ne comprenait pas pourquoi il avait cru à une aventure entre Daniel et elle, ni pourquoi cette idée l'avait mis dans un tel état.

Pour tous les familiers de Rose et de Daniel, il était évident que ces deux-là s'aimaient passionnément. Et Esteban paraissait bien les connaître, ce qui rendait sa fureur étrange... A moins que...

Irena fronça les sourcils. Esteban serait-il secrètement amoureux de Rose et, s'imaginant que Daniel la trompait, en aurait-il été peiné pour elle ? D'un autre côté, s'il s'intéressait à Rose, le fait que Daniel sorte avec une autre femme n'aurait pas dû lui déplaire...

L'idée que son compatriote soit peut-être attiré par Rose ennuyait la jeune Espagnole, sans qu'elle sache trop pourquoi, mais il ne semblait pas y avoir d'autre explication à l'attitude d'Esteban ce soir-là.

Étant espagnol, il se prenait bien sûr très au sérieux. Les Espagnols, même en cette fin de

xxᵉ siècle, recevaient une éducation qui leur donnait une conscience aiguë de leur dignité de mâle. Ils restaient attachés aux vieilles traditions de l'honneur et du respect de la famille — traditions pour lesquelles Irena éprouvait d'ailleurs une certaine indulgence : ne faisaient-elles pas partie de son patrimoine culturel ? Et elle se rappelait le comportement de son père adoptif, qui cherchait toujours à vivre en accord avec l'image qu'il avait de l'homme idéal. Ses frères appartenaient à une autre génération, mais cela ne les empêchait pas d'agir souvent de la même façon. Bien que beaucoup de choses aient changé en Espagne, on ne pouvait pas transformer du jour au lendemain la manière de penser des hommes, et Esteban, en la voyant dîner en tête en tête avec Daniel, avait tiré des conclusions hâtives : dans son esprit, ce genre de sortie à deux impliquait forcément une relation intime.

Eh bien, il avait dû revenir sur ses a priori, et même s'excuser de l'avoir soupçonnée à tort... Bien fait pour lui ! songea Irena, qui lui en voulait encore.

S'apercevant soudain que Gina était en train de lui parler, la jeune Espagnole s'obligea à chasser Esteban de son esprit et à écouter sa compagne.

442

— ... et là-bas, il y a un snack-bar qui vend des plats à emporter. Il appartient à une famille d'origine italienne, les Torelli, et c'est généralement la vieille Mme Torelli, ou son fils Roberto, qui est au comptoir; ils sont tous les deux très aimables. Il nous arrive parfois d'acheter un sandwich et d'aller le manger dans le parc de Ratcliff Walk, au bord de la Tamise... Côté transports, il y a une station de taxis dans North Street et un arrêt de bus dans Silver Street, la première rue à gauche en sortant. Je sais que cela fait beaucoup de choses à retenir en même temps, mais vous verrez, dans un jour ou deux, vous vous y reconnaîtrez très bien.

Sur ces mots, Gina se dirigea vers un ascenseur qui s'apprêtait à démarrer, et Irena lui emboîta le pas. Quelques instants plus tard, elles descendaient à l'étage de la direction.

— Voilà mon bureau, indiqua Gina en poussant une porte.

Une jeune femme se tenait devant l'une des grandes baies vitrées de la pièce, en train d'arroser des plantes vertes. Elle se retourna en entendant la porte s'ouvrir-et un sourire éclaira son visage auréolé de cheveux bruns. Irena la trouva tout de suite sympathique : cette façon de regarder les gens bien en face, ces yeux gris brillants d'intelligence et cette expression chaleureuse lui plaisaient.

— Hazel, je te présente Irena, la demi-sœur de Rose, annonça Gina.

— Enchantée, Irena, déclara Hazel d'une voix douce. Je savais que vous veniez travailler ici cet été, et je suis ravie de vous voir, mais votre séjour à Londres n'a pas très bien commencé, hein ? J'ai cependant de bonnes nouvelles pour vous : Daniel a téléphoné il y a quelques minutes pour dire que Rose était sortie de la salle d'opération et que les médecins étaient très optimistes.

Les joues pâles d'Irena se colorèrent un peu, et elle s'exclama :

— C'est merveilleux ! Mais je regrette de ne pas avoir pu parler à Daniel. A-t-il laissé un numéro ?

— Non, il m'a précisé qu'il était impossible de le joindre pour le moment. L'arrivée des blessés a mis l'hôpital sens dessus dessous, et Daniel va y rester pour être là quand Rose se réveillera. Mais il rappellera vers midi, et il a laissé un message pour vous : Rose va bien et vous ne devez pas vous inquiéter.

— Il faut donc que je prenne mon mal en patience, fit remarquer Irena avec un soupir.

— J'en ai peur, convint Hazel en lui souriant gentiment.

La jeune Espagnole aperçut alors un magazine sur l'un des bureaux et s'en approcha pour regarder de plus près la couverture — une mariée vêtue d'une magnifique robe de soie et d'un voile blancs, une couronne de perles et de fleurs d'oranger dans les cheveux, un gros bouquet à la main.

— Tiens ! observa-t-elle. Quelqu'un se marierait-il prochainement ?

— Oui, moi, dans quelques semaines, répondit Hazel en rougissant comme une collégienne. J'espère que vous viendrez à la réception... Vous connaîtrez déjà un certain nombre de personnes, car Nick Caspian, pour qui mon fiancé travaille depuis des années, nous honorera de sa présence, et Gina sera mon témoin. J'espère que Rose ira alors suffisamment bien pour être une de mes demoiselles d'honneur. Et cela vous permettra de rencontrer tous les amis de votre sœur.

— Merci beaucoup, j'accepte avec plaisir, déclara Irena, surprise et touchée par cette invitation.

Un peu plus tard, Gina emmena sa jeune compagne chez le responsable du personnel pour y remplir divers papiers, puis Irena se rendit au service photographique car son laissez-passer devait porter une photo récente d'elle. Tim Doyle, le directeur de ce service, se trouvait dans son bureau, penché sur une table recouverte de clichés noir et blanc. Il s'agissait d'un homme grand et maigre d'une cinquantaine d'années, à la physionomie lugubre et à la mise un peu négligée. Absorbé dans son travail, il ne remarqua pas la présence d'Irena dans l'embrasure de la porte ouverte, et la jeune femme finit par frapper deux petits coups sur le battant.

— Vous désirez? demanda Tim Doyle en levant la tête.

— On m'a envoyée ici parce que j'ai besoin d'une photo d'identité, répondit Irena d'une voix mal assurée.

— Qui ça, « on »?

— Le service du personnel.

— Et cette photo, c'est pour quoi?

— Pour mettre sur mon laissez-passer.

— Vous plaisantez? s'écria Tim Doyle avec un rire méprisant. Je ne suis pas ici pour faire des photos d'identité! Vous n'avez qu'à aller à un Photomaton, comme tout le monde!

Déconcertée mais trop intimidée pour discuter, Irena commençait à s'éloigner lorsque Tim Doyle la rappela:

— Hé! Attendez une minute!

La jeune femme s'immobilisa et se retourna, l'air interrogateur. Tim Doyle l'examina alors de la tête aux pieds, puis regarda les photos posées sur son bureau.

— Qui êtes-vous? questionna-t-il finalement. Dans quel service travaillez-vous?

— Je m'appelle Irena Olivero et j'ai été engagée comme traductrice pour l'été. Je commence juste aujourd'hui.

— Vous êtes étudiante?

— Oui.

— Et d'où venez-vous ? D'Italie ?

— Non, je suis espagnole. Mais j'arrive de Paris, où j'étudie le français, répondit-elle en jetant un coup d'œil à sa montre. Maintenant, je vous prie de m'excuser, mais il faut que je retourne au service du personnel pour expliquer que je dois aller à un Photomaton.

Un sourire charmeur étira soudain les lèvres minces de Tim Doyle.

— Inutile, mon chou, susurra-t-il. Je vais faire une exception pour vous.

Il s'avança alors jusqu'à la porte et cria :

— Hé ! Simon ! Viens ici ! J'ai un petit boulot pour toi.

Un élégant jeune homme aux cheveux blonds et aux yeux bleus s'approcha, considéra Irena d'un air intéressé, puis demanda à Tim Doyle :

— Oui, patron ? De quoi s'agit-il ?

— Je veux que tu prennes quelques photos de cette jeune personne. Utilise le petit studio ; il est libre en ce moment.

Après avoir poliment remercié Tim Doyle, Irena quitta le bureau en compagnie de Simon, mais la voix du directeur s'éleva soudain derrière eux :

— Un instant, Simon ! J'aimerais te parler seul à seul. Attendez-là, mademoiselle, ce ne sera pas long.

Pendant que les deux hommes discutaient dans le bureau, la jeune Espagnole examina avec curiosité l'endroit où elle se trouvait. Elle était impatiente de prendre son poste à *L'Observateur* mais, depuis le matin, elle avait déjà vu tant de services et de gens différents qu'elle se sentait complètement perdue. Et le seul service qu'on ne lui avait pas encore montré, c'était précisément le département traduction où elle devait travailler !

Son regard se posa de nouveau sur la pièce où les

446

deux hommes conféraient, et elle s'aperçut alors qu'ils la fixaient intensément. Pour quelle raison? songea-t-elle. Et pourquoi Tim Doyle avait-il changé d'avis aussi brusquement?

— Allons-y! s'exclama Simon en sortant enfin du bureau et en passant familièrement son bras autour des épaules de la jeune femme. Comment vous appelez-vous?

— Irena.

— C'est un prénom un peu démodé, mais il me plaît et il vous va bien : vous avez un petit air démodé, surtout avec cette robe... J'aime ce côté diaphane et évanescent; ça peut être très sexy, si on utilise la bonne lumière et le bon décor.

Ces paroles plongèrent Irena dans la plus profonde perplexité. Que racontait Simon? N'avait-il donc pas compris qu'elle désirait juste une photo d'identité pour son laissez-passer? Et cette histoire lui faisait perdre beaucoup de temps : Daniel avait promis de rappeler vers midi, et elle voulait lui parler pour avoir des nouvelles de Rose.

— Écoutez, il ne faut pas que cette séance dure trop longtemps, observa-t-elle. Je dois être remontée à l'étage de la direction dans une heure au plus tard. Et, de toute façon, c'est une simple photo d'identité qu'on m'a demandée.

— Oui, oui, mon chou... Bien sûr..., marmonna Simon.

Mais la jeune femme se rendait bien compte qu'il ne l'écoutait pas.

Pendant ce temps-là, dans le bureau de Gina, Hazel était au téléphone avec Piet. Travaillant l'une à Londres et l'autre à Utrecht, les deux fiancés ne se voyaient pas très souvent et avaient donc beaucoup de choses à se dire. Si bien que Hazel n'entendit pas la porte s'ouvrir.

Consciente d'une présence, elle leva cependant la tête et aperçut Esteban, à qui elle sourit amicalement.

— J'ai frappé, mais personne n'a répondu..., commença l'Espagnol. Oh! je vous dérange, excusez-moi!

Il parcourut ensuite la pièce du regard et constata que Gina n'était pas là. Sans doute se trouvait-elle avec Nick dans le bureau directorial.

— Désolée, Piet, déclara Hazel en étouffant un soupir, mais il faut que je te quitte. Le directeur du marketing vient d'arriver... Sebastian, oui... Comment?... D'accord, je lui transmettrai le message. Au revoir, chéri!

Après avoir raccroché, la jeune femme expliqua à Esteban :

— Piet vous salue et espère que vous vous plaisez à *L'Observateur*.

— C'est très gentil à lui.

Ces paroles étaient sincères : Esteban n'avait rencontré Piet qu'à deux ou trois reprises, mais il l'aimait bien. Comme tout le monde, d'ailleurs, car Piet avait un caractère gai et facile qui forçait la sympathie. De plus, étant architecte, il ne constituait pas un rival potentiel dans ce groupe de presse peuplé de gens très ambitieux.

— Oui, Piet est très gentil, souligna fièrement Hazel. Oh! il m'a aussi chargée de vous féliciter pour l'ouvrage sur l'architecture que vous avez publié dans la collection « Tout l'univers ». Il a trouvé les photos superbes et les articles très intéressants.

— Ces compliments reviennent en fait de droit à mon prédécesseur, remarqua Esteban avec un petit sourire, car c'est lui qui a eu l'idée de cet ouvrage et l'a entièrement conçu. Quand j'ai été nommé à son poste, ce livre en était déjà au stade des épreuves.

Hazel le considéra d'un air admiratif : elle connaissait

peu de gens capables de faire preuve d'une telle honnêteté. Il aurait été si facile à Esteban de s'attribuer le mérite de ce travail ! Sans doute était-ce pour cela, entre autres, que Piet appréciait cet homme.

— Et comment le livre se vend-il? demanda-t-elle.

— Les premiers chiffres de vente sont très prometteurs. J'espère qu'il aura autant de succès que le titre phare de la collection, l'atlas du commerce européen.

— J'ai essayé de le lire, mais j'avoue qu'il m'est tombé des mains ! s'écria Hazel en riant.

— Oui, il est plutôt destiné aux spécialistes.

— Allez-vous continuer sur cette lancée ou bien changer de politique? Il paraît que vous avez déjà opéré de profonds changements dans votre service.

— J'ai dû en effet réduire les effectifs pour me conformer aux directives de M. Caspian, et nous travaillons sur de nouveaux projets, comme celui du calendrier de *L'Observateur.*

La voix d'Esteban était neutre, son visage impénétrable, mais Hazel n'en eut pas moins la nette impression que cette idée de calendrier ne lui plaisait pas. La désapprouvant elle-même, elle s'exclama ironiquement :

— Ah, oui ! Les *girls* de *L'Observateur*... Sir George va se retourner dans sa tombe !... Mais excusez-moi, je vous laisse debout... Asseyez-vous, je vous en prie !

Le mouvement qu'elle esquissa alors en direction du fauteuil placé devant son bureau fit tomber par terre sa revue pour futurs mariés. Esteban se baissa pour la ramasser et la lui tendit avec un de ces sourires dont il était si avare.

— Quand Piet revient-il à Londres? demanda-t-il.

— Dans quinze jours seulement, répondit Hazel en soupirant. La construction de la nouvelle imprimerie de Caspian International, près d'Utrecht, l'occupe beaucoup. C'est lui qui dirige le chantier, et il ne peut pas se libérer facilement.

— Tout le monde regrettera votre départ, observa poliment Esteban.

— Oh! Mais je ne pars pas!

— Ah, bon? Et comment ferez-vous, Piet et vous, quand vous serez mariés?

— Je continuerai à travailler ici pendant un certain temps au moins, et j'irai tous les week-ends rejoindre Piet aux Pays-Bas.

— Ce genre d'arrangement ne marche pas, Hazel, croyez-moi, déclara Esteban en considérant son interlocutrice d'un air grave. Le mariage est toujours une entreprise hasardeuse, et si vous voulez mettre toutes les chances de votre côté, Piet et vous ne devez pas rester séparés. Sinon, vous courez au désastre.

Son expression, maintenant plus sombre que jamais, intrigua Hazel. Bien que connaissant à peine Esteban, elle sentait qu'il parlait d'expérience. Son propre mariage avait-il été brisé parce qu'il avait laissé sa femme en Espagne? En réalité, personne au journal ne savait s'il était marié ou non. Des rumeurs couraient selon lesquelles il l'était, mais il vivait seul à Londres... Et il ne fallait pas compter sur Esteban lui-même pour en apprendre plus: c'était un homme très secret. Ce genre d'information en aurait pourtant passionné plus d'une au journal, car peu de femmes étaient indifférentes au charme de ce grand Méditerranéen aux yeux de velours.

Et pas Valérie Knight, en tout cas! pensa Hazel avec une pointe d'amusement. Valérie s'était pratiquement jetée au cou d'Esteban lors de leur première rencontre et paraissait encore s'intéresser beaucoup à lui. Peut-être en savait-elle plus que les autres sur la vie privée du bel Espagnol?

— Vous avez des nouvelles récentes de Rose? demanda soudain ce dernier.

450

— Non, répondit Hazel, mais Daniel rappellera dans une vingtaine de minutes... Et à ce propos, qu'est donc devenue Irena? Elle est allée se faire faire une photo d'identité pour son laissez-passer, mais elle devrait être revenue depuis longtemps.

— Je vais voir si je peux la trouver. Il ne faut pas qu'elle manque le coup de téléphone de Daniel.

— Inutile, je..., commença Hazel.

Mais Esteban avait déjà quitté la pièce.

Quand il sortit de l'ascenseur à l'étage de la rédaction, deux minutes plus tard, il tomba sur Valérie Knight, qui lui lança un sourire éclatant.

— Bonjour, Esteban! Où aviez-vous disparu, ces jours derniers? Vous êtes très occupé, en ce moment?

— Très, déclara-t-il laconiquement.

— A cause du calendrier de *L'Observateur*? Figurez-vous que quelqu'un a menacé d'envoyer une photo de moi en bikini, mais je lui ai dit que c'était contraire au règlement, puisque je travaille ici.

— En effet.

— Et, de toute façon, je ne pense pas que cette photo aurait été retenue.

— Mais si! s'écria Esteban en riant. Et vous le savez très bien... Une photo de vous en bikini ferait doubler les ventes!

— Très flattée..., susurra Valérie.

Ce compliment, elle l'avait quêté, et de manière assez peu subtile, mais il ne l'en satisfaisait pas moins : toute marque d'intérêt de la part d'Esteban l'enchantait. Il était si beau, si mystérieux... Et sa réserve même constituait un charme supplémentaire. Valérie était habituée à ce que tous les hommes tombent à ses pieds, et le fait que celui-ci lui résiste renforçait encore sa volonté de le séduire.

— Excusez-moi, mais je suis pressé, murmura alors Esteban avant de s'éloigner.

451

Valérie esquissa une moue de dépit. Voilà qu'il s'échappait de nouveau... Et juste au moment où elle croyait qu'il allait l'inviter à dîner ! C'était vraiment exaspérant !

Pendant ce temps, dans la salle du conseil, une réunion des principaux responsables de la rédaction venait de se terminer. Les gens sortaient de la pièce par petits groupes, encore plongés dans la discussion qui venait de les occuper pendant une heure, et qui avait porté sur les plans de Nick Caspian pour changer l'image de « journal sérieux » de *L'Observateur,* le moderniser et augmenter son tirage.

Seuls Nick et Gina étaient encore assis à leur place. Ils avaient une nouvelle fois échangé des propos très vifs pendant cette réunion, Gina étant résolument opposée aux projets de Nick. Elle feignait maintenant de l'ignorer et rassemblait ses papiers avant de partir, mais ses gestes étaient nerveux et ses joues rouges de colère.

— Vous avez repensé à ce voyage en Californie ? lui demanda Nick au moment où elle se levait.

— Non, répondit-elle d'un ton sec. J'avais autre chose en tête. Rose, notamment.

— Bien sûr, mais c'est fini, à présent. Rose est solide, comme son père, et elle s'en tirera.

— J'aimerais en être aussi sûre que vous ! Et justement, Daniel doit rappeler dans quelques minutes, alors excusez-moi, mais il faut que je retourne dans mon bureau.

Sur ces mots, elle se dirigea à grands pas vers la porte, mais Nick la suivit.

— Je tiens beaucoup à ce que vous participiez à ce voyage, Gina, grommela-t-il. Cela vous permettra de mieux comprendre le fonctionnement de Caspian International et notre politique en tant que groupe.

— Je la connais déjà, votre politique ! Vous venez de

452

nous en fournir un bon aperçu... Savez-vous ce que sir George aurait dit s'il avait été là? Que vous êtes en train de transformer une publication de qualité en un journal populaire de la pire espèce! Mais peu vous importe qu'il soit vulgaire, du moment qu'il se vend à des millions d'exemplaires, n'est-ce pas?

— Nous sommes là pour donner au public ce qu'il demande, rétorqua Nick impatiemment.

— Et il demande des photos obscènes de filles à demi nues?

— Pas obscènes, artistiques..., rectifia-t-il avec un sourire ironique. Allons, Gina! Ne soyez pas aussi puritaine! Vous êtes-vous jamais promenée sur une plage en juillet? La moitié des femmes s'y exhibent les seins à l'air.

— Ce n'est pas la même chose!

— Et pourquoi donc?

— Parce que... parce que c'est comme ça! Et la seule idée de ce que penserait sir George de vos projets me rend malade.

— Sir George avait de la presse une conception totalement dépassée, mais il avait l'excuse d'être âgé. Tandis que vous, vous êtes jeune; vous pouvez encore apprendre, évoluer...

— Pour devenir comme vous? Merci bien!

Nick rougit sous l'insulte, ses yeux lancèrent des éclairs, et il lui fallut un effort de volonté évident pour observer sans hausser le ton:

— Si vous voulez continuer à diriger ce journal avec moi, il est indispensable que vous connaissiez les objectifs et les méthodes d'un grand groupe de presse moderne, et ce voyage aux États-Unis vous y aidera. Alors soit vous venez, soit vous avouez ne pas vous intéresser à Caspian International et vous démissionnez du conseil d'administration.

Poussée dans ses derniers retranchements, Gina hésita une seconde, puis haussa les épaules.

— Très bien, je viendrai.

L'éclair de triomphe qui brilla dans les prunelles gris acier de son interlocuteur ne lui échappa nullement. Nick détourna cependant rapidement la tête, et ce fut d'un ton désinvolte qu'il déclara :

— Parfait ! Et pendant que nous serons en Californie, vous pourrez rencontrer ma mère.

— Votre mère ? répéta Gina, stupéfaite.

— Si vous n'avez pas envie de la rencontrer, oubliez ma suggestion !

Et avant que Gina n'ait eu le temps d'ajouter un mot, il quitta la pièce. La jeune femme resta pétrifiée, les yeux fixés sur la porte. Depuis quelque temps, Nick était aussi imprévisible qu'un volcan : à des périodes de calme apparent succédaient des explosions de colère aussi soudaines qu'inexplicables.

Pensive, elle fronça les sourcils. Nick avait-il des problèmes, d'ordre privé ou professionnel ? Ces brusques changements d'humeur ne lui ressemblaient pas. Il y avait forcément une explication à son comportement lunatique.

A l'hôpital de Nicosie, Daniel était assis au chevet de Rose, et, bien qu'elle soit toujours inconsciente, il lui tenait la main. Le visage de la jeune femme était livide et Daniel le fixait anxieusement, impatient de voir ces paupières closes battre et s'ouvrir enfin. Ses yeux le piquaient, car il n'avait pas dormi depuis son arrivée à Chypre, mais il s'en rendait à peine compte : toute son attention était concentrée sur Rose. Rose, si pleine de vie, si dynamique et pétulante, mais qui, couchée dans ce lit, paraissait terriblement menue et fragile...

Il semblait même incroyable qu'un être d'apparence aussi délicate ait résisté à la terrible épreuve de ce détournement d'avion. Pourtant, des passagers sortis indemnes de l'assaut avaient raconté à Daniel que Rose avait tenu tête aux terroristes, discuté avec eux en français, écrit sous leur dictée, et tout cela avec un sang-froid qui ne s'était jamais démenti.

Daniel avait toujours craint qu'il ne lui arrive un jour ce genre de mésaventure. Dans son désir d'imiter son père, Rose était prête à partir là où personne n'osait aller, à risquer sa vie dans les endroits les plus dangereux du globe. Elle adorait Desmond, là était le problème, et il fallait reconnaître que c'était un homme remarquable. Daniel lui-même l'avait toujours admiré, et il savait en outre que Desmond n'avait en rien forcé sa fille à suivre ses traces. Il ne l'avait certes pas découragée, mais il disait toujours qu'il aurait été tout aussi content si elle avait choisi un autre métier. Il n'en restait pas moins que Rose était profondément influencée par l'image qu'elle avait de son père. « C'est cette image que je dois combattre, songea Daniel, car elle fait oublier à Rose les règles de sécurité les plus élémentaires. »

Ses pensées l'absorbaient tant qu'il sursauta en voyant une infirmière surgir près de lui : il ne l'avait pas entendue entrer.

— Vous m'avez demandé de vous prévenir quand ce serait l'heure de votre coup de téléphone à Londres, déclara-t-elle d'une voix douce.

Lâchant à contrecœur la main de Rose, Daniel se leva. L'idée de quitter la jeune femme, même pour quelques instants, lui répugnait. Il avait l'impression de laisser sa propre vie derrière lui... Il avait fallu ce drame qui avait failli coûter la vie à Rose pour qu'il se rende compte de la profondeur de son amour pour elle.

Sa réticence à partir devait se lire sur son visage, car l'infirmière observa d'un ton rassurant :

— Vous avez tout votre temps. Mlle Amery ne se réveillera pas avant plusieurs heures.

— Oui, mais...

— Et elle guérira. Elle est plus robuste qu'elle n'en a l'air.

Touché par la gentillesse de son interlocutrice, Daniel lui sourit et questionna, mi-sérieux, mi-ironique :

— Dans combien de temps son état de santé lui permettra-t-il de se marier ?

— Dans une semaine ! répondit l'infirmière en riant.

Et en son for intérieur, elle se dit qu'à la place de la malade allongée là, elle se serait forcée, même mourante, à quitter son lit pour épouser cet homme.

Esteban mit un certain temps à localiser Irena, mais il finit par trouver le petit studio voisin de la chambre noire qu'on lui avait indiqué et entra dans la pièce juste au moment où le photographe faisait prendre la pose à Irena sur une estrade décorée d'amandiers en fleur.

— Et si on relevait un peu votre jupe ? suggérait-il. Elle cache vos jolies jambes, c'est dommage... Et laissez-moi déboutonner un peu votre corsage... Allons, mon chou ! Ne jouez pas les saintes-nitouches ! On dirait que j'essaie de vous violer !

Un rire enjoué accompagna ces paroles, mais Irena ne se sentait pas d'humeur à plaisanter. Dans son désarroi, elle avait oublié son anglais et bredouillait des protestations en espagnol, rouge et désemparée après une demi-heure de ce qui lui apparaissait de moins en moins comme la séance de photos attendue.

— Qu'est-ce qui se passe, ici ? cria Esteban d'un ton courroucé en s'approchant de l'estrade.

— Qui êtes-vous ? demanda sèchement Simon. Et comment osez-vous m'interrompre dans mon travail ? Vous ne savez pas lire ? Il y a un panneau « Défense d'entrer » sur la porte.

— Je suis le directeur du marketing, et je n'ai besoin de la permission de personne pour entrer !

Comprenant sa bévue, Simon esquissa un sourire apaisant. Il ne voulait surtout pas se fâcher avec un homme qui, en plus d'être responsable de ce projet de calendrier, était suffisamment haut placé pour faire ou défaire la carrière d'un petit photographe comme lui.

— Oh ! excusez-moi, monsieur..., susurra-t-il. Je ne vous avais pas reconnu.

Mais Esteban ignora ces explications et, saisissant Irena par le bras, la tira sans douceur en bas de l'estrade, comme s'il était en colère contre elle et avait envie de la gifler.

— Daniel va appeler dans quelques minutes, grommela-t-il, et il faut que vous remontiez dans le bureau de Mme Tyrrell.

— Mais nous n'avons pas fini, monsieur, objecta Simon.

— Si ! s'écria Esteban d'un ton qui n'admettait pas de réplique.

Puis, sans lâcher le bras d'Irena, il franchit le seuil et se dirigea vers l'ascenseur. Là, il appuya rageusement sur le bouton, et la jeune femme lui lança un coup d'œil timide.

— Merci de m'avoir..., commença-t-elle.

La lueur de colère qui s'alluma dans les prunelles noires d'Esteban la persuada de ne pas continuer.

— Comment avez-vous pu le laisser vous tripoter ainsi ? demanda-t-il avec mépris.

— Je... je ne l'ai pas...

— Ne mentez pas ! J'ai très bien vu ce qui se passait

quand je suis arrivé. Et reboutonnez votre corsage ! Vous êtes indécente !

Cramoisie, la jeune femme obéit. Les larmes lui montèrent aux yeux mais, par fierté, elle les contint.

L'ascenseur arriva à ce moment-là, et Esteban la poussa dedans comme s'il la soupçonnait d'avoir l'intention de s'enfuir. Irena tremblait tellement qu'elle n'était pas encore parvenue à rattacher tous ses boutons, et Esteban, d'un geste impatient, lui écarta les mains et le fit pour elle. Au contact de ces doigts agiles sur sa peau, elle ressentit un étrange pincement à l'estomac et s'empressa de baisser les yeux pour ne pas croiser le regard de son compatriote.

— Vous êtes à l'âge où l'on est avide de nouvelles expériences, remarqua Esteban d'une voix dure, mais vous devriez vous méfier : certains hommes n'hésiteront pas à profiter de vous.

— Je voulais seulement...

— Je sais ce que vous vouliez !

Posant alors les mains sur les épaules de la jeune femme, il l'immobilisa contre la paroi de la cabine et, dans un mouvement aussi brusque qu'inattendu, s'empara avidement de ses lèvres. Jamais personne n'avait embrassé Irena de cette façon, et un tumulte d'émotions contradictoires l'assaillit.

Mais que signifiait ce baiser ? Une telle confusion régnait dans son esprit qu'elle était incapable de répondre à cette question. Elle ne s'aperçut même de l'arrêt de l'ascenseur et de l'ouverture des portes qu'au moment où Esteban la lâcha avant de pivoter sur ses talons et de sortir de la cabine. Tremblant de tous ses membres, la jeune Espagnole se dirigea alors d'un pas mal assuré vers le bureau de Gina. Esteban avait déjà disparu.

Quand elle entra dans la pièce, Hazel et Gina levèrent la tête et lui sourirent.

458

— Cette histoire de photo est réglée ? demanda Gina.

— Non, pas vraiment, murmura Irena.

Elle ne se sentait pas le courage d'expliquer maintenant ce qui s'était passé mais, heureusement, le téléphone sonna à cet instant, lui offrant une diversion opportune.

— C'est Daniel ! s'écria Gina, le visage radieux.

Et son impatience d'avoir des nouvelles de Rose fit oublier tout le reste à Irena.

6.

Lorsque Rose ouvrit les yeux, la première chose qu'elle vit fut Daniel, profondément endormi dans un fauteuil, près du lit.

La jeune femme s'empressa de refermer les paupières. Elle était certainement victime d'une hallucination... Quand elle pensait à Daniel, dans l'avion, son image lui apparaissait avec la force de la réalité, et elle voulait justement éviter de penser à lui, parce que cela la faisait pleurer.

Cette fois, pourtant, il lui semblait avoir noté quelque chose de différent, une impression de blancheur, de lumière inattendue... Était-elle bien dans l'avion ?

Son dernier souvenir, c'était... Elle fronça les sourcils, et ce simple mouvement lui causa une vive douleur. Une affreuse migraine lui vrillait les tempes. Mieux valait ne pas essayer de réfléchir ; elle avait de toute façon peur de ce qu'elle pourrait se rappeler. Sa tête résonnait cependant de bruits inquiétants — des hurlements, des coups de feu, des appels — et, sans qu'elle le veuille, la mémoire lui revint.

Ces coups de feu... Ils lui étaient destinés... Oui, on avait tiré sur elle, à plusieurs reprises, et elle revécut la scène avec une telle intensité que son corps fut secoué de violents tressaillements, comme si les balles la touchaient de nouveau, encore et encore... Une folle terreur l'envahit, et son pouls s'emballa.

A force de volonté, pourtant, elle réussit à se calmer et, lentement, d'autres sons parvinrent jusqu'à sa conscience, effaçant ceux des cris et des détonations : des cliquetis de chariots, des battements de portes, le crissement de semelles de crêpe sur du linoléum, des toussotements, la sonnerie lointaine d'un téléphone... Des bruits d'une merveilleuse banalité.

Une vague de joie l'inonda soudain, et elle rouvrit les yeux. Plus d'avion, plus de terroristes menaçants, mais une chambre d'hôpital et Daniel... Daniel qui était là, vraiment là...

— Mon amour..., murmura Rose.

Craignant de le réveiller, elle se contenta de le regarder. Il dormait la bouche entrouverte, la poitrine soulevée par une respiration profonde et régulière, comme un petit garçon. La jeune femme ressentit un puissant élan de tendresse. Pendant ces deux jours passés dans l'avion, elle avait eu peur de ne jamais le revoir, et maintenant, il était endormi à son côté, si près qu'elle pouvait le toucher...

Elle voulut esquisser un mouvement vers lui et s'aperçut alors qu'il lui tenait la main. Depuis combien de temps ? Des heures, peut-être... Emue, elle contempla leurs doigts enlacés sur le drap blanc.

— Mon amour..., répéta-t-elle doucement en caressant du pouce la paume de Daniel.

Ce contact pourtant léger suffit à le tirer du sommeil : ses paupières battirent, puis s'ouvrirent, et il se redressa en bâillant. Ce fut alors seulement qu'il posa les yeux sur Rose, et, pendant quelques instants d'une extraordinaire intensité, ils restèrent à se fixer en silence. La jeune femme finit par ébaucher un sourire tremblant, et Daniel poussa un gémissement étouffé.

— Rose !

— Salut ! chuchota-t-elle, étourdie par la violence des sentiments qui l'agitaient.

— Tu es enfin réveillée ! dit-il, l'air tout aussi bouleversé.

— J'ai dormi longtemps ?

— Encore plus longtemps que la Belle au bois dormant !

— Mais elle, -c'est le prince charmant qui l'a réveillée... En l'embrassant...

— Je manque vraiment à tous mes devoirs ! observa Daniel d'une voix rauque.

Il se pencha et donna un baiser brûlant à Rose, qui frémit sous la caresse, mais ne put réprimer un petit cri de douleur.

— Mon Dieu ! s'exclama Daniel en pâlissant. Je t'ai fait mal à l'épaule ?

— Ça n'a pas d'importance, déclara-t-elle faiblement.

— Je suis impardonnable...

— Mais non ! Tu as oublié, comme moi...

Baissant alors la tête, la jeune femme vit les bandages qui lui enveloppaient le bras gauche, l'épaule et la poitrine.

— Impressionnant ! fit-elle remarquer d'un ton léger. On m'a opérée ?

— Oui, la nuit dernière. Le chirurgien a extrait trois balles.

— Mais aucun organe vital n'a été touché, n'est-ce pas ? Parce que, à part une grosse migraine, je ne me sens pas trop mal.

— Tu as reçu deux balles dans l'épaule et une dans le bras, et tu as perdu beaucoup de sang, mais deux transfusions ont permis de régler ce problème.

— Pourquoi ai-je un pansement sur la poitrine ?

— Ce n'est qu'une simple égratignure. Il semble qu'une balle t'ait éraflé la poitrine avant d'aller se loger dans le côté de ton siège.

— Eh bien, j'ai eu de la chance ! s'écria Rose en souriant.

— Tu as de la chance cette fois, précisa Daniel avec une brusque lueur de colère dans les yeux, mais à ta place, je cesserais de tenter le sort.

— Oui, j'ai bien cru ma dernière heure venue, et ce n'est pas un sentiment très agréable !

— Moi aussi, Rose, j'ai passé des moments épouvantables, et je ne veux plus jamais avoir à subir ce genre d'épreuve. Alors, dès que tu pourras te lever, je te ramènerai à la maison, et tu n'iras plus désormais nulle part sans moi, même s'il faut pour cela que je t'attache par une chaîne à mon poignet !

La jeune femme se renversa contre les oreillers et resta un instant songeuse avant d'observer doucement :

— Tu sais ce que j'ai trouvé le plus difficile à supporter, dans cet avion ? C'est l'idée que je ne te reverrais peut-être plus jamais... Et cela m'a fait comprendre à quel point je t'aimais.

La passion qui brillait dans les prunelles bleu azur de Rose reflétait si bien la sienne que Daniel, éperdu de bonheur, porta la main de la jeune femme à ses lèvres et y déposa un baiser.

— Rose, veux-tu m'épouser ? demanda-t-il.

— Oui, mon amour, oui !

Quelques jours plus tard, en fin d'après-midi, Daniel téléphona à Irena pendant que le chirurgien examinait Rose. La jeune Espagnole attendait dans le bureau de Gina que cette dernière sorte d'une réunion qui durait déjà depuis plusieurs heures. Hazel, quant à elle, venait de partir : le mariage aurait lieu dans une semaine, et les préparatifs étaient loin d'être terminés.

Quand Daniel annonça à Irena que Rose se rétablissait

464

rapidement et serait sans doute bientôt autorisée à regagner l'Angleterre, les yeux de la jeune femme se remplirent de larmes.

— C'est merveilleux, Daniel ! Mais vous en êtes bien sûr ?

— Absolument ! Vous n'avez plus à vous inquiéter pour Rose, Irena. Je crois même qu'avec un peu de chance, elle pourra assister au mariage de Hazel.

— Je le dirai à Hazel ; cela lui fera grand plaisir.

— Elle n'est pas là ?

— Non, elle est rentrée chez elle, et Gina est en réunion avec M. Caspian, les publicitaires et les gens du marketing.

L'anglais d'Irena s'améliorait de jour en jour, et elle commençait à se familiariser avec le jargon de la maison, même s'il lui fallait encore se concentrer avant de parler.

— C'est vrai ! grommela Daniel. J'ai perdu la notion du temps, et j'ai oublié qu'à part ceux de la rédaction, les bureaux seraient vides à cette heure.

— Vous désirez que je vous passe le service étranger ?

— Non, inutile, j'ai déjà envoyé mon article pour l'édition de demain... Je vais retourner dans la chambre de Rose, à présent, Irena. Je veux avoir l'opinion du chirurgien sur son état de santé.

— Embrassez-la pour moi !

— Je n'y manquerai pas... Elle vous embrasse aussi et s'excuse d'avoir gâché vos premiers jours à Londres en se laissant prendre en otage et tirer dessus.

— Je sais qu'elle cherchait uniquement à se rendre intéressante, dites-le-lui de ma part !

— Je reconnais bien là l'esprit caustique de la famille Amery ! s'écria Daniel en riant. Maintenant, je vous souhaite une bonne nuit, Irena, et transmettez à Gina les amitiés de Rose ; elle lui téléphonera demain, si le médecin le lui permet.

Un sourire aux lèvres, Irena raccrocha. C'était la première fois depuis son arrivée en Angleterre qu'elle sentait Daniel aussi heureux, et toutes ces bonnes nouvelles lui avaient fait oublier sa fatigue. Elle avait en effet passé la journée à traduire en anglais des articles de la presse espagnole, et, pour intéressant qu'il soit, cet exercice lui donnait mal à la tête au bout de quelques heures. On ne lui demandait pas de fournir une traduction littérale, mais un texte qui se lise bien, et cela exigeait beaucoup de concentration.

En fin d'après-midi, Irena était donc toujours épuisée et, ce soir, elle serait déjà rentrée à l'appartement s'il lui était venu à l'idée de réclamer une clé à Gina. Mais les deux jeunes femmes quittaient d'habitude Barbary Wharf à la même heure, ce qui rendait cette précaution inutile. Elles n'avaient pas prévu le genre de réunion prolongée qui retenait aujourd'hui Gina.

Quand celle-ci regagna enfin son bureau, cinq minutes plus tard, elle paraissait elle aussi fourbue : sa figure était pâle et son regard éteint. Certaine de la revigorer, la jeune Espagnole lui annonça tout de suite avec un grand sourire :

— Je viens d'avoir Daniel au bout du fil. Rose va très bien, maintenant.

— C'est vrai ? s'écria Gina, dont le visage s'illumina d'un coup. Oh ! Irena, je suis si soulagée... J'étais tellement inquiète que je n'arrivais plus à penser à autre chose.

— Moi non plus ! Mais c'est fini, à présent. Au fait, Daniel m'a chargée de vous transmettre les amitiés de Rose. Elle vous appellera sans doute demain de l'hôpital.

— Connaissant Rose, je suis sûre qu'elle téléphonera d'abord au service étranger pour dicter un compte rendu complet du détournement vu de l'intérieur ! observa Gina d'un ton amusé.

— Oui, elle est comme Desmond : intrépide et passionnée par son métier.

— Et vous, Irena ? demanda Gina en lançant un coup d'œil scrutateur à son interlocutrice. Ce métier ne vous tente pas ?

— Oh ! Non... Jamais je ne pourrais être grand reporter. Le seul fait de parler à des étrangers me met mal à l'aise. Tenez, ce matin, je suis allée au snack-bar m'acheter un sandwich, et il y avait derrière le comptoir un jeune homme...

— Un Italien ? C'était sûrement Roberto Torelli... Ne me dites pas qu'il a été désagréable avec vous ! Il est si aimable, d'habitude !

— Oh ! Il a été aimable, mais il n'a pas cessé de me fixer, et ça m'a rendue nerveuse. Rose n'y aurait pas prêté attention, mais moi, je perds tous mes moyens devant une personne que je ne connais pas.

— Vous êtes timide juste avec les hommes, ou bien avec les femmes aussi ?

— Plus avec les hommes qu'avec les femmes, admit Irena. C'est sûrement à cause de mon éducation. J'ai passé mon enfance à la campagne, et j'ai fait toute ma scolarité dans une école de filles tenue par des religieuses. Ma région natale est l'une des plus isolées d'Espagne, et les choses n'y ont pas changé comme sur la côte, où il y a tous ces touristes.

— Londres a dû constituer pour vous un choc culturel, alors !

— Moins que Paris ! J'arrivais de mon petit village, innocente et candide, et je me suis brusquement retrouvée entourée d'hommes qui me courtisaient !

— De quoi vous plaignez-vous ?

Les deux jeunes femmes éclatèrent de rire, mais les yeux de Gina se posèrent soudain sur la porte, et ses traits se figèrent. Irena se retourna, certaine que Nick Caspian venait de paraître sur le seuil, car Gina prenait toujours cet air glacial quand elle l'apercevait.

Ce à quoi la jeune Espagnole ne s'attendait pas, en revanche, c'était à voir Esteban en compagnie de Nick, et la surprise lui arracha un violent sursaut. Son visage s'assombrit et elle détourna vivement la tête.

La colère que lui avait causée la façon insultante dont son compatriote l'avait traitée quelques jours plus tôt ne s'était en effet toujours pas apaisée. Elle ne l'avait pas croisé depuis et commençait à se demander s'il ne l'évitait pas. Peut-être avait-il honte ? Eh bien, il pouvait, parce qu'il s'était mal conduit, et pas seulement en l'embrassant, mais aussi en se méprenant de nouveau sur son compte.

Et cette fois, des excuses ne suffiraient pas à la calmer. Elle devinait sous le comportement d'Esteban une méfiance profonde à l'égard des femmes. Il avait a priori mauvaise opinion d'elles, et cela expliquait sans doute cette sourde colère qu'elle avait sentie en lui lors de leur première rencontre, dans l'avion. Croyant qu'elle voulait lui faire des avances, il s'était d'emblée montré froid et hautain. Elle devait bien admettre, à sa grande fureur, qu'Esteban l'avait tout de suite attirée, mais son attitude envers lui était toujours restée d'une parfaite correction. Et même si cette scène avec le photographe pouvait prêter à confusion, il aurait dû écouter ses explications avant de la juger. S'imaginait-il donc qu'elle flirtait avec tous les hommes qui croisaient son chemin ? Était-ce pour cela qu'il l'avait embrassée de cette manière brutale, presque méprisante ?

Et, pour ne rien arranger, Nick Caspian lui demanda soudain d'un ton amusé :

— Ainsi, Irena, vous étiez entourée à Paris d'hommes qui vous courtisaient ?

— Eh bien... C'est que... Vous savez comment sont les Français..., bredouilla-t-elle.

— Très portés sur les choses de l'amour?

— Non, je dirais plutôt romantiques, s'empressa de rectifier la jeune Espagnole.

— Les Français adorent les femmes, intervint Gina, et c'est ce qui les rend si sympathiques.

— Voilà donc pourquoi vous parlez de Paris avec tant d'enthousiasme! observa Nick en posant sur elle un regard perçant. Y avez-vous rencontré beaucoup de Français romantiques?

— Juste un ou deux, répliqua-t-elle froidement.

— Moi, je ne considère pas comme typiquement français d'aimer les femmes, déclara Nick. Qu'en pensez-vous, Esteban? Les Espagnols aussi aiment les femmes, n'est-ce pas?

— Ils les aiment quand elles restent à leur place, répondit l'interpellé d'une voix désinvolte.

Gina le fixa, les yeux écarquillés.

— Je n'en crois pas mes oreilles! s'exclama-t-elle. Vous avez entendu, Irena? Et où est notre place, Esteban? A la cuisine, derrière les fourneaux, je suppose?

— Non, dans le lit d'un homme, susurra Nick.

— Voilà une remarque bien digne d'un phallocrate comme vous! s'écria Gina, furieuse.

— Inutile de monter sur vos grands chevaux... Je plaisantais!

— A moitié seulement, j'en suis convaincue.

— Vous avez raison : en ce qui vous concerne, et si l'envie vous en prend, vous êtes la bienvenue dans mon lit.

Rouge d'indignation, Gina leva la main pour gifler Nick, mais il lui saisit le poignet et l'obligea à baisser le bras.

— Ce n'est même pas la peine d'essayer, Gina! dit-il. Les femmes sont peut-être les égales des hommes dans certains domaines, mais sûrement pas dans celui de la force physique.

La jeune femme se libéra alors d'un geste brusque et sortit précipitamment de la pièce, suivie de Nick. Irena entendit la porte se refermer en claquant derrière eux. Cette altercation l'avait profondément embarrassée, mais pas surprise outre mesure : ces deux-là se disputaient chaque fois qu'elle les voyait ensemble. Il lui semblait cependant que ce climat d'hostilité permanente était attribuable à Gina, et non à Nick, qui se contentait de réagir à une agressivité dont, au fond, il souffrait.

— Eh bien..., murmura Esteban. Une vraie scène de ménage !

— C'est votre faute ! s'exclama Irena, revenant instinctivement à l'espagnol.

— Ma faute ? répéta-t-il dans la même langue. Et pourquoi donc ?

— Votre stupide remarque sur les femmes qui doivent rester à leur place a irrité Gina, et c'est sur Nick qu'elle a passé sa colère.

— S'ils n'avaient pas eu ce prétexte pour se quereller, ils en auraient trouvé un autre... L'atmosphère entre eux est tellement électrique qu'un rien suffit à déclencher une explosion. Si seulement ils se décidaient à coucher ensemble, la question serait réglée !

— Le sexe n'est pas la réponse à tous les problèmes !

— Je n'ai pas dit cela. L'instinct sexuel n'en demeure pas moins la grande pulsion qui gouverne les rapports entre les individus.

— Non, l'amour est un sentiment plus puissant. Et pas juste l'amour entre un homme et une femme, mais aussi entre une mère et son enfant, entre un frère et une sœur...

— Vous avez des frères ?

— Oui, deux.

— Plus jeunes ou plus âgés que vous ?

— Plus jeunes. Ramon a dix-huit ans, et Miguel seize.

Esteban fronça les sourcils, et il considéra Irena d'un air surpris.

— J'ignorais que Desmond avait des fils de cet âge. La jeune femme rougit et baissa les yeux, hésitant à lui dévoiler le secret de sa naissance. L'observation de son interlocuteur appelait cependant un commentaire, et comme elle détestait mentir, elle finit par expliquer :

— Ce ne sont pas les fils de Desmond. Ma mère n'a jamais été sa femme. Elle a épousé un Espagnol alors qu'elle était enceinte de moi, et c'est pour cela que j'ai grandi en Espagne. Rose n'est que ma demi-sœur, née du mariage de Desmond et d'une Québécoise. Quand ma mère a connu Desmond, il était veuf. Elle est tombée amoureuse de lui et ils ont eu une liaison, mais, sentant bientôt que Desmond ne l'aimait pas vraiment, qu'il pleurait encore sa femme, elle est partie et ne s'est aperçue de sa grossesse que plusieurs semaines plus tard. Elle n'a pas prévenu Desmond et a même attendu pour m'apprendre la vérité la mort de mon père... enfin, de son mari. Cette révélation m'a causé un choc terrible, et je ne savais pas trop si je devais y ajouter foi jusqu'à ce que je rencontre Desmond à Paris et qu'il me montre des photos de sa mère. Je lui ressemble tellement que j'ai été obligée de me rendre à l'évidence : Desmond était bien mon père.

S'arrêtant brusquement de parler, elle attendit, les yeux toujours baissés de peur de lire dans ceux d'Esteban de la curiosité, de la pitié ou du dégoût. Elle ne voulait lui inspirer aucun de ces sentiments. Il était certes étrange que les réactions de cet homme lui importent autant, mais c'était ainsi : pour une raison qu'elle ignorait, Esteban possédait le pouvoir de la blesser ou de la rendre heureuse d'un simple mot, d'un simple regard.

Mais il garda le silence, et Irena murmura finalement d'une voix tremblante :

— Je n'aurais pas dû vous raconter tout cela... Desmond ne veut sûrement pas que cette histoire s'ébruite. Alors, je vous en prie, ne répétez à personne ce que je viens de vous dire !

— Je vous le promets, déclara-t-il gravement.

La jeune Espagnole se risqua à lever la tête, mais le visage impassible d'Esteban ne laissait rien deviner de ses pensées.

— J'aimerais être certaine de pouvoir vous faire confiance, mais..., commença-t-elle.

— Vous le pouvez !

— C'est difficile, vous êtes si imprévisible ! Tantôt gentil, comme maintenant, tantôt méchant, comme le jour où vous êtes venu me chercher dans ce studio et où vous...

Incapable de mentionner le baiser qu'il lui avait donné, elle s'interrompit, mais à en juger par ses joues soudain rouges et la crispation de ses mâchoires, Esteban avait compris.

— Oui, vous avez été vraiment méchant, ce jour-là, reprit Irena. Vous m'avez accusée d'avoir eu envie que cet homme me... touche, et cela m'a profondément offensée. Certaines filles aiment peut-être ce genre d'expérience, mais pas moi !

— Pourquoi ne vous êtes-vous pas défendue, alors ?

— Je lui ai ordonné d'enlever ses mains, mais il ne m'a pas écoutée.

— Vous auriez dû partir !

— Et j'aurais dû vous gifler quand vous m'avez embrassée ! répliqua impulsivement la jeune femme.

Il y eut un silence, et Irena attendit avec angoisse la réaction d'Esteban, qui se contenta cependant d'observer d'une voix étranglée :

— Oui, je l'aurais mérité... Et je vous présente mes excuses : j'étais en colère, mais je n'avais aucune raison de vous rudoyer.

— Je suis allée voir Tim Doyle uniquement parce que j'avais besoin d'une photo d'identité pour mon laissez-passer, expliqua la jeune Espagnole, maintenant au bord des larmes. Je ne sais pas du tout pourquoi Simon voulait me faire prendre ce genre de pose.

— Je peux vous le dire, moi... Tim Doyle entendait vous utiliser comme modèle pour le calendrier de *L'Observateur*.

— Quoi ?

— C'est un des nouveaux projets de Nick Caspian. Il organise une sorte de concours de beauté en demandant aux lecteurs du journal d'envoyer des photos de femmes en bikini ou autre tenue affriolante. Les douze clichés sélectionnés serviront à illustrer le calendrier. Il faut reconnaître qu'il s'agit là d'une technique de marketing très payante : tous ceux qui auront envoyé une photo de leur fille, de leur épouse ou de leur petite amie achèteront ce calendrier pour voir si elle est dedans.

Irena fixa Esteban d'un air perplexe.

— Mais si les photos viennent toutes de l'extérieur, pourquoi Tim Doyle en désirait-il une de moi ?

— Pour la mêler subrepticement aux autres. C'est contraire aux règles, mais cela se fait dans certains journaux, qui fabriquent par exemple des lettres pour le courrier des lecteurs quand ils n'en ont pas d'assez intéressantes à publier. Tim Doyle trouvait que les photos reçues jusque-là se ressemblaient toutes, et, en vous voyant, il a eu l'idée de cette petite fraude — qui aurait été très difficile à prouver puisque vous êtes nouvelle ici et que vous ne resterez pas longtemps.

— Je ne veux pas que ma photo apparaisse sur ce calendrier ! s'écria la jeune femme, indignée.

— Ne vous inquiétez pas ! Aucune des photos que Simon a eu le temps de prendre ne sera publiée. C'est utile, parfois, d'être directeur du marketing...

Un sourire désabusé avait accompagné ces paroles, et Irena, rassérénée, sourit elle aussi avant de demander à Esteban :

— Excusez mon ignorance, mais que recouvre exactement cette fonction ? Vous êtes chargé de la vente du journal ?

— Non, ça, c'est le rôle du directeur commercial. Moi, je vends tout sauf le journal.

— C'est-à-dire ?

— Eh bien, *L'Observateur* crée toutes sortes de produits dérivés : T-shirts, livres, disques, cassettes vidéo et, maintenant, ce fameux calendrier... Ma tâche consiste à concevoir de nouveaux produits, à en assurer la réalisation au meilleur prix et à faire en sorte que les lecteurs aient envie de les acheter.

— Ce doit être un travail très intéressant... Merci de vos explications, et merci également d'avoir éclairci pour moi le mystère de ces photos. Je pensais que Simon avait perdu la tête ! Mais avant que je ne parte, promettez-moi de nouveau de ne répéter à personne ce que je vous ai raconté sur mes origines.

— Je vous le jure sur l'honneur, et cela me viendrait d'autant moins à l'idée que je comprends très bien ce que peut ressentir Desmond. J'ai moi-même vécu une expérience douloureuse qui... Mais je n'aime pas en parler.

Les voix de Nick et de Gina s'élevèrent alors dans le couloir, et Esteban ajouta précipitamment :

— Accepteriez-vous de dîner avec moi ce soir, Irena ?

La porte s'ouvrit avant que la jeune femme n'ait eu le temps de répondre, et Gina entra la première en disant :

— Excusez-moi de vous avoir fait attendre, Irena. Vous devez mourir de faim ! Préférez-vous que nous allions à l'appartement pour nous changer, ou que nous descendions directement Chez Pierre ?

La jeune Espagnole jeta un coup d'œil hésitant à son compatriote, puis bredouilla :

— Eh bien... C'est que...

— Je viens d'inviter Irena à dîner, indiqua Esteban.

474

— Ah, bon ? s'écria Gina, interdite.

— Et si nous mangions tous les quatre ensemble ? suggéra Nick.

Voyant Esteban froncer les sourcils, Gina se dépêcha d'annoncer :

— Non, désolée, mais j'ai du travail et je veux rentrer tôt. Je vais vous donner une clé de l'appartement, Irena, afin que vous puissiez revenir à l'heure qui vous plaira.

Elle sortit un double de son sac à main et le remit à la jeune Espagnole avant de rassembler ses affaires et de quitter la pièce. Nick lui emboîta le pas, mais au moment où il franchissait le seuil, il lança par-dessus son épaule :

— Soyez sages, tous les deux !

Cette phrase prononcée d'un ton taquin embarrassa Irena, qui rougit et, pour cacher sa gêne, demanda à Esteban :

— Nous allons dîner Chez Pierre ?

— Non. J'ai envie de vous montrer un peu Londres et de vous emmener ensuite dans un endroit qui vous rappellera le pays. Je connais un excellent restaurant espagnol à Hampstead. Ça vous plairait ?

— Oh ! Oui... Cela fait une éternité que je n'ai pas goûté de véritable cuisine espagnole. On trouve de la paella à Paris, mais elle n'est pas assez relevée.

— Le restaurant dont je vous parle est tenu par un couple de mes amis : le mari, Juan, est aux fourneaux et sa femme sert les clients. Juan est originaire du même village de Vieille-Castille que moi, aux environs de Ségovie, et vous savez ce qu'on dit de notre climat : neuf mois d'hiver et trois mois d'enfer ! Soit on grelotte, transpercé par un vent glacial, soit on grille sous un soleil de plomb. Ce genre de conditions de vie ne produit pas des mauviettes, et Juan, qui aime la cuisine traditionnelle, ne risque pas de vous servir une paella insipide : il utilise beaucoup d'oignons, d'ail, et des épices à vous enflammer le palais !

— J'adore tout ça ! s'exclama la jeune femme en riant.

— Tant mieux !

Maintenant qu'il lui avait révélé d'où il venait, Irena le comprenait beaucoup mieux. L'arrière-pays andalou jouissait d'un climat agréable en comparaison de la Vieille-Castille, région rude et continentale constituée de montagnes et de hauts plateaux arides.

— Il faut que je vérifie s'il reste des tables libres chez Juan, reprit Esteban en décrochant le téléphone.

La jeune femme l'observa à la dérobée pendant qu'il appelait le restaurant. Oui, elle comprenait mieux, à présent, la sévérité, la gravité de cet homme. Ces traits de caractère reflétaient le cadre naturel et la société dans lesquels il avait grandi ; comme à Ramon et à Miguel, on lui avait sûrement appris à cultiver sa dignité de mâle et à attendre des femmes un comportement modeste et soumis.

La conversation entre Esteban et Juan fut cependant brève, si bien qu'Irena dut très vite revenir à la réalité. Les deux jeunes gens prirent l'ascenseur pour se rendre au parking souterrain, montèrent en voiture, puis ressortirent à l'air libre dans North Street. Ils roulèrent ensuite en direction de la Tour de Londres et de la City qui, dans la journée, grouillait de monde, mais qui se transformait le soir en ville morte : les banques et les immeubles de bureaux s'étaient tous vidés de leurs employés, et il n'y avait presque personne dans les rues.

Esteban conduisait une Ferrari, petite mais puissante, qui se faufilait à travers la circulation avec souplesse et rapidité.

— Voici Hampstead, annonça-t-il soudain alors qu'ils étaient arrêtés à un feu rouge. Ce quartier est célèbre pour la colline recouverte de lande sauvage qui le domine. Nous irons y jeter un coup d'œil avant d'aller dîner.

Une fois la voiture garée, ils marchèrent jusqu'à la

lande. La nuit tombait, mais ici, beaucoup de gens étaient encore dehors — des hommes qui promenaient leur chien, des joggeurs en survêtement, des jeunes filles en jupe plissée qui revenaient d'une partie de tennis, des enfants qui jouaient au ballon ou avec des cerfs-volants... Tout autour de la lande se dressaient de belles demeures victoriennes à pignons dont les fenêtres s'illuminaient une à une comme pour rappeler chez eux ces flâneurs attardés.

— Cet endroit est très beau, observa Irena. Ce doit être agréable d'y habiter.

— Oui, admit Esteban, bien qu'artificielle, la vie citadine a des avantages. Elle est en tout cas plus facile que ce que j'ai connu dans mon village.

— Et moi dans le mien! s'exclama la jeune femme avec un sourire désabusé. Cela ne m'a pourtant pas empêchée de passer une enfance très heureuse et, malgré la pauvreté et le manque de confort matériel, je préfère avoir grandi à la campagne plutôt que dans une grande ville.

— Moi aussi.

Après un moment d'hésitation, Irena avoua :

— Lorsque je suis arrivée à Londres et que j'ai appris la situation affreuse dans laquelle se trouvait Rose, j'aurais tout donné pour être de nouveau chez moi, en Espagne.

— Votre mère et vos frères y vivent toujours ?

— Oui. Nous avons une petite exploitation agricole, dont ils s'occupent tous les trois. Je retourne généralement là-bas pendant les vacances; j'adore le calme et le silence de cette région. Il m'a fallu des mois pour m'habituer au vacarme incessant de la circulation parisienne, et ce n'est pas mieux à Londres! Les villes sont si bruyantes! On ne s'y entend pas penser. Quant à dormir...

— Oui, je comprends. Ma femme non plus n'a jamais pu s'habituer au bruit des villes.

Une brusque douleur transperça le cœur d'Irena.

— Vous... vous êtes marié ? bredouilla-t-elle.

7.

Esteban s'arrêta de marcher et resta quelques secondes immobile, les yeux dans le vague, son beau profil se découpant dans la pénombre comme celui d'une statue.

— Je suis veuf, finit-il par déclarer.

— Oh! je... je suis désolée..., balbutia Irena.

Pivotant alors sur ses talons avec une brusquerie exprimant un refus de tout témoignage de pitié, et même d'intérêt, Esteban lança d'une voix dure :

— Si nous allions dîner, maintenant? Le restaurant de Juan n'est pas loin, et mieux vaut nous y rendre à pied; il est très difficile de se garer dans ce quartier.

Les questions se bousculaient dans la tête d'Irena, mais elle suivit son compagnon en silence car jamais elle n'aurait osé l'interroger après la façon bourrue dont il lui avait annoncé qu'il était veuf. Il regrettait visiblement d'avoir eu à lui donner cette information sur sa vie privée et, maintenant, il s'était replié sur lui-même.

En fait, plus elle le connaissait, plus elle percevait la nature complexe de cet homme — et plus ses sentiments pour lui devenaient profonds. Il tenait une place grandissante dans son esprit : même quand il n'était pas là, elle ne cessait de penser à lui.

Quelqu'un d'autre au journal savait-il qu'il avait été marié? Gina et Hazel l'ignoraient, en tout cas, sinon elles lui en auraient sûrement parlé. Et si aucune des deux n'était au courant, personne ne devait l'être. Cela signifiait qu'Esteban avait perdu sa femme avant son installation à Londres.

Depuis combien de temps était-il veuf? se demanda Irena en longeant avec lui la rue principale de Hampstead. La réaction vive d'Esteban pouvait indiquer que sa femme avait récemment disparu. Peut-être même était-ce cette mort qui l'avait poussé à quitter l'Espagne et à venir vivre en Angleterre?

— Nous sommes presque arrivés, marmonna-t-il en tournant dans une rue latérale.

Irena distingua en effet une dizaine de mètres plus loin une vieille lanterne espagnole en fer forgé suspendue au-dessus d'une fenêtre en saillie. Et quand ils eurent atteint le restaurant, elle vit sur le mur un autre objet typique de son pays : une plaque de porcelaine à décor bleu et jaune représentant la Vierge et l'Enfant et portant en bas l'inscription « Chez Juan ». Ces plaques étaient très courantes en Espagne; elles donnaient le nom de la demeure, souvent accompagné d'une peinture de la Vierge ou d'un saint. Certaines comprenaient aussi un petit bénitier qui permettait aux visiteurs de se purifier avec de l'eau bénite avant de pénétrer dans la maison.

La sonnerie de clochette que déclencha Esteban en poussant la porte arracha la jeune femme à ses souvenirs. Il s'effaça pour la laisser passer, et un petit homme aux cheveux noirs s'avança vers elle, un sourire poli aux lèvres. Ce sourire s'élargit cependant dès qu'Esteban entra à son tour, et les deux hommes se serrèrent chaleureusement la main.

— Je parlais justement de toi à mon frère il y a deux minutes au téléphone, observa Juan — car il s'agissait visiblement de lui. Tu te souviens de mon frère Jaime? Tu l'as rencontré à Madrid l'an dernier, à ce grand match de football...

— Bien sûr que je m'en souviens ! répliqua Esteban. C'était un match passionnant, et Jaime a très bien joué.

— Cela n'a pas empêché son équipe de perdre trois buts à deux, grommela Juan. J'en aurais pleuré...

— Oui, c'est vraiment dommage que Corbus se soit foulé la cheville au début de la deuxième mi-temps ! Je crois que, sinon, ils auraient gagné.

— Corbus a tout le temps des problèmes physiques. Il s'est claqué un muscle du mollet la saison dernière, et cela l'a tenu éloigné des terrains pendant des semaines... Que veux-tu ? Il vieillit, comme nous tous... Tiens, je me suis découvert un cheveu blanc, l'autre jour ! Mais ne le dis surtout pas à Lidia, elle m'obligerait à me teindre !

— Et comment va Lidia ? demanda Esteban. Elle n'est pas là, ce soir ?

— Si, si, tu ne vas pas tarder à la voir. Elle est allée dans la cour cueillir de la ciboulette et du basilic. Nous cultivons nous-mêmes tous les aromates et les fines herbes que nous utilisons.

Les yeux noirs de Juan se posèrent alors sur Irena avec une expression de curiosité, et Esteban fit les présentations.

— Irena, voici mon vieil ami Juan Martino... Juan, je te présente Irena Olivero.

— Enfin une Espagnole ! s'écria le brave homme d'un ton taquin. Nous pensions qu'il ne sortirait jamais qu'avec des Anglaises !

— Juan plaisante, murmura Esteban avec un sourire contraint.

— Je vous souhaite la bienvenue, Irena, déclara le restaurateur en baisant cérémonieusement la main de la jeune femme. Vous m'autorisez à vous appeler par votre prénom, n'est-ce pas ?

— Bien sûr ! répondit Irena, rouge de confusion.

— Et appelez-moi Juan ! Mais qu'est-ce qui vous

amène à Londres ? Non, attendez, laissez-moi deviner... Vous êtes étudiante !

— En effet.

— Alors, vous avez toutes les qualités : la jeunesse, la beauté, l'intelligence... Quel veinard, cet Esteban !

Juan éclata de rire, mais l'intéressé, lui, fronça les sourcils. Son ami s'en aperçut et se dépêcha d'enchaîner :

— Et qu'étudiez-vous, Irena ? L'anglais ?

— Non, je ne séjournerai à Londres que le temps des vacances universitaires. On m'a engagée comme traductrice à *L'Observateur* pour l'été, mais je suis des études de français à Paris, à la Sorbonne.

— C'est très utile de connaître plusieurs langues étrangères, fit remarquer Juan. Vous envisagez une carrière dans l'industrie hôtelière ? En tout cas, si vous souhaitez travailler dans un restaurant, je serai ravi de vous prendre à l'essai.

— Irena est très bien payée à *L'Observateur* et n'a aucun besoin d'un emploi de serveuse, intervint Esteban. Allons nous asseoir, maintenant ! Quelle table nous as-tu réservée, Juan ?

— Celle du fond... Que désirez-vous boire en apéritif, Irena ?

— Juste un peu de vin, répondit la jeune femme.

— *Blanco, dulce, espumoso, rosado, seco, tinto ?* récita Juan.

— *Blanco,* trancha Esteban, et nous passerons éventuellement au rouge avec le plat principal.

Après les avoir accompagnés jusqu'à leur table, Juan disparut, pour revenir deux minutes plus tard avec un plateau chargé d'une carafe de vin blanc et de coupelles remplies de hors-d'œuvre variés.

— *Tapas y entremeses,* annonça-t-il. Bon appétit !

Une femme aux cheveux noirs franchit alors le seuil de la cuisine et alla déposer sur le bar un autre plateau de hors-d'œuvre.

— Ah ! Voilà Lidia, s'exclama Juan. Il est là, chérie, viens lui dire bonjour !

— Esteban ! Quelle joie de vous revoir !

Le visage éclairé par un large sourire, Lidia s'approcha, embrassa Esteban sur la joue, puis serra la main d'Irena, qu'elle examina avec autant d'intérêt que son mari quelques minutes plus tôt.

— Ainsi, vous êtes espagnole ? lui demanda-t-elle. Et vous êtes à Londres pour apprendre l'anglais ? Moi, je crois que je n'arriverai jamais à bien parler cette langue, mais ça n'a pas d'importance : mon accent plaît aux clients.

— Ce qui leur plaît, ce sont tes charmes, pas ton accent ! observa Juan d'un air faussement boudeur.

— Ne joue pas les maris jaloux ! répliqua Lidia en lui pinçant l'oreille.

Ils formaient un couple heureux..., songea Irena, attendrie. Cela se voyait à la façon gaie et complice dont ils se taquinaient. Lidia devait avoir une trentaine d'années et, sans être jolie, elle ne manquait pas d'attraits avec sa peau satinée, ses grands yeux noirs et son sourire chaleureux.

— Il faut que je retourne à mes fourneaux, déclara Juan en regardant sa montre. Lidia va prendre votre commande. A plus tard !

Après avoir passé un tablier blanc, Lidia tendit un menu à Irena et un autre à Esteban.

— Mangez vos tapas ! leur dit-elle avant de s'éloigner pour accueillir de nouveaux clients.

Les coupelles contenaient de la petite friture, des champignons à la sauce tomate, des calamars à l'ail, des tranches fines de chorizo, des œufs mimosa... Irena commença à se servir ; cela faisait des mois qu'elle n'avait pas mangé de tapas, et elle avait en outre très faim. Esteban l'imita, et ils grignotèrent tous les deux en silence, les yeux fixés sur le menu. La jeune femme finit par choisir une soupe de poissons et un ragoût aux haricots blancs, un plat d'origine asturienne qui était l'une des grandes spécialités de sa mère ; le seul fait de le voir inscrit sur la carte remplit la jeune femme de nostalgie. Esteban, lui, se décida pour des gambas grillées, suivies de poulet aux poivrons rouges et à la tomate, et accompagné de riz au safran.

— Vous ne prenez pas de paella, finalement ? lança-t-il à Irena quand ils passèrent leur commande.

La jeune femme éclata de rire et expliqua pourquoi elle préférait le ragoût aux haricots blancs.

— J'espère que Juan le prépare comme votre mère, observa Lidia.

Il y avait en effet de nombreuses façons de le cuisiner, tout comme il existait des dizaines de variétés différentes de paella. Lidia et Esteban discutèrent ensuite du type de rioja qui s'harmoniserait le mieux avec le menu, puis Lidia jeta un coup d'œil aux coupelles de tapas.

— Comment avez-vous trouvé les calamars ? interrogea-t-elle. C'est l'une des tapas que je réussis le mieux.

— Ils étaient délicieux ! s'écrièrent-ils en chœur.

— Une recette de ma grand-mère..., déclara fièrement Lidia. Mais ne me demandez pas ce qu'il y a dedans : c'est un secret de famille.

D'autres clients entrèrent alors dans le restaurant, et Lidia dut aller s'occuper d'eux. Elle revint cependant quelques instants plus tard avec les entrées et la bouteille de rioja, qu'elle ouvrit afin que le vin ait le temps de s'oxygéner avant l'arrivée du plat principal.

Dès qu'ils furent seuls, une atmosphère de gêne s'établit entre Irena et Esteban, qui échangèrent des propos anodins entrecoupés de longs silences.

— Vous travailliez à Madrid avant de vous installer à

484

Londres ? demanda la jeune femme en attaquant son ragoût — qui était excellent, préparé avec beaucoup d'ail, comme celui de sa mère.

— Oui, indiqua laconiquement Esteban.

— Moi, je n'y suis allée qu'une fois, et pour une visite très brève.

— Il faut que vous y retourniez ! C'est l'une des plus belles villes du monde ! J'y ai vécu pendant des années, et j'y ai été très heureux.

Esteban s'interrompit, fixa son verre de vin rouge d'un air sombre, et Irena s'enquit timidement :

— Vous comptez vous y établir de nouveau un jour ?

— Non, Madrid a perdu tout attrait pour moi après la disparition de Dominga.

— Votre femme ?

Seul un hochement de tête affirmatif lui répondit. Esteban regardait toujours son verre, dont il suivait pensivement le bord du bout du doigt.

— Elle n'avait que vingt ans, finit-il par marmonner. Et c'est ma faute si elle est morte comme ça. Un accident... Elle est tombée dans l'escalier.

— Mon Dieu ! chuchota Irena, horrifiée.

— Ce n'est pas cela qui l'a tuée, mais elle attendait un enfant, et cette chute a provoqué une fausse couche, puis des complications qui se sont révélées fatales... Je n'étais même pas là quand elle est morte. Je n'étais jamais là, de toute façon... Je venais d'obtenir un poste important, mon premier, et il m'obligeait à de constants déplacements. Je laissais Dominga seule pendant des jours et des jours... Elle détestait Madrid et sa mère lui manquait. Elle se sentait abandonnée.

— Comment l'aviez-vous rencontrée ?

— Elle était originaire du même village que moi. Je la connaissais depuis sa naissance, et son frère Bernardo était mon meilleur ami à l'école. Nous avions tous les deux sept ans quand Dominga est née. C'était la première fille de la famille après cinq garçons, et ses parents nageaient dans le bonheur. Toute petite, elle était déjà ravissante et j'ai décidé très tôt de l'épouser. Je disais à tout le monde : « Quand je serai grand, je me marierai avec Dominga. » Cette idée plaisait à Bernardo car, ainsi, nous deviendrions beaux-frères.

Irena sourit, attendrie par l'image de ces deux amis en train d'imaginer un avenir où ils seraient encore plus proches l'un de l'autre.

— Quand avez-vous parlé de mariage à Dominga ?

— Tout au long de son enfance et de son adolescence, et je lui ai fait ma demande officielle dès la fin de ses études secondaires. Mais elle n'avait que dix-sept ans, et sa mère, qui la trouvait beaucoup trop jeune, nous a obligés à attendre un an.

Une simple addition permit à Irena de calculer qu'Esteban avait alors vingt-cinq ans. Il ne cessait de mentionner la jeunesse de Dominga, mais lui non plus n'était pas très âgé à l'époque du drame. Cette mort affreuse, dont il se sentait en outre coupable, avait dû constituer une épreuve terrible et lui laisser des cicatrices indélébiles...

Il y eut un petit silence, pendant lequel Esteban vida son verre et le remplit de nouveau. Irena avait à peine touché à son vin, et elle secoua la tête quand son compagnon l'interrogea du regard pour savoir si elle en voulait d'autre.

— Elle était encore bien trop jeune quand nous nous sommes mariés, finit-il par murmurer.

— Les Espagnoles se marient toujours jeunes, déclara Irena d'un apaisant.

L'arrivée de Lidia, qui venait débarrasser la table, interrompit la conversation. Elle leur demanda s'ils désiraient un dessert et, comme ils hésitaient, leur proposa des figues fraîches. Ils acceptèrent tous les deux : des fruits compléteraient agréablement le repas un peu lourd qu'ils avaient mangé.

Une fois les figues servies, Irena demanda :

— Votre femme avait un emploi, à Madrid ?

— Oui, elle faisait des travaux de couture à domicile. C'était une remarquable couturière ; les religieuses lui avaient appris à broder et à fabriquer de la dentelle à la main. Mais cela ne lui rapportait pas beaucoup d'argent, et cela signifiait en outre qu'elle sortait rarement de la maison. Nous avons pourtant été très heureux la première année. Et puis j'ai été promu, et mon métier m'a de plus en plus accaparé. Dominga souffrait de la solitude, et nous avons commencé à nous disputer. Elle était trop jeune pour rester ainsi coupée de sa famille et du monde extérieur.

— Vous étiez tous les deux trop jeunes, il me semble.

— J'avais tout de même cinq ans de plus que vous aujourd'hui !

— Quatre, rectifia-t-elle.

— Vous avez vingt et un ans ?

— Mais oui !

Cette exclamation indignée amena un sourire sur les lèvres d'Esteban, dont les traits s'assombrirent cependant de nouveau dès qu'il se remit à parler de sa femme :

— Dominga est alors tombée enceinte. Nous étions mariés depuis deux ans, mais nous étions convenus d'attendre d'être un peu plus riches pour fonder une famille. Je crois qu'elle a rompu cet accord de façon délibérée, dans l'espoir que je passerais plus de temps à la maison. Ce n'est malheureusement pas ainsi que les choses ont tourné. L'annonce de cette grossesse m'a causé un choc, m'a même rendu furieux, parce que j'ai eu peur de ne pas pouvoir donner à notre enfant de bonnes conditions de vie : nous habitions un petit appartement et n'avions pas les moyens d'en louer un plus grand — la vie est très chère à Madrid. Bref, au lieu d'apporter à Dominga le soutien moral dont elle avait besoin, je me suis fâché contre elle... Quel égoïste j'étais !

Ne sachant que dire, Irena le considéra en silence. Il avait l'air de tant souffrir... Comment réconforter un homme qui se consumait ainsi de remords ?

Au bout de quelques instants, Esteban reprit d'une voix blanche :

— A partir de ce moment-là, j'ai travaillé encore plus, afin de gagner l'argent dont nous aurions besoin quand le bébé serait là. Dominga était enceinte de six mois lorsque Caspian International a décidé de m'envoyer pendant un mois aux États-Unis pour étudier les techniques de marketing américaines. Dominga aurait pu m'accompagner, mais elle a refusé. Le voyage en avion et la perspective de vivre à New York l'effrayaient ; elle se sentait déjà perdue à Madrid, alors New York... A cela s'ajoutait la crainte d'un accouchement prématuré en pays étranger. Elle est donc restée en Espagne, et c'est pendant mon séjour aux États-Unis que cet accident s'est produit. Je suis tout de suite rentré, bien sûr, mais, le temps que j'arrive, elle était déjà morte. Sa famille ne m'a ensuite plus jamais adressé la parole. Elle a rejeté sur moi la responsabilité de ce drame et m'a même interdit d'assister aux funérailles, qui ont eu lieu dans notre village. J'y suis allé malgré tout, mais les parents de Dominga m'ont interdit leur porte. Sa mère ne s'est jamais remise de ce deuil : Dominga était son enfant préféré, sa seule fille... Quant à Bernardo, je ne l'ai pas revu depuis.

— C'est tellement injuste ! s'écria Irena. Ce n'était pas votre faute : même si vous étiez resté dans votre village à cultiver la terre, vous n'auriez pas pu passer toutes vos journées avec elle ! Cet accident aurait pu se produire n'importe où, n'importe quand, et vous n'en auriez été nullement responsable !

— J'ai épousé Dominga et je l'ai emmenée loin de sa famille, ce qui l'a rendue malheureuse... C'est donc bien ma faute si elle est morte.

A quoi bon essayer de le convaincre du contraire? se dit Irena. Il vivait depuis si longtemps avec ses remords qu'ils influençaient maintenant chacun de ses actes, chacune de ses pensées... Il lui serait très difficile de s'en débarrasser.

Et l'histoire qu'il venait de raconter expliquait tant de choses... L'expression perpétuellement sombre de son visage; la colère qui l'habitait, contre le destin, contre lui-même; son attitude distante, et jusqu'à cette soif soudaine, le jour où il l'avait embrassée avec tant de violence...

Ils avaient à présent fini leurs figues, et Lidia leur apporta du café accompagné de touron, délicieux nougat espagnol aux noisettes, aux amandes et au miel.

— Je le confectionne moi-même, annonça-t-elle fièrement. C'est très facile, et je vous donnerai la recette un jour... Maintenant, excusez-moi, mais ces deux jeunes gens, là-bas, paraissent s'impatienter, et il faut que j'aille les calmer. Il est vrai qu'ils attendent leur canard depuis un bon moment...

Après le départ de Lidia, Irena consulta sa montre et s'exclama :

— Mon Dieu! Vous avez vu l'heure? Je dois rentrer me coucher, sinon je serai incapable de me lever demain matin pour me rendre au bureau.

— Vous vous plaisez au service étranger?

— Beaucoup! J'aime traduire, mais cela exige une telle concentration que je suis épuisée au bout de quelques heures.

— Sûrement, mais songez aux progrès que cela vous permet de faire en anglais! C'était une très bonne idée de venir à Londres. J'imagine que vous avez travaillé avant au journal parisien de Caspian International?

— Oui, grâce à Desmond, j'y ai obtenu un emploi pendant les vacances de Pâques. J'avais déjà trouvé ça dur et, pourtant, mon français est bien meilleur que mon anglais !

— Votre anglais n'est pas mauvais du tout, fit remarquer Esteban en lui souriant gentiment.

La jeune femme ressentit un brusque pincement de cœur. Quand Esteban souriait ainsi, il avait un charme irrésistible. Si seulement il pouvait être toujours aussi chaleureux, oublier ses douloureux souvenirs, recommencer à vivre...

— Alors ? Vous avez bien mangé ? demanda Lidia en s'arrêtant devant leur table.

— Très bien, répondit Esteban. Juan est un cuisinier hors pair.

— Il voudrait vous dire deux mots en privé avant que vous ne partiez. Pendant ce temps, je bavarderai un peu avec Irena. Tous les clients ont eu leur plat principal, et ma serveuse s'occupera des desserts.

Tandis qu'Esteban se dirigeait vers la cuisine, Lidia prit une tasse et une soucoupe sur le dressoir voisin et se servit du café avant de s'asseoir en face d'Irena.

— Parlez-moi de vous, déclara-t-elle alors. D'où êtes-vous originaire ?

Docilement, la jeune femme lui parla de la ferme, de sa mère, de ses frères et des montagnes d'Andalousie, puis Lidia évoqua sa région à elle, la Catalogne.

— Esteban et Juan, eux, ont grandi dans le même village de Vieille-Castille, précisa-t-elle ensuite. C'est pour cela qu'ils se tutoient... Et à propos d'Esteban, je n'ai pas pu m'empêcher d'entendre qu'il vous racontait l'histoire de Dominga... Une vraie tragédie, mais qui s'est passée il y a très longtemps, sept ou huit ans, je crois, et il devrait s'en être remis, maintenant. Ce n'est pas sa faute si sa femme a eu cet accident pendant qu'il était absent, mais il

490

n'arrive pas à se le pardonner. D'autant que, d'après Juan, sa belle-famille l'a traité très durement.

— C'est aussi mon sentiment, observa Irena.

En son for intérieur, cependant, elle se dit qu'Esteban n'apprécierait sûrement pas qu'on discute de lui derrière son dos. Restait à espérer qu'il ne le découvre jamais...

— Dominga était une enfant gâtée, expliqua Lidia en baissant la voix, une fille unique que ses parents avaient élevée comme une princesse. Et une fois mariée, elle a été incapable de s'adapter aux réalités de la vie. Elle voulait qu'Esteban la choie comme sa famille l'avait toujours choyée, et refusait de comprendre qu'il devait travailler et ne pouvait pas être tout le temps avec elle.

— Sans doute le fait de devenir mère lui aurait-il permis de mûrir...

Lidia hocha la tête, mais ses yeux se posèrent alors sur la porte de la cuisine, et elle se leva.

— Voilà Esteban... Il faut que je vous quitte, Irena. J'ai été enchantée de faire votre connaissance, et j'espère vous revoir ici bientôt.

Esteban jugeant qu'il avait bu un peu trop de vin, il préféra ne pas prendre sa voiture pour rentrer et appela un taxi.

— Je viendrai la récupérer demain matin, déclara-t-il avec un haussement d'épaules. Là où je l'ai garée, de toute façon, elle ne risque rien.

Quand le taxi les eut déposés devant l'immeuble d'Irena, Esteban insista pour accompagner la jeune femme jusqu'à l'ascenseur et, là seulement, lui souhaita bonne nuit.

— Merci pour cette agréable soirée, murmura-t-elle. J'ai trouvé vos amis très sympathiques, et cela m'a fait vraiment plaisir de manger de la véritable cuisine espagnole.

— Je suis content que le dîner vous ait plu, dit-il en souriant.

Ce sourire chavira de nouveau le cœur d'Irena qui, sous le coup d'une impulsion subite, se dressa sur la pointe des pieds et embrassa la joue d'Esteban.

Pris au dépourvu, ce dernier commença par se figer, mais il entoura ensuite de ses mains le petit visage levé vers lui, pencha la tête, et sa bouche chercha celle de la jeune femme. Irena se serra contre lui et lui passa les bras autour du cou. Ses yeux se fermèrent, ses lèvres s'entrouvrirent, et le baiser qu'ils échangèrent alors fit courir un feu délicieux dans ses veines. Quand il l'avait embrassée dans l'ascenseur, elle n'avait éprouvé qu'un profond désarroi, mais là, son corps tout entier frémissait de plaisir, et leur étreinte dura beaucoup plus longtemps.

Ce fut Esteban qui s'y arracha le premier : s'écartant brusquement, il poussa un gémissement étouffé, puis grommela :

— Non, c'est impossible... Il faut que vous compreniez, Irena... Pourquoi pensez-vous que je vous aie parlé de Dominga ? Vous ne voyez donc pas que je ne peux plus aimer, que je n'en ai pas le droit ?

Sur ces mots, il s'éloigna à grands pas, laissant la jeune femme pétrifiée, anéantie.

8.

Le jour du mariage de Hazel, le temps était ensoleillé, mais le vent soufflait fort. Quand la jeune femme descendit de la limousine qui l'avait amenée à l'église avec son père, son voile se souleva et le bas de sa robe tourbillonna autour de ses chevilles. Le photographe de *L'Observateur* chargé de faire une vidéo du mariage se précipita pour fixer ce moment sur la pellicule. En le voyant s'approcher, Hazel éclata de rire et manqua lâcher son bouquet en voulant retenir son voile. Quand, deux minutes plus tard, elle s'engagea dans l'allée centrale de l'église au bras de son père, son humeur avait cependant changé : ses yeux se remplirent de larmes et elle se mit à trembler.

Son père la regarda alors, l'air atterré.

— Ça ne va pas, ma chérie ?

— Si... C'est de bonheur que je pleure...

— Ah, bon !

Piet l'attendait au pied de l'autel, très élégant en jaquette et pantalon rayé, ses cheveux dorés luisant dans la lumière qui filtrait par les vitraux. Nick Caspian, son témoin, se tenait à côté de lui ; mince et musclé, un peu plus grand que Piet et aussi brun que ce dernier était blond, il respirait la force et l'autorité, mais Hazel le remarqua à peine : elle n'avait d'yeux que pour son fiancé. Ces moments, elle s'y préparait depuis des mois, et maintenant qu'ils étaient là, une émotion d'une intensité presque insupportable la submergeait.

La musique s'enfla, tous les membres de l'assistance se tournèrent vers la jeune mariée, mais ces figures pourtant familières lui apparurent comme une masse confuse à travers ses larmes et le voile qui lui recouvrait de nouveau le visage.

Rose était là, elle aussi, et sur ses deux jambes... Souriante au milieu des autres demoiselles d'honneur, elle portait une jolie robe du même bleu que ses yeux, dont le grand col châle cachait le bandage de son épaule ; les manches courtes découvraient en revanche le pansement carré de son bras gauche. Elle était un peu pâle, et plus menue que jamais, mais semblait autrement être redevenue elle-même.

Seul Daniel savait que Rose avait de terribles cauchemars et que, si les blessures physiques guérissaient vite, il lui restait des cicatrices invisibles qui, elles, mettraient plus de temps à s'effacer.

— C'est idiot ! lui avait-elle dit la nuit précédente après s'être réveillée en pleurs d'un rêve terrifiant. J'ai plus peur maintenant que sur le coup.

— C'est normal, ma chérie, avait-il murmuré d'un ton apaisant en la serrant contre lui. Dans l'avion, tu as eu une poussée d'adrénaline qui t'a permis de tenir le coup. Tu avais peur, aussi, mais face à une situation exceptionnelle, nous avons tous une force morale que nous ne soupçonnons pas. La tension est retombée, à présent, et tes nerfs te jouent des tours pendant ton sommeil.

— Mais combien de temps cela va-t-il durer ?

— Ça passera, ma chérie... Sois patiente ! Tout cela est encore trop récent dans ta mémoire... Après le mariage, nous prendrons ces vacances que Nick nous a proposées. Tu as choisi l'endroit où tu voulais aller ?

Rose ne s'était pas encore décidée, et ils avaient discuté pendant une heure de diverses destinations possibles. La jeune femme savait que Daniel essayait de lui faire oublier son cauchemar, de la distraire... et il y avait réussi : quand elle s'était rendormie, aucun mauvais rêve n'était plus venu la troubler.

Un voyage aux Antilles ou à l'île Maurice avait la préférence de Daniel, mais en regardant aujourd'hui Hazel et Piet échanger leurs anneaux dans la douce lumière d'Angleterre, Rose se rendit compte qu'elle avait envie de se reposer à la campagne et non de se retrouver sous le soleil brûlant d'une île tropicale. Dans cet avion où régnait une atmosphère d'étuve, avec la brume de chaleur qui dansait à l'horizon et les filets de sueur qui lui dégoulinaient le long du dos, elle avait rêvé de vertes prairies et de vent frais, d'eau coulant entre des rives recouvertes de hautes fougères, de l'odeur de l'herbe après la pluie... Et c'était ce qu'elle souhaitait à présent : un peu de calme, une semaine ou deux à paresser dans un cadre champêtre.

Elle en parla à Daniel pendant le repas qui suivit la cérémonie à l'église et lui demanda ensuite timidement :

— Ça t'est égal de ne pas partir au soleil ?

— Ton projet me paraît parfait, répondit-il, ses yeux noirs remplis d'amour. Où nous installerons-nous ? Dans un hôtel du pays de Galles ou de Cornouailles ?

— Non, les hôtels sont trop bruyants. Nous pourrions peut-être louer un cottage dans un endroit tranquille... Nous étudierons la question demain.

Mais Nick, assis non loin d'eux, avait entendu leur conversation.

— Si cela vous intéresse, Rose, intervint-il, ma mère possède une petite maison près de Lyme Regis, sur la côte du Dorset. Le dernier locataire en est parti il y a quinze jours, et ma mère songe à la vendre, si bien qu'elle ne l'a pas relouée. Cette maison est donc vide en ce moment, et je vous la prête pour le temps que vous voulez. Il n'y a pas de voisins, le jardin est entouré de murs et la mer est à quelques minutes de marche seulement, ainsi qu'un village où l'on trouve des magasins et un pub.

Daniel et Rose échangèrent un regard.

— C'est très gentil à vous, Nick, déclara la jeune femme, surprise par cette offre inattendue, mais vous êtes sûr que cela n'ennuiera pas votre mère ?

— Elle sera au contraire ravie quand je le lui dirai. Elle a suivi l'affaire du détournement à la télévision et le courage dont vous avez fait preuve l'a beaucoup impressionnée. C'est aussi une fervente admiratrice de votre père.

— Comme tout le monde ! s'écria Rose en riant.

Puis elle se rembrunit et ajouta :

— J'aimerais bien savoir où il est, en ce moment. Nous n'avons encore eu aucune nouvelle de lui.

— Il doit être en train de parcourir le Viêt-nam du nord au sud, affirma Nick, et il attend d'avoir réuni assez de documentation pour nous envoyer son premier article. Il ne faut pas vous inquiéter, Rose. Vous connaissez Desmond : quand il est en reportage, c'est lui qui fixe les règles, et nous devons l'accepter, vous comme moi !

— Oui, vous avez raison, admit la jeune femme avec un petit soupir. Merci, en tout cas, de nous proposer cette maison. J'ignorais que votre mère en possédait une en Grande-Bretagne.

— Cela fait des années qu'elle n'y a pas habité. Elle l'a gardée parce qu'elle y est attachée et pensait l'utiliser pour un éventuel séjour prolongé en Angleterre, mais les voyages la fatiguent, à présent. C'est pour cela qu'elle a finalement décidé de s'en séparer.

Ce devait être agréable d'avoir les moyens de garder une maison pendant des années juste au cas où on aurait un jour envie d'en profiter..., songea Rose, désabusée.

496

Mais ce n'était évidemment pas le genre de chose qu'elle se risquerait à dire à Nick. Il lui arrivait de se montrer très simple et cordial avec ses employés, de bavarder sans façon avec les agents d'entretien ou les dactylos, par exemple, mais personne n'aurait commis l'erreur d'être trop familier avec lui : son sourire aimable ne laissait jamais oublier l'homme froid et dur qu'il pouvait à tout instant redevenir.

— A propos de cette maison, reprit Nick d'un air pensif, je crains que l'agent immobilier chargé de la vendre n'y amène des acheteurs potentiels pendant que vous y serez. Cela ne vous ennuie pas trop ?

— Bien sûr que non, répondit Rose après une seconde d'hésitation.

En réalité, elle se demandait si elle aurait le courage de maintenir les lieux dans un état de propreté parfaite, ce qui serait nécessaire si des gens ne cessaient d'y venir.

Comme s'il lisait dans ses pensées, Nick fit alors remarquer :

— Rien ne vous oblige d'ailleurs, Daniel et vous, à être présents pendant ces visites. Et je vous précise également que nous payons une femme du village pour faire le ménage plusieurs fois par semaine. Vous n'aurez pas à lever le petit doigt, Rose, et cette Mme Petty s'occupera même pour vous des courses et de la cuisine si vous le souhaitez ; elle est très gentille et très efficace. Cela dit, vous n'êtes en aucun cas obligée d'accepter ma proposition. Prenez le temps d'y réfléchir et d'en parler avec Daniel. Après tout, ce sont vos vacances, et elles doivent correspondre exactement à ce que vous désirez.

— Merci, c'est très aimable à vous, murmura Rose.

Assise à côté de Nick, Gina avait écouté la conversation, mais s'était bien gardée d'y participer. Pour une fois, Nick paraissait l'avoir oubliée, et elle en profitait pour l'observer. Cet homme était vraiment déconcertant :

capable des manœuvres les plus perfides pour servir ses intérêts, il se révélait aussi parfois généreux et attentionné, comme maintenant. C'était comme s'il avait une double personnalité. Serait-il une sorte de Dr Jekyll et Mr. Hyde ? se demanda Gina en esquissant un sourire.

Malheureusement, Nick se tourna vers elle juste à ce moment-là.

— On peut savoir ce qui vous amuse, Gina ? demanda-t-il.

— Rien d'intéressant, répliqua-t-elle. Euh, beau mariage, n'est-ce pas ?

— Cela ne vous donne pas envie de vous marier vous aussi ? susurra Nick.

— Vous oubliez que je l'ai été !

— Et vous ne voulez pas faire un autre essai ?

— Pas dans l'immédiat, merci, rétorqua-t-elle d'un ton faussement dégagé.

A en juger par le regard scrutateur qu'il lui lança, cependant, Nick ne fut pas dupe de cette désinvolture.

— Votre premier mariage n'a pas été réussi, Gina ? C'est pour cela que vous refusez de tenter de nouveau l'expérience ?

— Si, j'ai été très heureuse avec James ! s'écria-t-elle, véhémente.

Mais des applaudissements et des sifflets retentirent alors dans la salle, interrompant leur conversation. Surpris, ils tournèrent la tête et virent que Hazel et Piet s'étaient levés. Armés d'un grand couteau, ils entreprirent de couper leur énorme gâteau de mariage tandis qu'une foule de photographes, amateurs et professionnels, se pressaient autour d'eux.

— C'est incroyable le nombre de rites qui entourent le mariage ! dit Gina à Rose.

— Oui, admit cette dernière. Ça ne m'avait encore jamais frappée, mais les Anglais sont vraiment très traditionalistes.

Puis, s'adressant à sa demi-sœur qui, assise en face d'elle, n'avait pas ouvert la bouche de tout le repas, Rose ajouta :

— Les mariages espagnols donnent-ils lieu à autant de rites ?

— Autant, sinon plus, répondit Irena.

— Si vous deviez vous marier, rentreriez-vous en Espagne pour le faire ? demanda Gina.

— Je n'y ai jamais réfléchi.

En réalité, Irena savait que sa mère et ses frères seraient très contrariés si elle ne se mariait dans la petite église paroissiale où avaient été célébrés son baptême et sa première communion. La religion comptait encore beaucoup dans son village ; les gens, là-bas, se tournaient tout naturellement vers Dieu dans les petites comme dans les grandes occasions de leur vie.

— Bien sûr que vous rentreriez vous marier en Espagne ! déclara alors Esteban, installé de l'autre côté de la table.

Étonnée par cette intervention, Irena leva la tête vers lui. Il avait parlé fort, et tous les invités le regardaient avec curiosité. Irena connaissait maintenant la plupart de ces gens au moins de vue et de nom, mais ils l'intimidaient encore, et surtout Nick Caspian. C'était un homme si riche, si puissant, et tellement étranger à son monde à elle... La jeune femme essaya de l'imaginer en Andalousie, dans son village, dans sa maison, et n'y parvint pas. Elle non plus, d'ailleurs, ne se serait pas sentie à sa place dans le monde de Nick. Esteban, en revanche, aurait été aussi à l'aise dans un village andalou qu'il semblait l'être ici, en Angleterre, songea-t-elle soudain. Comme un caméléon, il avait la capacité de s'adapter à son environnement.

Une chose, pourtant, resterait ancrée en lui quel que soit son cadre de vie, et c'était la douleur d'avoir perdu sa femme. Rien ne l'en consolerait jamais.

499

Jamais il ne pourrait aimer de nouveau.

N'était-ce d'ailleurs pas ce qu'il lui avait indiqué le soir où ils étaient sortis ensemble ? En fait, il l'avait mise en garde, et elle rougit en comprenant ce que cela signifiait : Esteban la savait attirée par lui et avait voulu lui signaler qu'elle perdait son temps. Cela témoignait d'une grande honnêteté, et, si elle avait deux sous de bon sens, elle s'obligerait à oublier cet homme.

— Je suis sûre que ta mère serait fâchée si tu ne te mariais pas en Espagne, observa alors Rose. Ce serait d'ailleurs pour moi l'occasion de la revoir et de visiter en même temps votre ferme. Mais comme tu ne te marieras sans doute pas demain, peut-être irai-je avant car je me souviens qu'enfant, j'aimais beaucoup ta mère, et je suis impatiente de la rencontrer de nouveau.

— Elle aussi, Rose, serait ravie de te revoir, affirma Irena. Elle me le dit dans sa dernière lettre. Notre maison est petite et manque de confort, mais tu y seras toujours la bienvenue.

En entendant cela, une idée traversa l'esprit de Rose : et si Daniel et elle allaient en Espagne au lieu de rester en Angleterre ? Ce serait si excitant de retrouver Grazia, de faire la connaissance de ses fils et de découvrir la région où Irena avait grandi ! Cela lui permettrait de mieux comprendre sa demi-sœur, qui lui inspirait une affection de plus en plus profonde. Elles avaient eu des destins très différents, mais le même sang coulait dans leurs veines, et elle voulait en savoir le plus possible sur l'enfance et la famille espagnole d'Irena.

Un brusque frisson parcourut cependant Rose, et ses yeux se fermèrent un instant, car ce voyage impliquait qu'elle prenne l'avion, et cette perspective la terrifiait. Elle n'avait en effet pas révélé à Daniel la véritable raison de son désir de ne pas passer ces vacances hors de Grande-Bretagne. A Chypre, elle avait certes rêvé de la campagne anglaise, mais son refus d'aller aux Antilles ou à l'île Maurice s'expliquait surtout par une peur panique de l'avion. Elle craignait de se mettre à hurler ou à sangloter au moment de monter à bord, et dans ce cas, elle éprouverait une telle humiliation que jamais elle n'oserait plus regarder Daniel en face. Et comment, avec ce genre de phobie, poursuivre une carrière de grand reporter ?

Oui, cela pouvait signifier la fin de tout ce à quoi elle travaillait depuis tant d'années, sans parler des conséquences possibles sur ses relations avec Daniel. Oh ! Il serait enchanté qu'elle renonce à se déplacer, qu'elle passe ses journées avec lui dans les bureaux de *L'Observateur* et qu'ils rentrent ensemble à l'appartement tous les soirs... Mais ce type d'existence la rendrait malheureuse et risquait même de l'aigrir car elle perdrait alors sa principale raison de vivre. Elle finirait peut-être aussi par en rejeter la responsabilité sur Daniel, qui avait souvent essayé de la persuader de renoncer à son rêve d'être un jour une aussi grande journaliste que son père. Daniel n'avait bien sûr rien à se reprocher : c'était le hasard qui l'avait fait monter dans un avion victime d'un détournement. Mais, se connaissant, elle savait que, sous l'effet de la colère et de la déception, elle pouvait cesser de penser rationnellement et s'en prendre à Daniel.

Rose était si absorbée dans ses pensées qu'elle entendit à peine les discours de fin de repas et ne revint à la réalité qu'au moment où on repoussa les tables pour agrandir la piste de danse. Les invités se rassemblèrent par petits groupes, on baissa les lumières et les premières notes d'une valse retentirent. Les jeunes mariés ouvrirent alors le bal sous les applaudissements, le voile de Hazel flottant derrière elle et sa robe se soulevant autour de ses jambes minces tandis qu'elle tournoyait au rythme de la musique, le regard rivé sur le visage de Pict.

Ils avaient l'air si heureux, tous les deux, qu'Irena les

considéra avec une pointe d'envie. Elle sentit soudain Esteban bouger sur sa chaise et lui jeta un coup d'œil en coin, espérant qu'il allait l'inviter à danser. Il se leva bien, mais au lieu de venir s'incliner devant elle, il s'éloigna et, un instant plus tard, pénétra sur la piste au bras d'une jeune femme blonde vêtue d'une robe rose très moulante.

Irena baissa les yeux et tenta de se raisonner : elle n'avait aucune raison d'être jalouse ; cet homme ne lui appartenait pas, il pouvait danser avec qui il voulait...

Au bout d'un moment, elle releva cependant la tête pour mieux observer la cavalière d'Esteban, car il lui semblait l'avoir déjà vue. Et en effet, il s'agissait bien de la jeune femme qu'elle avait remarquée un soir en compagnie de son compatriote, une Valérie quelque chose, qui travaillait à la rubrique mondaine de *L'Observateur*... Esteban la trouvait-il sexy ? Sans doute... Avec ses cheveux blonds, ses yeux pervenche et ses formes pulpeuses, elle attirait le regard de tous les hommes. Et Esteban lui plaisait, c'était évident à la façon dont elle se serrait contre lui. Ils formaient un très beau couple, et le cœur d'Irena se serra. Elle avait envie de rentrer afin de ne plus être obligée de supporter un spectacle qui lui déchirait le cœur.

Philip Slade s'approcha alors dans l'intention manifeste d'inviter Gina à danser, mais avant qu'il n'ait atteint la table où elle était assise, Nick se leva et, saisissant la jeune femme par le poignet, la força à se mettre debout.

— Venez danser ! dit-il.

— Inutile de me brutaliser ! protesta Gina qui, n'ayant pas vu Philip, laissa cependant Nick l'enlacer et la guider vers le centre de la salle.

Les sourcils froncés, Philip s'immobilisa et les suivit des yeux. Il paraissait furieux, et Rose et Daniel, qui avaient observé la scène, échangèrent un sourire.

— Pauvre Philip ! murmura Rose, ironique.

— Oui, pauvre Philip..., répéta Daniel sur le même ton. Il n'a donc pas compris qu'il n'avait aucune chance ? Personne n'a encore jamais gagné contre Nick Caspian et, si quelqu'un y parvient un jour, je ne crois pas que ce sera Philip Slade !

— Ce sera peut-être Gina, en revanche, fit remarquer Rose.

— J'en doute, car c'est une femme, et les femmes cèdent plus souvent à Nick qu'elles ne lui résistent. Ce sont plutôt les hommes qu'il rend agressifs.

— De ce côté-là, Gina n'a rien à leur envier !

— Ah, bon ? Elle a pourtant l'air si douce, si fragile, avec ses beaux cheveux roux, ses grands yeux verts et cette bouche faite pour l'amour...

— Je n'aime pas du tout la façon dont tu parles de Gina, déclara Rose. Tu lui portes bien trop d'intérêt à mon goût !

— Je ne suis pas aveugle ! s'écria Daniel avec un sourire taquin.

— Tu veux le devenir ? rétorqua-t-elle en levant une main menaçante.

— Non, non ! C'était une simple plaisanterie... Tu sais bien que je préfère les petites brunes au tempérament volcanique...

— Laisse tomber le pluriel ! Il n'y a qu'une femme dans ta vie, moi, et je te conseille de ne pas l'oublier !

— Oui, chef ! s'exclama Daniel en riant.

Puis, recouvrant son sérieux, il demanda :

— Mais pourquoi penses-tu que Gina pourrait réussir là où tout le monde a échoué ?

— Parce qu'elle a l'avantage sur Nick : il lui voue une telle passion que cela le met en position de faiblesse.

— Comment le sais-tu ?

— Je les ai observés, surtout depuis que je suis rentrée, et ce qui se passe entre eux est clair comme le jour.

503

Surpris, Daniel regarda en direction de Nick et de Gina, qu'il considéra quelques instants en silence. La main de Nick caressait lentement le dos de Gina, et il s'efforçait d'enlacer plus étroitement la jeune femme, mais elle résistait et, quand il posa la joue contre la sienne, elle détourna la tête. Nick rougit légèrement, et un mélange de colère et de frustration se lut sur son visage.

— En effet..., finit par déclarer Daniel, songeur. Il me semblait bien que Gina plaisait à Nick, mais je n'imaginais pas que c'était sérieux à ce point... Tu es très perspicace, Rose !

— Les femmes remarquent toujours plus de choses que les hommes.

— Certaines choses, oui... Mais Gina s'intéresserait-elle à quelqu'un d'autre ? Est-ce pour cela qu'elle repousse les avances de Nick ?

— Gina, s'intéresser à quelqu'un d'autre ? Bien sûr que non ! Je dirais même qu'elle n'a d'yeux que pour Nick.

— Ah, bon ? C'est une stratégie, alors ? Elle espère ainsi l'amener à l'épouser ? Si son plan marche, elle aura de la chance, car beaucoup d'autres femmes ont essayé, sans résultat. Nick n'est pas près de renoncer aux joies du célibat... Sans doute se mariera-t-il un jour, quand il décidera d'avoir un héritier, mais ce sera un mariage d'intérêt, pas d'amour.

— Tu as peut-être raison là-dessus, mais tu te trompes en ce qui concerne Gina : elle ne cherche pas à se faire épouser. Je suis même sûre qu'elle refuserait si Nick le lui proposait, et cela par loyauté envers les Tyrrell. Elle aimait beaucoup sir George et ne s'est jamais remise de sa mort brutale, dont elle juge Nick responsable, et je sais que les changements apportés par Nick au journal la mécontentent de plus en plus.

— Je la comprends ! *L'Observateur* était une publica-

504

tion de qualité, et Nick en a profondément changé l'esprit. C'était cependant prévisible : il considère la presse uniquement comme un moyen de gagner de l'argent.

— Et tu approuves cette attitude ?

— Non, mais je me résigne à l'inévitable. Dès qu'il est entré au conseil d'administration, Nick a eu dans l'idée d'augmenter le tirage, et le seul moyen d'y parvenir, c'est de viser le grand public. Les journaux sérieux subsistent en s'appuyant sur la publicité, pas sur les ventes. Et Nick a réussi : *L'Observateur* approche les deux millions d'exemplaires. Mais Gina ne peut plus arrêter ce processus, et elle n'aura jamais le dessus sur Nick : il est bien trop malin et tenace.

— C'est possible, déclara Rose, mais là, tu parles d'affaires, or il existe d'autres types de guerres et d'autres façons de se battre. Moi, je parie sur Gina. Elle rend Nick fou tout en conservant, elle, son sang-froid, et c'est ainsi qu'on gagne les batailles : en laissant son adversaire se détruire lui-même.

— Pauvre Nick ! murmura Daniel.

Il n'y avait cette fois aucune ironie dans sa voix. Il était en effet stupéfait, presque choqué, et fixait Gina comme s'il la voyait pour la première fois ; elle lui apparaissait soudain sous un jour nouveau. Mais était-il possible que cette jeune femme dont il avait toujours apprécié la douceur et la féminité, qu'il admirait pour sa fidélité à la mémoire de son défunt mari et de sir George, soit finalement aussi dure et obstinée que Nick Caspian en personne ? Daniel avait du mal à le croire, mais Rose la connaissait beaucoup mieux que lui et avait donc sûrement raison.

La voix de Rose l'interrompit brusquement dans ses réflexions.

— Invite Irena à danser, chéri ! Elle a l'air de s'ennuyer.

— Je suis obligé? murmura-t-il en soupirant. J'aime bien ta petite sœur, mais je ne veux pas t'abandonner... Pourquoi ne lui demandes-tu pas de venir bavarder avec nous?

— Parce qu'elle meurt d'envie de danser! Regarde la façon mélancolique dont elle contemple la piste... Allez, vas-y! Et ne t'occupe pas de moi, je peux rester seule deux minutes!

— Les femmes sont de véritables tyrans! observa Daniel avec un nouveau soupir.

Mais il se leva et, souriant, s'approcha de la jeune Espagnole.

— Rose refuse de danser avec moi, Irena. Serez-vous plus obligeante que votre sœur?

Le visage d'Irena s'illumina et elle prit la main que lui tendait Daniel. Avant de s'éloigner en sa compagnie, cependant, elle se tourna vers Rose et demanda d'une voix inquiète :

— Tu ne veux vraiment pas danser avec lui?

— Non, j'ai un peu mal à l'épaule, affirma Rose. Et je compte sur toi pour lui apprendre à danser : il est si gauche qu'il n'arrête pas de marcher sur les pieds de sa cavalière!

La jeune Espagnole éclata de rire, mais elle ne tarda pas à s'apercevoir que Daniel était en réalité un excellent danseur.

— Quand devez-vous rentrer à Paris? lui demanda-t-il tandis qu'ils évoluaient sur la piste.

— Dans un mois. Le temps a passé très vite!

— Vous pensez que Desmond sera revenu du Viêt-nam, à ce moment-là?

— J'aimerais bien le savoir! s'écria-t-elle, une lueur d'anxiété dans les yeux. Il ne lui est rien arrivé, n'est-ce pas, Daniel? Rose dit qu'il disparaît souvent comme ça pendant des semaines quand il travaille, mais elle cherche peut-être uniquement à me rassurer...

506

— Non, c'est la vérité. En reportage, Desmond oublie tout pour mieux se concentrer sur son sujet et s'imprégner de l'atmosphère du pays où il se trouve.

— Mais ne devrait-il pas se rendre compte que nous nous inquiétons pour lui? S'il nous aimait vraiment, cela ne lui viendrait-il pas à l'idée?

Avant de répondre, Daniel jeta un coup d'œil désabusé en direction de Rose.

— Oui, c'est une forme d'égoïsme, déclara-t-il ensuite, mais c'est aussi ce qui fait de Desmond un si bon journaliste : en s'affranchissant ainsi de toute considération extérieure, il acquiert une totale disponibilité d'esprit.

— Vous agissiez de la même façon, quand vous étiez grand reporter?

— Plus ou moins.

— Et Rose?

— Elle n'en a pas encore eu le temps, mais je suis certain qu'elle finirait par apprendre la technique.

— J'espère en tout cas que vous avez raison et que Desmond n'est ni malade ni en danger.

— J'en suis sûr, il ne faut pas vous tracasser, dit Daniel en embrassant la jeune femme sur la joue.

Emue et reconnaissante, Irena lui sourit, mais son regard croisa alors celui d'Estcban, et elle tressaillit en voyant l'expression froide qu'arborait son compatriote. Elle se dépêcha de détourner les yeux et fut soulagée quand la musique s'arrêta, quelques secondes plus tard. Daniel la raccompagna à sa place, et ils venaient de l'atteindre lorsqu'un portier en uniforme surgit dans la salle, une enveloppe à la main.

— Y a-t-il ici quelqu'un du nom d'Irena Olivero? cria-t-il à la cantonade.

La jeune Espagnole s'arrêta net et bredouilla :

— Euh... oui... C'est moi...

— Un message téléphonique pour vous, mademoiselle... De l'étranger.

— De l'étranger ? répéta Rose. Du Viêt-nam ?

— Je l'ignore, répondit le portier. Ce n'est pas moi qui ai noté le message. La réceptionniste m'a juste chargé de le remettre à sa destinataire.

Irena s'avança lentement, prit l'enveloppe, puis l'ouvrit d'une main tremblante. Tous les invités s'étaient figés et retenaient leur souffle. La jeune femme parcourut la missive, mais il lui fallut quelques instants pour en comprendre le sens car les mots dansaient devant ses yeux.

— C'est Desmond ? finit par demander Rose.

— Non, c'est au sujet de ma mère, annonça Irena, livide. Elle est malade et Ramon veut que je rentre tout de suite à la maison. Ce doit être grave... Je dois partir immédiatement... Mais y aura-t-il encore un vol aujourd'hui ? Il faut que j'appelle l'aéroport et...

— Mon jet est prêt à décoller à tout moment, déclara Nick. Je vais téléphoner au pilote et lui dire de vous emmener là-bas dès qu'il aura établi et déposé son plan de vol. Mon chauffeur est dehors ; il vous conduira à l'appartement de Rose pour que vous fassiez vos bagages, et ensuite à l'aéroport. Il serait cependant préférable que quelqu'un vous accompagne en Espagne.

En prononçant cette dernière phrase, Nick avait regardé en direction de Rose, qui se raidit brusquement. Elle savait ce que ce coup d'œil signifiait, et une peur atroce l'envahit à l'idée de remonter dans un avion. Mais Irena était sa sœur, elle l'aimait beaucoup, si bien qu'elle inspira à fond et, rassemblant son courage, déclara :

— J'irai avec elle.

— Il n'en est pas question ! s'écria Daniel. Tu n'es pas en état d'entreprendre un tel voyage.

— Mais si !

508

— Non! trancha Nick. Daniel a raison, et c'est idiot de ma part de ne pas m'être souvenu que vous veniez à peine de sortir de l'hôpital.

— Je peux y aller, moi, observa calmement Gina.

— Vous? s'exclama Nick en fronçant les sourcils.

— Écoutez, je n'ai besoin de personne, murmura Irena, espérant ainsi mettre fin à cette discussion gênante.

— Il lui faut quelqu'un qui parle espagnol, intervint alors Esteban. Une fois en Espagne, elle aura toutes sortes de problèmes à régler, et notamment celui du trajet de l'aéroport de Málaga jusqu'à son village. Cela suppose de traverser une partie de la sierra Nevada, et le mieux serait de louer une voiture en arrivant, mais ces routes de montagne sont dangereuses, et Irena est trop bouleversée pour qu'on la laisse s'y aventurer seule. Je l'accompagnerai donc... à condition que vous m'autorisiez à m'absenter quelques jours, Nick.

— Bien sûr, répondit ce dernier, et j'aurais dû tout de suite penser à vous, Esteban. Merci beaucoup de votre offre. C'est vraiment la solution idéale.

— Mais non! protesta Irena, atterrée à l'idée de voyager avec Esteban. Je ne suis plus une petite fille... Je suis venue d'Espagne par moi-même, et je peux très bien y retourner de la même façon.

— Ne discutez pas! lui dit sèchement Esteban. Je pars avec vous, un point, c'est tout!

Soudain consciente des regards curieux posés sur eux, la jeune Espagnole rougit et se tut. Il était de toute façon évident qu'Esteban avait pris sa décision et que rien ne l'en ferait démordre. Mais comment pourrait-elle supporter de passer tant d'heures seule avec lui, sachant qu'il l'escortait uniquement parce qu'il la considérait comme une enfant à protéger et non comme une femme?

9.

Il faisait encore jour quand le jet de Nick atterrit à Málaga, mais le temps qu'Esteban et Irena louent une voiture et quittent l'aéroport, le soleil incendiait la mer de ses derniers rayons. Ils roulèrent pendant des kilomètres le long d'un littoral bordé d'immeubles résidentiels, d'hôtels, de bars, de boutiques et de salles de jeux vidéo éclairées au néon. Esteban gardait les yeux fixés sur la route car il y avait beaucoup de circulation, mais Irena voyait à ses sourcils froncés que ces bâtiments modernes, ces galeries marchandes encombrées et ces voitures roulant pare-chocs contre pare-chocs lui déplaisaient autant qu'à elle.

— Le tourisme est un véritable fléau, grommela-t-il soudain.

— Oui, mais grâce à lui, nous sommes moins pauvres qu'avant.

— Il a en effet élevé le niveau de vie et créé des emplois, mais il a aussi complètement défiguré cette côte.

— Peut-être aurions-nous dû nous battre contre les promoteurs immobiliers dès le départ ? Ma mère dit qu'après la guerre civile, il ne restait plus aux gens que l'énergie nécessaire pour survivre. Elle a connu des conditions de vie très difficiles durant son enfance, comme la plupart des Espagnols à cette époque, et quand le tourisme a commencé à se développer, personne ne s'est soucié de ce qu'il apporterait avec lui ; on n'en a vu que les avantages pour l'économie et les salaires.

— Je crains que votre mère n'ait raison...

Il se tut ensuite, et Irena, fatiguée par le voyage, ferma les yeux. La vitre de sa portière était baissée et, bientôt, une brise fraîche qui apportait une odeur d'oliviers lui fouetta le visage. La jeune femme comprit alors que la voiture s'éloignait de la mer et se dirigeait vers les contreforts de la sierra Nevada. Elle sombra peu à peu dans le sommeil, et sa tête finit par venir s'appuyer sur l'épaule d'Esteban. Très doucement, celui-ci enlaça doucement sa compagne de façon à bien la caler contre sa poitrine.

Le vent soulevait les longs cheveux châtains d'Irena, et Esteban les rabattit, souriant au contact des mèches soyeuses qui glissaient entre ses doigts comme de l'eau. Elles sentaient le citron, odeur qui lui rappelait son enfance : il aimait alors enfoncer un ongle dans l'écorce rugueuse de ces fruits, dont le jus se répandait sur sa peau et y laissait ce merveilleux parfum.

La route montait en pente raide, maintenant. Les arbres se faisaient plus rares, remplacés par de maigres buissons d'épineux et d'énormes blocs de roche. La voiture longeait un précipice de plus en plus profond, et l'obscurité obligeait Esteban à conduire lentement, toute son attention concentrée sur la suite de lacets qui grimpaient à flanc de montagne.

Deux heures passèrent ainsi, puis Irena commença à reprendre conscience. Elle entendit un bruit assourdi de battement tout contre son oreille, perçut le poids d'un bras autour de ses épaules, et ses yeux s'ouvrirent tout grands... Elle avait la joue posée sur la poitrine d'Esteban, dont elle sentait la peau tiède à travers la chemise légère...

La gorge nouée, elle se redressa vivement et rougit en s'apercevant qu'Esteban la regardait.

— Ça va mieux ? murmura-t-il.

— Euh... oui, merci... J'ai dormi longtemps ?

— Quelques heures.

— Vous auriez dû me réveiller !

— Pourquoi ? Vous aviez manifestement besoin de vous reposer, et je ne risquais pas de me perdre sur cette route : il n'y a pas eu un seul croisement depuis que nous avons attaqué la montagne.

Était-elle restée ainsi blottie contre lui pendant tout ce temps ? songea la jeune femme. Affreusement gênée, elle s'enfonça dans son siège, le plus loin possible d'Esteban.

Ils entrèrent quelques minutes plus tard dans un village désert et silencieux dont aucune lumière n'éclairait l'unique rue. Apercevant un carrefour devant lui, Esteban ralentit pour étudier les panneaux de signalisation, puis demanda à Irena :

— Quelle direction faut-il prendre pour aller jusqu'à votre village ?

— Tournez à droite. Nous y serons dans une demi-heure ; nous avons passé le col, et la route sera maintenant plus facile... J'espère que Ramon et Miguel ne sont pas couchés.

— Nick m'a promis de les prévenir de notre arrivée et, quand Nick promet quelque chose, il le fait, déclara Esteban en étouffant un bâillement. Mais heureusement que nous ne sommes plus loin... Je dormirais bien quelques heures, moi aussi !

— Vous êtes fatigué ? Vous voulez que je vous remplace au volant ? J'ai mon permis et je connais la région.

— Non. Même si vous les connaissez, ces routes sont dangereuses, surtout la nuit, et vous vous tourmentez en outre au sujet de votre mère, ce qui n'est pas le meilleur état d'esprit pour conduire, même dans de bonnes conditions. Ne vous inquiétez pas pour moi, ça ira... A quelle distance du village se trouve votre maison ?

— A environ un quart d'heure de voiture... Mais laissez-moi prendre le volant, je vous en prie !

— Non.

— Mais...

— J'ai dit non !

Blessée, la jeune femme se tut. Un lourd silence s'installa, puis Esteban marmonna :

— Désolé, Irena, je n'aurais pas dû vous parler sur ce ton. Ma seule excuse, c'est que je suis fatigué. Je sais qu'elle n'est pas suffisante, et vous pourrez me faire des reproches demain, mais restons-en là pour ce soir, d'accord ?

Plus aucun mot ne fut échangé pendant la demi-heure qui suivit, et ils finirent par atteindre le chemin de terre qui menait à la petite ferme où Irena avait passé la plus grande partie de son existence. Les roues de la voiture soulevaient une telle poussière et le pare-brise était à présent si sale que la jeune femme fut obligée de se pencher par la vitre pour contempler enfin le paysage de son enfance. Les rayons de la lune baignaient d'une lueur argentée les feuilles frémissantes des oliviers, les hautes silhouettes des cyprès et les murs de la ferme, blancs et si épais qu'ils protégeaient l'habitation des pluies et des vents les plus violents. Aucune lumière ne brillait derrière les fenêtres aux volets fermés, mais le bruit du moteur, s'il ne parut pas alerter les occupants de la maison, réveilla en revanche les animaux : des chiens se mirent à aboyer, un âne à braire, et sur le toit de la grange, une cigogne se dressa dans son nid avec des claquements de bec mécontents, auxquels la mule logée en dessous répondit par de furieux coups de pied contre la paroi de sa stalle.

— Si Ramon et Miguel sont là, ils ne peuvent plus

ignorer que nous sommes arrivés ! s'exclama Esteban en se garant dans la cour.

Tout ankylosée après ces longues heures passées sans bouger, Irena descendit tant bien que mal de la voiture. Depuis qu'elle savait sa mère malade, elle n'avait qu'une idée en tête, la rejoindre, mais la peur de ce que ses frères allaient lui apprendre la paralysait, à présent.

— Venez ! dit doucement Esteban en l'enlaçant pour la guider vers la maison.

Comme s'il lui avait communiqué sa force par ce simple geste, la jeune femme se redressa. Il fallait être courageuse : Ramon et Miguel avaient besoin d'elle. Ils avaient beau travailler comme des hommes, ce n'étaient encore que des adolescents, et le message qu'ils lui avaient envoyé ressemblait beaucoup à un appel à l'aide.

Avant qu'elle n'ait eu le temps de se remettre en marche, cependant, une lampe s'alluma à l'intérieur de la ferme, la porte s'ouvrit à toute volée et Ramon parut sur le seuil, les cheveux ébouriffés, vêtu d'un jean et d'une chemise froissés.

— C'est toi, Irena ? cria-t-il en scrutant l'obscurité.

— Oui, Ramon ! répondit-elle en s'élançant vers lui.

Miguel surgit alors derrière son frère, l'air aussi hagard et la tenue aussi en désordre. Ils s'étaient manifestement couchés tout habillés.

— Comment va maman ? demanda Irena avant même d'avoir atteint la porte.

— Mieux, maintenant, indiqua Ramon d'un ton rassurant. On l'a opérée en fin d'après-midi et son état n'inspire plus aucune inquiétude.

— Opérée ? répéta la jeune femme. De quoi ? C'est grave ?

— Une appendicite qui risquait de dégénérer en péritonite. Il a fallu intervenir d'urgence. On m'a dit, à l'hôpital, qu'il valait mieux te prévenir, et j'ai donc appelé le numéro que tu m'avais donné au journal, mais là, on m'a annoncé que tu étais à un mariage dans un hôtel des environs de Londres. Et quand j'ai eu cet hôtel, j'ai juste laissé un message à la réceptionniste, parce que ç'aurait été trop long d'aller te chercher au milieu de tous les invités. Même ainsi, tout cela a coûté une fortune, et maman va hurler quand elle verra la facture !

— Ne t'inquiète pas, je la paierai, déclara Irena en embrassant Ramon. J'ai essayé de te téléphoner avant de prendre l'avion, mais personne n'a répondu.

— M. Caspian a réussi à nous joindre il y a quelques heures pour nous avertir de ton arrivée, mais nous avons passé presque toute la soirée à l'hôpital, expliqua le jeune garçon. Je ne voulais pas en partir avant d'être sûr que maman allait bien.

— Et elle va bien ? Tu en es certain ?

— Oui, le chirurgien m'a affirmé qu'elle était hors de danger.

— Dieu soit loué !

— J'ai eu raison de te demander de venir, Irena ? murmura Ramon d'une voix de petit garçon craignant d'être grondé. Je ne savais pas comment l'opération se passerait, tu comprends, et je voulais que tu sois là si... s'il arrivait quelque chose.

— Oui, tu as très bien fait, dit Irena. Je suis fière de toi.

Miguel, cependant, attendait qu'elle l'embrasse à son tour et, quand elle se tourna vers lui, il annonça en souriant :

— Nous serions encore à l'hôpital si cette infirmière ne nous avait pas mis dehors. Un vrai dragon, qui nous a parlé comme à des gosses !

— Non ? s'écria Irena d'un ton taquin.

Comme pour lui prouver qu'elle aurait eu tort de le traiter en gamin, Miguel écrasa alors littéralement sa

516

sœur entre ses bras. Qu'il était fort, pour son âge ! songea la jeune femme avec tendresse. Il s'était même encore développé depuis la dernière fois qu'elle l'avait vu : il la dépassait maintenant de plusieurs centimètres et ses épaules s'étaient élargies.

Pendant ce temps, Ramon fixait d'un air soupçonneux Esteban qui s'était discrètement tenu à l'écart pour ne pas troubler ces retrouvailles familiales.

— Qui est-ce ? finit-il par dire à Irena. Un chauffeur de taxi ? Il attend qu'on le paie ?

— Non, non ! répondit la jeune femme en rougissant. C'est Esteban Sebastian, un ami de Londres... Venez, Esteban, que je vous présente mes frères... Pouvons-nous le loger cette nuit, Ramon ? Il a conduit d'une traite de Málaga jusqu'ici, et il est très fatigué.

Les sourcils froncés, Ramon dévisagea cet étranger qui avait surgi avec sa sœur au milieu de la nuit. Les deux hommes se toisèrent quelques instants en silence, comme des taureaux avant le combat, puis Esteban expliqua d'une voix calme :

— Je travaille au journal qui a engagé Irena pour l'été et, comme je suis espagnol et que je connais la région, notre patron m'a demandé d'escorter votre sœur. Il ne voulait pas qu'elle voyage seule et surtout qu'elle ait à conduire la nuit dans ces montagnes.

— Oui, il a eu raison, et j'aurais dû y penser, dit Ramon. Mais je me suis affolé et...

— C'est parfaitement compréhensible. Tout homme dont la mère est gravement malade aurait eu la même réaction.

Le jeune garçon rougit de plaisir et tendit la main à Esteban, qui la serra gravement.

— Entrez, je vous en prie, proposa ensuite Ramon en guidant le visiteur à l'intérieur de la maison.

La salle de séjour dans laquelle ils pénétrèrent était

décorée de meubles traditionnels que les Olivero se transmettaient de génération en génération : un vaisselier de chêne sombre, une grande table patinée par les ans, un banc à haut dossier placé près de la cheminée et garni de coussins de velours rouge assortis aux rideaux des fenêtres. Grazia n'avait jamais voulu moderniser cette pièce simple aux murs blanchis à la chaux, se contentant d'y ajouter une note personnelle sous forme de vases de fleurs fraîches ou séchées qui égayaient et embaumaient l'atmosphère. Elle avait également acheté chez un brocanteur voisin une vitrine ancienne dont l'étagère supérieure contenait des porcelaines, des verreries et des cuivres, et les autres, des livres en anglais et en français. Grazia s'était en effet toujours efforcée d'entretenir ses connaissances dans ces deux langues, même si elle avait parfois du mal à trouver le temps de lire.

— Avez-vous dîné ? demanda Ramon en étouffant un bâillement.

— Non, mais je n'ai pas faim, répondit Irena. Je crois que je vais aller directement me coucher. Et vous, Esteban ? Vous avez envie de manger quelque chose ?

— Non, j'ai avant tout besoin de dormir.

Assumant alors d'instinct le rôle de maîtresse de maison, Irena se tourna vers ses frères et leur annonça :

— Vous dormirez ce soir dans la même chambre, les garçons, et Esteban prendra celle de maman.

Ramon et Miguel échangèrent un regard surpris, puis hochèrent la tête en signe d'assentiment : la maison ne comportant que trois chambres à coucher, il n'y avait pas d'autre solution.

Après qu'Esteban eut rapporté leurs sacs de voyage de la voiture, la jeune femme le conduisit dans la chambre où elle était, née, ainsi que ses deux frères. Cette pièce était elle aussi meublée de façon traditionnelle, avec un grand lit à cadre de cuivre et des rideaux de dentelle. Une

518

lampe à abat-jour rouge posée sur la table de chevet y créait cependant une ambiance chaude et intime qu'Irena avait toujours aimée.

— Si vous avez besoin de quoi que ce soit, déclara-t-elle, Ramon et Miguel dorment à côté. La salle de bains est en face, mais je crains que vous ne la trouviez un peu rudimentaire.

— Cessez de vous tourmenter pour de pareilles vétilles ! répliqua-t-il en souriant.

Il tendit alors la main et caressa doucement la joue de la jeune femme, qui ferma les yeux et murmura :

— Esteban...

Mais les pas de ses frères retentirent soudain dans le couloir, et Esteban, laissant retomber son bras, s'écarta.

— Bonne nuit, Irena ! dit-il d'une voix aussi profonde que la nuit, dehors.

Trop troublée pour parler, la jeune femme sortit précipitamment de la chambre et gagna la sienne, dont elle referma la porte en tremblant. Quand Esteban la regardait ainsi, un élan incontrôlable la portait vers lui. Elle avait cru qu'il allait l'embrasser de nouveau, son corps tout entier avait frémi de désir et, maintenant, elle éprouvait un sentiment de frustration intolérable.

Pour tenter de recouvrer son sang-froid, Irena parcourut la pièce des yeux et eut l'agréable surprise de constater que tout y était parfaitement rangé. Miguel l'utilisait en son absence et leur mère se plaignait toujours du désordre qui y régnait — du linge sale, des cassettes, des photos de vedettes de la chanson traînaient en permanence sur le sol —, mais aujourd'hui, sachant que sa sœur viendrait, Miguel avait pris le temps de déménager ses affaires, et la chambre était impeccable.

Un petit coup frappé à la porte interrompit la jeune femme dans ses réflexions, et, deux secondes plus tard, ses frères parurent sur le seuil.

519

— On peut faire quelque chose pour toi avant de retourner dormir ?

— Non, merci. Je me mets tout de suite au lit. A demain matin !

Elle leur sourit avec affection. C'étaient de gentils garçons, leur mère le disait toujours, et elle avait raison. Ils travaillaient dur, supportaient sans jamais se plaindre des conditions de vie difficiles, et ils avaient le sens de la famille.

— A demain matin ! répétèrent-ils en chœur avant de quitter la pièce sur la pointe des pieds.

Une fois couchée, Irena éteignit la lampe et resta immobile à écouter les bruits de la nuit andalouse qui lui avaient tant manqué, en Angleterre : le chant des cigales, le bruissement des feuilles d'olivier, le murmure du vent dans les cyprès, le hululement d'une chouette qui chassait dans la vallée...

Tandis qu'elle cherchait le sommeil, la jeune femme entendit aussi grincer les ressorts du lit d'Esteban au moment où il s'allongeait, et elle se souvint de l'instant où elle s'était réveillée dans ses bras, pendant le trajet, du sentiment de bien-être qui avait précédé cette réaction de gêne... En fermant les yeux, elle arrivait presque à percevoir de nouveau le battement du cœur d'Esteban, la chaleur de son corps contre le sien. Et c'est bercée par le souvenir de ces douces sensations qu'elle sombra dans le sommeil.

Quand Irena se leva le lendemain, la matinée était déjà avancée, mais un silence absolu régnait dans la maison. Elle trouva sur la table de la cuisine un mot de Miguel expliquant que Ramon et lui étaient partis travailler, et décida de préparer le petit déjeuner avant de réveiller Esteban. Ce dernier entra cependant dans la pièce, rasé de frais et les cheveux mouillés, alors qu'elle finissait de mettre le couvert.

— Vous avez bien dormi ? lui demanda-t-il en souriant.

— Très bien ! Et vous ?

— Comme une souche !

— Asseyez-vous, le café est prêt.

Une fois Esteban installé, Irena disposa devant lui du pain, du fromage et des fruits avant de s'asseoir à son tour. Ils mangèrent tous les deux quelques instants en silence, puis Esteban s'enquit :

— Quand voulez-vous aller voir votre mère ?

— Les visites ne sont autorisées que de 2 à 5 heures.

— Cela me donne donc le temps de faire le tour de la ferme et de bavarder un peu avec vos frères. Ils me plaisent beaucoup, et j'ai pu me rendre compte qu'ils vous aimaient tendrement.

— Je les aime moi aussi de tout mon cœur ! déclara la jeune femme avec fougue.

Elle se leva alors pour servir une autre tasse de café à Esteban, mais au moment où elle se penchait vers lui, il eut un brusque mouvement de recul, comme s'il craignait qu'elle ne le touche. Ce geste la blessa au plus profond de son être et, dans sa hâte de s'éloigner le plus vite possible d'Esteban, elle versa le café si précipitamment que des gouttes de liquide bouillant éclaboussèrent son bras nu. Elle poussa un cri de douleur, posa la cafetière sur la table et courut vers l'évier pour passer de l'eau froide sur la brûlure.

— Rien de grave, au moins ? s'enquit Esteban, une pointe d'irritation dans la voix.

— Laissez-moi tranquille !

Au lieu d'obéir à cet ordre, Esteban s'approcha d'elle, lui saisit le bras et examina les plaques rouges qui marquaient la peau fine. Irena détourna vivement la tête afin de lui cacher ses yeux remplis de larmes, mais trop tard, car Esteban déclara d'un ton radouci :

— Non, ne pleurez pas, Irena !

— Excusez-moi..., murmura-t-elle, la gorge nouée.

Portant alors le bras blessé à ses lèvres, Esteban déposa un baiser léger sur la brûlure, et la jeune femme tressaillit violemment.

— Je vous ai fait mal ? demanda-t-il en levant les yeux vers elle.

— J'ai mal à chaque fois que je vous vois, répondit-elle, incapable de contenir plus longtemps sa douleur.

— Taisez-vous ! s'écria Esteban en pâlissant.

— Pourquoi ? C'est la vérité.

— Écoutez, Irena, je suis flatté de l'intérêt que vous me portez mais... Vous êtes trop jeune pour moi. Je ne supporte pas l'idée que vous souffriez à cause de moi et, pourtant, vous souffrirez bien plus encore si nous ne mettons pas fin dès maintenant à cette folie. Je n'aurais jamais dû vous emmener dîner, l'autre soir...

— Ce n'est pas parce que votre femme est morte, Esteban, que vous ne pouvez plus jamais être heureux ! observa la jeune femme, puisant dans son désespoir même la force de parler sans détour.

— Je n'ai pas dit cela !

Puis il décrocha une serviette pendue près de l'évier et sécha délicatement le bras d'Irena.

— Ça va mieux ? murmura-t-il. Gardez cette serviette un moment sur votre peau pour la protéger du contact de l'air.

Il changeait volontairement de sujet, songea-t-elle ; il la repoussait de nouveau... Et son chagrin se lisait sûrement sur son visage, car Esteban finit par reprendre en soupirant :

— Comprenez-moi, Irena... Je ne veux pas commettre deux fois la même erreur. Je ne veux pas épouser une très jeune femme, pour qu'elle reste seule à se morfondre des journées entières dans un appartement. Si je me remarie

522

un jour, ce sera avec quelqu'un de mon âge, qui travaillera à l'extérieur et de préférence dans la même entreprise que moi, afin que nous passions le plus de temps possible ensemble.

— Mais je compte bien travailler à l'extérieur ! Toutes les femmes le font, à notre époque ! Dominga s'est peut-être senti perdue et abandonnée à Madrid, mais moi, j'ai un caractère très différent du sien. A dix-neuf ans, après avoir vécu toute ma vie dans cette région isolée, j'ai quitté ma famille pour aller étudier à Paris, et je me suis très vite adaptée. Et ne suis-je pas venue seule à Londres, n'ai-je pas travaillé à *L'Observateur,* exploré la ville en bus, noué de nombreuses relations ? Je ne me suis pas terrée chez moi, trop terrifiée pour m'aventurer dehors !

L'expression sombre avec laquelle Esteban la fixait l'effrayait un peu, mais une volonté plus forte encore que sa timidité la poussait à continuer, à tenter au moins d'expliquer à cet homme qu'il se méprenait sur son compte.

— Je ne suis pas une seconde Dominga ! poursuivit-elle, véhémente. Et vous ne pouvez pas vous empêcher éternellement de vivre de crainte que le passé ne se répète... D'ailleurs, qui a parlé de mariage ? Pourquoi ne pas être simplement amis ?

— Vous savez très bien que c'est impossible.

— Et pourquoi donc ? demanda-t-elle, l'air faussement innocent.

Parce que je suis déjà à moitié amoureux de vous et qu'il est trop tard pour essayer de devenir amis.

Surprise par ce demi-aveu auquel elle ne s'attendait pas, Irena leva la tête. Au même moment, Esteban baissa la sienne, et leurs bouches se rencontrèrent tandis que leurs corps se pressaient l'un contre l'autre, comme liés par quelque mystérieuse force d'attraction. Les lèvres brûlantes d'Esteban et les caresses de ses mains fiévreuses firent courir un feu délicieux dans les veines de la jeune femme. Elle n'aurait jamais cru possible d'éprouver une telle volupté... Et Esteban, à en juger par l'ardeur grandissante de son baiser, par le tremblement qui l'agitait, ressentait la même chose — ce mélange complexe de désir, de passion et d'émotion qui s'appelait l'amour.

Mais il n'était pas encore prêt à le reconnaître. Il avait décidé des années plus tôt de ne plus jamais aimer et, comme c'était un Espagnol entêté, il luttait contre ce qui lui apparaissait comme une trahison vis-à-vis de sa première femme et de lui-même... Il avait pourtant besoin d'aimer et d'être aimé, comme tout le monde. Une fois qu'il aurait admis cela, tout serait facile, car Irena savait depuis leur première rencontre qu'il était l'homme de sa vie, et ne doutait plus à présent des sentiments qu'il lui portait. Et si elle l'obligeait par la ruse à vaincre ses dernières résistances ?

Séduite par cette idée, la jeune femme s'arracha brusquement à l'étreinte de son compagnon et, feignant la désinvolture, observa d'un ton dégagé :

— Vous embrassez mieux qu'aucun homme que j'ai connu jusqu'ici.

— Quoi ? s'écria-t-il.

— Vous ne vous imaginiez tout de même pas que je n'avais jamais eu de petit ami... Je ne suis pas comme mes anciennes camarades de classe, qui sont déjà presque toutes mariées et dont certaines ont même plusieurs enfants ! Je suis allée à l'université, moi, et j'y ai appris bien des choses en dehors des langues étrangères.

— Vous voulez dire que... que...

— Non. Je n'ai pas eu d'amants.

— Et... pourquoi, si je puis me permettre ?

— Parce que je n'ai jamais aimé quelqu'un suffisamment pour courir le risque de tomber enceinte, comme ma mère, qui a renoncé à cause de cela à poursuivre ses

524

études. Je pense qu'une femme peut arriver à concilier l'amour et une vie professionnelle, à condition de trouver un homme qui la considère comme son égale et non comme une enfant qu'il faut protéger des dures réalités de la vie.

— Eh bien..., balbutia Esteban, les yeux écarquillés. Moi qui vous prenais pour une petite fille timide et innocente !

— Vous vous trompiez, et cela devrait vous faire réfléchir.

— Dans l'immédiat, je suis trop secoué pour réfléchir ! s'exclama-t-il en éclatant soudain de rire. Et je vais rejoindre vos frères, sinon, dans une minute, je serai à vos pieds en train de vous demander en mariage !

Bien que proférée sur le ton de la plaisanterie, cette remarque remplit de joie le cœur d'Irena : sa tactique avait marché au-delà de toute espérance. En mêlant provocation et franchise, elle avait obligé Esteban à la voir sous un autre jour, et une brèche s'était ouverte dans le mur des interdits qu'il s'imposait depuis si longtemps.

Une fois Esteban parti, ce fut donc en fredonnant gaiement que la jeune femme rangea la cuisine, puis commença à préparer le déjeuner.

Les trois hommes rentrèrent vers midi, et le repas se passa dans une ambiance détendue et chaleureuse. La sympathie d'Esteban pour Ramon et Miguel était visiblement partagée, et cela fit à Irena un plaisir immense : elle n'aurait pas supporté que des êtres qui lui étaient aussi chers ne s'entendent pas entre eux.

Quand la vaisselle fut lavée et essuyée — tout le monde ayant participé de bon cœur à cette tâche —, ils se mirent en route pour l'hôpital, situé dans la ville voisine. Là, Esteban et les deux garçons allèrent s'installer dans la salle d'attente pendant qu'Irena poussait la porte de la chambre de sa mère. Celle-ci reposait entre les draps blancs, les yeux fermés, les mains croisées sur la couverture, et si parfaitement immobile qu'Irena se figea sur le seuil, le cœur serré par une terrible angoisse.

— Maman..., chuchota-t-elle.

Les paupières de Grazia battirent, puis s'ouvrirent, et elle tourna lentement la tête vers la porte.

— Ah! Tu es réveillée, s'écria Irena en courant vers le lit et en se penchant pour embrasser sa mère. Comment te sens-tu? Tu as besoin de quelque chose? Regarde, je t'ai apporté des fleurs et des fruits du jardin.

En voyant le bouquet que sa fille lui tendait, Grazia s'exclama, consternée:

— Tu as cueilli mes roses blanches!

Ces fleurs aux pétales aussi délicats que des flocons de neige étaient ses préférées. Leur culture dans cette région brûlée par le soleil exigeait beaucoup de soins. Elle les faisait pousser dans de grands pots de terre cuite, les rentrait à l'intérieur de la maison les jours de mauvais temps, les nourrissait, les taillait, bref, ne ménageait ni son temps ni sa peine pour préserver leur beauté fragile.

Afin d'apaiser sa mère, Irena déclara, pince-sans-rire:

— Elles voulaient venir.

— Comment cela? s'exclama Grazia, les yeux écarquillés.

— Oui, elles avaient envie d'être avec toi.

Une seconde, Grazia parut hésiter entre la colère et l'amusement, puis un sourire illumina son visage. Elle avait toujours eu le sens de l'humour et adorait l'absurde tel que le pratiquaient des romanciers anglais comme Lewis Carroll, dont elle avait lu l'*Alice au pays des merveilles* à ses enfants dès leur plus jeune âge.

— Tu n'es vraiment pas raisonnable! observa-t-elle. Je passe des heures à m'occuper de mes roses, et toi, tu en cueilles tranquillement une douzaine!

— Étant à l'hôpital, tu ne pouvais pas les voir, et, dans

un jour ou deux, elles auraient commencé à être moins belles. Encore une semaine, et elles auraient perdu leurs pétales, or les garçons m'ont dit que tu resterais ici une huitaine de jours au moins. Je t'en ai donc apporté pour que tu en profites.

— Oui, tu as eu raison, admit Grazia en caressant l'une des fleurs du bout des doigts. Cela m'aurait beaucoup attristée, en rentrant à la maison, de les retrouver toutes fanées. Les roses sont comme les enfants; on a beau les entourer de tendresse et de soins, essayer de les protéger, mille dangers les menacent. Mais sans doute est-ce la difficulté même de la tâche qui en fait toute la valeur...

Irena approcha alors une chaise du lit et, s'asseyant au chevet de sa mère, demanda :

— Raconte-moi ton opération.

— Je ne me souviens de rien, répondit Grazia avec une petite grimace. Tout ce que je sais, c'est que j'ai pour l'instant du mal à bouger. Le chirurgien m'a pourtant promis que cela s'arrangerait et que je gambaderais comme un cabri dans quelques jours. En attendant, les fils me tirent au moindre mouvement !

— Pauvre maman ! Mais Dieu merci, les garçons t'ont amenée ici à temps. Tu as cependant dû souffrir pendant le trajet. La route est si mauvaise !

— Heurcusement, Ramon a appelé une ambulance, qu'il a ensuite suivie dans notre vieille camionnette. Cela m'a évité d'être trop secouée pendant le voyage, car tu as pu constater en venant que la camionnette était toujours aussi bringuebalante.

— Non, c'est Esteban qui nous a conduits ici dans la voiture qu'il a louée à Málaga.

— Esteban ? répéta Grazia.

— Oh ! je... j'ai oublié de te parler de lui, balbutia Irena en rougissant.

— En effet ! A en juger par son prénom, il est espagnol, mais où l'as-tu connu, et pourquoi t'a-t-il accompagnée ?

— C'est le directeur du marketing de *L'Observateur*. Il est en ce moment dans la salle d'attente avec les garçons. Tu veux que je te le présente ?

La jeune femme s'était déjà levée, mais Grazia l'arrêta d'un geste.

— Une seconde ! Tu dis qu'il est directeur du marketing ? C'est un homme important, alors, et il doit être beaucoup plus âgé que toi... Quels sont exactement vos rapports ?

— Je suis sûre qu'il te plaira, se contenta de déclarer Irena, qui ne se sentait pas encore prête à confier son secret à sa mère.

Sur ces mots, elle se dirigea vers la porte et l'ouvrit.

— Tu n'as pas répondu à mes questions ! Reviens ! cria Grazia.

Mais Irena ne l'entendit pas, car au bout du couloir se tenait la dernière personne qu'elle s'attendait à rencontrer là : son père. Il portait comme toujours une tenue décontractée — un jean délavé, une chemisette à col ouvert, des chaussures de sport —, qui, de loin, lui donnaient l'air d'avoir à peine plus de quarante ans. Et son âge véritable, une soixantaine d'années, ne l'empêchait pas d'être très séduisant, avec ses yeux bleus au regard pétillant et l'extraordinaire magnétisme qui se dégageait de tout son être.

— Desmond ! Oh ! Desmond... Où étais-tu ? s'exclama Irena en courant vers lui et en se jetant à son cou. Je suis si contente de te voir !

— Moi aussi, ma chérie, affirma-t-il en l'embrassant tendrement.

— Mais que fais-tu en Espagne alors que tout le monde te croyait au Viêt-nam ?

528

— J'en arrive. Je ne suis rentré à Londres que ce matin, après avoir reçu un télégramme de Nick Caspian — l'un des nombreux qu'il m'a apparemment envoyés, mais le seul qui m'ait finalement atteint. Quand je suis ainsi en reportage dans un pays lointain, j'essaie d'éviter tout contact avec les Européens, tu comprends, et je ne me tiens pas au courant de l'actualité.

— Comment as-tu trouvé Rose ? Ses blessures ne sont pas trop graves, mais elle a beaucoup maigri, et cette horrible expérience l'a éprouvée moralement, même si elle s'efforce de ne pas le montrer.

— Oui, j'ai eu la même impression. Mais quand elle m'a parlé de la maladie de Grazia et de ton départ précipité pour l'Espagne, j'ai pensé que vous aviez plus besoin de moi qu'elle. J'ai donc sauté dans le premier avion à destination de Málaga, j'ai loué une voiture à l'aéroport, et me voilà ! Nick savait par Ramon, qu'il a eu hier soir au téléphone, dans quel hôpital était ta mère. Et à propos de ta mère, il faut que j'aille la saluer...

Desmond entra alors dans la chambre. Grazia avait dû entendre la conversation et eu le temps de revenir de sa surprise, car elle accueillit son visiteur inattendu avec beaucoup de calme.

— Bonjour, Grazia, dit Desmond. Comment vas-tu cet après-midi ? Mieux qu'hier ?

— Bonjour, monsieur Amery, déclara Grazia en lui tendant la main. Je vais en effet beaucoup mieux, merci.

Cette scène fit à Irena une impression très étrange. Ces deux personnes qui se serraient poliment la main, comme des étrangers, étaient ses parents... C'était la première fois qu'elle les voyait ensemble, et son esprit avait du mal à concevoir le lien qui les avait autrefois unis et sans lequel elle n'existerait pourtant pas aujourd'hui. Et eux, se demanda-t-elle soudain, que pouvaient-ils bien ressentir en se retrouvant ainsi au bout de vingt ans ? Pour l'instant, ils discutaient du temps, de la nourriture de l'hôpital et du Viêt-nam, mais sans doute était-ce juste un moyen de rétablir le contact...

En observant sa mère, cependant, Irena constata qu'elle avait le visage plus rose et les yeux plus brillants depuis l'apparition de Desmond. Afin de leur permettre de parler plus librement, la jeune femme quitta la pièce sur la pointe des pieds. Esteban était toujours assis dans la salle d'attente, mais Ramon et Miguel avaient disparu.

— Où sont les garçons ? s'enquit-elle.

— Ils sont allés prendre un café et reviendront dans une demi-heure... Mais dites-moi, on n'est jamais au bout de ses surprises, avec votre famille ! Pourquoi Desmond est-il là ? D'après ce que j'avais compris, votre mère et lui n'ont eu qu'une liaison très brève et sans lendemain.

— Oui, mais... Écoutez, mieux vaut sortir... Je ne voudrais pas qu'ils entendent notre conversation.

Ils quittèrent donc la pièce et se dirigèrent vers une porte ouverte qui donnait sur un petit jardin bordé de parterres de fleurs, autour desquels s'activaient des myriades d'abeilles. L'air embaumait la lavande, et Irena resta quelques instants à savourer ce doux parfum avant d'expliquer à Esteban la façon dont elle voyait les rapports entre ses parents :

— Je suis sûre que ma mère était amoureuse de Desmond, sinon elle ne serait jamais devenue sa maîtresse. Mais Desmond, lui, s'est engagé dans cette relation uniquement pour tenter d'oublier le chagrin que lui avait causé la mort de sa femme. Ma mère a fini par s'en apercevoir, et elle est partie, sans savoir alors qu'elle était enceinte. L'homme auquel sa famille la destinait depuis toujours a généreusement accepté de m'élever comme sa propre fille, et ils ont été heureux ensemble, même si ma mère n'a jamais éprouvé pour lui le même type d'amour que pour mon véritable père. En fait, je crois qu'elle n'a jamais oublié Desmond.

— Et lui?

— Je ne le connais pas assez bien pour comprendre ses pensées et ses sentiments.

— Il est pourtant venu dès qu'il a appris la maladie de Grazia...

— Oui, et je me demande ce que cela signifie.

— Ça vous ennuie?

— N... non, murmura la jeune femme.

Son hésitation n'échappa nullement à Esteban, qui questionna en fronçant les sourcils :

— Vous craignez qu'ils ne vous portent l'un et l'autre moins d'intérêt si jamais ils renouent?

Contrariée qu'il ait lu dans son cœur avec tant de perspicacité, Irena émit un petit rire sans joie et répondit :

— Peut-être un peu... C'est une réaction égoïste et puérile, n'est-ce pas?

— Non, simplement humaine, déclara Esteban en caressant doucement la joue de la jeune femme. Personne n'aime les changements, surtout quand ils concernent des êtres chers. On voudrait que rien ne vienne jamais modifier une situation à laquelle on est habitué.

— De qui parlez-vous, là? interrogea Irena en le regardant d'un air ironique. De moi ou de vous?

— Des deux.

D'un geste tendre, Esteban enlaça alors la jeune femme, dont le cœur se mit à battre la chamade.

— Je me suis senti attiré par vous dès que je vous ai vue dans l'avion de Londres, reprit-il d'une voix rauque. Je n'ai cessé ensuite de vous observer à la dérobée; je vous trouvais charmante, mais l'idée de tomber amoureux d'une femme aussi jeune que vous me faisait peur. Et j'avais raison : c'est de la folie!

Mais Irena l'écoutait à peine : le regard brûlant qu'Esteban fixait sur elle en disait plus que toutes les paroles.

— Je vous aime, Esteban, chuchota-t-elle.

Allait-il la repousser ? songea-t-elle, tremblante. Le souvenir du passé l'empêcherait-il d'accepter l'amour qu'elle lui offrait, et qu'elle savait pourtant partagé, à présent ?

— Moi aussi, je vous aime, Irena, mais nous nous connaissons à peine... Avant de vous engager, il faut que vous soyez sûre de vos sentiments.

— Je le suis, affirma-t-elle avec force.

— Mais vous êtes si jeune... Vous avez rencontré si peu d'hommes...

— C'est vous que je veux, et personne d'autre !

— Mais...

— Il n'y a pas de mais, murmura-t-elle en lui posant un doigt sur la bouche.

Puis elle se haussa sur la pointe des pieds et lui tendit ses lèvres. Esteban s'en empara fougueusement, et Irena comprit qu'elle avait enfin vaincu les fantômes du passé. La force de sa passion lui fit alors oublier tout ce qui n'était pas Esteban et qui avait pourtant tellement compté jusqu'ici pour elle — Desmond, Grazia, ses frères, sa terre natale... Ils n'avaient bien sûr pas perdu leur place dans son cœur, mais ils ne seraient plus désormais le centre de sa vie : Esteban viendrait toujours en premier.

Le 1er août

Ne manquez pas le second tome de la captivante saga

SCANDALES
et _Passions_

Les jeux du désir

Éconduite par l'homme qu'elle croyait aimer, Valérie Knight, journaliste à la rubrique mondaine de _L'Observateur_, se réfugie dans le travail. Mais une nouvelle déconvenue l'attend : son dernier reportage risque non seulement de valoir un procès au journal, mais aussi de lui attirer les foudres de Nick Caspian, son directeur, et surtout de lui coûter son poste…

Une étrange obsession

Sophie Watson est désemparée : l'homme qu'elle aime va en épouser une autre… Déprimée à l'issue de la soirée donnée en l'honneur de leur fiançailles, elle accepte de se laisser raccompagner chez elle par Guy, son patron au service juridique de _L'Observateur_. Même si elle sait que Guy est, lui aussi, amoureux d'une autre…

Le triomphe de l'amour

Au moment où Gina se voit offrir sur un plateau d'argent l'occasion de porter le coup de grâce à Nick Caspian, son rival de toujours, la jeune femme hésite : ne doit-elle pas renoncer à sa vengeance et laisser parler son cœur ? Car elle sait bien que plus jamais elle n'aimera un homme

Saga SCANDALES et _Passions_

TOME 2

1 volume de 3 romans passionnants

Collection Azur

Ne manquez pas, le 1ᵉʳ août :

UN ENFANT À CHÉRIR de Alison Fraser • Nº2415

Après un week-end de garde à l'hôpital, le Dr Cassandra Barker n'a qu'une envie : rentrer chez elle et dormir ! Hélas, alors qu'elle est sur le point de partir, Drayton Carlisle, son beau-frère, lui annonce une terrible nouvelle : sa sœur Pénélope vient de mourir en mettant au monde une petite fille. Il lui demande alors de s'occuper temporairement du bébé...

UN PASSÉ SCANDALEUX de Carole Mortimer • Nº2416

Lorsque la célèbre actrice Rachel Richmond, l'idole de son enfance, lui demande d'écrire sa biographie, Leonore ne peut cacher sa surprise et sa joie. Mais lors de ses interviews, elle s'aperçoit que Rachel évite systématiquement un épisode sulfureux de son existence. Perplexe, Leonore s'interroge : devra-t-elle s'adresser à Luke, le fils de l'actrice, pour reconstituer le passé de celle-ci ?

FIANCÉE MALGRÉ ELLE de Elizabeth Bevarly • Nº2417

Tracy Riley fixait son père d'un air abasourdi. Ce qu'il venait de lui proposer était aberrant ! Avait-il perdu la tête pour lui demander d'épouser un homme qu'elle connaissait à peine ? Elle n'allait tout de même pas se marier juste pour éviter la faillite de l'entreprise familiale ! En outre, son père ignorait un détail capital : Tracy venait de tomber amoureuse...

UNE SIMPLE NUIT D'AMOUR de Kathryn Ross • Nº2418

Charlotte n'avait pas rêvé : Jordan Lynch se trouvait bien à son côté, dans le lit ! Une sourde angoisse s'empara d'elle. Cet homme était l'associé de son père, et de surcroît, son propre patron ! Comment avait-elle pu laisser une telle chose arriver ? Heureusement, leur relation s'arrêterait là — du moins, sur le plan physique. Car dans quelques heures, Charlotte reverrait Jordan au bureau...

Et les 4 autres titres...

ABONNEZ-VOUS!
2 livres gratuits*
+ 1 bijou
+ 1 cadeau surprise

Choisissez parmi les collections suivantes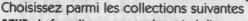

AZUR : La force d'une rencontre, la magie de l'amour.
6 romans de 160 pages par mois. 18,24 €* le colis.

EMOTIONS (anciennement Amours d'aujourd'hui) : L'émotion au cœur de la vie.
3 romans de 288 pages par mois. 13,68 €* le colis.

BLANCHE : Passions et ambitions dans l'univers médical.
3 volumes doubles de 320 pages par mois. 15,12 €* le colis.

LES HISTORIQUES : Le tourbillon de l'Histoire, le souffle de la passion.
3 romans de 352 pages par mois. 15,54 €* le colis.

ROUGE PASSION : Rencontres audacieuses et jeux de séduction.
6 romans de 192 pages par mois. 18,84 €* le colis.

DÉSIRS : Sensualité et passions extrêmes.
2 romans de 192 pages par mois. 6,28 €* le colis.

DÉSIRS/AUDACE : Sexy, impertinent, osé.
2 romans Désirs de 192 pages et 2 romans Audace de 224 pages par mois.
14,46 €* le colis.

HORIZON : Une famille à inventer, un bonheur à construire.
5 romans de 160 pages par mois. 15,30 €* le colis.

BEST-SELLERS : Des grands succès de la fiction féminine.
3 romans de plus de 350 pages tous les mois. 17.67 €* le colis.

BEST-SELLERS/INTRIGUE : Des romans à grands succès, riches en action,
émotion et suspense. 2 romans Best-Sellers de plus de 350 pages et 2
romans Intrigue de 256 pages par mois. 20,34 €* le colis.

MIRA : La passion de lire. 2 romans grand format de plus de 400 pages
tous les mois. 18,90 €* le colis. Attention: certains titres Mira sont déjà parus
dans la collection Best-Sellers.

Plus 2,05 € par colis pour la participation aux frais de port.

VOS avantages exclusifs

1.Une totale liberté
Vous n'avez aucune obligation d'achat. Vous avez
10 jours pour consulter les livres tranquillement
chez vous et décider ensuite de les garder ou de
nous les retourner sans rien nous devoir.

2.Une économie de 5%
sur chaque volume
Vous bénéficiez d'une remise de 5% sur le prix de
vente public.

3.Recevez ces livres
en avant-première**
Les romans que nous vous envoyons, dès le
premier colis, sont des inédits de la collection
choisie. Nous vous les expédions avant même
leur sortie dans le commerce.

**sauf pour Mira